해커스공무원
명품 행정학

단원별 기출문제집 | 1권

송상호

약력

현 | 해커스공무원 행정학 강의
현 | 해커스군무원 행정학 강의
전 | 제일고시학원 행정학 강의
전 | KG패스원 행정학 강의
전 | 아모르 이그잼 행정학 강의

저서

해커스공무원 명품 행정학 기본서
해커스공무원 명품 행정학 단원별 기출문제집
해커스공무원 명품 행정학 실전동형모의고사 1
해커스공무원 명품 행정학 실전동형모의고사 2
해커스군무원 명품 행정학 19개년 기출문제집
해커스군무원 명품 행정학 실전동형모의고사

공무원 시험의 해답
행정학 시험 합격을 위한 필독서

방대한 공무원 행정학의 효율적인 학습을 위해 누적된 기출문제를 분석·분류하여, 학습의 범위와 방향을 명확히 하고 문제 해결 능력을 기를 수 있는 기출문제집을 만들었습니다.

행정학 학습에 기본이 되는 기출문제를 효과적으로 학습할 수 있도록 다음과 같은 특징을 가지고 있습니다.

첫째, 출제 경향을 분석하여 엄선한 기출문제를 100개의 KEYWORD로 분류하여 수록하였습니다.
둘째, 문제풀이 과정에서 이론까지 복습할 수 있도록 상세한 해설을 수록하였습니다.
셋째, 기초부터 고난도까지 체계적으로 실력을 점검할 수 있도록 모든 문제에 난이도 표시를 하였습니다.
넷째, 다회독을 위한 다양한 학습장치를 제공합니다.
다섯째, 실전을 미리 연습할 수 있도록 실제 시험과 유사한 실전모의고사 4회분을 수록하였습니다.

최소한의 시간으로 최대한의 학습 효과를 낼 수 있는 다음의 학습 방법을 추천합니다.

첫째, 기본서와의 연계학습을 통해 각 단원에 맞는 기본 이론을 확인하고 쉽게 암기할 수 있습니다.
둘째, 정답이 아닌 선택지까지 모두 학습함으로써 다채로운 문제 유형에 대처할 수 있는 능력을 기를 수 있습니다.
셋째, 문제의 난이도를 확인하며 실력을 점검하고 개인별 학습 수준에 맞게 학습 강도와 진도를 조절할 수 있습니다.
넷째, 반복 회독학습을 통해 출제유형에 익숙해지고, 자주 출제되는 개념을 스스로 확인할 수 있습니다.
다섯째, 실전모의고사를 통해 시간 배분을 연습하고 실전 감각을 길러, 실제 시험에 효과적으로 대비할 수 있습니다.

더불어, 공무원 시험 전문 사이트인 해커스공무원(gosi.Hackers.com)에서 교재 학습 중 궁금한 점을 나누고 다양한 무료 학습 자료를 함께 이용하여 학습 효과를 극대화할 수 있습니다.

부디 <해커스공무원 명품 행정학 단원별 기출문제집>과 함께 공무원 행정학 시험의 고득점을 달성하고 합격을 향해 한 걸음 더 나아가시기를 바랍니다.

송상호, 해커스 공무원시험연구소

차례

1권

PART 1 행정학 총설

CHAPTER 1 행정의 기초
- KEYWORD 001 행정의 개념 … 12
- KEYWORD 002 행정과 정치, 경영과의 비교 … 12

CHAPTER 2 현대행정의 이해
- KEYWORD 003 파킨슨(Parkinson)의 법칙과 감축관리 … 17
- KEYWORD 004 민자투자제도 … 18
- KEYWORD 005 시장실패와 대응책 … 20
- KEYWORD 006 재화의 유형(E. Savas) … 24
- KEYWORD 007 정부규제 … 27
- KEYWORD 008 윌슨(J. Wilson)의 규제정치모형 … 38
- KEYWORD 009 정부실패와 대응책 … 41
- KEYWORD 010 정부의 역할과 민간화 … 49
- KEYWORD 011 비정부조직(NGO)과 사회적 자본 … 55

CHAPTER 3 행정학의 발달과정과 접근방법
- KEYWORD 012 과학적 관리법과 인간관계론 … 63
- KEYWORD 013 행정학의 다양한 접근방법 (행태적·생태적·체제적·현상학적) … 67
- KEYWORD 014 공공선택론적 접근방법 … 72
- KEYWORD 015 신제도적 접근방법 … 80
- KEYWORD 016 신행정론, 후기행태주의, 비판행정론 … 87
- KEYWORD 017 신공공관리론 … 92
- KEYWORD 018 뉴거버넌스론(신국정관리론) … 100
- KEYWORD 019 신공공관리론과 뉴거버넌스론 … 102
- KEYWORD 020 신공공서비스론 … 105
- KEYWORD 021 포스트 모더니즘 … 111
- KEYWORD 022 행정이론 종합 … 114

CHAPTER 4 행정이념
- KEYWORD 023 주요 이념 … 136
- KEYWORD 024 정의와 사회적 형평성 … 140
- KEYWORD 025 가외성과 합리성 및 공익, 효과성 … 144

PART 2 정책학

CHAPTER 1 정책학 서론
- KEYWORD 026 정책의 의의 … 156
- KEYWORD 027 정책의 유형 … 160
- KEYWORD 028 정책네트워크 … 171
- KEYWORD 029 정책결정요인론 … 178

CHAPTER 2 정책의제설정론
- KEYWORD 030 정책의제설정의 이론적 근거 … 180
- KEYWORD 031 정책의제설정 … 191

CHAPTER 3 정책분석론
- KEYWORD 032 정책문제정의 … 198
- KEYWORD 033 제3종 오류 … 200

CHAPTER 4 정책결정론
- KEYWORD 034 정책결정의 의의 … 202
- KEYWORD 035 불확실성 대처방안 … 213
- KEYWORD 036 정책결정모형 … 215
- KEYWORD 037 정책분석 … 235

CHAPTER 5 정책집행론
- KEYWORD 038 정책집행의 의의 … 240
- KEYWORD 039 정책집행유형 … 252

CHAPTER 6 정책평가론과 기획론
- KEYWORD 040 정책평가의 의의 … 258
- KEYWORD 041 정책평가의 타당성 … 263
- KEYWORD 042 사회실험 및 정책학습 … 272
- KEYWORD 043 사회지표 및 정책변동 … 277
- KEYWORD 044 정부업무평가 기본법 … 283
- KEYWORD 045 기획론 … 289

PART 3 행정조직론

CHAPTER 1 조직이론의 기초 및 조직과 환경
- KEYWORD 046 조직이론의 의의 … 294
- KEYWORD 047 조직과 환경 … 302

CHAPTER 2 조직의 구조
- KEYWORD 048 조직구조 … 311
- KEYWORD 049 관료제와 탈관료제 … 331
- KEYWORD 050 위원회 조직 … 351
- KEYWORD 051 공기업과 책임운영기관 … 354

CHAPTER 3 조직관리
- KEYWORD 052 동기이론 … 361
- KEYWORD 053 정보공개 … 379
- KEYWORD 054 갈등과 리더십 … 380
- KEYWORD 055 의사전달과 조직문화 … 395

CHAPTER 4 조직혁신
- KEYWORD 056 목표관리(MBO)와 조직발전(OD) … 401
- KEYWORD 057 총체적 품질관리(TQM)와 전략적 관리(SM) … 404
- KEYWORD 058 균형성과지표(BSC) … 407

2권

PART 4 인사행정론

CHAPTER 1 인사행정의 기초

KEYWORD 059	인사행정의 의의	420
KEYWORD 060	엽관주의와 실적주의	420
KEYWORD 061	적극적 인사행정	427
KEYWORD 062	대표관료제	430
KEYWORD 063	직업공무원제	435
KEYWORD 064	중앙인사기관	439

CHAPTER 2 공직의 분류

KEYWORD 065	계급제와 직위분류제	441
KEYWORD 066	경력직과 특수경력직	453
KEYWORD 067	개방형과 폐쇄형	462
KEYWORD 068	고위공무원단제도	464

CHAPTER 3 임용 및 능력발전

KEYWORD 069	신규채용 및 교육훈련	470
KEYWORD 070	근무성적평정 및 다면평가	478
KEYWORD 071	경력평정과 배치전환	490

CHAPTER 4 동기부여

| KEYWORD 072 | 고충처리 및 제안제도 | 494 |
| KEYWORD 073 | 공무원의 보수 및 연금 | 496 |

CHAPTER 5 인사행정의 규범

KEYWORD 074	신분보장	506
KEYWORD 075	공무원 단체와 공무원의 정치적 중립	511
KEYWORD 076	공직윤리 및 공직부패	514

PART 5 재무행정론

CHAPTER 1 재무행정의 기초

| KEYWORD 077 | 예산의 의의와 형식 | 534 |
| KEYWORD 078 | 예산의 기능과 원칙 | 537 |

CHAPTER 2 예산의 분류와 종류

KEYWORD 079	예산의 분류와 종류	544
KEYWORD 080	국가재정법	560
KEYWORD 081	특별회계와 기금	572
KEYWORD 082	통합예산과 자본예산	575
KEYWORD 083	조세지출예산제도	578

CHAPTER 3 예산제도론

KEYWORD 084	예산결정이론	581
KEYWORD 085	품목별예산제도(LIBS)와 성과주의예산제도(PBS)	586
KEYWORD 086	계획예산제도(PPBS)와 영기준예산제도(ZBB)	592
KEYWORD 087	일몰법과 신성과주의예산	598
KEYWORD 088	예산제도 종합	602

CHAPTER 4 예산과정

KEYWORD 089	성과관리	605
KEYWORD 090	예산과정	609
KEYWORD 091	통제와 결산 및 회계검사	624
KEYWORD 092	발생주의 복식부기	631
KEYWORD 093	구매	633

PART 6 지식정보화 사회와 환류론

CHAPTER 1 지식정보화 사회

| KEYWORD 094 | 지식관리 | 636 |
| KEYWORD 095 | 전자정부 | 638 |

CHAPTER 2 행정통제 및 행정개혁

| KEYWORD 096 | 행정통제 및 행정개혁 | 653 |

PART 7 지방행정론

CHAPTER 1 지방행정 및 지방자치단체

| KEYWORD 097 | 지방행정의 개념 및 구조와 구역 | 670 |
| KEYWORD 098 | 지방자치단체의 권능과 사무 및 기관 | 691 |

CHAPTER 2 정부 간 관계 및 지방재정

| KEYWORD 099 | 정부 간 관계와 광역행정 | 712 |
| KEYWORD 100 | 지방재정 | 722 |

부록 실전모의고사

1회 실전모의고사	748
2회 실전모의고사	752
3회 실전모의고사_국가직 7급 대비	756
4회 실전모의고사_국가직 7급 대비	761
정답 및 해설	766

이 책의 활용법

문제해결 능력 향상을 위한 단계별 구성

STEP 1 기출문제로 문제해결 능력 키우기

공무원 행정학 기출문제 중 재출제 가능성이 높은 문제들을 엄선하여, 학습 흐름에 따라 KEYWORD별로 배치하고, PART별로 구분하여 수록하였습니다. 이를 통해 각 PART에서 자주 출제되거나 중요한 KEYWORD를 미리 파악하여 최신 출제경향에 적극적으로 대비가 가능합니다.

STEP 2 상세한 해설로 개념 완성하기

모든 문제에 난이도를 표기하여 기초부터 고난도까지 단계별 개념 학습이 가능하며, 문제풀이 과정에서 핵심 이론을 완성할 수 있도록 상세한 해설을 수록하였습니다. 이를 통해 기출문제 분석과 이론 복습을 병행하며 취약점을 보완하고, 시험 핵심 개념을 정리할 수 있습니다.

STEP 3 실전모의고사를 통한 실전 감각 높이기

학습 마무리 단계에서 실전과 유사하게 문제풀이 연습을 할 수 있도록 실전모의고사 20문항 2회분, 25문항 2회분을 수록하였습니다. 이를 통해 다양한 예상문제와 고난도 문제들을 학습하며, 실전을 대비한 시간 안배 및 마인드 컨트롤 훈련이 가능합니다.

정답의 근거와 오답의 원인, 관련이론까지 짚어주는 정답 및 해설

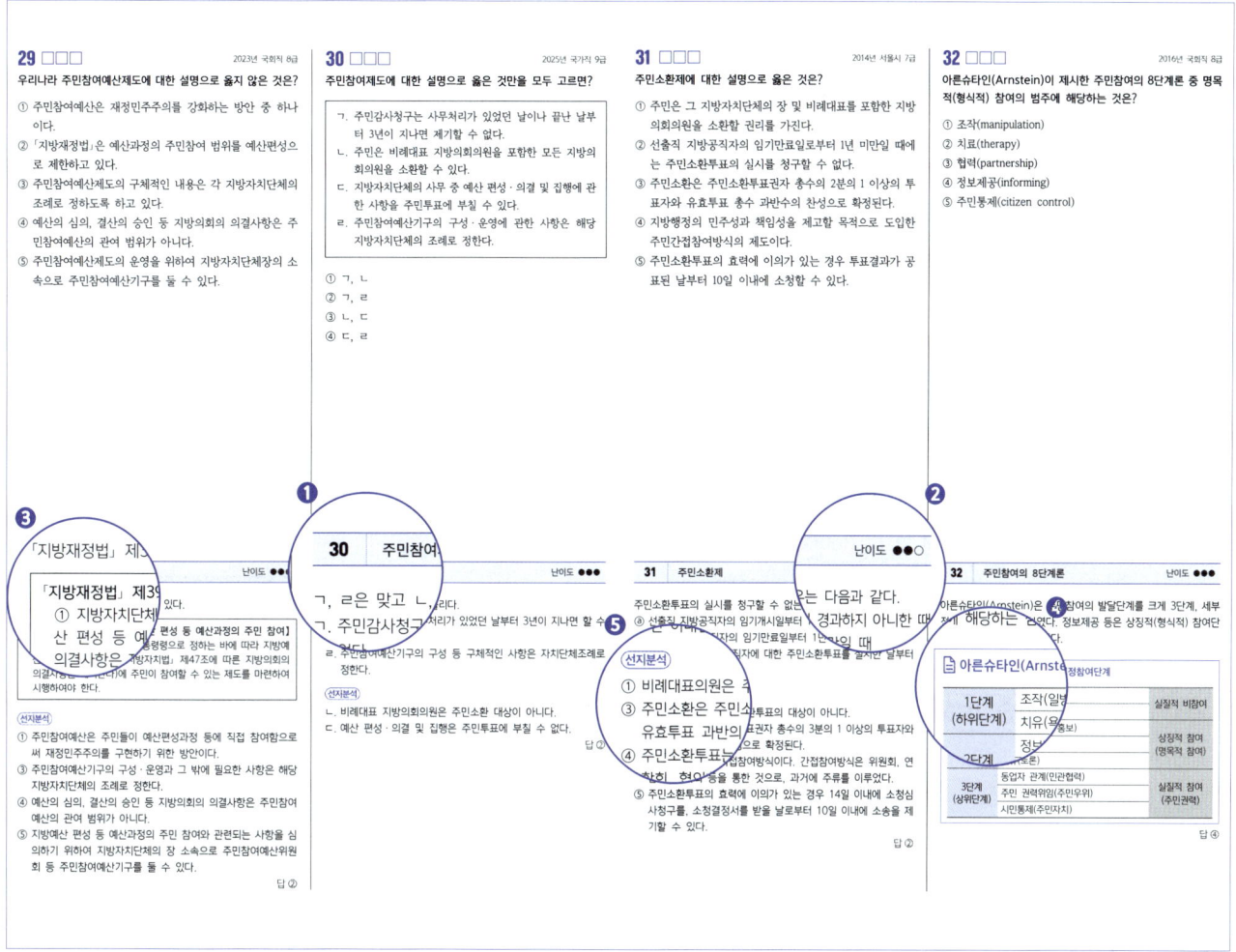

❶ 문항별 출제 포인트

문항마다 문제의 핵심이 되는 출제 포인트를 명시하여, 각 문제가 묻고 있는 이론을 한눈에 파악할 수 있습니다.

❸ 관련 법령

문제풀이에 필요한 관련 법령을 수록하여, 별도의 법령집 없이 해설만으로도 법령의 심도 있는 학습이 가능합니다.

❺ 선지분석

정답인 선지뿐만 아니라 오답인 선지에 대해서도 상세한 설명을 수록하여, 다양한 선지 유형을 빈틈없이 학습할 수 있습니다.

❷ 난이도 표시

모든 문제에 난이도를 표시했습니다. 기초부터 고난도까지 체계적으로 접근하여 이론 이해도를 점검하고, 학습 수준에 맞춰 학습 강도와 진도를 조절할 수 있습니다.

❹ 관련 이론

문제와 관련된 핵심 이론을 수록하였습니다. 취약한 개념을 바로 확인하여 이론의 효과적인 학습이 가능합니다.

정부조직 개편방안

정부조직 개편 개관

2025년 9월 7일 행정안전부에서 발표한 정부조직 개편방안에 따르면, 중앙행정기관이 기존 19부 3처 20청 6위원회에서 "19부 6처 19청 6위원회"로 개편됩니다. 2026년에 시행되는 시험부터 정부조직 개편방안이 적용되어 출제되니, 개편 후 정부기구도와 정부조직개편 개관을 숙지해야 하며 다음의 내용을 유의하여 학습하시기 바랍니다.

1. 기후에너지환경부, 성평등가족부 등 일반 부처 개편은 공포 즉시 시행되나, 예산심사 일정과 제도 정비 등을 고려해 재정경제부와 기획예산처는 2026년 1월 2일, 공소청과 중대범죄수사청은 2026년 10월 2일 시행입니다.
2. 중앙행정기관 6처는 국무총리소속의 기획예산처, 인사혁신처, 법제처, 식품의약품안전처, 국가데이터처, 지식재산처입니다.
3. 중앙행정기관 6위원회는 대통령소속의 방송미디어통신위원회, 국무총리소속의 공정거래위원회, 금융위원회, 국민권익위원회, 개인정보보호위원회, 원자력안전위원회입니다.

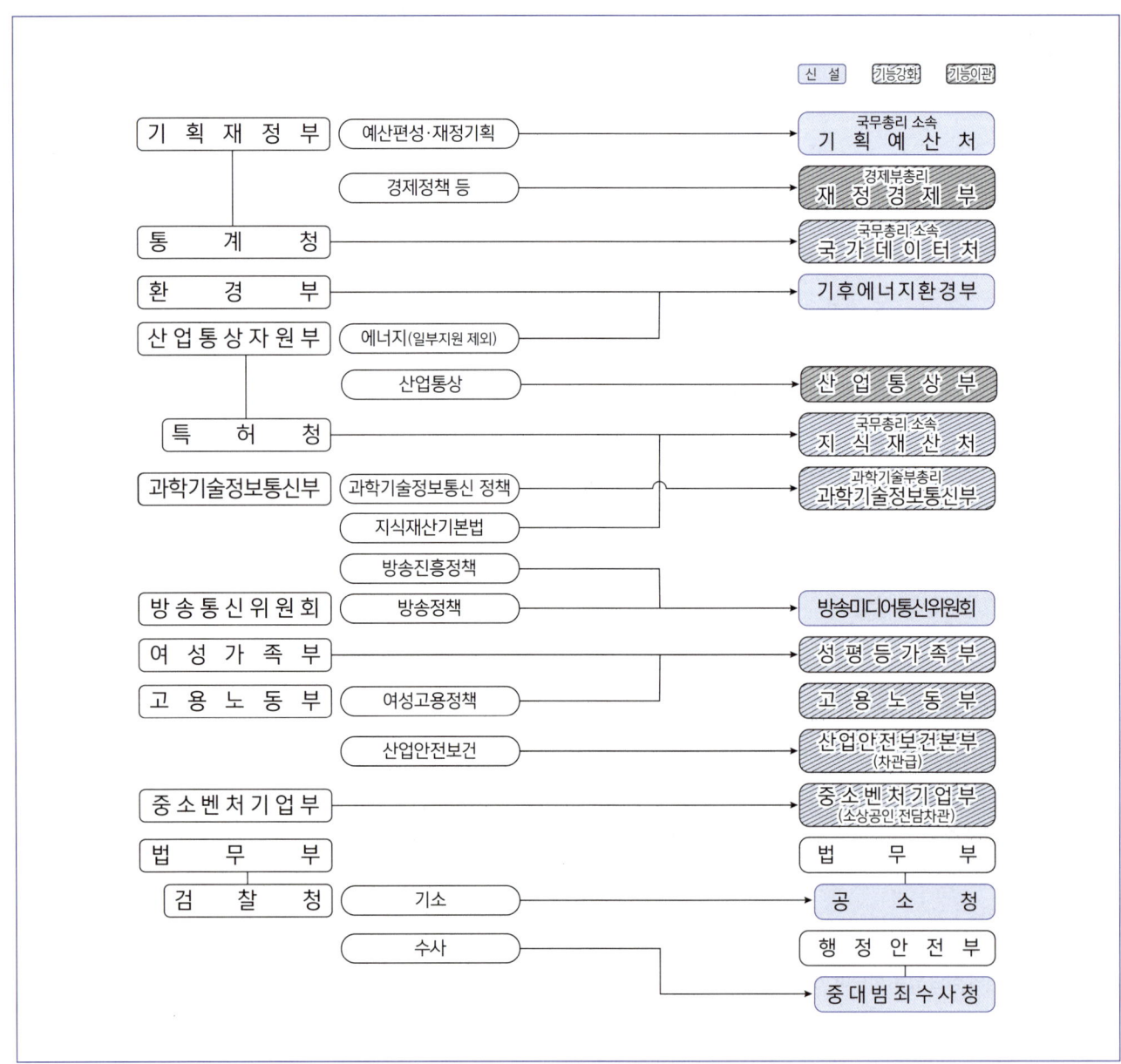

개편 후 정부기구도

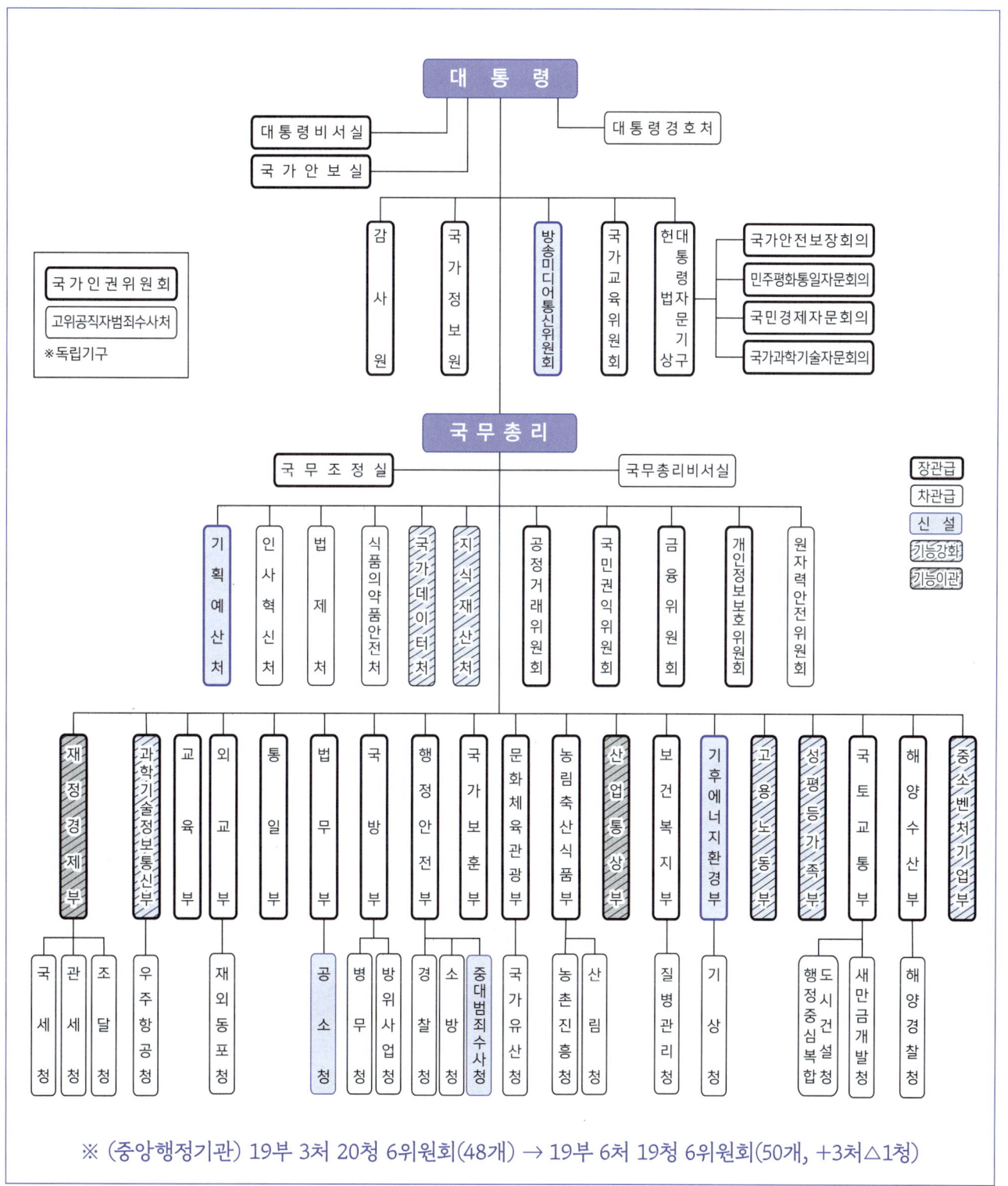

※ (중앙행정기관) 19부 3처 20청 6위원회(48개) → 19부 6처 19청 6위원회(50개, +3처 △1청)

PART 1

행정학 총설

해커스공무원
명품 행정학

단원별 기출문제집

CHAPTER 1 / 행정의 기초
CHAPTER 2 / 현대행정의 이해
CHAPTER 3 / 행정학의 발달과정과 접근방법
CHAPTER 4 / 행정이념

CHAPTER 1 행정의 기초

KEYWORD 001 행정의 개념

01 □□□ 2009년 서울시 9급

다음 중 행정에 대한 개념으로 올바르지 않은 것은?

① 넓은 의미의 행정은 협동적 인간 노력의 형태로서 정부조직을 포함한 대규모 조직에서 보편적으로 나타난다.
② 최근의 행정 개념은 공공문제 해결을 위해 정부 외 공·사조직들 간의 연결네트워크, 즉 거버넌스(governance)를 강조하는 경향이 있다.
③ 좁은 의미의 행정은 정부조직이 행하는 공공목적 달성을 위한 제반 노력을 의미한다.
④ 행정은 정치과정과는 분리된 정부활동으로 공공서비스의 생산 및 공급과 분배에 관련된 모든 활동을 의미한다.
⑤ 행정과 경영은 비교적 유사한 활동이라고 할 수 있으나 그 목적하는 바가 다르다.

---

01 행정의 개념 난이도 ●○○

행정은 정치권력이 배경이므로, 시장과 달리 국민에 대한 권리 제한과 의무 부과가 가능하다. 즉, 행정은 국민의 지지와 권한의 위임에 기반한 다양한 국민의 의사가 집약되는 정치와 분리될 수 없다.

선지분석
① 행정과 경영의 유사점을 강조하는 행정의 개념이다.
② 최근의 거버넌스(governance)적 시각이며, 국가-시민사회 단체-시장의 협력을 강조하는 개념으로 옳은 지문이다.
③ 좁은 의미의 행정 개념인 정부 관료제가 하는 활동으로 옳은 지문이다.

행정과 경영의 비교

구분	행정	경영
주체	정부	기업
목적	공익	사익
정치성	강함	약함
권력성	강함	약함
법적 제한	강함	약함
평등성	강함	약함
독점성	강함	약함
공개성	강함	약함

답 ④

KEYWORD 002 행정과 정치, 경영과의 비교

02 □□□ 2019년 서울시 9급

정치행정일원론에 대한 설명으로 가장 옳지 않은 것은?

① 공공조직의 관리자들은 정책결정자를 위한 지원, 정보제공의 역할만을 수행한다.
② 공공조직의 관리자들은 정책을 구체화하면서 정책결정 기능을 수행한다.
③ 공공조직의 관리자들이 수집, 분석, 제시하는 정보가 가치판단적인 요소를 내포한다.
④ 행정의 파급효과는 정치적인 요소를 내포한다.

---

02 정치행정일원론 난이도 ●○○

공공조직의 관리자들이 정책결정자를 위한 지원업무와 정보제공의 역할만 수행하는 것은 정치행정이원론에 해당하는 설명이다. 정치행정일원론은 행정이 정책의 구체화뿐만 아니라 적극적으로 정책결정을 하는 기능이나 입법까지 담당하는 것이라고 이해한다.

선지분석
②, ③, ④ 모두 관리자(집행자)가 정책을 실질적으로 결정하는 정치행정일원론에 대한 설명이다.

답 ①

03　　　　　　　　　　　　　　　　2020년 국가직 9급

정치행정이원론에 대한 설명으로 옳은 것은?

① 정당정치의 개입으로부터 자유로운 행정 영역을 강조하였다.
② 1930년대 뉴딜정책은 정치행정이원론이 등장하게 된 중요 배경이다.
③ 과학적 관리론과 행정개혁운동은 정치행정이원론의 한계를 지적하였다.
④ 정치행정이원론을 대표하는 애플비(Appleby)는 정치와 행정이 단절적이라고 보았다.

03　정치행정이원론　　　　　　　　　난이도 ●●○

정치행정이원론은 정당정치를 핵심 요소로 하는 엽관주의 시대의 병폐를 극복하기 위해 정치와 행정의 분리를 주장하였다.

선지분석
② 1930년대 경제대공황을 극복하기 위한 뉴딜정책은 정치행정일원론이 등장하게 된 주요배경이다.
③ 과학적 관리론 등의 행정개혁운동은 정치행정이원론이 등장하게 된 배경이다.
④ 애플비(Appleby)는 정치와 행정의 과정은 연속적·순환적 과정이므로 결합관계를 중시하여야 한다고 주장(정치행정융합론)하였다.

답 ①

04　　　　　　　　　　　　　　　　2022년 지방직 7급

애플비(Appleby)가 주장한 정치행정일원론의 내용에 해당하는 것은?

① 행정은 효율성을 추구하는 관리를 핵심으로 한다.
② 행정은 민의를 중시해야 하며 정책결정과 집행의 혼합작용이다.
③ 시간과 동작연구를 통한 직무의 전문화는 행정조직의 생산성을 극대화할 수 있다.
④ 고위 관료가 능률적으로 관리해야 할 행정원리는 기획, 조직, 인사, 지휘, 조정, 보고, 예산 등이 있다.

04　정치행정일원론　　　　　　　　　난이도 ●●○

애플비(Appleby)는 '거대한 민주주의'에서 행정은 정책형성이라고 보면서 정치와 행정은 연속적·순환적 관계임을 강조하고 양자를 구별하는 것은 부적합하다는 입장이다.

선지분석
① 행정이 효율성을 추구하는 관리에 중점을 두는 것은 정치행정이원론에 대한 설명이다.
③ 시간과 동작연구는 테일러에 대한 설명이다. 테일러는 정치행정이원론자이다.
④ 귤릭(Gulick)은 능률적인 구조설계로서 POSDCoRB를 강조하였다.

답 ②

05　2022년 군무원 9급

정치행정이원론과 관련된 설명으로 가장 옳지 않은 것은?

① 행정을 공공서비스의 효율적인 생산 및 공급, 분배와 관련된 비권력적 관리현상으로 이해한다.
② 엽관주의를 극복하기 위한 시대적 요청에 따라 미국 펜들턴법(Pendleton Civil Service Reform Act)이 제정되었다.
③ 정치로부터 행정의 독자성을 강조하면서 과학적 관리법에 기반한 행태주의적 관점을 지지한다.
④ 행정국가의 등장으로 행정의 능률성과 전문성이 강조되면서 행정개혁운동이 전개되었다.

06　2021년 지방직 9급

정치행정일원론에 대한 설명으로 옳은 것은?

① 행정국가의 등장과 연관성이 깊다.
② 윌슨(Wilson)의 『행정연구』가 공헌하였다.
③ 정치는 의사결정의 영역이고, 행정은 결정된 내용을 집행한다고 보았다.
④ 행정은 경영과 비슷해야 하며, 행정이 지향하는 가치로 절약과 능률을 강조하였다.

05　정치행정이원론　난이도 ●●○

사이먼(Simon)은 행정학 연구에 있어서 논리실증주의에 입각한 과학적 연구를 강조하고, 과학으로서의 행정학은 가치와 사실을 구분하여 사실만을 다루어야 한다고 주장하면서 정치행정새이원론을 주장하였다. 행태주의는 과학적 관리론의 원리접근법을 비판한다.

(선지분석)
① 정치행정이원론자인 윌슨(W. Wilson)은 『행정의 연구』에서 행정을 비권력적인 관리현상이라 주장했다.
② 엽관주의의 한계를 극복하기 위해 1883년 미국에서 펜들턴법이 제정되었다.
④ 행정국가현상이 등장하기 시작한 것은 행정기능이 양적으로 팽창하고 질적으로 전문화된 19세기 말부터이므로 옳은 지문이다.

답 ③

06　정치행정일원론　난이도 ●○○

정치행정일원론은 행정국가의 등장과 연관성이 깊다.

(선지분석)
② 윌슨(Wilson)은 정치행정이원론의 관점에서 행정학 성립에 공헌한 학자이다.
③ 정치가 결정하고 행정이 집행하는 것이 정치행정이원론이다.
④ 정치행정이원론은 행정과 경영이 유사하다고 보는 이론이다.

답 ①

07 □□□
2022년 국가직 7급

정치행정이원론에 대한 설명으로 옳지 않은 것은?

① 행정과 경영이 차이가 없음을 강조하는 공사행정일원론의 입장을 취한다.
② 의사결정 역할을 하는 정치와 결정된 의사를 집행하는 행정의 역할을 엄격하게 구분할 것을 주장하였다.
③ 윌슨(Wilson)은 행정을 전문적·기술적 영역으로 규정하고, 정부는 효율성과 전문성을 갖추어야 한다고 주장하였다.
④ 대공황 이후 각종 사회문제를 해결하기 위해서 행정의 정책결정·형성 및 준입법적 기능수행을 정당화하였다.

08 □□□
2025년 군무원 9급

정치·행정이원론에 대한 설명으로 가장 적절하지 않은 것은?

① 굿노(Goodnow)와 윌슨(Wilson)에 의해 발전되고 체계화되었다.
② 행정의 효율성을 제고하고 나아가 행정이 전문성을 갖출 수 있도록 목표를 설정하였다.
③ 엽관주의를 극복하는 데 기여하였지만, 행정과 정치의 역할을 지나치게 엄격하게 분리함으로써 실적주의에 대한 논의와 확립을 더디게 하는 결과를 낳았다.
④ 정치가 선거활동이자 의회에 의한 입법활동으로서 정부활동에 대한 폭 넓은 계획을 수립하는 것이라면, 행정이란 정치부문에서 결정한 내용을 구체적으로 집행하는 것이라고 보았다.

---

07 정치행정이원론   난이도 ●●○

행정의 정책결정·형성 및 준입법적 기능수행을 정당화하는 것은 행정의 정책결정기능을 중시하는 정치행정일원론이다.

[선지분석]
① 정치행정이원론은 행정과 경영이 유사하다고 보는 공사행정일원론의 입장이다.
② 정치행정이원론은 정치와 행정을 엄격하게 분리하는 입장이다.
③ 윌슨(Wilson)은 정치행정이원론의 입장으로, 행정의 능률성을 강조한다.

답 ④

08 정치·행정이원론   난이도 ●●○

정치·행정이원론과 실적주의는 행정에 대해 정치가 우위를 차지하였던 엽관주의 시대의 병폐를 극복하기 위해 정치로부터 행정의 분리를 주장하였다. 정치·행정이원론이 실적주의 논의를 더디게 한 게 아니다.

[선지분석]
① 굿노(Goodnow)와 윌슨(Wilson)은 대표적인 정치·행정이원론자이다.
② 정치·행정이원론은 행정의 효율성과 전문성을 추구하였다.
④ 정치가 국민들의 의사를 수렴하는 가치개입적 행위, 국민 또는 국민의 대표에 의한 정책결정 과정으로, 정치는 본질적으로 민주성을 확보하는 과정이라면, 행정은 수렴된 국민의 의사를 실행하는 가치중립적 행위(정책집행) 과정으로, 행정은 목표달성 과정에서의 능률성을 확보하는 과정이다.

답 ③

09 ☐☐☐ 2021년 군무원 9급

행정과 경영의 유사점에 대한 설명으로 가장 옳지 않은 것은?

① 행정과 경영은 어느 정도 관료제적 성격을 지니고 있다.
② 행정과 경영은 관리기술이 유사하다.
③ 행정과 경영은 목표는 다르지만 목표달성을 위한 수단으로 작동한다.
④ 행정과 경영은 비슷한 수준의 법적 규제를 받는다.

| 09 | 행정과 경영의 관계 | 난이도 ●○○ |

법치행정 원리의 측면에서 행정은 경영보다 엄격한 법적 규제를 받는다.

답 ④

CHAPTER 2 현대행정의 이해

KEYWORD 003 파킨슨(Parkinson)의 법칙과 감축관리

01 □□□ 2010년 수탁 9급

파킨슨(Parkinson)의 법칙에 대한 설명으로 옳지 않은 것은?

① 조직의 구조적 특징이 조직의 규모를 결정한다.
② 상승하는 피라미드의 법칙(the law of rising pyramid)이라고도 불린다.
③ 공무원 수는 업무와 무관하게 일정비율로 증가한다.
④ 부하배증의 법칙과 업무배증의 법칙을 핵심내용으로 한다.

02 □□□ 2025년 국가직 7급

파킨슨(C. Parkinson) 법칙에 해당하는 것만을 모두 고르면?

ㄱ. 본질적인 업무는 그대로인데, 파생적인 업무가 늘어난다.
ㄴ. 공무원은 금전적 효용보다는 직무에 관련한 개인적 효용을 추구한다.
ㄷ. 자신의 무능력 수준에 이를 때까지 승진하게 된다.
ㄹ. 공무원의 수는 업무량과 관계없이 증가한다.

① ㄱ, ㄴ
② ㄱ, ㄹ
③ ㄴ, ㄷ
④ ㄷ, ㄹ

---

01 파킨슨(Parkinson)의 법칙 난이도 ●○○

파킨슨(Parkinson)의 법칙이란 공무원 수는 업무와 무관하게 일정비율로 증가한다는 법칙으로, 구조적 특징과는 관련이 없다.

선지분석
② 부하배증의 법칙에 의거하여 계층이 증가하며, 이를 상승하는 피라미드의 법칙이라고 한다.
③, ④ 파킨슨(Parkinson)은 부하배증과 업무배증의 법칙으로, 공무원의 수는 업무와 무관하게 일정비율로 증가한다고 주장한다.

답 ①

02 파킨슨의 법칙 난이도 ●○○

파킨슨의 법칙과 관련하여 ㄱ, ㄹ만 옳다.
ㄱ. 본질적인 업무량과는 관계없이 감독, 보고, 지시 등 파생적인 업무가 늘어나 공무원 수가 늘어난다는 법칙이다.
ㄹ. 공무원의 수는 본질적인 업무량과 관계없이 부하배증과 업무배증의 법칙의 상호작용에 의하여 증가한다.

선지분석
ㄴ. 공무원이 예산보다는 직무에 관련한 효용을 추구하는 것은 Dunleavy의 관청형성모형이다.
ㄷ. 공무원은 자신의 무능력 수준에 이를 때까지 승진하게 된다는 법칙은 피터의 원리이다.

답 ②

03 ☐☐☐   2011년 국가직 9급

감축관리 방안으로 적절하지 않은 것은?

① 영기준예산(ZBB) 도입
② 일몰법(sunset law) 시행
③ 위원회(committee) 설치
④ 정책종결(policy termination)

---

03   감축관리 방안   난이도 ●○○

위원회 설치는 행정국가 시대에 정부기구를 팽창시켰다. 따라서 감축관리하에서는 남설된 위원회를 통합·정비하려는 움직임을 보였다.

선지분석
① 영기준예산(ZBB)은 예산을 감축하는 제도이다.
② 일몰법(sunset law)은 입법 과정에서의 감축 방식이다.
④ 불필요하거나 낭비적인 정책종결(policy termination)도 감축관리의 방식이다.

답 ③

KEYWORD 004   민자투자제도

04 ☐☐☐   2018년 지방직 7급

공공서비스 공급을 확대하는 과정에서 정부예산이 부족한 경우 활용되는 수익형 민자사업(BTO)에 대한 설명으로 옳지 않은 것은?

① BTO는 민간이 자금을 투자해 공공시설을 건설하고 소유권을 정부로 이전하지만, 그 대가로 민간사업자는 일정기간 사용수익권을 인정받게 된다.
② BTO의 경우 민간사업자는 시설을 운영하면서 사용료 징수로 투자비를 회수하는데, 주로 도로·철도 등 수익창출이 가능한 영역에 적용된다.
③ BTO의 경우 시설에 대한 수요변동 위험은 정부에서 부담하며, 정부는 사전에 약정한 수익률을 포함한 리스료를 민간사업자에게 지출한다.
④ BTO는 일반적으로 임대형 민자사업(BTL)에 비해 사업리스크와 수익률이 상대적으로 더 높고, 사업기간도 상대적으로 더 길다.

---

04   BTO 방식   난이도 ●●○

시설에 대한 수요변동 위험을 정부에서 부담하고 정부가 사전에 약정한 수익률을 포함한 리스료를 민간사업자에게 지출하는 것은 BTO가 아니라 BTL에 대한 설명이다. BTO는 민간이 사회간접자본을 건설하고 소유권을 이전한 다음 민간이 운영하여 투자비를 회수하는 방식이다. 그러나 BTL은 민간이 건설하고 소유권을 이전한 다음 정부로부터 임대료(리스료)를 받아 투자비를 회수하는 방식이다.

사회간접자본에 대한 민자유치방식 개념

BOO (Build Own Operate)	• 민간자본으로 민간이 건설(build)하여 • 소유권을 가지며(own) • 직접 운영(operate)하여 투자비 회수
BOT (Build Operate Transfer)	• 민간자본으로 민간이 건설(build)하여 • 직접 운영(operate)하여 투자비를 회수한 후 • 소유권을 정부에 이전(transfer)
BTO (Build Transfer Operate)	• 민간자본으로 민간이 건설(build)하여 • 완공 시 소유권을 정부에 이전(Transfer)하는 대신 • 직접 운영(operate)하여 투자비 회수
BTL (Build Transfer Lease)	• 민간자본으로 민간이 건설(build)하여 • 완공 시 소유권을 정부에 이전(transfer)하는 대신 일정기간 동안 시설의 사용·수익권한 획득 • 시설을 정부에 임대(lease)하고 임대료로 투자비 회수

답 ③

05 ☐☐☐   2012년 국가직 9급

새로운 공공서비스 공급방식으로 제시된 BTO(Build-Transfer-Operate)와 BTL(Build-Transfer-Lease)에 대한 설명으로 옳지 않은 것은?

구분	BTO 방식	BTL 방식
ㄱ. 실제 운영의 주체	민간	정부
ㄴ. 운영 시 소유권	정부	민간
ㄷ. 투자비 회수방법	사용료	임대료
ㄹ. 소유권 이전시기	준공	준공

① ㄱ
② ㄴ
③ ㄷ
④ ㄹ

06 ☐☐☐   2009년 서울시 9급

임대형 민자사업(Build-Transfer-Lease)의 효과가 아닌 것은?

① 재정부담의 세대 간 이전을 통해 미래세대가 금전적 부담 없이 시설에 대한 혜택을 볼 수 있다.
② 민간의 창의를 활용해 투자 효율을 높일 수 있다.
③ 정부의 재정운영 방식의 탄력성을 높일 수 있다.
④ 민간부문의 유휴자금을 장기 공공투자로 유인할 수 있다.
⑤ 정부가 통상적으로 연간 예산으로 건설하기에는 소요시간이 많이 드는 긴요한 공공시설을 민간자본을 통해 조기에 공급할 수 있다.

---

05 BTO 방식과 BTL 방식   난이도 ●○○

BTO 방식과 BTL 방식 모두 준공과 동시에 소유권이 정부로 이전되므로, 운영 시 소유권은 정부가 보유한다는 점에서 동일하다. 다만, BTO 방식은 민간이 운영하는 것이고, BTL 방식은 정부가 운영한다는 것이 다르다.

📄 **BTO 방식과 BTL 방식**

구분	BTO 방식	BTL 방식
실제 운영의 주체	민간	정부
운영 시 소유권	정부	정부
투자비 회수방법	사용료	임대료
소유권 이전시기	준공	준공

답 ②

06 임대형 민자사업(BTL 방식)   난이도 ●●○

임대형 민자방식인 BTL 방식은 수익자 부담원칙에 따라 세대 간의 이전을 통해 공공시설을 사용할 미래세대인 수익자가 재정부담을 하는 것이다.

(선지분석)
②, ③ 민간의 신축성과 탄력적 재정운용, 민간의 창의성을 SOC 건설에 활용할 수 있다.
⑤ 예산 부족 시 민간자본을 통해 조기에 공급한다.

답 ①

07
2020년 지방직 9급

민간투자사업자가 사회기반시설 준공과 동시에 해당 시설 소유권을 정부로 이전하는 대신 시설관리 운영권을 획득하고, 정부는 해당 시설을 임차 사용하여 약정기간 임대료를 민간에게 지급하는 방식은?

① BTO(Build-Transfer-Operate)
② BTL(Build-Transfer-Lease)
③ BOT(Build-Own-Transfer)
④ BOO(Build-Own-Operate)

KEYWORD 005 시장실패와 대응책

08
2016년 서울시 9급

시장실패 원인에 대응하는 정부의 방식에 대한 설명으로 가장 옳지 않은 것은?

① 외부효과 발생에 대해서는 보조금 혹은 정부규제로 대응할 수 있다.
② 자연독점에 대해서는 공적공급 혹은 정부규제로 대응할 수 있다.
③ 정보의 비대칭성에 대해서는 보조금으로 대응할 수 있다.
④ 불완전경쟁에 대해서는 보조금 혹은 공적공급으로 대응할 수 있다.

| 07 | 민자투자제도 | 난이도 ●○○ |

BTL(Build-Transfer-Lease)은 민간사업자가 시설을 건설하고, 준공과 동시에 소유권을 정부로 이전하는 대신, 정부는 시설을 임차하여 약정기간 동안 임대료를 민간사업자에게 지급하는 민자유치 방식이다.

(선지분석)
① BTO(Build-Transfer-Own)는 민간이 건설하고, 소유권을 정부에 이전한 다음 투자비가 회수될 때까지 민간이 운영하는 방식이다.

답 ②

| 08 | 시장실패 원인에 대응하는 정부의 방식 | 난이도 ●●● |

시장실패의 원인 중 불완전경쟁에 대해서는 정부규제(권위)로 대응할 수 있다. 공적공급으로 대응하는 것은 자연독점과 공공재이다.

시장실패의 원인별 대응방식

구분	공적공급(조직)	공적유도(유인)	정부규제(권위)
불완전경쟁			○
자연독점	○		○
정보의 비대칭성		○	○
외부효과의 발생		○	○
공공재의 존재	○		

답 ④

09

2023년 군무원 9급

다음 중 시장실패에 따른 정부개입 근거에 대한 설명으로 가장 거리가 먼 것은?

① 공공재의 공급이 부족한 경우 정부가 강제적으로 공급한다.
② 외부효과 발생 시 조세와 보조금 등을 사용하여 외부효과를 제거한다.
③ 사회적 소득불평등에 따른 문제를 해결하기 위해 사회보장정책을 시행한다.
④ 불완전경쟁에 대해서는 보조금 혹은 공적공급으로 대응할 수 있다.

10

2015년 서울시 7급

시장실패에 대한 설명으로 가장 옳지 않은 것은?

① 자원배분의 효율성을 저해하는 불완전경쟁은 시장실패의 원인이다.
② 제3자에게 의도하지 않은 이득이나 손해를 주는 현상은 시장실패의 원인이 되기도 한다.
③ 공공조직의 내부성(Internalities)은 시장실패의 원인이다.
④ 시장실패에 대응하기 위해 정부는 공적유도를 통한 시장에의 개입을 시도한다.

---

09 시장실패   난이도 ●●●

불완전경쟁에 대해서는 공적공급이 해당되지 않는다.

답 ④

10 시장실패   난이도 ●○○

공공조직의 내부성은 관료들이 공익보다는 사익을 추구하는 성향을 말하며, 시장실패가 아니라 정부실패의 요인이다.

(선지분석)
② 제3자에게 의도하지 않은 이득이나 손해를 주는 현상은 외부효과로, 시장실패의 원인이다.
④ 공적유도(유인)를 통해 대응할 수 있는 시장실패의 유형은 정보의 비대칭성과 외부효과의 발생이다.

답 ③

11

2014년 경찰간부

공유지의 비극(Tragedy of Commons)에 대한 설명 중 가장 옳은 것은?

① 개인은 모두 자신의 이익을 극대화한다고 가정한다.
② 정부실패의 원인이다.
③ 형평적 분배에 의한 비효율적 자원배분을 설명하고 있다.
④ 불완전경쟁에 대한 설명이다.

12

2014년 사회복지직 9급

주인과 대리인 관계에서 나타나는 여러 문제를 다루기 위하여 제기된 대리인이론(Agency Theory)에 대한 설명과 가장 거리가 먼 것은?

① 주인과 대리인 모두 자신의 이익을 극대화하려는 합리적 행위자이다.
② 대리인의 선호가 주인의 선호와 일치하지 않을 수 있다.
③ 대리인에게 불리한 선택으로 인한 문제 해결에 초점을 둔다.
④ 주인과 대리인 간에는 정보의 비대칭성이 존재한다.

---

11 공유지의 비극

개인은 모두 자신의 이익을 극대화하려는 이기주의자이기 때문에 비용부담은 회피하고 이익은 많이 누리려는 사익추구행위에 의하여 공유지의 비극이 발생하게 된다.

선지분석
② 공유지의 비극은 시장실패의 원인이다.
③ 공유지의 비극은 자원배분의 비효율화를 설명할 뿐 형평적 분배와는 거리가 멀다.
④ 공유지의 비극은 불완전경쟁과 무관하다.

답 ①

12 대리인이론

주인·대리인이론은 주인이 대리인에 대한 정보가 부족하여 무능력자나 부적격자를 대리인으로 선택하는 등 주인(위임자)에게 불리한 선택을 하는 문제를 인식하고 대리인 문제(대리손실)를 해결하는 데 초점을 둔다.

선지분석
① 대리인이론은 경제학적 관점에서 시장실패를 설명하려는 모형이므로, 인간을 합리적이고 이기적인 경제주체로 가정한다.
② 주인과 대리인 모두 각자 자신의 이익을 우선시하므로 선호가 불일치한다.
④ 대리인에 대한 주인의 정보부족(정보격차)으로 대리손실이 발생한다.

답 ③

13   2021년 국가직 9급

정부개입의 근거가 되는 시장실패의 원인으로 옳지 않은 것은?

① 외부효과 발생
② 시장의 독점 상태
③ X-비효율성 발생
④ 시장이 담당하기 어려운 공공재의 존재

14   2012년 지방직 9급

'공유지의 비극(The tragedy of the commons)'에 대한 설명으로 적절하지 않은 것은?

① 개인적으로는 합리적인 선택이 사회 전체적으로는 비효율을 초래한다.
② 소유권이 불분명하게 규정되어 자원이 낭비되는 현상이다.
③ 한 사람의 선택 행위가 다른 사람에게 긍정적인 외부효과를 초래한다.
④ 외부효과를 내부화함으로써 어느 정도 해결할 수 있다.

---

13 시장실패의 원인   난이도 ●○○

X-비효율성은 시장실패가 아니라 정부실패의 원인이다.

선지분석

①, ②, ④ 모두 시장실패의 원인이다.

시장실패와 정부실패의 원인

시장실패의 원인	정부실패의 원인
• 공공재의 존재 • 외부효과(외부성) • 독점의 존재 • 수익의 증가와 비용 감소(과도한 규모의 경제) • 정보의 격차(편재) • 소득분배의 불공평	• 내부성(사적 목표) • 파생적 외부효과 • 비용과 수익의 절연 • X-비효율 • 경쟁의 결여(독점성) • 권력의 편재에 의한 분배의 불공평

답 ③

14 공유지의 비극   난이도 ●○○

공유지의 비극은 한 사람의 선택 행위가 다른 사람에게 부정적인 외부효과를 초래한다.

선지분석

① 공유지의 비극이란, 개인의 합리적 선택이 사회 전체의 합리성을 담보하지 않음을 설명하는 이론이다. 즉, 개인적 선호가 사회 전체적 이익과 일치되지 않을 수 있음을 증명하는 이론이다.
② 공유재에서 공유지의 비극이 발생하며, 이는 비배제성과 경합성을 갖는 재화이다. 즉, 비배제성(공짜)때문에 과다소비가 발생한다.
④ 공유지의 비극은 정부의 규제를 통하여 해결 가능하고, 내부화를 통해서도 어느 정도 해결이 가능하다. 이때 내부화란 사유재산권을 설정하는 것을 의미한다.

답 ③

15

2024년 국가직 9급

시장실패에 대한 설명으로 옳지 않은 것은?

① 민영화를 강조하는 작은 정부론은 시장실패에 대한 대응으로 제기되었다.
② 시장기구를 통해 자원을 효율적으로 배분할 수 없는 상태를 말한다.
③ 정부는 시장개입 및 규제를 통해 시장실패를 교정한다.
④ 공공재의 존재는 시장실패를 야기하는 요인이다.

KEYWORD 006 재화의 유형(E. Savas)

16

2015년 지방직 9급

다음 내용의 시장실패에 대한 설명으로 옳지 않은 것은?

> 한 마을에 적당한 크기의 목초지가 있었다. 그 마을에는 열 가구가 오순도순 살고 있었는데, 각각 한 마리의 소를 키우고 있었고 그 목초지는 소 열 마리가 풀을 뜯는 데 적당한 크기였다. 소들은 좋은 젖을 주민들에게 공급하면서 튼튼하게 자랄 수 있었다. 그런데 한 집에서 욕심을 부려 소 한 마리를 더 키우면서 문제가 시작되었다. 다른 집들도 소 한 마리, 또 한 마리 등 욕심을 부리기 시작하면서 목초지는 풀뿌리까지 뽑히게 되었고, 결국 소가 한 마리도 살아갈 수 없는 황폐한 공간으로 바뀌고 말았다.

① 위에서 나타나는 시장실패의 주된 요인은 무임승차자 문제이다.
② 위의 사례에 나타난 재화는 배제불가능성과 함께 소비에서의 경합성을 특징으로 한다.
③ 위의 사례는 '공유지의 비극(tragedy of the commons)'에 대한 설명이다.
④ 이러한 시장실패를 해결하기 위한 방법의 하나는 재화의 재산권을 명확히 하는 것이다.

| 15 | 시장실패 | 난이도 ●○○ |

민영화를 강조하는 작은 정부론은 시장실패가 아닌 정부실패에 대한 대응으로 제기되었다.

선지분석
② 시장실패란 시장에서의 자원배분이 효율적이지 못하거나 소득분배가 공평하지 못한 상태를 의미한다.
③ 정부는 시장에 대한 개입 및 규제를 통하여 시장실패를 교정한다.
④ 국방, 외교, 치안 등 시장에서 공급될 수 없는 공공재의 존재는 시장실패를 초래하는 요인이다.

답 ①

| 16 | 시장실패 | 난이도 ●●● |

제시문에서 설명하고 있는 공유지의 비극은 비용회피 및 과잉소비로 인한 부정적 외부효과에 의한 시장실패를 의미한다. 재화의 재산권을 명확히 하는 것은 하딘(G. Hardin)이 제시한 것으로, 그는 소유권을 명확히 하여 재화의 성격을 바꾸는 것이 공유지의 비극을 막는 해결책이라고 주장하였다. 반면, 무임승차는 주로 공공재에서 시장실패를 설명하는 논거이다.

답 ①

17

2015년 국가직 9급

외부효과를 교정하기 위한 방법에 대한 설명으로 옳지 않은 것은?

① 교정적 조세(피구세: Pigouvian tax)는 사회 전체적인 최적의 생산수준에서 발생하는 외부효과의 양에 해당하는 만큼의 조세를 모든 생산물에 대해 부과하는 방법이다.
② 외부효과를 유발하는 기업에게 보조금을 지급하여 사회적으로 최적의 생산량을 생산하도록 유도한다.
③ 코즈(R. Coase)는 소유권을 명확하게 확립하는 것이 부정적 외부효과를 줄이는 방법이라고 주장했다.
④ 직접적 규제의 활용사례로는 일정한 양의 오염허가서(pollution permits) 혹은 배출권을 보유하고 있는 경제주체만 오염물질을 배출할 수 있게 허용하는 방식이 있다.

18

2015년 국가직 7급

사바스(Savas)가 구분한 네 가지 공공서비스 유형과 내용의 연결이 옳지 않은 것은?

① 요금재(toll goods) - 대가를 지불하지 않는 소비자를 배제할 수 없다.
② 집합재(collective goods) - 무임승차의 문제가 생길 수 있다.
③ 시장재(private goods) - 경합성과 배제성을 동시에 갖는 서비스이다.
④ 공유재(common pool goods) - 과잉소비의 문제가 발생할 수 있다.

17	외부효과	난이도 ●●○

오염허가서(pollution permits) 제도란 오염물질 배출 행위를 할 수 있는 일정한 권리를 인정하고 시장에서 매매할 수 있도록 하는 공해배출권 거래제도를 말한다. 할당된 오염량을 초과할 경우 오염부담금 등을 부가하는 오염허가서 제도는 명령·지시에 의한 직접규제가 아니라 시장기제를 이용한 간접규제(시장유인적 규제)에 해당한다.

선지분석

① 피구세(Pigouvian tax)는 유발된 외부효과의 양에 해당하는 만큼 조세로 비용 부담을 시키는 제도로, 외부효과를 내부화시켜 부정적 외부효과를 억제하는 제도를 말한다.
② 긍정적 외부효과를 유발하는 기업에 대해서는 과소공급을 막기 위하여 보조금을 주어야 한다.
③ 코즈의 정리(Coase theorem)란 소유권을 명확하게 하면 시장에서 외부효과가 발생하더라도 당사자 간 자발적인 협상에 의하여 외부효과 문제가 해결될 수 있다는 이론이다.

답 ④

18	공공서비스의 유형	난이도 ●○○

요금재는 배제성을 띠므로 대가를 지불하지 않는 소비자를 배제시킬 수 있다.

선지분석

② 집합재는 공공재로서 비경합성과 비배제성을 모두 띠므로, 무임승차의 문제가 발생한다.
③ 시장재는 사적재로서 경합성과 배제성을 띠는 재화이다.
④ 공유재는 비배제성과 경합성을 띠므로, 과잉소비로 인한 비극이 발생할 수 있다.

📄 **재화의 유형**

구분	비배제성 (평등성, 무임승차성)	배제성(차별성, 수익자부담, 응익성)
비경합성 (공동소비, 비분할성)	(순수)공공재, 집합재	요금재, 유료재
경합성 (개별소비, 분할가능성)	공유재	사적재, 민간재

답 ①

19 2023년 지방직 7급

사바스(Savas)의 재화 및 서비스 유형에 대한 설명으로 옳지 않은 것은?

① 시장재(private goods)는 소비자 보호와 서비스 안전을 위해 행정의 개입도 가능하다.
② 공유재(common pool goods)는 과다 소비와 공급비용 귀착 문제가 발생한다.
③ 요금재(toll goods)는 X-비효율성으로 인해 발생할 수 있는 문제 때문에 대부분 정부가 공급한다.
④ 집합재(collective goods)는 비용 부담에 따라 서비스 혜택을 차별화하거나 배제할 수 없기 때문에 무임승차 문제가 발생한다.

| 19 | 재화 및 서비스 유형 | 난이도 ●○○ |

요금재는 시장에 맡길 경우 자연독점(natural monopoly)으로 인한 시장실패 가능성이 있다. X-비효율성은 정부가 재화나 서비스를 독점적으로 제공하기 때문에 발생하는 비효율을 말한다.

선지분석
① 시장재 중 가치재(의료, 교육, 문화 등)는 저소득층이나 사회적 약자를 위해 정부가 일정 부분 개입하는 경우가 있다.
② 공유재는 공유지의 비극이 발생한다. 이는 사익추구로 인한 과다소비가 발생하고 이로 인하여 다수에게 비용이 귀착되는 문제가 발생한다.
④ 집합재(공공재)는 소비의 비배제과 비경합성으로 무임승차가 가능하다.

답 ③

---

20 2018년 서울시 7급(6월 시행)

공공서비스를 소비의 배제성과 경합성을 기준으로 구분하면 <보기 1>과 같이 4가지 유형으로 구분할 수 있다. 각 영역에 해당하는 공공서비스의 명칭과 사례를 <보기 2>에서 바르게 연결한 것은?

<보기 1>

소비의 배제성 \ 소비의 경합성	경합적	비경합적
배제 가능	가	나
배제 불가능	다	라

<보기 2>

구분	명칭	사례
가	㉠ 공유재	ⓐ 전기, 통신, 상하수도
나	㉡ 공공재	ⓑ 음식점, 호텔, 의료, 택시
다	㉢ 시장재	ⓒ 소방, 치안, 국방, 공기
라	㉣ 요금재	ⓓ 지하수, 해저광물, 강, 호수

	가	나	다	라
①	㉢ - ⓑ	㉣ - ⓐ	㉠ - ⓓ	㉡ - ⓒ
②	㉢ - ⓐ	㉠ - ⓑ	㉣ - ⓒ	㉡ - ⓓ
③	㉣ - ⓐ	㉢ - ⓓ	㉡ - ⓑ	㉠ - ⓒ
④	㉡ - ⓓ	㉠ - ⓒ	㉢ - ⓑ	㉣ - ⓐ

| 20 | 공공서비스의 구분 | 난이도 ●●○ |

<보기 1>에서 가는 사적재(시장재·민간재, 예 음식점, 호텔, 의료, 택시 등), 나는 요금재(유료재, 예 전기, 통신, 상하수도 등), 다는 공유재(예 지하수, 해저광물, 강, 호수 등), 라는 공공재(예 소방, 치안, 국방, 공기 등)에 해당한다. 시장거래의 전형이 되는 민간재(private goods)는 경합성과 배제가능성을 모두 갖는 재화인 반면 공공재(public goods)는 비경합성과 배제불가능성을 모두 지니는 재화를 의미한다.

답 ①

21 □□□ 2014년 서울시 7급

공유재(common pool resource)에 관한 설명 중 옳지 않은 것은?

① 공유재는 잠재적 사용자의 배제가 불가능 또는 곤란한 자원이다.
② 공유지의 비극(tragedy of commons)은 개인의 합리성과 집단의 합리성이 충돌하는 딜레마 현상이다.
③ 공유지의 비극은 개인의 합리성 추구로 인해 공유재가 고갈되는 현상을 일컫는다.
④ 하딘(Hardin)은 공유지의 비극을 방지하기 위하여 국가 규제의 강화를 주장하였다.
⑤ 공유재는 개인의 사용량이 증가함에 따라 나머지 사람들이 사용할 수 있는 양이 감소하는 특성을 가진 자원이다.

22 □□□ 2014년 국가직 7급

다음 공공서비스에 대한 설명 중 옳지 않은 것만을 모두 고른 것은?

> ㄱ. 무임승차자 문제가 발생하는 근본 원인으로는 비배제성을 들 수 있다.
> ㄴ. 정부가 공공서비스의 생산부문까지 반드시 책임져야 할 필요성은 약해지고 있다.
> ㄷ. 전형적인 지방공공서비스에는 상하수도, 교통관리, 건강보험 등이 있다.
> ㄹ. 공공서비스 공급을 정부가 담당해야 하는 이유로는 공공재의 존재 및 정보의 비대칭성 등이 있다.
> ㅁ. 전기와 고속도로는 공유재의 성격을 가지는 공공서비스이다.

① ㄱ, ㄷ
② ㄱ, ㅁ
③ ㄴ, ㄹ
④ ㄷ, ㅁ

---

21 공유재 난이도 ●●○

공유지의 비극이란 하딘(Hardin)이 제시한 개념으로, 구성원 모두가 공유하는 자원은 아껴 쓸 유인이 작용하지 않아 전체적 합리성보다는 개인적 합리성을 앞세워 경쟁적으로 낭비함으로써 공유지가 황폐된다는 시장실패를 설명한 모형이다. 이에 하딘(Hardin)은 공유재의 비극을 방지하기 위한 대안을 세 가지로 유형화하였다. 첫째, 공유의 상태를 근본적으로 제거하기 위하여 소유권을 사유화하는 방안[코즈(Coase)의 정리], 둘째, 정부가 적절히 개입하여 규제하는 방안, 셋째, 각자 스스로의 양심으로 공유지를 최적적으로 운영하게 하는 방안 등을 제시하였다. 그러나 하딘(Hardin)은 세 번째 방법은 불가능하다고(회의적이라고) 보고, 먼저 소유권을 명확히 하여 공유 상태를 해소하는 것이 가장 이상적이며, 그게 안 되면 정부규제가 방안이 될 수 있다고 주장하였다.

선지분석

① 공유재는 경합성과 비배제성을 띠므로 잠재적(숨은) 이용자를 배제하기 힘들다.
② 사적 극대화가 공적 극대화를 보장해주지 못하는 현상이다.
③ 개인의 합리성 추구로 인한 집단행동의 딜레마(1/N)가 부정적 외부효과를 유발한다.
⑤ 공유재는 이용자가 늘어날 경우 혼잡이 발생하는 경합성을 띤다.

답 ④

22 공공서비스 난이도 ●●○

ㄷ. 상하수도 및 교통관리 업무는 전형적인 지방공공서비스에 해당하지만 건강보험 등 복지정책은 전형적인 중앙정부 서비스이다.
ㅁ. 전기와 고속도로는 공유재가 아니라 전형적인 유료재에 해당한다.

선지분석

ㄱ. 공공서비스는 비배제성으로 인해 무임승차성(free-riding)이 발생한다.
ㄴ. 최근 공공서비스의 공급(provide)과 생산(produce)을 분리하여 생산을 민영화하는 추세이다.
ㄹ. 공공재의 존재와 정보격차는 시장실패 요인으로 정부개입의 근거이다.

답 ④

KEYWORD 007 정부규제

23 ☐☐☐ — 2016년 국가직 7급

규제는 해결할 수단, 관리 방식, 최종 성과를 대상으로 설계될 수 있는데, 이들을 각각 수단규제, 관리규제, 성과규제라고 한다. 다음 중 그 사례를 바르게 연결한 것은?

ㄱ. 식품안전을 위해 그 효용이 부각되는 위해요소중점관리기준(HACCP: Hazard Analysis Critical Control Point)을 지킬 것을 요구하는 것
ㄴ. 인체건강을 위해 개발된 신약에 대해 부작용의 허용 가능한 발생 수준을 요구하는 것
ㄷ. 환경오염을 방지하기 위해 기업에 특정한 유형의 환경통제 기술을 사용할 것을 요구하는 것

	수단규제	관리규제	성과규제
①	ㄱ	ㄴ	ㄷ
②	ㄱ	ㄷ	ㄴ
③	ㄷ	ㄴ	ㄱ
④	ㄷ	ㄱ	ㄴ

24 ☐☐☐ — 2018년 서울시 7급(6월 시행)

규제의 대상에 따라 정부규제를 수단규제, 성과규제, 관리규제로 분류할 때 〈보기〉의 각 유형별 대표 사례와 특징을 바르게 연결한 것은?

〈보기〉

구분	규제 사례	규제의 특징
㉠ 수단규제	ⓐ 개발 신약에 대한 허용 가능한 부작용 발생 수준 규제	① 과정규제
㉡ 성과규제	ⓑ 작업장 안전확보를 위한 안전장비 착용 규제	② 투입규제
㉢ 관리규제	ⓒ 식품안전성 확보를 위한 식품위해요소중점관리기준(HACCP) 규제	③ 산출규제

	㉠	㉡	㉢
①	ⓐ - ①	ⓑ - ②	ⓒ - ③
②	ⓐ - ②	ⓒ - ①	ⓑ - ③
③	ⓑ - ③	ⓒ - ②	ⓐ - ①
④	ⓑ - ②	ⓐ - ③	ⓒ - ①

---

23 규제 — 난이도 ●●○

ㄱ. 식품안전을 위한 식품위해요소중점관리기준(HACCP)을 지킬 것을 요구하는 것은 관리규제에 해당한다.
ㄴ. 인체건강을 위해 개발된 신약의 허용 가능한 부작용 발생 수준을 요구하는 것은 성과규제이다.
ㄷ. 환경오염 방지를 위해 특정한 유형의 환경통제 기술 사용을 요구하는 것은 수단규제(투입규제)이다.

규제의 대상별 구분

수단규제	정부가 목표달성을 위하여 필요한 기술이나 행위 등 수단을 사전적으로 규제하는 것
성과규제	특정 사회문제 해결에 대한 목표달성 수준을 정하고 피규제자에게 이를 달성할 것을 요구하는 규제
관리규제	수단과 성과가 아닌 규제과정(규제절차)을 규제하는 것

답 ④

24 규제의 구분 — 난이도 ●●○

규제의 유형별 사례와 특징이 옳게 연결된 것은 ④이다.

규제의 대상별 구분

수단규제 (투입규제)	정부의 규제 정도와 피규제자의 순응 정도를 파악하는 데 용이함 예) 환경오염을 방지하기 위해 기업에 특정한 유형의 환경통제 기술을 사용할 것을 요구하는 것, 작업장 안전을 확보하기 위해 안전장비를 착용하게 하는 것 등
성과규제 (산출규제)	• 정부가 제시한 성과 기준만 충족하면, 수단과 방법은 피규제자가 자유롭게 선택함 • 사회경제적으로 바람직한 최적의 성과 수준을 찾기 어려움 예) 대기오염 방지를 위해 공기 중 이산화탄소 농도를 일정 수준으로 유지하라는 것, 인체 건강을 위해 개발된 신약에 허용 가능한 부작용 발생 수준을 요구하는 것 등
관리규제 (과정규제)	• 수단규제와 성과규제가 갖는 단점을 극복할 수 있는 규제 방식 • 수단규제보다 피규제자에게 자율성을 주어 피규제자 스스로 비용 효과적인 규제를 유연하게 설계하도록 함 • 성과달성 정도를 정하고 이를 확인해야 하는 성과규제를 적용하기 어려울 때 적합함 예) 식품안전을 위해 그 효용이 부각되는 식품위해요소중점관리기준(Hazard Analysis Critical Control Points: HACCP) 등

답 ④

25

2017년 지방직 9급(6월 시행)

정부규제를 사회적 규제와 경제적 규제로 나눌 경우 경제적 규제의 성격이 가장 강한 것은?

① 소비자안전규제
② 산업재해규제
③ 환경규제
④ 진입규제

26

2023년 군무원 9급

정부 규제에 대한 설명으로 가장 적절하지 않은 것은?

① 규제는 정부가 공권력을 이용하여 개인이나 기업의 활동을 정부가 원하는 바람직한 상태로 유도하기 위한 정책수단이다.
② 규제는 개인이나 기업의 자유로운 활동을 금지하거나 제한하고 이를 위반한 경우에 불이익이 가해지기 때문에 엄격한 법적 근거가 요구된다.
③ 경제적 규제는 기업의 본원적 활동을 제한하는 것은 아니고 정부와의 관계에 관한 규제이다.
④ 사회적 규제는 소비자, 환경, 노동자 등을 보호할 목적으로 안전, 위생, 오염, 고용 등에 관한 규제가 주를 이룬다.

| 25 | 정부규제 | 난이도 ●○○ |

경제적 규제란 기업 등 민간경제 주체의 자유로운 판단에 의한 경제활동에 정부가 개입하여 사회적으로 바람직한 방향에 부합되도록 하는 인위적 제한으로, 진입규제는 경쟁을 제한하기 위한 경제적 규제에 해당한다.

(선지분석)
① 소비자안전규제, ② 산업재해규제, ③ 환경규제는 사회적 규제에 해당한다. 이는 시장에서 적절하게 취급받지 못하는 이익이나 가치를 보호하기 위해 개인이나 기업의 행위를 통제하는 것이다.

📋 정부규제의 영역별 분류

경제적 규제 (광의)	경제적 규제 (협의)	• 기업의 본원적 활동에 대한 정부규제 • 경제적 규제는 동일산업에 속한 기업 간의 자유로운 경쟁을 제약함
	독과점 규제	독과점 및 불공정 거래에 대한 규제는 기업의 본원적 활동에 대한 정부규제로서 시장경쟁을 제약하기 보다는 시장경쟁을 창달하는 규제
사회적 규제		• 기업의 사회적 행동에 대한 규제 또는 기업의 사회적 횡포를 막기 위한 규제 • 인간의 생명과 건강에 대한 각종 위험이 증가되고 있는 것에 대응하여 최근에 중시됨(현대적 규제)

답 ④

| 26 | 정부규제 | 난이도 ●●○ |

경제적 규제는 기업의 본원적 활동에 대한 정부규제이다.

(선지분석)
①, ② 규제는 정부가 공권력을 이용하여 정부의 정책목표를 이루고자 하는 경우가 많기 때문에 엄격한 법적 근거가 요구된다.
④ 사회적 규제는 시장에서 적절하게 취급받지 못하는 이익이나 가치를 보호하기 위해 개인이나 기업의 행위를 통제하는 것으로서, 산업보건 및 안전·환경보호·소비자 보호 등을 목표로 한다.

답 ③

27 2024년 국가직 9급

규제유형에 대한 설명으로 옳지 않은 것은?

① 오염배출부과금제도, 이산화탄소 배출권거래제도는 시장유인적 규제유형에 속한다.
② 포지티브 규제방식은 네거티브 규제방식에 비해 피제자의 자율성을 더 보장한다.
③ 명령지시적 규제는 시장유인적 규제에 비해 일반 국민이 이해하기 쉽고 직관적 설득력이 높다는 장점이 있다.
④ 사회규제는 주로 사회적 영향을 야기하는 기업행동에 대한 규제를 말하며 작업장 안전 규제, 소비자 보호규제 등이 있다.

28 2016년 지방직 7급

정부규제에 대한 설명으로 옳지 않은 것은?

① 「행정규제기본법」은 규제법정주의를 규정하고 있다.
② 규제개혁위원회는 위원장 2명을 포함한 20명 이상 25명 이하의 위원으로 구성한다.
③ 규제영향분석이 필요한 이유 중 하나는 관료에게 규제비용에 대한 관심과 책임성을 갖도록 유도한다는 점이다.
④ 정부의 규제정책을 심의·조정하고 규제의 심사·정비 등에 관한 사항을 종합적으로 추진하기 위하여 국무총리 소속으로 규제개혁위원회를 두고 있다.

---

27 규제유형 난이도 ●●○

'원칙금지 예외허용'인 포지티브 규제방식보다 '원칙허용 예외금지'인 네거티브 규제방식이 피규제자의 자율성을 더 많이 보장한다.

(선지분석)
① 모두 금전적 부가방식으로 간접적 규제방식으로 시장유인적 규제유형에 속한다.
③ 명령지시적 규제는 직접적인 규제로 국민의 이해가 쉽고 직관적 설득력과 강행력이 높아 규제의 실효성이 높다는 장점이 있다.
④ 사회적 규제는 기업의 사회적 책임을 묻는 규제로 안전, 환경, 소비자보호 등을 주 내용으로 한다.

답 ②

28 정부규제 난이도 ●○○

「행정규제기본법」 제23조(설치)에 따라 규제개혁위원회는 국무총리 소속이 아니라 대통령 소속으로 설치되어 있다.

> 「행정규제기본법」 제23조【설치】 정부의 규제정책을 심의·조정하고 규제의 심사·정비 등에 관한 사항을 종합적으로 추진하기 위하여 대통령 소속으로 규제개혁위원회를 둔다.

(선지분석)
① 「행정규제기본법」은 '규제는 법률에 근거하여야 한다'는 규제법정주의를 채택하고 있다.
② 「행정규제기본법」 제25조 제1항에 의하면, 위원회는 위원장 2명을 포함한 20명 이상 25명 이하의 위원으로 구성한다.
③ 규제를 신설·강화할 경우, 중앙행정기관의 장은 사전에 규제영향분석서를 작성하여야 한다고 강행규정을 둠으로써 관료에게 규제비용에 대한 관심과 책임성을 갖도록 유도한다.

답 ④

29　　　　　　　　　　　　　　　2019년 국가직 9급

정부규제에 대한 설명으로 옳은 것만을 모두 고르면?

> ㄱ. 포지티브(positive) 규제가 네거티브(negative)규제보다 자율성을 더 보장해준다.
> ㄴ. 환경규제와 산업재해규제는 사회규제의 성격이 강하다.
> ㄷ. 공동규제는 정부로부터 위임을 받은 민간집단에 의해 이뤄지는 규제를 의미한다.
> ㄹ. 수단규제는 정부의 목표를 달성하기 위해 필요한 기술이나 행위에 대해 사전적으로 규제하는 것을 의미한다.

① ㄱ, ㄴ
② ㄷ, ㄹ
③ ㄱ, ㄴ, ㄷ
④ ㄴ, ㄷ, ㄹ

30　　　　　　　　　　　　　　　2024년 군무원 9급

다음 중 정부규제에 대한 설명으로 가장 적절하지 않은 것은?

① 경쟁적 규제란 재화나 용역을 제공할 수 있는 권리를 수많은 잠재적 또는 실제적 경쟁자들 중에서 선택·지정된 소수의 전달자에게만 제한시키는 규제를 말한다.
② 보호적 규제란 최대 노동시간의 제한, 최저임금제, 가격통제 등과 같이 일반 국민을 보호하기 위하여 기업이나 개인의 행위를 제한하는 규제를 말한다.
③ 정부규제에 대한 민간의 순응 비용을 '규제에 의한 조세' 또는 '숨겨진 조세'라고 설명하기도 한다.
④ 포지티브(positive) 규제란 어떤 행위를 원칙적으로 허용하되, 금지되는 행위만 예외적으로 규정하는 방식을 말한다.

29　정부규제　　　　　　　　　　　난이도 ●●○

ㄴ. 사회적 규제의 예에는 환경규제와 산업재해규제 등이 있다.
ㄷ. 공동규제란 정부로부터 위임받은 민간집단에 의해 이루어지는 규제로서, 직접규제와 자율규제의 중간 상태이다.
ㄹ. 수단규제는 특정 목표를 달성하기 위해 필요한 기술이나 행위를 사전적으로 규제하는 것이다.

선지분석
ㄱ. 포지티브(positive) 규제보다 네거티브(negative) 규제가 자율성을 더 보장해준다. 포지티브(positive) 규제가 '원칙 금지·예외 허용'인 데 반해 네거티브(negative) 규제는 '원칙 허용·예외 금지' 형식의 규제이기 때문이다.

답 ④

30　정부규제　　　　　　　　　　　난이도 ●●○

원칙금지·예외허용 체제가 포지티브(positive) 규제이며, 원칙허용·예외금지 체제가 네거티브(negative) 규제이다.

선지분석
① 경쟁적 규제는 다수의 경쟁자 중에서 특정한 개인이나 단체에게 일정한 재화나 서비스·권리 등을 공급할 수 있도록 하면서 공익을 위해 서비스 제공의 일정한 측면을 규제하는 정책(고속버스노선 허가, 방송국 설립인가, 이동통신사업자 선정, 의사면허 등)이다.
② 보호적 규제는 개인이나 집단의 권리행사나 행동의 자유를 구속·통제하여 일반대중을 보호하려는 정책[식품 및 의약품의 허가, 근로기준 설정, 최저임금제, 독과점 규제 및 공정거래법, 특정 요금을 싸게 받는 공공요금 정책(교차보조의 성격을 지니는 보호적 규제) 등]이다.
③ 규제에 대한 민간의 순응비용은 민간이 비용을 부담하는 성격이 있으므로 규제에 의한 조세 또는 숨겨진 조세라 한다.

답 ④

31

2016년 지방직 9급

다음 설명에 해당하는 정책현상은?

> 어떤 하나의 규제가 시행된 결과, 원래 규제설계 당시에는 미리 예기하지 못한 또 다른 문제점이 나타나게 되면 규제기관은 그 문제의 해결을 위해 또다른 규제를 하게 됨으로써 결국 규제가 규제를 낳는 결과를 초래한다.

① 타르 베이비 효과(Tar-Baby Effect)
② 집단행동의 딜레마
③ 규제의 역설(Regulatory Paradox)
④ 지대추구행위

---

31 타르 베이비 효과(Tar-Baby Effect) 난이도 ●○○

제시문은 끈끈이 인형효과 즉, 타르 베이비 효과(Tar-Baby Effect)에 해당하는 설명으로, 이는 규제가 규제를 낳는 규제의 악순환 현상을 의미한다.

[선지분석]
③ 규제의 역설(Regulatory Paradox)은 규제가 의도하지 않은 부작용을 초래하는 현상이다.

📄 끈끈이 인형효과(Tar-Baby Effect)와 끈끈이 효과(Flypaper Effect)

㉠ 끈끈이 인형효과(Tar-Baby Effect)
하리스(Harries)의 소설에서 나온 것으로, 토끼 인형에 끈끈이 칠을 해 놓아두면 토끼들이 자기 동료인 줄 알고 계속적으로 모여 든다는 것. 즉, 하나의 규제가 만들어지면 또다른 규제가 발생한다는 규제의 악순환 현상을 의미

㉡ 끈끈이 효과(Flypaper Effect)
중앙정부가 지방정부에 제공하는 정액교부금이 지방정부의 지출에 미치는 효과가 지방정부 주민의 소득증가가 지방정부 지출에 미치는 효과보다 크다는 것. 우리나라에서는 지방정부의 지출을 연구할 때 소득증가에 의한 지출증가 속도보다 국고보조금 증가에 의한 지출증가 속도가 빠른지 여부를 검증할 때 주로 사용하는 방법

답 ①

32

2016년 국가직 7급

살라몬(Salamon)의 정책수단유형 중 간접수단에 해당하는 것은?

① 경제적 규제
② 조세지출
③ 직접대출
④ 공기업

---

32 살라몬(Salamon)의 정책수단유형 난이도 ●●○

살라몬(Salamon)은 정부 관여의 정도를 기준으로 정책수단을 분류하였다.

• 강제적 정책수단은 정부가 일방적으로 강제하는 것이고, 협력적 정책수단은 민간의 자발적 참여와 협력을 통해 정책목표를 달성하고자 하는 것이다. 직접성이 높은 경우 강제성이 높은 것이 일반적이나, 항상 그러한 것은 아니다.

• 직접성이란 정책수단의 주체가 그것을 수행하는데 관여하는 정도이다. 경제적 규제와 사회적 규제는 모두 강제성은 높지만 직접성은 다르다. 경제적 규제는 정부가 가격이나 영업활동 규제를 통하여 민간의 본원적 경제활동에 직접 개입하므로 직접성이 높은 반면, 사회적 규제는 민간의 본원적 활동에 직접 개입하는 것이 아니고 경제활동에 부수적인 환경, 안전 등을 규제하므로 직접성이 낮다.

📄 살라몬(Salamon)의 강제성의 정도에 따른 분류

강제성 높음	경제적 규제, 사회적 규제
강제성 중간	바우처, 보험, 보조금, 공기업, 대출보증, 직접 대출, 계약, 벌금
강제성 낮음	손해배상책임법, 정보제공, 조세지출

📄 직접성의 정도에 따른 정책수단과 효과

낮음	중간	높음
• 손해책임법	• 조세지출	• 보험, 국민연금
• 보조금	• 계약	• 산재보험, 직접 대출
• 대출보증	• 사회적 규제	• 경제적 규제, 정보제공
• 정부출자기업	• 벌금	• 공기업, 정부 소비
• 바우처(Voucher)		

답 ②

33　2021년 국가직 7급

살라몬(Salamon)의 정책수단유형 중 직접 수단에 해당하는 것은?

① 사회적 규제
② 보조금
③ 조세지출
④ 공기업

34　2018년 국가직 9급

살라몬(L. M. Salamon)이 제시한 정책수단의 유형에서 직접적 수단으로만 묶인 것은?

> ㄱ. 조세지출(tax expenditure)
> ㄴ. 경제적 규제(economic regulation)
> ㄷ. 정부소비(direct government)
> ㄹ. 사회적 규제(social regulation)
> ㅁ. 공기업(government corporation)
> ㅂ. 보조금(grant)

① ㄱ, ㄴ, ㄷ
② ㄱ, ㄹ, ㅂ
③ ㄴ, ㄷ, ㅁ
④ ㄹ, ㅁ, ㅂ

33　살라몬(Salamon)의 정책수단　난이도 ●●○

공기업은 정부가 설립한 공기업에 의하여 정책을 직접 집행하는 방식으로 직접적 정책수단에 해당한다.

(선지분석)
①, ②, ③ 모두 간접적 정책수단에 해당한다.

답 ④

34　살라몬(Salamon)의 정책수단유형　난이도 ●●○

직접적 수단으로만 묶여진 것은 ㄴ. 경제적 규제, ㄷ. 정부소비, ㅁ. 공기업이다.

(선지분석)
ㄱ. 조세지출(조세 감면)과 ㄹ. 사회적 규제는 직접성이 중간이고, ㅂ. 보조금은 직접성이 낮은 간접적 수단에 속한다.

답 ③

35　　　　　　　　　　　　　　　　2015년 서울시 9급

살라몬(Salamon)의 '직접성의 정도에 따른 행정(정책)수단분류'에 의할 때 다음 중 직접성이 가장 높은 행정(정책)수단은?

① 조세지출
② 정부출자기업
③ 사회적 규제
④ 정부소비

35　살라몬(Salamon)의 정책수단유형　난이도 ●●○

직접성 및 강제성이 가장 높은 정책수단은 정부소비(직접시행)이다. 정부소비는 정부에 의하여 정책이 직접 시행되는 것으로 국방, 외교, 공중보건 등과 같은 공공재를 무상으로 공급하기 위해 정부가 직접 행하는 지출을 말한다.

답 ④

36　　　　　　　　　　　　　　　　2022년 지방직 9급

살라몬(Salamon)의 정책도구 분류에서 강제성이 가장 높은 것은?

① 경제적 규제
② 바우처
③ 조세지출
④ 직접대출

36　살라몬(Salamon)의 정책수단유형　난이도 ●●○

살라몬(Salamon)의 정책수단유형에서 강제성이 가장 높은 것은 경제적 규제이다. 이 문제는 직접성과 강제성을 구분해야 하는 문제이다.

선지분석
② 바우처는 강제성이 중간인 정책수단이다.
③ 조세지출은 강제성이 낮은 정책수단이다.
④ 직접대출은 강제성이 중간인 정책수단이다.

답 ①

37

2018년 교육행정직 9급

정부의 정책수단(policy tool)에 대한 설명으로 옳은 것을 〈보기〉에서 고른 것은?

〈보기〉
ㄱ. 경제적 규제는 정부의 직접수단에 해당한다.
ㄴ. 조세지출은 재정적 인센티브를 부여하는 수단에 해당한다.
ㄷ. 바우처는 역사가 길고 가장 광범위하게 사용되는 수단이다.
ㄹ. 전통적 삼분법에 근거하여 정책수단을 규제, 인센티브, 권위로 분류할 수 있다.

① ㄱ, ㄴ
② ㄱ, ㄹ
③ ㄴ, ㄷ
④ ㄷ, ㄹ

38

2025년 지방직 9급

베덩(Vedung)이 강제성의 정도에 따라 분류한 정책수단에 해당하지 않는 것은?

① 규제적 도구
② 종교적 도구
③ 경제적 도구
④ 정보적 도구

| 37 | 정부의 정책수단 | 난이도 ●●● |

ㄱ. 살라몬(Salamon)의 정책수단유형에 따르면 경제적 규제는 정부소비, 공기업, 법 등과 함께 직접성이 높은 정책수단에 해당한다.
ㄴ. 조세지출이란 조세감면에 의한 간접지출을 의미하는 것으로, 특정인에게 재정적 인센티브를 부여하여 정책을 집행하는 간접적인 수단이다.

(선지분석)
ㄷ. 바우처(이용사은권, 증서, 쿠폰방식 등)는 최근에 각광을 받고 있지만 아직 광범위하게 사용되는 수단은 아니며, 역사도 그리 길지 않은 정책수단이다.
ㄹ. 정책에 대한 순응확보를 위한 고전적 3단계 전략으로서의 정책수단은 설득 → 인센티브 → 규제 순이다. 규제는 강압적 수단(강압과 처벌), 인센티브는 공리적 수단(유인과 보상), 설득은 규범적 수단(도적적 설득)으로 대표된다.

답 ①

| 38 | 베덩(Vedung)의 정책수단 분류 | 난이도 ●●● |

베덩(Vedung)은 강제성의 정도에 따라 정책수단을 규제적 도구, 경제적 도구, 정보적 도구로 분류하였다.

답 ②

39 2015년 서울시 7급

정부규제와 관련된 설명으로 가장 옳은 것은?

① 정부규제를 수단규제와 성과규제로 구분할 경우, 수단규제는 성과규제에 비해 규제대상기관의 자율성이 크다.
② 정부규제를 수행주체에 따라 구분할 경우, 공동규제는 정부로부터 위임을 받은 민간집단에 의해 이루어지는 규제로 자율규제와 직접규제의 중간 성격을 띤다.
③ 정부규제를 포지티브(positive)규제와 네거티브(negative)규제로 구분할 경우, 포지티브(positive)규제는 네거티브(negative)규제에 비해 규제대상기관의 자율성이 크다.
④ 규제개혁은 규제관리 → 규제품질관리 → 규제완화 등의 단계로 진행되는 것이 일반적이다.

---

39 정부규제 | 난이도 ●●○

민간기관이 규제의 주체가 되어 직접 규제를 수행하는 경우도 있다. 정부의 규제 수행을 직접규제라 하고, 민간기관에 의한 규제는 자율규제와 공동규제가 있다.

선지분석
① 수단규제는 성과규제에 비해서 규제대상기관의 자율성이 낮다.
③ 포지티브(Positive)규제는 허용되는 행위만 법에 규정하고 나머지는 모두 금지시키는 입법방식이므로, 네거티브(Negative)규제에 비하여 규제대상기관의 자율성이 낮다.
④ 규제개혁은 일반적으로 규제완화 → 규제품질관리 → 규제관리 순으로 진행된다. 규제완화란 규제총량을 감소시키는 것이고, 규제품질관리란 개별규제의 질적 관리(규제영향분석)를 말하며, 규제관리란 총량적 개혁이나 개별규제의 질 문제만 국한하지 않고 한 국가의 전반적인 규제체계까지 관심을 갖는 거시적 접근이다. 이 단계에서는 규제 간 상충 등을 제거하여 전체 규제체계를 종합적으로 설계하는 것이 중요하다.

📄 규제의 종류

직접규제	정부의 규제 수행
자율규제	개인과 기업 등 피규제자가 합의된 규범을 만들고, 이를 구성원들에게 적용하는 형태의 규제 방식
공동규제	정부로부터 위임받은 민간집단에 의해 이루어지는 규제로, 자율규제와 직접규제의 중간 성격을 띰

답 ②

---

40 2014년 서울시 7급

규제영향분석에 관한 설명 중 적합하지 않은 것은?

① 규제영향분석은 규제의 경제·사회적 영향을 과학적으로 분석하여 그 타당성을 평가한다.
② 규제영향분석은 정치적 이해관계의 조정과 수렴의 기회를 제공한다.
③ 불필요한 정부규제를 완화하고자 할 때 현존하는 규제의 사회적 편익과 비용을 점검하고 측정하는 체계적인 의사결정 도구이다.
④ 1970년대 이후 세계의 여러 국가에서 도입하여 왔으며, OECD에서도 회원국들에게 규제영향분석의 채택을 권고하고 있다.
⑤ 규제 외의 대체수단 존재 여부, 비용편익분석, 경쟁 제한적 요소의 포함 여부 등을 고려하여야 한다.

---

40 규제영향분석 | 난이도 ●●○

규제영향분석은 규제를 새로 도입하거나 기존의 규제를 강화하고자 할 때 규제의 편익과 비용, 효과들을 점검하고 측정하는 체계적인 의사결정 도구로 정의될 수 있다(OECD). 따라서 규제영향분석을 통해 정부는 자신이 도입(신설) 또는 강화하려는 규제가 비용과 편익 측면에서 타당한지 체계적으로 검토할 수 있고, 그 결과 무분별한 규제의 신설이나 강화를 억제할 수 있게 된다. 현존하는 규제보다는 주로 신설 또는 강화하려는 규제가 어떠한 영향을 가져올지를 사전에 분석하려는 제도이다.

선지분석
① 비용편익분석 등을 이용하여 규제의 경제·사회적 영향을 체계적·과학적·객관적·계량적으로 분석한다.
② 분석 과정에서 정치적 이해관계까지를 통합·조정하여 규제의 정당성을 널리 확인시켜주는 기능을 수행하기도 한다.
④ 신자유주의의 선봉장이라 할 수 있는 OECD의 역점사업이다.
⑤ 규제 외에 대체수단 등 다양한 요소를 고려해야 한다.

답 ③

41

2017년 지방직 9급(12월 추가)

규제영향분석에 대한 설명으로 옳지 않은 것은?

① 규제의 경제·사회적 영향을 과학적으로 분석해 타당성을 평가한다.
② 정치적 이해관계의 조정과 수렴의 기회를 제공한다.
③ 규제가 초래할 사회적 부담에 대해 책임성을 가지도록 유도한다.
④ 규제의 비용보다 규제의 편익에 주안점을 둔다.

42

2025년 지방직 9급

우리나라 정부의 규제제도에 대한 설명으로 옳은 것은?

① 정부의 규제정책을 심의 조정하고 규제의 심사·정비 등에 관한 사항을 종합적으로 추진하기 위하여 국무총리 소속으로 규제개혁위원회를 둔다.
② 규제일몰제는 규제의 존속기한 또는 재검토기한을 정하지 않고 규제의 타당성을 주기적으로 관리하는 제도이다.
③ 포지티브 규제는 '원칙적 허용, 예외적 금지'의 형식을 갖는 규제체계를 의미한다.
④ 규제샌드박스는 특정한 신기술을 활용한 새로운 서비스 또는 제품에 관련된 기존 규제의 적용을 일정 기간 면제 또는 완화해 주는 제도이다.

| 41 | 규제영향분석 | 난이도 ●○○ |

규제영향분석은 규제를 실시하기 이전에 해당 중앙행정기관의 장이 규제의 편익과 비용을 균형 있게 검토하여 규제의 신설 또는 강화 여부를 결정하는 도구이다.

(선지분석)
①, ②, ③ 규제영향분석은 규제가 미치는 영향을 다양한 관점(정치적, 과학적 분석)에서 분석하는 것이다.

답 ④

| 42 | 우리나라의 규제제도 | 난이도 ●●● |

규제샌드박스는 기존 규제로 인해 신기술이나 신제품의 시장 출시가 지연되고 있는 경우, 기존 규제의 개선 이전에도 우선 시장에 출시할 수 있도록 해 주는 임시적인 조치를 포괄하고 있다.

(선지분석)
① 규제개혁위원회는 대통령 소속이다.
② 규제일몰제는 규제의 존속기한(최소한의 기간으로 하되, 5년 초과 불가)을 설정하여 해당 법령에 명시하도록 하고 있다.
③ 원칙허용, 예외금지의 형식은 네거티브 규제이다

답 ④

KEYWORD 008 윌슨(J. Wilson)의 규제정치모형

43 ☐☐☐ 2019년 서울시 7급(3월 추가)

<보기>는 △△일보의 보도 내용 중 일부이다. 이와 같은 기사 내용을 윌슨(J. Wilson)의 규제정치 이론에 적용하면, 가장 적합한 정치적 상황은?

<보기>
"캡슐커피 때문에 경비아저씨와 싸웠습니다. 알루미늄과 플라스틱 재질이 섞여 있어 플라스틱 전용 재활용 수거함에 넣지 않았는데, 재활용함에 넣어야 한다며 언성을 높였습니다. 누구나 헷갈릴 수 있을 것 같아요." (김○○·여·34)

"한 번에 마실 양을 쉽게 추출할 수 있어 캡슐커피를 애용했지만, 재활용 되지도 않고 잘 썩지도 않는다는 이야기를 듣고 이용을 자제하려고 합니다." (이□□·남·31)

소비자들 사이에서 캡슐커피 사용을 제한하자는 목소리가 나오고 있다. 캡슐커피의 크기가 작은 데다 알루미늄과 플라스틱이 동시에 포함돼 있어 재활용이 실질적으로 불가, 환경오염의 주범이 될 수 있다는 이유에서다. 정부 역시 환경에 미치는 영향을 고려해 관련 규제 검토에 나설 것이라고 밝혔다.

① 고객정치(client politics)
② 이익집단정치(interest group politics)
③ 대중정치(majoritarian politics)
④ 기업가정치(entrepreneurial politics)

---

44 ☐☐☐ 2018년 지방직 9급(6월 시행)

윌슨(Wilson)의 규제정치유형과 예시를 연결한 것으로 옳지 않은 것은?

① 고객정치 - 농산물에 대한 최저가격 규제
② 이익집단정치 - 신문·방송·출판물의 윤리규제
③ 대중정치 - 낙태에 대한 규제
④ 기업가정치 - 식품에 대한 위생규제

| 43 | 윌슨(J. Wilson)의 규제정치 | 난이도 ●●○ |

제시문은 환경오염을 막아야 한다는 논의의 내용이다. 환경오염규제는 윌슨(J. Wilson)의 규제정치모형 중 기업가정치에 해당한다. 캡슐커피 사용을 규제할 경우 비용(손실)은 캡슐을 만드는 소수 기업이 부담하고, 환경개선으로 인한 편익은 구성원 다수가 혜택을 보기 때문이다. 그 외에 원자력 안전규제, 자동차 안전규제 등이 기업가정치의 대표적인 예에 해당한다.

답 ④

| 44 | 윌슨(Wilson)의 규제정치 | 난이도 ●●○ |

신문·방송·출판물의 윤리규제 등 언론에 대한 규제는 윌슨(Wilson)의 대중정치(다수정치)의 사례이다.

(선지분석)
① 농산물에 대한 최저가격 규제 등은 소수 생산자를 보호하기 위해 다수가 높은 가격을 지불하는 고객정치모형에 해당한다.
③ 낙태, 종교활동, 언론, 독과점, 음란물 등에 대한 규제는 비용과 편익이 모두 분산되어 있는 대중정치에 해당한다.
④ 식품에 대한 위생규제, 환경오염규제, 각종 안전규제 등은 기업가(운동가)의 정치의 사례이다.

답 ②

45

2015년 서울시 9급

윌슨(J. Q. Wilson)은 정부규제로부터 감지되는 비용과 편익의 분포에 따라 규제정치를 아래 표와 같이 4가지 유형으로 구분했다. ㄱ~ㄹ에 들어갈 유형의 명칭과 그 사례의 연결이 가장 적합한 것은?

구분		감지된 편익	
		넓게 분산	좁게 집중
감지된 비용	넓게 분산	ㄱ	ㄴ
	좁게 집중	ㄷ	ㄹ

① ㄱ. 대중적 정치 - 각종 위생 및 안전규제
② ㄴ. 고객정치 - 수입규제
③ ㄷ. 기업가적 정치 - 낙태규제
④ ㄹ. 이익집단정치 - 농산물에 대한 최저가격 규제

45 윌슨(Wilson)의 규제정치   난이도 ●●○

감지된 비용이 넓게 분산되어 작게 느껴지고 감지된 편익이 소수에게 좁게 집중되어 크게 느껴지는 경우는 고객정치에 해당하며, 수입규제 및 진입규제 등이 이에 해당한다.

선지분석
① 각종 위생 및 안전규제는 대중적 정치가 아니라 운동가의 정치에 해당한다.
③ 낙태규제는 기업가적 정치가 아니라 대중적 정치에 해당한다.
④ 농산물에 대한 최저가격 규제는 이익집단정치가 아니라 고객정치에 해당한다.

윌슨(Wilson)의 규제정치 분류

구분		감지된 편익	
		넓게 분산	좁게 집중
감지된 비용	넓게 분산	대중적 정치 (Majoriarian politics)	고객 정치 (Client politics)
	좁게 집중	기업가적 정치 (Entrepreneurial politics)	이익집단정치 (Interest-group politics)

답 ②

46

2017년 국가직 7급(8월 시행)

다음 사례에 가장 부합하는 윌슨(Wilson)의 규제정치유형은?

A시와 검찰은 지난해부터 올 2월까지 B상수원 보호구역 내 불법 음식점 70곳을 단속해 7명을 구속기소하고 12명을 불구속기소하는 한편 45명을 벌금 500만~3천만 원에 약식 기소했다. 이에 해당 유역 8개 시·군이 참여하는 '특별대책지역 수질보전정책협의회' 상인대표단은 11일 "B상수원 환경정비구역 내 휴게·단속은 형평성이 결여됐다"며 중앙정부 차원의 해결책을 요구했다.

① 고객정치
② 대중정치
③ 이익집단정치
④ 기업가정치

46 윌슨(Wilson)의 규제정치유형   난이도 ●●○

제시문은 환경오염을 방지하기 위한 규제정책에 대하여 다수의 수혜집단에서는 지지가 분산되고(1/N), 소수의 피해집단의 반대는 강력하여 가장 집행이 어려운 정치상황 즉, 윌슨(Wilson)의 기업가(운동가)정치에 해당한다.

선지분석
① 고객정치의 예에는 수입규제, 직업면허 등이 있다.
② 음란물 규제, 낙태 규제, 사회적 차별 규제 등은 대중정치의 예이다.
③ 이익집단정치의 예에는 의약분업에 있어 의사와 약사의 대립이 있다.

윌슨(Wilson)의 규제정치이론

고객정치	• 수혜자의 강력한 영향력, 경쟁제한과 높은 진입장벽, 은밀하고 조용한 정책결정 등을 가지고 있음 • 다수의 비용부담 집단에서는 집단행동의 딜레마가 발생
기업가정치	• 비용부담 집단들은 비용부담을 최소화하기 위하여 정치적으로 막강한 영향력을 발휘 • 다수의 수혜집단에서는 집단행동의 딜레마가 발생하여 활동이 미약함
이익집단정치	• 대립되는 집단들 간의 타협의 산물로서 규제가 이루어짐 • 정부는 중립적 심판자로서의 역할이 요구됨
대중정치	• 비용과 편익이 모두 불특정 다수에게 분산되어 있어 쌍방이 집단행동의 딜레마에 빠지게 됨 • 공익집단의 역할과 사회적 이슈화가 요구됨

답 ④

47　　　　　　　　　　　　　　　2022년 국가직 9급

윌슨(Wilson)의 규제정치 유형 중 다음 설명에 해당하는 것은?

> 정부규제로 발생하게 될 비용은 상대적으로 작고 이질적인 불특정 다수에게 부담된다. 그러나 편익은 크고 동질적인 소수에 귀속된다. 이런 상황에서 상당한 이익을 얻을 수 있는 소수집단은 정치조직화하여 편익이 자신들에게 제도적으로 보장될 수 있도록 정치적 압력을 행사한다.

① 대중정치
② 고객정치
③ 기업가정치
④ 이익집단정치

| 47 | 윌슨(Wilson)의 규제정치유형 | 난이도 ●●○ |

제시문의 설명은 윌슨(J. Wilson)이 제시한 규제정책의 유형 중 고객정치의 사례에 해당한다.

답 ②

48　　　　　　　　　　　　　　　2018년 국회직 8급

교통체증 완화를 위한 차량 10부제 운행은 윌슨(Wilson)이 제시한 규제정치이론의 네 가지 유형 중 어디에 해당하는가?

① 대중정치
② 기업가정치
③ 이익집단정치
④ 고객정치
⑤ 소비자정치

| 48 | 윌슨(Wilson)의 규제정치이론 | 난이도 ●●● |

교통체증 완화를 위한 차량 10부제 운행은 규제의 편익(교통 소통 향상으로 인한 편리함)이 다수에게 분산되어 있으며, 규제의 비용(차량운행 제한으로 인한 불편) 역시 다수에게 분산되어 있는 형태로 대중정치에 해당한다. 대중정치는 비용과 편익이 모두 불특정 다수에게 분산되어 있어 쌍방이 집단행동의 딜레마에 빠지게 되므로, 공익집단의 역할과 사회적 이슈화가 요구된다.

답 ①

49

2014년 지방직 7급

다음 중 윌슨(J. Wilson)의 규제정치이론에 대한 설명으로 옳은 것만을 모두 고른 것은?

> ㄱ. 감지된 비용(cost)과 편익(benefits)이 모두 좁게 집중되어 있는 규제정치를 이익집단정치라 한다.
> ㄴ. 기업가적 정치는 환경오염규제 사례처럼 오염업체에게는 비용이 좁게 집중되지만 일반시민들에게는 편익이 넓게 분산된다.
> ㄷ. 대중정치는 한·약분쟁의 경우처럼 쌍방이 모두 조직적인 힘을 바탕으로 이익확보를 위해 첨예하게 대립하는 정치상황이다.
> ㄹ. 환경규제 완화 상황인 경우에는 비용이 넓게 분산되고 감지된 편익이 좁게 집중되는 고객정치의 상황이 된다.

① ㄱ, ㄴ, ㄷ
② ㄱ, ㄴ, ㄹ
③ ㄱ, ㄷ, ㄹ
④ ㄴ, ㄷ, ㄹ

KEYWORD 009 정부실패와 대응책

50

2017년 국가직 9급(4월 시행)

정부의 규모와 역할에 대한 행정이론의 설명으로 옳지 않은 것은?

① X-비효율성은 과열된 경쟁에서 나타나는 정부의 과다한 비용발생을 의미한다.
② 지대추구이론은 규제나 개발계획과 같은 정부의 시장개입이 클수록 지대추구행태가 증가하고, 그에 따른 사회적 손실도 증가한다고 주장한다.
③ 거래비용이론에서는 당사자 간의 협상 및 커뮤니케이션 비용과 계약의 준수를 감시하는 비용도 거래비용으로 포함한다.
④ 대리인이론은 주인 - 대리인 사이에 정보비대칭성이 있고, 대리인이 기회주의적으로 행동하는 경우 역선택(adverse selection) 문제가 발생할 수 있다고 주장한다.

---

49 윌슨(Wilson)의 규제정치이론 — 난이도 ●●●

ㄱ, ㄴ. 각각 이익집단정치, 기업가(운동가)의 정치에 대한 의의로 옳은 내용이다.
ㄹ. 환경규제의 경우는 비용이 집중되고 편익이 분산되어 운동가의 정치가 된다. 반대로 환경규제를 완화하는 정책의 경우는 규제완화로 다수 국민은 피해를 보므로, 비용(손실, 피해)은 분산되고 소수 오염업체는 이득을 보므로 편익이 좁게 집중되는 고객정치의 상황이 된다.

(선지분석)
ㄷ. 비용과 편익이 모두 소수에게 집중되는 이익집단정치의 특징에 해당한다.

답 ②

50 정부의 규모와 역할 — 난이도 ●●○

X-비효율성은 정부의 독점성 때문에 나타나는 무사안일·시간때우기식 근무형태를 의미한다.

(선지분석)
② 지대추구란 지대를 발생시키는 독점적 상황을 유지하기 위하여 정부에 로비활동을 벌이는 것을 말한다. 즉, 기업들이 비경쟁체제하에서 독점적 이익(지대)을 지속적으로 향유하기 위하여 경쟁체제라면 기술개발 등 건전한 활동에 투입하여야 할 자원을 비생산적·낭비적 비용(향응·뇌물 등)으로 지출하는 것을 의미한다.
③ 거래비용에는 사전적, 사후적 거래비용이 있다.

사전비용	거래조건 합의사항 작성비용(거래를 준비하기 위한 의사결정 비용), 협상이행을 보장하는 비용, 상품의 품질측정 비용, 정보이용비용 등
사후비용	계약조건 이행협력에서 발생하는 부적합 조정비용, 이행비용, 감시비용, 사후협상비용, 분쟁조정 관련비용, 계약이행보증비용 등

④ 정보의 비대칭성으로 인한 대리손실의 형태에는 역선택과 도덕적 해이가 있다.

답 ①

51   2019년 지방직 7급

파킨슨의 법칙(Parkinson's Law)에 대한 설명으로 옳지 않은 것은?

① 관료는 본질적인 업무가 증가하지 않으면 파생적인 업무도 줄이려는 무사안일의 경향을 가진다.
② 업무의 강도나 양과는 관계없이 공무원의 수는 항상 일정한 비율로 증가한다.
③ 공무원은 업무의 양이 증가하면 비슷한 직급의 동료보다 부하 직원을 충원하려는 경향이 강하다.
④ 브레낸과 뷰캐넌(Brennan & Buchanan)의 리바이던 가설(Leviathan Hypothesis)처럼, 관료제가 '제국의 건설'을 지향한다는 입장이다.

52   2019년 국회직 8급

다음 글의 (ㄱ)에 해당하는 것은?

> (ㄱ)은 재정권을 독점한 정부에서 정치가나 관료들이 독점적 권력을 국민에게 남용하여 재정규모를 과도하게 팽창시키는 행위를 의미한다는 내용을 담고 있다.

① 로머와 로젠탈(Tomas Romer & Howard Rosenthal)의 회복수준이론
② 파킨슨(Cyril N. Parkinson)의 법칙
③ 니스카넨(William Niskanen)의 예산극대화 가설
④ 지대추구이론
⑤ 리바이어던(Leviathan) 가설

---

51 파킨슨의 법칙(Parkinson's Law)   난이도 ●●○

파킨슨의 법칙(Parkinson's Law) 중 업무배증의 법칙에 따르면 부하가 배증됨으로써 지시·보고수령·승인·감독 등의 파생적 업무가 창조되어, 본질적 업무의 증가 없이 업무량의 배증 현상이 나타난다. 즉, 파생적 업무는 증가한다.

선지분석

② 업무의 강도나 양과는 관계없이 공무원의 수는 항상 일정한 비율로 증가한다. 파킨슨(Parkinson)은 매년 5.75%씩 증가하는 현상을 지적하였다.
③ 공무원은 부하배증의 법칙에 따라 동료보다 부하 직원을 충원하려는 경향이 강하다.
④ 브레낸과 뷰캐넌(Brennan & Buchanan)의 리바이던 가설(Leviathan Hypothesis)처럼 관료제가 '제국의 건설'을 지향한다는 관료제국주의 입장과 동일한 현상이다. 이러한 개념은 관료제가 팽창하는 속성이 있다는 것이다.

답 ①

52 뷰캐넌(Buchanan)의 리바이어던(Leviathan) 가설   난이도 ●●●

리바이어던(Leviathan)은 관료제를 지닌 전체주의 국가를 지칭하는 용어로, 뷰캐넌(Buchanan)은 이를 통해 공공부문의 팽창 요인에 대해 설명하고 있다. 즉, 공공부문의 총체적 규모가 정부의 집권화와 비례해 변화한다는 가설이다.

답 ⑤

53

2020년 지방직 7급

다음 상황을 설명하는 데 가장 적합한 용어는?

> 정부는 특정 지역의 주택가격이 과도하게 상승하자 이를 해결하기 위해 투기과열지구로 지정하였다. 그러나 투기과열지구로 지정된 이후 주택가격은 오히려 급등하였다. 이는 주택 수요자들이 정부의 의도와 달리 투기과열지구의 지정으로 인해 그 지역의 주택가격이 더 오를 것이라고 예상하였기 때문이었다.

① X-비효율성
② 공공조직의 내부성
③ 비경합성
④ 파생적 외부효과

54

2016년 국회직 8급

다음 사례에 나타나는 현상으로 가장 적절한 것은?

> 정부가 경제적 약자보호를 위해 무주택자에게 아파트에 대한 청약우선권을 부여하는 정책을 실시하였더니, 주택을 구입할 경제력이 있는 사람들이 우선청약권을 얻기 위해 의도적으로 전세를 살면서 자발적 무주택자가 되었다.

① 불완전경쟁(imperfect competition)
② 파생적 외부효과(derived externality)
③ 역선택(adverse selection)
④ 적응적 흡수(co-optation)
⑤ 그레샴의 법칙(Gresham's law)

53	파생적 외부효과	난이도 ●●○

제시문은 정부실패의 요인 중 하나인 파생적 외부효과 현상을 설명하고 있다. 파생적 외부효과는 정부정책의 의도하지 않은 부작용을 초래하는 현상이다.

(선지분석)
① X-비효율성은 레이번슈타인(Leibenstein)이 제시한 개념으로, 정부나 기업이 방만하고 나태한 경영으로 인하여 경영상의 효율성을 추구하기 위한 노력이나 유인(incentives)이 감소되어 나타나는 비효율성이다. 법적·제도적 요인이 아닌 심리적·행태적 요인(사명감·직업의식의 부족)에 의해 나타나는 관리상·경영상 비효율성을 의미한다.
② 관료들이 사회적 목표보다 내부적 목표를 중시함으로써 양자 간의 괴리가 발생하는데, 이를 내부성(internality)이라고 한다.
③ 한 사람을 더 소비에 참여시킨다 해도 그 재화에 대한 타인의 소비가능성을 감소시키지 않는다는 측면에서 비경합성을 지닌다.

답 ④

54	파생적 외부효과	난이도 ●●○

제시문은 정부실패의 원인 중 하나로서 정부의 정책이 의도하지 않게 부작용을 나타내는 파생적 외부효과 현상을 설명하고 있다.

(선지분석)
① 독점이나 과점을 불완전경쟁이라 한다.
③ 정보의 비대칭성에 의해 역선택과 도덕적 해이가 발생한다.
④ 적응적 흡수란 조직의 위협을 회피하기 위하여 외부에 인적인 요소를 영입하는 생존전략이다.
⑤ 그레샴(Gresham)의 법칙이란 악화가 양화를 구축한다는 병리적 현상이다.

답 ②

55
2022년 국가직 7급

정부실패의 요인에 대한 설명으로 옳지 않은 것은?

① 'X-비효율성'은 정부가 가진 권력을 통해 불평등한 분배가 이루어지는 현상이다.
② '지대추구'는 정부개입에 따라 발생하는 인위적 지대를 획득하기 위해 자원을 낭비하는 활동이다.
③ '파생적 외부효과'는 시장실패를 해결하기 위해 정부가 개입하지만 의도하지 않은 부작용을 초래하는 것이다.
④ '내부성(internalities)'은 공공조직이 공익적 목표보다는 관료 개인이나 소속기관의 이익을 우선적으로 고려하는 것이다.

56
2025년 국가직 9급

정부실패(government failure)의 원인 중 다음 설명에 해당하는 것은?

> 비공식적 목표가 공식적 조직 목표를 대체하는 현상으로서, 관료 자신이 개인적 이익이나 소속기관의 이익을 사회적 목표보다 우선 고려함으로써 사회 전체의 목표와 조직 내부 목표 간 괴리가 발생하는 것이다.

① 파생적 외부효과
② X-비효율성
③ 권력의 편재
④ 내부성

55	정부실패의 요인	난이도 ●○○

정부가 가진 권력을 통해 불평등한 분배가 이루어지는 현상은 권력의 편재이다. X-비효율성은 레이번슈타인(Leibenstein)이 제시한 개념으로, 정부나 기업의 방만하고 나태한 경영으로 인하여 경영상의 효율성을 추구하기 위한 노력이나 유인(incentives)이 감소되어 나타나는 비효율성이다. 법적·제도적 요인이 아닌 심리적·행태적 요인(사명감·직업의식의 부족)에 의해 나타나는 관리상·경영상 비효율성을 의미한다.

답 ①

56	정부실패의 원인	난이도 ●○○

제시문에 정부실패의 한 요인인 내부성(= 사적목표의 설정)에 해당한다.

선지분석
① 파생적 외부효과는 시장실패를 교정하려는 정부의 개입이 예상하지 못한 결과를 야기하는 현상이다. 즉, 정부정책의 부작용을 의미한다.
② X-비효율성은 레이번슈타인(Leibenstein)이 제시한 개념으로 정부나 기업이 방만하고 나태한 경영으로 인하여 경영상의 효율성을 추구하기 위한 노력이나 유인(incentives)이 감소되어 나타나는 비효율성으로서, 법적·제도적 요인이 아닌 심리적·행태적 요인(사명감·직업의식의 부족)에 의해 나타나는 관리상·경영상 비효율성을 의미한다.
③ 권력의 편재는 권력과 특혜에 따른 분배적 불공평성이다

답 ④

57 2016년 국가직 9급

시장실패 및 정부실패에 대한 설명으로 옳지 않은 것은?

① 시장실패를 초래하는 요인은 공공재의 존재, 외부효과의 발생, 불완전한 경쟁, 정보의 비대칭성 등이다.
② 시장실패를 교정하기 위한 정부 역할은 공적공급, 공적유도, 정부규제 등이다.
③ 정부개입에 의해 초래된 의도하지 않은 결과 때문에 자원배분상태가 정부개입이 있기 전보다 오히려 더 악화될 수 있다.
④ 정부실패는 관료나 정치인들의 개인적 요인 때문에 발생하며, 정부라는 공공조직에 내재하는 구조적 요인 때문에 발생하는 것은 아니다.

58 2016년 지방직 9급

시장실패와 정부실패에 대한 설명으로 적절하지 않은 것은?

① 시장실패는 시장기구를 통해 자원배분의 효율성을 달성할 수 없는 경우를 의미한다.
② 비배제성과 비경합성을 가진 공공재의 존재는 시장실패의 주요 원인 중 하나이다.
③ X-비효율성으로 인해 시장실패가 야기되어 정부의 시장개입 정당성이 약화된다.
④ 정부실패는 시장실패에 대응하는 개념으로, 행정서비스의 비효율성을 야기한다.

---

57 시장실패 및 정부실패 난이도 ●○○

정부실패는 관료나 정치인들의 개인적인 요인 때문에 발생하기도 하지만, 독점성으로 인한 X-비효율성 등 공공조직에 내재하는 구조적인 요인이나 산출물의 추상성·무형성 등 공공재의 속성 때문에 발생하는 경우도 있다.

선지분석
① 공공재의 존재, 외부효과의 발생, 불완전한 경쟁, 정보의 비대칭성 등은 시장실패의 요인들로 옳은 지문이다.
② 공적공급, 공적유도, 정부규제 등은 시장실패에 대한 정부개입의 방식으로 옳은 지문이다.
③ 정부개입에 의한 의도하지 않은 부작용인 파생적 외부효과는 정부실패의 원인이다.

답 ④

58 시장실패와 정부실패 난이도 ●○○

X-비효율성은 정부실패의 원인이다.

선지분석
① 시장이 자원배분의 효율성을 달성하지 못할 경우 시장실패라고 한다. 이러한 시장실패를 극복하기 위해 진행된 정부개입이 오히려 새로운 비효율과 불공정성을 창출하는 현상은 정부실패이다.
② 공공재의 특징 중 비배제성으로 인한 무임승차는 시장실패의 원인 중 하나이다.
④ 행정서비스의 비효율을 야기하는 정부실패의 개념으로 옳은 지문이다.

답 ③

59 2019년 국회직 9급

외부효과를 교정하기 위해 사용하는 방법에 대한 설명으로 옳지 않은 것은?

① 교정적 조세(피구세: Pigouvian tax)는 부정적 외부효과를 유발하는 경우에 조세로써 비용을 부담하게 하는 것이다.
② 긍정적 외부효과를 유발하는 기업에 보조금을 지급하여 사회적으로 최적의 생산량을 유지하려 한다.
③ 코우즈(R. Coase)는 소유권을 명확하게 확립하는 것이 부정적 외부효과를 줄이는 방법이라고 주장했다.
④ 공해배출권 거래제도, 폐기물처리비 예치제도 등은 외부효과에 대한 직접적 규제 방법이다.
⑤ 외부효과는 외부불경제(external diseconomy)와 외부경제(external economy)로 구분된다.

| 59 | 외부효과 교정방법 | 난이도 ●●○ |

외부효과란 시장실패의 한 원인으로, 정부는 이를 막기 위해 직접적으로 규제를 하거나 세금을 부과하는 등의 정책을 사용한다. 그 중에서도 공해배출권 거래제도, 폐기물처리비 예치제도 등은 직접적 규제가 아닌 간접적 규제이다.

> **📄 코즈의 정리(Coase Theorem)**
> ⊙ 소유권·재산권이 잘 정의되어 있고, ⓒ 민간 경제주체 간 거래비용 없이 자원배분에 대한 협상이 가능하다면, 정부개입 없이 시장에서 외부효과로 인해 초래되는 비효율성을 그들 스스로 해결하고 자원이 효율적으로 배분되게 된다는 것이다.

답 ④

60 2013년 지방직 7급

정부실패 및 행정개혁에 대한 설명으로 부적절한 것은?

① 내부성 문제는 정부실패를 초래할 수 있다.
② 경쟁적 환경을 조성하여 정부실패 문제를 완화할 수 있다.
③ 뉴거버넌스적 접근은 공공부문과 민간부문 간 협력을 중시한다.
④ 신공공관리적 개혁은 경제적 효율성과 민주주의 책임성을 제고한다.

| 60 | 정부실패 및 행정개혁 | 난이도 ●●○ |

신공공관리적 개혁은 시장논리에 입각하여 경제적 효율성과 성과를 중시하므로, 민주성과 책임성을 희생시킬 수 있다.

선지분석
① 정치인이나 관료가 사적 목표를 설정하는 내부성 문제는 정부실패의 원인이다.
② 경쟁적 환경을 조성하여 X-비효율성 등 독점성에 기인한 정부실패를 극복할 수 있다.
③ 뉴거버넌스적 접근은 신뢰를 기반으로 한 연계망 상호 간의 협력을 중시한다.

답 ④

61

2011년 서울시 9급

민영화를 통해 효과적으로 해결하기 어려운 정부실패 유형에 해당하는 것은?

① 사적 목표의 설정
② X-비효율성
③ 파생적 외부효과
④ 권력의 편재
⑤ 지대추구행위

| 61 | 정부실패와 민영화 | 난이도 ●●○ |

파생적 외부효과로 인한 정부실패는 정부보조의 삭감이나 규제 완화의 방법으로 대응할 수 있다.

정부실패의 원인별 대응방식(이종수 외 새행정학)

구분	민영화	정부보조 삭감	규제 완화
사적 목표 설정	○		
X-비효율·비용체증	○	○	○
파생적 외부효과		○	○
권력의 편재	○		○

답 ③

62

2023년 국회직 8급

정부개입을 정당화하는 근거에 대한 설명으로 옳지 않은 것은?

① 정부규제는 수행과정에서 경제주체들 간의 이해관계를 변화시키는 경우가 많아 소득재분배 효과를 낳을 수 있다.
② 외부성이 존재하는 경우 자원이 효율적으로 배분될 수 있도록 사회적 비용 혹은 사회적 편익을 내부화할 필요성이 있다.
③ 자유시장이 자원배분에 효율적이더라도 국가의 윤리적·도덕적 판단을 강조하는 비가치재(demeritgoods) 관점에서 정부규제가 정당화될 수 있다.
④ 코즈의 정리(Coase's Theorem)가 내세운 전제조건과는 달리 자발적 거래에 필요한 완벽한 정보는 존재하기 어려우며, 거래비용 역시 발생할 수 있다.
⑤ 정부는 개인이나 기업에게 제한된 공공재화를 배분하거나 경제행위를 할 수 있는 인허가 권한을 내줌으로써 지대추구행위를 막을 수 있다.

| 62 | 정부규제 | 난이도 ●●● |

정부규제의 폐단을 설명하는 지대추구론(Tullock)에 따르면, 정부는 인허가권한을 내주는 규제과정을 통하여 지대를 만들어주게 되고, 기업은 이를 획득하려는 비생산적인 로비활동인 지대추구행위를 조장하게 한다는 것이다.

선지분석

② 외부성이 존재하는 경우 효율적인 자원배분을 저해하므로 사회적 비용(외부불경제) 혹은 사회적 편익(외부경제)은 이를 내부화할 필요성이 있다. 정부의 개입이나 규제가 필요한 이유이다.
③ 자유시장이 자원배분에 효율적이더라도 사회적으로 바람직하지 않은 재화, 즉 비가치재(demerit goods)의 생산이나 유통은 국가의 윤리적·도덕적 판단 차원에서 정부가 규제하는 것이 정당화될 수 있다.
④ 코즈정리는 (1) 소유권·재산권(Property rights)이 잘 정의되어 있고, (2) 민간 경제주체 간 거래비용(transaction cost) 없이 자원배분에 관한 협상이 가능하다면, 외부효과로 인해 초래되는 비효율성을 정부개입 없이 시장에서 그들 스스로 해결할 수 있다고 본다. 실질적으로 재산권 설정이 곤란하고, 거래비용이 발생하므로 현실적인 적용상 한계가 있다.

답 ⑤

63 — 2023년 국가직 7급

주인 - 대리인이론(principal-agent theory)에 대한 설명으로 옳지 않은 것은?

① 경제적 능률을 중시하는 인간관에 기반한 이론으로, 행위자들이 이기적 존재임을 전제한다.
② 주인과 대리인의 목표 상충으로 인해 X-비효율성이 나타난다.
③ 인간의 인지적 한계와 정보부족 등 상황적 제약으로 인해 합리성은 제약된다고 본다.
④ 주인과 대리인 사이에 정보비대칭성이 존재하고, 대리인이 기회주의적으로 행동하는 경우 역선택이나 도덕적 해이가 발생할 수 있다.

---

63 주인 - 대리인이론 난이도 ●●●

X-비효율성이란 정부의 독점성으로 인한 조직 내부의 방만한 경영으로 발생하는 근무태만, 무사안일, 시간때우기식 근무행태 등과 같은 행정관리상의 비효율성이다.

선지분석
① 인간관은 이기적이고 합리적인 경제인이다.
③ 인간의 인지적 한계와 정보부족 등 상황적 제약 때문에 합리성이 제약된다고 본다.
④ 정보비대칭성이 존재하고, 대리인이 기회주의적으로 행동으로 역선택과 도덕적 해이가 발생한다.

답 ②

---

64 — 2025년 국가직 7급

정부실패의 원인 중 하나인 X-비효율성에 해당하는 것은?

① 조직의 비공식적 목표가 공식적 목표를 대체하는 현상을 의미한다.
② 공공서비스의 편익 향유와 비용 부담 주체의 분리로 나타나는 현상을 의미한다.
③ 조직이 내부 특성으로 인해 최소비용에 의한 이윤극대화라는 효율성을 달성하지 못하는 상태를 의미한다.
④ 정부개입에 의해 발생하는 인위적 지대를 획득하기 위해 자원을 낭비하는 현상을 의미한다.

---

64 X-비효율성 난이도 ●○○

X-비효율성은 행정조직이 경쟁의 결여 등으로 나타나는 심리적·행태적 요인(사명감·직업의식의 부족)에 의해 나타나는 관리상·경영상 비효율성을 의미한다.

선지분석
① 관료들이 사회적 목표(공식적 목표)보다 내부적 목표(비공식적 목표)를 중시함으로써 양자 간의 괴리가 발생하는데, 이를 내부성(internality)이라고 한다.
② 공공서비스의 편익 향유와 비용 부담 주체의 분리로 나타나는 현상은 비용과 수익의 절연이다.
④ 정부개입에 의해 발생하는 인위적 지대를 획득하기 위해 자원을 낭비하는 현상은 지대추구활동이다.

답 ③

KEYWORD 010 정부의 역할과 민간화

65 □□□ 2014년 서울시 9급

다음 중 정부의 역할에 대한 입장을 바르게 설명하는 것만 모두 고른 것은?

> ㄱ. 진보주의 정부관에 따르면 정부에 대한 불신이 강하고 정부실패를 우려한다.
> ㄴ. 공공선택론의 입장은 정부를 공공재의 생산자로 규정하고 대규모 관료제에 의한 행정의 효율성을 높이는 것이 중요하다고 본다.
> ㄷ. 보수주의 정부관은 자유방임적 자본주의를 옹호한다.
> ㄹ. 신공공서비스론 입장에 따르면 정부의 역할은 시민들로 하여금 공유된 가치를 창출하고 충족시킬 수 있도록 봉사하는 데 있다.
> ㅁ. 행정국가 시대에는 '최대의 봉사가 최선의 정부'로 받아들여졌다.

① ㄱ, ㄴ, ㄷ
② ㄴ, ㄷ, ㄹ
③ ㄷ, ㄹ, ㅁ
④ ㄱ, ㄹ, ㅁ
⑤ ㄱ, ㄴ, ㅁ

| 65 | 정부의 역할 | 난이도 ●●● |

ㄷ. 보수주의 정부는 시장에 대한 정부개입을 반대한다.
ㄹ. 신공공서비스론은 공익을 공동체의 공유된 가치나 담론의 결과로 인식한다.
ㅁ. 근대 입법국가는 최소한의 행정이 최선의 행정이었으나, 현대 행정국가는 최대의 행정(큰 정부)이 최선의 행정으로 인식한다.

선지분석
ㄱ. 정부에 대한 불신이 강하고 정부실패를 우려하는 것은 진보주의가 아니라 보수주의 정부관이다.
ㄴ. 공공선택론은 전통적인 대규모 관료제보다는 시민의 선호에 부응할 수 있는 분권화·시장화된 탈관료제 조직같은 새로운 제도적 장치를 선호한다.

답 ③

66 □□□ 2011년 서울시 9급

진보주의 정부관을 설명하고 있는 내용 중 가장 적절하지 않은 것은?

① 소극적 자유 선호
② 공익 목적의 정부규제 강화 강조
③ 조세를 통한 소득재분배 강조
④ 효율과 공정에 대한 자유시장의 잠재력 인정
⑤ 소외집단을 위한 정부정책 선호

| 66 | 진보주의 정부관 | 난이도 ●○○ |

소극적 자유 선호는 보수주의 정부관에 대한 설명이다.

보수주의와 진보주의 비교

구분	보수주의	진보주의
추구하는 가치	• 자유(국가로부터의 자유) 강조 • 형식적 평등, 기회에서의 평등 중시 • 교환적 정의	• 자유(국가에로의 자유)를 열렬히 옹호 • 실질적 평등, 결과에서의 평등 중시 • 배분적 정의
인간관	합리적 경제인관(이기적 인간)	욕구, 협동, 오류 가능성의 여지가 있는 인간관
시장관	아담 스미스(A. Smith)의 보이지 않는 손(가격)에 대한 믿음 - 자유시장에 대한 신념	효율과 공정, 번영과 진보에 대한 시장의 잠재력을 인정하되 시장의 결함과 윤리적 결여 강조
정부관	• 최소한의 정부 - 정부불신 • 청교도 사상에 입각	• 적극적인 정부 - 정부개입 중시 • 종교의 자유 강조
경제정책	규제완화, 세금감면, 사회복지 정책의 폐지 등을 옹호	소득재분배 정책, 사회보장 정책, 공익추구를 위한 정부규제 등의 정책을 옹호

답 ①

67   2016년 지방직 7급

민간부문의 자율성을 높이고 그 역할을 확대하는 민간화(privatization) 방법과 거리가 먼 것은?

① 진입규제 강화
② 바우처 제공
③ 정부계약(contracting out) 활용
④ 공동생산(co-production)

68   2016년 국회직 8급

민간위탁에 대한 설명으로 옳지 않은 것은?

① 정부기관이 조사·검사·검정 등 국민의 권리·의무와 직접 관계된 사무 일부를 민간부문에 위탁하는 것이다.
② 공공서비스 전달의 비용절감 및 품질개선 등 효율성을 제고하는 성과를 창출할 수 있다.
③ 정치적 관점에서는 관료제가 자기조직의 이익확대를 추구하는 목적으로 사용된 측면이 있다.
④ 우리나라 지방자치단체의 민간위탁은 정부혁신의 일환으로 중앙정부로부터 수직적으로 추진되었다.
⑤ 면허 방식에서는 서비스 제공자들 간의 경쟁이 약할 경우 이용자 고객의 비용부담이 증가할 수 있다.

---

67   민간화 방법   난이도 ●○○

진입규제를 강화하는 것이 아니라 완화하는 것이 민간화 기법이다.

선지분석
② 바우처는 저소득층과 같은 특정계층의 소비자에게 구매권에 명시된 금액만큼 특정재화나 서비스를 구매할 수 있는 증서(쿠폰)를 제공하는 방식이다.
③ 정부계약은 정부가 민간부문과 위탁계약을 맺고 비용을 지불하며, 민간부문으로 하여금 공공서비스를 생산하게 하는 방식이다.
④ 공동생산은 정부와 민간이 공동으로 서비스를 제공하는 방식으로, 민간화의 일종으로 보는 견해가 있다.

답 ①

68   민간위탁   난이도 ●○○

민간위탁이란 주로 조사·검사·검정 등 국민의 권리·의무와 직접 관계가 없는 사무 일부를 민간부문에 위탁하는 것이다.

선지분석
② 경쟁입찰 과정을 거쳐 수탁기관을 선정하므로, 비용절감 및 품질개선 등 효율성을 제고하는 성과를 창출할 수 있다.
③ 우리나라의 민간위탁은 관료들의 퇴임 이후 자리보장을 위해서 준정부조직 등을 설립한 경우가 많았다.
④ 우리나라 민간위탁은 IMF 경제위기를 극복하기 위한 과정 중 정부혁신과 인력감축이라는 정부혁신 차원에서 중앙정부가 주도적·수직적·하향적으로 추진한 것이었다.
⑤ 서비스 제공자들 간의 경쟁이 약할 경우 이용자 고객의 비용부담이 증가할 수 있는 것은 면허 방식의 한계로 옳은 내용이다.

답 ①

69 □□□
2015년 서울시 7급

민영화의 유형에 대한 설명으로 가장 옳지 않은 것은?

① 민영화의 계약(contracting-out)방식은 일반적으로 경쟁입찰을 통해 서비스 생산주체가 결정되므로 정부재정 부담을 경감시킬 수 있다.
② 민영화의 프랜차이즈(franchise)방식은 정부가 서비스 제공자에게 서비스 비용을 직접 지불하여 이용자의 비용부담을 경감시키는 장점이 있다.
③ 전자 바우처(vouchers)방식은 개별적인 바우처 사용행태를 분석하여 실제 이용자의 실시간 모니터링이 가능하다.
④ 자조활동(self-help)방식은 공공서비스 수혜자와 제공자가 같은 집단에 소속되어 서로 돕는 형식이다.

69	민영화의 유형	난이도 ●●○

정부가 서비스 제공자에게 서비스 비용을 직접 지불하는 방식은 계약(contracting-out)에 의한 민간위탁방식이다.

선지분석

③ 카드 형태의 전자 바우처(Voucher)는 바우처 사용의 실시간 모니터링을 통하여 바우처 관리의 투명성을 확보한다.

주요 민영화 방법

민간위탁 (계약)	정부의 책임하에 민간이 서비스를 생산
면허	민간조직에게 일정한 구역 내에서 공공서비스를 제공하는 권리를 인정
프랜차이징	독점허가(특허)
보조금 방식	외부경제를 유발하는 생산업체(민간조직)에게 재정 또는 현물 지원
바우처	생산자가 아닌 빈곤계층에게 금전적 가치가 있는 쿠폰을 주어 소비자가 공급자를 선택
자원봉사자 방식	NGO 등 무보수 자원봉사단체에 의한 자발적 서비스 공급 (레크리에이션 등)
자조활동 (자기생산)	스스로 이웃끼리 서비스를 생산하고 소비하는 자급자족 (이웃감시, 주민순찰 등)

답 ②

---

70 □□□
2015년 국가직 7급

공기업 민영화 과정에서 발생할 수 있는 문제점에 대한 설명으로 옳지 않은 것은?

① 민영화 과정에서 특혜, 정경유착 등의 부패가 발생할 수 있다.
② 공기업에서 제공하던 공공서비스가 사적 서비스로 변환되기 때문에 서비스 배분의 형평성 문제가 제기될 수 있다.
③ 민영화를 통해 정부의 지분이 다수 국민에게 지나치게 분산되면 대주주는 없고 다수의 소액주주만 있어서 공기업에 대한 효과적인 감시가 어려워질 수 있다.
④ 시장성이 큰 서비스를 다루는 공기업을 민영화하게 되면 지나친 경쟁체제에 노출되기 때문에 민영화의 실익이 없다.

70	공기업 민영화의 문제점	난이도 ●○○

공공성보다는 시장성이 강한 조직일수록 시장에 잘 적응하여 공기업의 민영화 효과가 크게 나타난다.

선지분석

① 민영화 과정에서 특혜를 주는 비리가 발생할 수 있다.
② 민영화는 형평성 문제가 제기된다.
③ 다수는 집단행동의 딜레마로 통제가 힘들어진다.

민영화의 장단점

장점	단점
• 행정기능 재분배를 통한 행정 기능의 적정화 • 행정서비스의 효율성 제고 • 행정서비스의 질 향상 • 민간경제의 활성화 • 행정서비스 공급의 신축성 향상 • 주민의 선택폭의 확대 • 작은 정부의 구현	• 공공서비스 생산에 대한 행정책임 확보의 곤란(정부가 직접 생산하는 것에 비해) • 행정의 안정성과 계속성 저해 • 공공성의 침해, 특히 구매력 없는 소비자의 소외를 통한 형평성 저해

답 ④

71 □□□
2014년 서울시 9급

정부는 공공서비스를 효율적으로 공급하기 위한 방법의 하나로서 민간위탁방식을 사용하기도 하는데, 민간위탁방식에 해당하지 않는 것은?

① 면허방식
② 이용권(바우처)방식
③ 보조금방식
④ 책임경영방식
⑤ 자조활동방식

72 □□□
2013년 국가직 9급

공공서비스 제공 시 사용료 부과 등 수익자 부담의 원칙을 적용할 때 발생할 수 있는 현상은?

① 공공서비스의 불필요한 수요를 줄일 수 있다.
② 누진세에 비해 사회적 형평성 제고 효과가 크다.
③ 일반 세금에 비해 조세저항을 강하게 유발한다.
④ 비용편익분석이 곤란하게 되어 경제적 효율성을 저하시킨다.

---

71 민간위탁방식   난이도 ●○○

책임경영방식은 공공성이 강하여 민영화가 곤란한 집행사무를 정부가 내부시장화된 방식을 이용하여 직접 공급·생산하는 방식으로, 정부기업이나 책임운영기관 방식을 말한다. 책임운영기관은 내부시장화된 기관일 뿐 민영화된 기관이 아니며, 구성원의 신분도 공무원이고 기관의 성격도 어디까지나 정부조직이다.

공공서비스 생산방식의 유형	
일반행정형	정부가 직접 공급·생산해야 하는 공익 우선의 기본적인 일반행정사무
책임경영형	정부가 시장 논리에 따라 공급·생산하는 방식(공기업이나 책임운영기관 등)
민간위탁형	공급의 책임은 정부에 귀속되지만 생산은 민간이 수행하는 방식
민영화형	민간이 공급과 생산을 담당한 충분한 시장탄력성을 가진 경우

답 ④

72 수익자 부담의 원칙의 문제점   난이도 ●●○

수익자 부담주의에 의하여 이용자에게 비용 부담을 시키면 꼭 필요한 사람들만 이용하게 되므로, 공공서비스의 불필요한 수요를 줄일 수 있다.

(선지분석)
② 시장의 수익자 부담의 원칙은 사회적 형평성을 저해한다.
③ 강제성이 없는 수익자 부담은 강제성이 있는 조세보다 저항이 없다.
④ 수익자 부담의 원칙은 경제적 효율성을 확보한다.

답 ①

73

2011년 서울시 7급

계약 및 면허방식의 공통점에 대한 설명으로 가장 적절하지 않은 것은?

① 두 방식 모두 정부가 민간기업에 재화나 서비스의 공급권을 부여한다.
② 두 방식 모두 정부가 생산자에게 소요비용을 직접 지불한다.
③ 두 방식 모두 관련 행정업무 수행에 소요되는 경비를 절감할 수 있다.
④ 두 방식 모두 시장논리에 의한 민간부문의 경쟁을 유도할 수 있다.
⑤ 두 방식 모두 공공서비스 공급(provision)의 책임은 정부에 귀속되어 있다.

74

2022년 군무원 7급

다음 중 공공서비스의 공급과 생산에 대한 설명으로 가장 옳지 않은 것은?

① 면허(franchise)는 서비스 제공자들 사이에 경쟁이 미약하면 이용자의 비용부담이 과중하게 되는 부정적 효과가 발생한다.
② 바우처(vouchers)는 관료와 서비스 제공자 간의 유착을 근절하여 부정부패를 막을 수 있다.
③ 민간위탁(contracting-out)은 인력운영의 유연성을 제고해서 관료조직의 팽창을 억제할 수 있다.
④ 집합적 공동생산(collective co-production)은 시민들의 참여도에 관계없이 혜택이 공통으로 돌아가게 한다는 재분배적 사고가 기저에 있다.

| 73 | 계약과 면허 | 난이도 ●●○ |

계약과 면허 두 방식 모두 공급에 대한 책임은 정부가 지면서 서비스의 생산만 민간에 의뢰하는 방식이다. 그러나 계약(위탁)은 정부가 생산자에게 비용을 부담하지만(예 쓰레기 처리 등) 면허는 소비자가 생산자에게 비용을 지불한다는 점(예 주차장 등)이 다르다.

선지분석
①, ⑤ 계약과 면허 모두 민간에게 생산·공급권을 부여하며, 정부는 공급에 대한 최종적 책임을 진다.
③, ④ 계약과 면허방식 모두 경쟁입찰을 하기 때문에 경비를 절감한다.

답 ②

| 74 | 공공서비스의 공급과 생산 | 난이도 ●●● |

바우처(vouchers)는 금전과 동일한 가치가 있는 쿠폰을 소비자인 빈곤층에게 제공하여 소비자가 공급자를 선택하게 하는 민영화 방식으로, 소비자의 선택권 보장·공급자 간 경쟁 촉진·재분배적 성격으로 인한 형평성 제고 등 장점이 있지만, 서비스의 누출이나 전매·관료와 서비스 제공자 간 유착 등 부패가 발생할 우려가 있다는 단점이 있다.

선지분석
① 면허(franchising)는 일정한 자격을 갖춘 특정업체에 대해 일정구역 안에서 공공서비스를 제공할 수 있는 권리를 인정하는 것이므로, 경쟁이 미약할 경우 가격이 상승할 우려가 있다.
③ 민간위탁방식은 공공서비스를 민간에 위탁하는 방식이므로, 정부인력 운영의 유연성을 제고하고 관료조직의 팽창을 막을 수 있다는 장점이 있다.
④ 공동생산(coproduction)에는 집합적(collective) 공동생산과 집단적(group) 공동생산 두 가지가 있다. 집합적(collective) 공동생산(협동생산)이란 전체 공동체 구성원 모두가 향유할 수 있는 집합적 재화를 공동으로 창출하는 것으로, 시민들의 참여도에 관계없이 혜택이 공통적으로 돌아가게 한다는 재분배적 사고가 깔려 있다. 반면, 집단적(group) 공동생산은 다수 시민의 능동적·자발적 참여에 의한 공동생산으로, 소수 부유층 집단에게 혜택이 돌아가거나 공무원집단의 거부현상이 발생할 우려가 있어 서비스기관과 시민집단 간의 공식적 조정메커니즘을 필요로 한다는 점에서 집합적 공동생산과는 다르다.

답 ②

75   2023년 군무원 9급

다음 중 민간부분에 의한 공공서비스 생산의 유형과 설명으로 가장 거리가 먼 것은?

① 민간위탁은 계약에 의한 민간의 생산자가 공공서비스를 생산하는 것이다.
② 자원봉사는 간접적인 보수는 허용되는 공공서비스 생산 유형이다.
③ 면허는 일정구역 내에서 공공서비스를 제공하는 권리를 인정하는 유형이다.
④ 바우처 지급은 시민들에게 공공서비스 이용권을 지급하는 형태이다.

| 75 | 민간부분의 공공서비스 생산 유형 | 난이도 ●●○ |

자원봉사는 보수를 받지 않는다.

선지분석
① 민간위탁은 정부가 민간부문과 위탁계약을 맺고 비용을 지불하며 민간부문으로 하여금 공공서비스를 생산하게 하는 방식으로써, '정부가 민간과의 계약을 통해 국민들에게 서비스를 전달하는 것'이다.
③ 면허는 민간조직에게 일정한 구역 내에서 공공서비스를 제공하는 권리를 인정하는 협정을 이용하는 것으로, 시민 또는 이용자는 서비스 제공자에게 비용을 지불하며 정부가 서비스 수준과 질을 규제한다.
④ 바우처는 저소득층과 같은 특정계층의 소비자에게 구매권에 명시된 금액만큼 특정재화나 서비스를 구매할 수 있는 증서(쿠폰)를 제공하는 방식으로, 공공서비스의 생산을 민간부문에 넘기면서 시민들의 서비스 구입부담을 완화시키기 위해 금전적 가치가 있는 쿠폰을 시민들에게 제공하는 방식이다.

답 ②

76   2022년 지방직 7급

민간위탁(contracting out)에 대한 설명으로 옳지 않은 것은?

① 정부가 제공하는 서비스를 민간부문에 맡기고 비용을 지불하는 방식이다.
② 비영리단체는 민간위탁의 대상이 되지 않는다.
③ 정부의 직접공급에 비해 고용과 인건비의 유연성 확보가 용이하다.
④ 대표적인 예로는 쓰레기수거업무나 도로건설업무가 있다.

| 76 | 민간위탁 | 난이도 ●●● |

비영리단체도 민간위탁의 대상이 된다.

선지분석
① 민간위탁이란 외부계약 방식을 통해 정부가 자신들의 사무를 민간부문에서 대신 수행하도록 위탁하는 것을 의미한다.
③ 민간위탁의 장점으로는 소요되는 경비의 절감, 변화에 따른 탄력적 대응 등을 들 수 있다.
④ 민간위탁(contracting out)에 대한 예시로서 옳은 지문이다.

답 ②

KEYWORD 011 비정부조직(NGO)과 사회적 자본

77 □□□
2012년 지방직 9급

현대 민주주의 국가에서 정부와 시민사회의 관계에 대한 설명으로 적절하지 않은 것은?

① 시민사회의 역량이 커지면서 정부 중심의 통치에서 거버넌스로 관점이 변화하고 있다.
② 정부 주도의 성장 과정에서 초래된 사회적 부작용을 완화하는 방안으로 시민사회의 역할이 강조되고 있다.
③ 시민의식이 성숙되고 시민의 참여 욕구가 증대하면서 정부와 시민사회의 새로운 파트너십이 요구되고 있다.
④ 시민사회에 발생하는 이해관계자 간의 다양한 갈등을 해결하기 위하여 심판자로서의 정부 역할이 강화되고 있다.

78 □□□
2010년 국가직 9급

오늘날 시민사회조직에 대한 설명으로 가장 적합하지 않은 것은?

① 정부와 비정부조직 간에 적대적 관계보다는 서로의 존재를 인정하는 동반자적 관계가 점차 확산되고 있다.
② 비정부조직이 생산하는 공공재나 집합재의 생산비용을 정부가 지원하는 경우에는 정부와 대체적 관계를 형성한다.
③ 비영리조직이 지닌 특징으로는 자발성, 자율성, 이익의 비배분성 등이 있다.
④ 정부가 지지나 지원의 필요성을 위해 특정한 비정부조직 분야의 성장을 유도하여 형성된 의존적 관계는 개발도상국에서 많이 나타난다.

---

77 정부와 시민사회의 관계   난이도 ●●○

시민사회의 이해관계자 간의 다양한 갈등을 조정하기 위해 중립적 심판자로서의 정부역할이 강조되는 것은 다원주의 정부관에 입각한 정부 역할이다. 현대적 의미의 시민사회는 정부실패 이후 제3의 대안으로, 거버넌스의 구성요소로서의 역할이 강조된다.

(선지분석)
① 거버넌스 시대의 도래와 함께 연계망의 하나로서 NGO의 역할이 확대되고 있다.
②, ③ 정부 중심 성장의 부작용을 해소하기 위하여 시민사회와 정부 간 동반자적 파트너십이 요구되고 있다.

답 ④

78 시민사회조직   난이도 ●○○

비용을 정부가 지원하는 경우에 정부와 비정부조직(NGO)의 관계는 보완적·협력적 관계가 된다. 대체적 관계는 국가의 한계로 인해 실패된 공공재 등의 공급을 NGO가 대신 맡게 된다는 모형이다.

(선지분석)
① 정부와 비정부조직 간에 서로의 존재를 인정하고 상호 협력하는 동반자적 관계가 확대되고 있다.
③ 이익의 비배분성이란 구성원들이 편익을 분배받지 않는다는 뜻으로, 비영리조직의 특징에 해당한다.
④ 개발도상국에서 정부가 특정 비정부 분야의 성장을 유도하는 관계를 의존관계라 한다.

답 ②

79

2022년 군무원 9급

시민단체 해석의 관점에 대한 설명으로 가장 옳지 않은 것은?

① 결사체 민주주의 입장에서는 이상적인 사회란 NGO 등의 자원조직이 많이 생겨서 효과적으로 활동하며 사회적 의미를 부여하는 형태를 의미한다.
② 공동체주의에서는 공동체를 위한 책임있는 개인의 자원봉사 정신을 강조한다.
③ 다원주의에서는 개인의 자유를 중시하는 전통적 자유주의와 개인의 책임을 강조하는 보수주의를 절충한 입장을 취하고 있다.
④ 사회자본론도 시민사회와 시민단체에 대해 의미있는 해석을 강화하며, 사회자본은 시민의 자발적 참여에 의해 생산되는 무형의 자본을 의미한다.

80

2024년 국가직 9급

「비영리민간단체 지원법」상 정부의 비영리민간단체 지원에 대한 설명으로 옳지 않은 것은?

① 비영리민간단체는 영리가 아닌 공익활동을 수행하는 것을 주된 목적으로 하는 민간단체이어야 한다.
② 등록비영리민간단체는 공익사업의 소요경비를 지원받을 수 있으며 소요경비의 범위는 사업비를 원칙으로 한다.
③ 등록비영리민간단체가 공익사업 추진의 보조금을 교부받고자 할 때에는 사업의 목적과 내용, 소요경비, 기타 필요한 사항을 기재한 사업계획서를 제출해야 한다.
④ 등록비영리민간단체는 보조금을 받아 수행한 공익사업을 완료한 때에는 사업보고서를 대통령에게 제출해야 하며 사업평가, 사업보고서 및 평가결과의 공개 등에 필요한 사항은 대통령령으로 정한다.

| 79 | 시민단체 해석의 관점 | 난이도 ●●● |

다원주의에서는 시민단체가 사회적 다원성을 전제로 한다고 보았다.

시민단체 해석의 관점	
결사체 민주주의	NGO 등 자원조직이 많이 생겨서 효과적으로 활동하며 사회적 의미를 부여하는 형태가 이상적 사회라고 정의
공동체주의	공동체를 위한 책임있는 개인의 자원봉사정신을 강조하며, 개인의 자유를 중시하는 전통적 자유주의와 개인의 책임을 강조하는 보수주의를 절충한 입장
다원주의	사회적 다원성을 전제로 하는 시민사회와 시민단체의 등장을 효과적으로 설명
사회자본론	시민사회와 시민단체에 대해 의미있는 해석을 강화하며, 사회자본을 시민의 자발적 참여에 의해 생산되는 무형의 자본으로 정의

답 ③

| 80 | 비영리민간단체 | 난이도 ●●● |

「비영리민간단체 지원법」상 등록비영리민간단체가 사업계획서에 따라 사업을 완료한 때에는 다음 회계연도 1월 31일까지 사업보고서를 작성하여 대통령이 아닌 행정안전부장관에게 제출하여야 한다.

선지분석
① 비영리민간단체의 개념에 대한 설명으로 옳은 지문이다.
② 비영리민간단체의 경비지원에 대한 설명이다.
③ 비영리민간단체의 보조금 교부절차에 대한 설명이다.

답 ④

81　 ☐☐☐
2023년 군무원 9급

오늘날 시민사회조직에 대한 설명으로 가장 적절하지 않은 것은?

① 비정부조직이 생산하는 공공재나 집합재의 생산비용을 정부가 지원하는 경우에는 정부와 대체적 관계를 형성한다.
② 정부와 비정부조직 간에 적대적 관계보다는 서로의 존재를 인정하는 동반자적 관계가 점차 확산되고 있다.
③ 비영리조직이 지닌 특징으로는 자발성, 자율성, 이익의 비배분성 등이 있다.
④ 정부가 지지나 지원의 필요성을 위해 특정한 비정부조직 분야의 성장을 유도하여 형성된 의존적 관계는 개발도상국에서 많이 나타난다.

82　 ☐☐☐
2025년 국가직 7급

준정부기관에 대한 설명으로 옳지 않은 것은?

① 시장성과 기업성이 강한 업무를 수행함으로써 정부에 재정적으로 의존하지 않는다.
② 공무원연금공단, 한국연구재단, 국립생태원 등이 있다.
③ 준정부기관의 장은 임원추천위원회가 복수로 추천한 사람 중에서 주무기관의 장이 임명하지만 대통령령으로 정하는 기관의 장은 주무기관의 장의 제청으로 대통령이 임명한다.
④ 정부조직이 아니면서 정부로부터 권한을 위임받아 정부가 수행해야할 공공서비스를 전달한다.

81　시민사회조직　난이도 ●○○

NGO가 생산하는 공공재나 집합재의 생산비용을 정부가 지원함으로써 정부와 NGO가 긴밀한 협조관계에 있는 경우는 보완적 관계이다.

선지분석
② 동반자 관계는 서로의 존재를 인정하고 상호협력적인 관계로, 가장 바람직한 모형으로 평가받는다.
③ NGO의 특징은 ⓐ 자발성(voluntarism)에 의해 형성된 조직이므로 운영에 자율성을 가지며, ⓑ 경제적 이익 대신에 공익을 추구하는 이익의 비배분성을 특징으로 한다.
④ 의존적 관계는 정부가 특정한 비정부조직 분야의 성장을 유도하는 관계로 개발도상국에서 주로 나타난다.

답 ①

82　준정부기관　난이도 ●●○

준정부기관은 시장성이나 기업성보다는 공공성이 강한 업무를 정부로부터 위탁받아 대신 수행한다. 따라서 정부에 재정적으로 의존하는 정도가 높다.

선지분석
② 공무원연금공단, 한국연구재단, 국립생태원 등이 준정부기관에 해당한다.
③ 준정부기관의 장은 임원추천위원회가 복수로 추천한 사람 중에서 주무기관의 장이 임명하지만 대통령령으로 정하는 기관(총수입액, 자산규모 및 정원이 일정 기준 이상)의 장은 주무기관의 장의 제청으로 대통령이 임명한다(「공공기관의 운영에 관한 법률」 제26조).
④ 법적으로 정부조직이 아닌 민간조직으로 정부로부터 권한을 위임받아 정부가 수행해야할 공공서비스를 전달한다.

답 ①

83

2025년 국가직 7급

NGO에 대한 설명으로 옳지 않은 것은?

① 공공의 이익을 추구하기 위해 자발적으로 조직되고 운영된다.
② 정부가 각종 사회문제를 해결하지 못하고 시민의 욕구를 충족시키지 못하는 한계를 보완하기 위해 등장하였다.
③ 서비스형 NGO는 국민권익을 보호하는 역할을 담당하고, 주창형 NGO는 사회적 약자를 위한 복지혜택을 제공하는 역할을 한다.
④ 시민의 참여를 통해 구성되기 때문에 자치성(self-governing)을 특징으로 한다.

84

2014년 서울시 7급

사회자본의 특징에 대한 설명으로 옳지 않은 것은?

① 사회자본은 행위자들 간의 관계 속에 존재하는 자본이다.
② 사회자본의 사회적 교환관계는 동등한 가치의 등가교환이다.
③ 사회자본은 지속적인 교환과정을 거쳐서 유지되고 재생산된다.
④ 사회자본은 거시적 차원에서 공공재의 속성을 가지고 있다.
⑤ 사회자본의 교환은 시간적으로 동시성을 전제로 하지 않는다.

| 83 | NGO | 난이도 ●●○ |

서비스형 NGO는 사회적 약자를 위한 복지서비스 등을 제공하는 역할을 담당하는 유형이고, 주창형 NGO는 특정 정책을 주창하는 역할을 담당한다.

선지분석
① NGO는 자발적으로 조직되고 운영되는 공익추구기구이다.
② 정부실패를 보완하기 위해 등장하였다.
④ 정부의 간섭 없이 운영되기 때문에 자치성(self-governing)을 특징으로 한다.

답 ③

| 84 | 사회자본의 특징 | 난이도 ●●○ |

사회자본의 교환관계는 등가물의 동시적 교환이 아니다. 등가물의 동시적 교환은 경제적 자본의 거래방식이다.

선지분석
① 사회자본은 사회적 관계 속에서 형성되는 자본이다.
③ 사회자본은 사용하지 않으면 줄고 사용하면 할수록 늘어나므로, 소유주체가 이를 유지하려는 노력을 지속적으로 해야 한다.
④ 사회적 자본도 거시적으로는 공적 자원 즉, 공공재의 일종이다.
⑤ 경제적 자본처럼 동일한 가치를 지닌 물건을 동시에 맞교환하는 등가물의 동시적 교환이 아니다.

답 ②

85 ☐☐☐
2017년 서울시 7급

사회적 자본에 대한 설명으로 가장 옳지 않은 것은?

① 신뢰를 통해 거래비용을 감소시키는 기능이 있다.
② 단기간에 정부 주도하의 국민운동에 의해 형성될 수 있다.
③ 개념적으로 추상적이기에 객관적으로 계량화하기 쉽지 않다.
④ 개인, 집단, 지역공동체, 국가 등 상이한 수준에서 정의될 수 있다.

86 ☐☐☐
2013년 국회직 8급

사회적 자본(social capital)에 대한 설명으로 가장 옳지 않은 것은?

① 사회적 자본은 사회 내 신뢰 강화를 통해 거래비용을 감소시킨다.
② 사회적 자본은 경제적 자본에 비해 형성과정이 불투명하고 불확실하다.
③ 사회적 자본은 사회적 규범 또는 효과적인 사회적 제재력을 제공한다.
④ 사회적 자본은 동조성(conformity)을 요구하면서 개인의 행동이나 사적 선택을 적극적으로 촉진시킨다.
⑤ 사회적 자본은 집단결속력으로 인해 다른 집단과의 관계에 있어서 부정적 효과를 나타낼 수도 있다.

85	사회적 자본	난이도 ●●○

사회적 자본은 단기간에 정부가 주도하는 것이 아니라 민간 스스로 자발적으로 형성되는 자발적 · 수평적 · 협력적 네트워크를 말한다.

선지분석
① 사회적 자본은 경제주체들 사이의 경제운영비용, 정보획득비용 등 거래비용을 감소시킨다.
③ 무형적 자본이므로 객관적인 측정이 쉽지가 않다.
④ 사회적 자본이란 사회 전체적으로는 네트워크를 의미하며, 개인적으로는 미시적으로 네트워크에 참여하여 얻을 수 있는 능력이나 자산을 의미한다.

답 ②

86	사회적 자본	난이도 ●●●

사회적 자본은 동조성을 요구하여 구성원들로 하여금 개인의 자유로운 행동이나 사적 선택을 저해할 수도 있다. 이는 사회적 자본의 부정적 단면이다.

선지분석
① 사회적 자본은 공동체 내에서 신뢰를 통해 거래비용을 감소시킨다.
② 사회적 자본은 무형의 자본이므로, 물적 자본에 비해 형성과정이 불투명하다.
③ 사회적 자본은 윤리적 기반으로 사회적 제재력을 제공한다.
⑤ 다른 집단과의 관계에서 배타성을 띠는 부정적 효과가 나타날 수 있다.

답 ④

87

2013년 서울시 7급

정부는 지속가능한 사회를 구축하기 위해 사회자본(social capital)을 형성해야 하는 중요한 역할을 담당한다. 이와 같이 정부가 사회자본을 형성하기 위한 전략으로 적절하지 않은 것은?

① 시민참여가 보다 수평적으로 이루어져야 한다.
② 정부에 대한 시민의 신뢰를 회복시키려는 노력을 해야 한다.
③ 법적 제도의 공정성과 효율성을 확립시켜야 한다.
④ 자발적 조직들 간의 연계망을 확대하기 위한 지원을 강화해야 한다.
⑤ 집단행동의 딜레마를 해결하려면 수직적 네트워크를 강화해야 한다.

88

2013년 서울시 9급

사회자본에 대한 설명 중 옳지 않은 것은?

① 네트워크에 참여하는 당사자들이 공동으로 소유하는 자산이다.
② 한 행위자만이 배타적으로 소유권을 행사할 수 없다.
③ 협력적 행태를 촉진시키지만 혁신적 조직의 발전을 저해한다.
④ 행동의 효율성을 제고시킨다.
⑤ 사회적 관계에서 거래비용을 감소시켜 준다.

---

87 사회자본을 형성하기 위한 전략 — 난이도 ●●○

사회자본을 형성하기 위해서는 사회구성요소 간 수평적 관계가 매우 중요하다. 따라서 집단행동의 딜레마를 해결하려면 수직적 네트워크가 아니라 수평적 네트워크를 강화해야 한다.

(선지분석)
① 사회자본은 수평적 연계망 시대의 핵심가치로, 시민참여도 수평적으로 이루어져야 한다.
② 정부에 대한 신뢰 확보도 사회자본의 주요 요소이다.
③ 윤리적 기반인 사회자본을 형성하기 위해서는 법과 제도의 공정성, 효율성도 확립해야 한다.
④ 연계망의 작동 메커니즘이 사회자본이다.

답 ⑤

88 사회자본 — 난이도 ●○○

사회자본은 거래비용을 감소시키고 행동의 능률성과 효율성을 제고시킨다. 아울러 사회자본하에서 다양성은 협력적 행태를 촉진시킬 뿐만 아니라 혁신적 조직의 발전을 촉진시킨다.

(선지분석)
① 사회자본은 사회 구성원들이 공동으로 보유하는 공공재의 성격이 강하다.
② 사회자본은 관계 속에서 전체적으로 나타난다.
④ 거래비용을 감소시켜 행동의 효율성을 제고한다.
⑤ 경제주체들 간의 경제운영비용 등 거래비용을 감소시킨다.

답 ③

89　　2013년 국가직 9급

사회자본(social capital)이 형성되는 모습으로 보기 어려운 것은?

① 지역주민들의 소득이 지속적으로 증가하고 있다.
② 많은 사람들이 알고 지내는 관계를 유지하는 가운데 대화·토론하면서 서로에게 도움을 준다.
③ 이웃과 동료에 대한 기본적인 믿음이 존재하며 공동체 구성원들이 서로 신뢰한다.
④ 지역 구성원들이 삶과 세계에 대한 도덕적·윤리적 규범을 공유하고 있다.

90　　2019년 서울시 7급(3월 추가)

사회적 자본(social capital)에 대한 설명으로 옳은 것을 〈보기〉에서 모두 고른 것은?

〈보기〉
ㄱ. 퍼트남(R. Putnam)은 사회적 자본에 있어 네트워크, 규범, 신뢰를 강조하였다.
ㄴ. 사회적 자본이 형성되는 경우 거래비용 감소의 긍정적 효과가 있다.
ㄷ. 사회적 자본은 조정과 협동을 용이하게 만든다.
ㄹ. 세계은행은 개발도상국 개발사업에 사회적 자본 개념을 활용하고 있다.
ㅁ. 후쿠야마(F. Fukuyama)는 한국사회에 만연한 불신은 사회적 비효율성의 원인이라고 하였다.

① ㄱ, ㄷ, ㅁ
② ㄱ, ㄹ, ㅁ
③ ㄱ, ㄴ, ㄷ, ㅁ
④ ㄱ, ㄴ, ㄷ, ㄹ, ㅁ

89　사회자본의 형성

소득 수준은 경제적 자본으로, 사회자본의 측정지표가 될 수 없다.

선지분석
② 사회자본은 사회적 관계에서 형성되고 축적된다.
③ 사회자본의 원천은 신뢰이다.
④ 사회자본은 정치·경제 발전의 윤리적 기반으로 작용한다.

📑 **사회자본**
자본 ─ 물적자본
　　 ─ 인적자본 ── 개인적 자질·능력
　　 ─ 사회자본 ── 개인·집단 간 상호관계에서의 신뢰·규범·네트워크(공동체·연계망)
　　　　　　　　　⇨ 사회적 자본

답 ①

90　사회적 자본

모두 옳은 설명이다.
ㄱ. 퍼트남(R. Putnam)은 이탈리아 지방정부 성과가 사회적 자본과 연관되어 있음을 밝혀내고, 사회적 자본에 있어 네트워크, 규범, 신뢰를 강조하였다.
ㄴ. 사회적 자본이 형성되는 경우 거래비용 감소의 긍정적 효과가 있다.
ㄷ. 사회적 자본은 신뢰와 협력을 근간으로 조정과 협동을 용이하게 만든다.
ㄹ. 세계은행(World Bank), 아시아 개발은행(ADB), UN 등 국제기구에서는 개발도상국가의 빈곤 퇴치를 위한 지원사업과 관련하여 사회적 자본의 개념이 중요하게 활용되고 있다.
ㅁ. 후쿠야마(F. Fukuyama)는 한국사회에 만연한 불신이 사회적 비효율성의 원인이라고 보았다.

답 ④

91

2021년 국가직 7급

사회적 자본에 대한 설명으로 옳은 것은?

① 사회적 자본이 증가하면 제재력이 약화되는 역기능이 있다.
② 타인에 대한 신뢰는 사회적 자본의 구성요소가 아니다.
③ 호혜주의는 사회적 자본에 영향을 미치지 않는다.
④ 사회적 자본은 거래비용을 감소시키는 순기능이 있다.

91	사회적 자본	난이도 ●○○

사회적 자본은 거래비용 감소와 협력 증진을 통한 국력과 국가경쟁력의 실체로, 경제주체들 사이의 경제운영비용·정보획득비용 등 거래비용을 감소시킨다.

(선지분석)
① 사회적 자본은 사회적 규범으로서 제재력을 가진다.
② 상호 간의 신뢰와 협력은 사회적 자본의 기본요소이다.
③ 사회적 자본은 호혜주의 규범이다.

답 ④

CHAPTER 3 행정학의 발달과정과 접근방법

KEYWORD 012 과학적 관리법과 인간관계론

01 □□□
2016년 지방직 7급

윌슨(Wilson)의 '행정연구(The Study of Administration, 1887)'에 대한 설명으로 옳지 않은 것은?

① 정부개혁을 통해 특정지역 및 계층 중심의 관료파벌을 해체하고자 했다.
② 행정과 경영의 유사성을 강조했다.
③ 정치와 행정을 분리하고자 했다.
④ 효율적 정부 운영에 관심을 두었다.

02 □□□
2019년 서울시 7급(3월 추가)

윌슨(W. Wilson)의 『행정의 연구(The Study of Administration)』에 대한 설명으로 가장 옳지 않은 것은?

① 19세기 말엽 미국 정부의 규모가 그 이전과 비교도 안 될 정도로 커지고, 행정의 수요가 급증한 상황에서 행정학 연구의 중요성을 역설하였다.
② 19세기 말엽 미국 내 정경유착과 보스 중심의 타락한 정당정치로 인하여 부패가 극심한 상황에서 행정이 정치로부터 독립해야 한다고 주장하였다.
③ 윌슨(Wilson)은 행정의 전문성을 강조하면서, 정치와 행정의 분리와 함께 행정의 영역(field of administration)을 비즈니스의 영역(field of business)으로 규정하기도 하였다.
④ 윌슨(Wilson)은 행정의 본질을 의사결정과 이에 따른 집행의 효과성을 높이는 것으로 파악하고 있으며, 근본적으로 효율적인 정부가 되어 돈과 비용을 덜 들여야 한다고 주장하고 있다.

---

01 윌슨(Wilson)의 행정연구 난이도 ●●○

정부개혁을 통해 특정지역 및 계층 중심의 관료파벌을 해체하고자 한 것은 행정학 성립기의 윌슨(Wilson)의 행정연구와의 관계보다는 오히려 잭슨(Jackson)이 제창한 엽관주의의 성립 배경에 해당한다. 잭슨(Jackson)은 기존의 동부출신 또는 상류출신 위주의 관료파벌을 타파하고 한정된 공직을 만인에게 개방하려는 민주주의의 신념으로 엽관주의를 제창하였다.

선지분석
②, ③ 윌슨(Wilson)은 정치로부터 행정의 분리(정치행정이원론)를 주장하면서, 행정의 본질을 '효율적인 정책집행을 위한, 행정관료조직 내부의 관리와 경영의 영역'으로 규정했다.
④ 관리의 효율화를 위하여 테일러(Taylor)의 과학적 관리법과 공·사조직을 불문하고 공통적으로 적용될 수 있는 보편적인 조직원리를 탐구한 귤릭(Gulick), 화이트(White), 어윅(Urwick) 등의 행정원리론이 발달하게 된다(행정관리설).

답 ①

02 윌슨(Wilson)의 행정의 연구 난이도 ●○○

행정학의 창시자로 불리는 윌슨(W. Wilson)은 정치 영역으로부터 행정의 독자성을 확보하기 위해 정치행정이원론을 주장했다. 즉, 그는 행정의 본질을 정치행정이원론의 입장에서(즉, 의사결정과 집행이 아니라 집행만 행정의 영역으로 봄) 정책을 효율적으로 집행하는 것으로 파악하였으며, 근본적으로 효율적인 정부가 되어 돈과 비용을 덜 들여야 한다고 주장하고 있다.

답 ④

03

2017년 국가직 7급(8월 시행)

미국 민주주의의 규범적 관료제 모형에 대한 설명으로 옳은 것은?

① 제퍼슨주의(Jeffersonianism)는 개인의 자유를 극대화하기 위한 행정책임을 강조하고, 소박하고 단순한 정부와 분권적 참여과정을 중시한다.
② 잭슨주의(Jacksonianism)는 행정의 탈정치화를 통해 정당정치의 개입으로부터 자유로운 행정을 강조한다.
③ 매디슨주의(Madisonianism)는 국가이익의 증진을 위해 강한 행정부의 적극적 역할과 행정의 유효성을 지향한다.
④ 해밀턴주의(Hamiltonianism)는 다원적 과정을 통한 이익집단 요구의 조정과 이를 가능하게 하는 견제와 균형을 중시한다.

04

2021년 국가직 9급

테일러(Taylor)의 과학적 관리론에 대한 설명으로 옳지 않은 것은?

① 관리자는 생산증진을 통해서 노·사 모두를 이롭게 해야 한다.
② 조직 내의 인간은 사회적 욕구에 의해 동기가 유발된다고 전제한다.
③ 업무와 인력의 적정한 결합은 노동자가 아닌 관리자에 의해 결정되어야 한다.
④ 업무수행에 관한 유일 최선의 방법을 찾기 위해 동작연구와 시간연구를 사용한다.

---

03 미국 민주주의의 규범적 관료제 모형 | 난이도 ●●○

제퍼슨주의(Jeffersonianism)는 자유주의로서 개인의 자유를 극대화하기 위한 행정책임을 강조하고, 소박하고 단순한 정부와 분권적 참여과정을 중시한다.

(선지분석)

② 잭슨주의(Jacksonianism)는 민주주의로, 정치와 행정을 연계시키는 엽관주의를 통한 행정이 가장 민주적인 행정이라고 주장한다.
③ 매디슨주의(Madisonianism)는 다원주의로, 다원적 과정을 통한 이익집단 요구의 조정과 이를 가능하게 하는 견제와 균형을 중시한다.
④ 해밀턴주의(Hamiltonianism)는 연방주의로, 국가이익의 증진을 위해 강한 행정부의 적극적 역할과 행정의 유효성을 지향한다.

답 ①

04 과학적 관리론 | 난이도 ●○○

사회적 욕구는 인간관계론에서 중시하는 동기요인이다. 테일러(Taylor)의 과학적 관리론은 합리적·경제적 욕구에 의하여 동기가 유발된다고 본다.

(선지분석)

① 관리자는 노·사 모두를 이롭게 하기 위하여 생산증진을 도모해야 한다. 교환을 통하여 노사의 목표가 양립될 수 있다고 본다.
③ 과학적 관리론은 관리자가 작업층을 관리하는데 초점을 둔 이론이다.
④ 유일 최선의 방법(the best one way)을 찾기 위해 시간연구(time study)와 동작연구(motion study)를 사용한다.

답 ②

05

2007년 국회직 8급

테일러(F. Taylor)의 과학적 관리론에 대해 설명하고 있는 것은?

① 생산성을 향상시킬 수 있는 상황에도 불구하고 생산량이 향상되면 표준작업량이 높아지면서 임률이 하락하여 누군가는 해고된다고 인식하여 생산량의 억제를 통해 근로자의 해고를 막는다는 집단의 규범에 의해 작업량을 억제하는 힘이 존재한다.
② 만족한 젖소가 더 많은 우유를 생산해 내듯 만족한 근로자들이 더욱 많은 생산을 한다는 식의 논리를 주장한다는 측면에서 '젖소 사회학'이라는 비판을 받기도 한다.
③ 조직 내부의 합리적 계획은 조직 구성원의 특성이나 외부적 환경에 의해 제약을 받거나 의도한 것과 전혀 다른 결과를 초래한다.
④ 직무를 분석하여 각 직무마다 표준화된 작업 방법을 개발하고, 노동자의 생산량을 기준으로 임금을 지불하는 새로운 보수 체계를 도입했다.
⑤ 체제는 목적을 달성하는데 유일 최고의 방법이 존재하지 않고 다양한 방법이 있을 수 있다.

---

05 테일러(Taylor)의 과학적 관리론 난이도 ●●●

과학적 관리론은 시간연구와 동작연구 등의 방법으로 직무를 분석하여 각 직무마다 표준화된 작업 방법을 개발하고, 노동자의 생산량을 기준으로 임금을 지불하는 새로운 보수 체계를 도입했다.

(선지분석)
① 해고에 대한 불안감이 생산량을 억제했다고 보는 것은 인간관계론이다.
② 인간을 관리의 대상으로 보는 학문을 비판하는 용어가 '젖소 사회학'이다. '만족한 젖소'에서 '만족'이란 개념은 심리적 개념으로, 인간관계론을 의미하는 개념적 징표이다.
③ 과학적 관리론이나 인간관계론 모두 환경을 고려하지 않는다.
⑤ 과학적 관리론은 원리접근법을 중시하였으나, 사이먼(Simon)은 이와 같은 과학적 관리론의 원리접근법을 격언이라 비판하였다.

답 ④

06

2015년 서울시 7급

신고전적 조직이론을 태동시킨 인간관계론 주창자들에 대한 설명 중 가장 옳지 않은 것은?

① 메이요(E. Mayo) 등은 호손(hawthorne)공장 실험을 통해 조직의 생산성에 대한 구성원들 간의 사회적 관계의 중요성을 확인하였다.
② 맥그리거(D. McGregor)는 전통적 조직이론의 인간관을 위생이론(hygene theory), 새로운 조직이론의 인간관을 동기이론(motivation theory)으로 구분하였다.
③ 리커트(R. Likert)는 지원적 관계의 원리와 참여관리의 가치에 따라 구성원의 참여를 통해 조직의 효과성을 제고할 수 있다고 주장하였다.
④ 아지리스(C. Argyris)는 개인의 성격은 미성숙한 상태에서 성숙한 상태로 변하며, 이러한 성격변화는 하나의 연속선상에 있다고 주장하였다.

---

06 인간관계론의 주창자 난이도 ●●●

전통적 조직이론의 인간관을 위생이론, 새로운 조직이론의 인간관을 동기이론으로 구분한 것은 맥그리거(McGregor)가 아니라 허즈버그(Herzberg)의 2개요인이론에 해당한다.

(선지분석)
① 호손(Hawthorne)실험을 통해 인간관계론이 성립되었다.
③ 리커트(Likert)는 참여를 통한 참여적 민주형이 동기부여를 촉진한다고 주장한다.
④ 아지리스(Argyris)는 인간은 미성숙에서 성숙 상태로 연속선상에서 변화한다고 보고, 관리자의 역할은 구성원을 최대한 성숙 상태로 나아가게 하는 것이라고 하였다.

답 ②

07　　　　　　　　　　　　　　2011년 지방직 7급

고전적 조직이론의 기계적 조직관을 비판하고 조직 내 인간의 사회적 관계의 중요성을 주장하며 등장한 인간관계론의 궁극적인 목표로 옳은 것은?

① 조직의 성과 제고
② 조직 운영의 민주화
③ 조직 구성원의 자아실현
④ 조직 내부의 비공식집단의 활성화

08　　　　　　　　　　　　　　2021년 지방직 9급

조직이론에 대한 설명으로 옳은 것은?

① 인간관계론은 동기유발 기제로 사회심리적 측면을 강조한다.
② 귤릭(Gulick)은 시간 - 동작 연구를 통해 과학적 관리론을 주장하였다.
③ 고전적 조직이론은 조직 내 사회적 능률을 강조하고, 조직 속의 인간을 자아실현인으로 간주한다.
④ 상황이론(contingency theory)은 모든 상황에서 적용되는 유일·최선의 조직구조를 찾는다.

| 07 | 인간관계론의 궁극적인 목표 | 난이도 ●●○ |

인간관계론은 조직의 능률성 확보를 통한 조직의 성과 제고가 궁극적 목표이다. 그러나 인간관계론이 인간적·사회적 요인을 부각시키고 비공식적 구조에 관심을 가진 것은 사실이지만 인간의 복잡한 측면을 보지 못했고, 여전히 하향적 통제를 추구하는 관리원칙이 중시되었다. 이는 만족한 젖소가 더 많은 우유를 생산해내듯 만족한 근로자들이 더욱 많은 생산을 한다는 식의 논리를 주장한다는 측면에서 '젖소 사회학'이라는 비판을 받았다.

답 ①

| 08 | 조직이론 | 난이도 ●○○ |

인간관계론은 사회심리적 욕구충족을 통한 동기유발을 중시한다.

(선지분석)
② 시간-동작연구는 테일러(Taylor)의 이론이다.
③ 고전적 조직이론은 기계적 능률을 중시하고 조직 내 인간을 합리적 경제인으로 간주한다.
④ 상황이론은 모든 상황에 적용되는 유일·최선의 구조를 비판하고 상황에 맞는 구조를 중시한다.

답 ①

09　　□□□　　2023년 군무원 9급

다음 중 조직관리에 대한 설명으로 가장 거리가 먼 것은?

① 조직은 구성원 간의 목표일치를 전제로 하여 관리전략을 수립한다.
② 고전이론과 인간관계론은 관리자에 의한 타율적인 조직관리를 전제로 한다.
③ 관료제 모형에 의한 관리전략은 구성원의 소외를 초래한다.
④ 조직관리 전략이 전반적으로 단순한 인간관에서 복잡 인간관으로 변화하고 있다.

KEYWORD 013　행정학의 다양한 접근방법
(행태적·생태적·체제적·현상학적)

10　　□□□　　2018년 국가직 7급

행태적 접근방법에 대한 설명으로 옳지 않은 것은?

① 집단의 고유한 특성을 인정하지 않는 방법론적 개체주의의 입장을 취한다.
② 행태의 규칙성, 상관성 및 인과성을 경험적으로 입증하고 설명할 수 있다고 본다.
③ 연구에서 가치와 사실을 구분하지 않는다.
④ 사회현상을 관찰 가능한 객관적 대상으로 보며, 인간의 주관이나 의식을 배제하고 인식론적 근거로서 논리실증주의를 신봉한다.

| 09 | 조직관리 | 난이도 ●●● |

조직관리에서는 개인이 자신의 이익을 최대화하려는 동기에 의해 행동한다고 보기 때문에 구성원 간의 목표일치를 전제로 하는 관리전략을 수립하지는 않는다.

선지분석
② 고전적 조직이론은 과학적 관리론을 배경으로 성립된 기계적 조직관이며, 메이요(Mayor)에 의해 1930년대에 호손(Hawthorne) 실험이 행해지고 호손 실험에서의 결과를 중심으로 등장한 인간관계론이 신고전적 조직이론에 해당한다. 이들은 모두 인간을 피동적·수동적 존재로 보기 때문에 교환에 의한 타율적 관리를 전제로 한다.
③ 관료제의 법규 위주의 지나친 몰인간성(impersonalism)에 기반한 관리전략은 조직 내의 인간적 관계를 저해할 수 있는 인간소외를 초래한다.
④ 현대적 조직이론은 개인을 다양한 욕구와 변이성을 지닌 자아실현인·복잡인으로 간주하고, 조직을 '복잡하고 불확실한 환경 속에서 정해진 목표를 효과적으로 달성하기 위해 개성이 강한 인간행동을 종합하는 활동'으로 정의한다.

답 ①

| 10 | 행태적 접근방법 | 난이도 ●○○ |

행태주의는 가치와 사실을 구분하고, 과학적·경험적 연구에서 관찰이나 검증이 불가능한 가치를 배제하며 사실 중심적 연구를 강조한다.

선지분석
① 행태주의는 집단의 고유특성을 인정하지 않는 방법론적 개체주의를 취한다.
② 행태주의는 사회현상도 경험적 검증을 통하여 자연과학과 마찬가지로 엄밀한 과학적 연구가 가능하다는 전제에서 자연과학적 방법을 이용하여 일반이론(법칙) 정립을 중시한다.
④ 행태주의는 인간행태에 존재하는 규칙성과 인과성을 발견하고자 논리실증주의를 적용한다.

답 ③

11
2017년 서울시 7급

행태론적 접근방법에 대한 설명으로 가장 옳지 않은 것은?

① 행태주의는 사회과학이 행태에 공통된 관심을 갖고 있기 때문에 통합된다고 보고 있다.
② 행정의 실체는 제도나 법률이 아니라고 주장하며, 행정인의 행태에 초점을 맞춘다.
③ 논리실증주의를 강조한 사이먼(Simon) 이후 행정학 분야에서 크게 발전하였다.
④ 사회적 문제의 개선에 기여할 수 있는 연구와 가치평가적 정책연구를 지향한다.

| 11 | 행태론적 접근방법 | 난이도 ●○○ |

사이먼(Simon)은 행정학 연구에 있어서 논리실증주의에 입각한 과학적 연구를 강조하였다. 즉, 그는 과학으로서의 행정학은 가치와 사실을 구분하여 사실만을 다루어야 한다고 주장하면서, 행태주의를 행정학에 도입하였다.

선지분석
① 행정현상을 사실에 토대를 둔 인과관계에 따라 명료하게 설명함으로써 사회과학이 통합된다고 보고 있다.
② 행정의 구조적·제도적 측면보다 행정인이 조직 내에서 실제로 어떻게 행동하고 어떻게 상호작용하고 있으며, 행정인의 실제 행동에 영향을 미치는 가치관·신념·태도가 무엇인가에 분석의 초점을 둔다.
③ 행태론은 사이먼(Simon)의 『행정행태론(Admistration Behavior), 1949』 이후, 사회과학 전반을 지배하는 주요한 방법론으로 자리잡게 된다.

답 ④

12
2016년 경찰간부

행태주의 연구방법에 대한 설명으로 가장 옳지 않은 것은?

① 행정현상 중 가치판단적인 요소의 존재를 인정하지 않았다.
② 현상과 현상 사이에 존재하는 인과관계 법칙을 규명하는 것이 연구의 목적이 된다.
③ 법칙 발견을 위해 인과관계에 대한 가설을 설정하고 이를 검증하여야 하는데, 설정되는 가설은 이미 확립된 기존의 이론으로부터 연역적으로 도출되어야 한다.
④ 가설검증을 위해 현상들을 경험적으로 관찰하여야 하고, 관찰할 수 없는 현상은 연구대상에서 제외한다.

| 12 | 행태주의 연구방법 | 난이도 ●●● |

행태론은 가치와 사실을 분리하는 정치행정이원론에 해당하지만, 행정에서의 가치판단적인 요소나 정치적 요소의 존재를 부정하지는 않았다. 오히려 행태론은 행정현상에 가치판단적 요소나 정책결정 기능의 존재를 인정하였으나, 과학으로서의 행정학은 가치와 사실을 구분하여 사실만을 다루어야 한다고 주장한다.

선지분석
② 논리실증주의에 입각하여 인과관계를 규명하고자 하였다.
③ 행태론은 전반적으로 귀납적 성격의 연구이지만 가설의 도출은 기존의 이론으로부터 연역적으로 도출되어야 한다고 주장하였다.
④ 관찰할 수 없는 내면적 가치현상은 연구대상에서 배제시켰다.

📋 행태적 접근방법의 특징
㉠ 행정의 본질
㉡ 연구대상을 '행태'에 초점
㉢ 분석수준은 방법론적 개체주의
㉣ 논리실증주의에 근거한 연구
㉤ 가치와 사실의 분리
㉥ 계량적 분석
㉦ 순수과학적·종합과학적 성격
㉧ 미시적·귀납적 접근

답 ①

13   2007년 울산 9급

생태론의 등장으로 인하여 현대 행정에서 중요하게 여기게 된 행정변수는 무엇인가?

① 구조
② 인간
③ 환경
④ 기능

14   2007년 경남 9급

파슨스(T. Parsons)는 조직의 분류기준을 그 조직의 사회적 필요성을 충족시키기 위해 수행하는 기능에 따라 분류하였다. 사회적 기능에 의한 분류가 아닌 것은?

① 목표달성기능
② 자원배분기능
③ 통합기능
④ 적응기능

| 13 | 생태론과 행정변수 | 난이도 ●○○ |

생태론적 접근방법은 행정을 하나의 유기체로 파악하고, 행정과 환경과의 상호작용 관계를 중심으로 행정현상을 연구하는 이론이다. 이는 행정과 행정에 영향을 미치는 환경의 관계를 처음으로 연구한 거시적 접근방법으로, 환경에 대한 행정의 종속변수적 측면을 중시한다. 생태론은 행정환경과 행정체제의 개방성을 강조하였으며, 분석수준은 행위자 중심의 미시분석보다는 집합적 행위나 제도에 초점을 두는 거시분석의 성격을 띠고 있다.

답 ③

| 14 | 파슨스(Parsons)의 조직의 분류기준 | 난이도 ●○○ |

자원배분기능 대신 체제유지기능이 들어가야 한다. 파슨스(Parsons)는 모든 체제는 그 존속 및 목표달성을 위하여, 다음 4가지의 '필수적인 기능적 요건'을 수행한다고 보고 있다.

파슨스(T. Parsons)의 AGIL

적응기능 (Adaptation)	체제가 의존하고 있는 환경에 적응하는 것, 즉 환경으로부터 자원이나 정보를 얻고 이를 체제를 통해 배분하는 것으로, 경제 영역이 이에 해당됨
목표달성기능 (Goal attainment)	체제의 공통된 가치하에서 체제가 성취하고자 하는 목표를 설정하고, 목표달성을 위해 시간과 노력을 경주하는 것으로, 정치 영역이 이에 해당됨
통합기능 (Integration)	체제를 구성하는 각 부분 및 하위체제들의 활동을 조정하는 기능으로, 경찰·사법작용이 이에 해당됨
잠재적 유형유지 및 긴장관리기능 (Latent pattern maintenance)	체제가 자신의 기본적인 유형(pattern)을 유지하고 자신의 가치와 규범을 재생산하는 것으로, 교육·문화작용이 이에 해당됨

답 ②

15　　　　　　　　　　　　　　　　2007년 대전 7급

개방체제이론에 관한 설명으로 적절하지 못한 것은?

① 개방체제는 정(+)의 엔트로피를 증가시키려는 경향을 띠고 있다.
② 개방체제는 투입, 전환, 산출, 환류 과정을 되풀이한다.
③ 개방체제는 조직을 외부환경 변화에 신축성 있게 적용하는 체제이다.
④ 개방체제이론은 구조기능주의와 관계가 깊다.

16　　　　　　　　　　　　　　　　2023년 군무원 9급

다음 중 비교행정론에 대한 설명으로 가장 거리가 먼 것은?

① 리그스(Fred W. Riggs)가 대표적인 학자이다.
② 생태론적 접근방법을 취한다.
③ 후진국의 국가발전에 대한 비관적 숙명론으로 귀결된다.
④ 행정학의 과학성보다는 기술성을 강조한다.

| 15 | 개방체제이론 | 난이도 ●○○ |

개방체제는 체제의 해체·소멸을 막기 위한 부정적 엔트로피를 추구하므로, 부(-)의 엔트로피를 증가시킨다.

선지분석
② 개방체제는 투입-전환-산출-환류의 기능적 구조를 지닌다.
③ 개방체제는 환경과 상호작용을 한다.
④ 개방체제이론은 구조와 기능 간의 관계를 실제 기능 중심으로 분석하는 구조기능주의 접근법을 도입하고 있다.

답 ①

| 16 | 비교행정론 | 난이도 ●●○ |

비교행정론은 국가의 역사적·정치적·사회적 특수성하에서 구조기능주의적 접근과 문화횡단적 접근을 통해 일반이론을 도출함으로써, 행정학의 과학화와 객관화를 추구하고자 하였다.

선지분석
① 리그스(Riggs) 및 비교행정연구회를 중심으로 활발한 활동이 전개되었다.
② 비교행정론은 환경과의 상호작용을 중시하는 생태론적 접근법을 취한다.
③ 비교행정론은 서구의 이론이 신생국이나 개발도상국에서는 제대로 기능을 발휘하지 못하는 요인이 무엇인가를 환경적 요소에서 찾았다. 행정의 독립변수적 역할을 경시하므로 현상유지의 보수주의적 성격이 강하고, 변화와 발전이 요구되는 후진국 행정을 설명하기에는 한계가 있다.

답 ④

17

2012년 국가직 7급

현상학적 접근방법의 주요내용으로 적절하지 않은 것은?

① 인간의 의도된 행위와 표출된 행위를 구별하고, 관심 분야는 의도된 행위에 두어야 한다.
② 조직 내외에 있는 인간들은 자신의 행위나 다른 사람들의 행위에 의미를 부여함으로써 조직을 설계한다.
③ 객관적 존재의 서술을 위해서는 현상을 분해하여 분석할 필요가 있다.
④ 조직의 중요성은 겉으로 나타난 구조성에 있는 것이 아니라 그 안에 있는 가치, 의미 및 행동에 있다.

18

2009년 선관위 9급

행정학의 접근방법 중 현상학적 접근방법에 관한 설명으로 옳지 않은 것은?

① 행정현실을 이해하는 데 과학적 방법보다 해석학적 방법을 선호한다.
② 조직을 인간의 의도적인 행위에 의해 구성되는 가치함축적인 행위의 집합물로 이해한다.
③ 인간행위의 가치는 행위 자체보다 그 행위가 산출한 결과에 있다.
④ 조직 내외의 인간들은 자신 또는 다른 사람의 행위에 의미를 부여함으로써 조직을 설계한다.

| 17 | 현상학적 접근방법 | 난이도 ●●○ |

객관적 존재의 서술은 논리실증주의에 가깝다. 반면 현상학적 접근방법은 인간행위를 이해하고, 해석하는 것을 중요시하는 접근법이다.

선지분석
① 현상학은 의도된 행위의 의도를 이해하는 학문이다.
② 사회적 관계에서 의미가 부여된 것이 조직으로 본다.
④ 겉으로 드러난 객관적인 것이 아니라 내면적인 의미를 이해하는 것이 현상학의 접근방법이다.

> **현상학적 접근방법의 주요 내용**
> ㉠ 반논리실증주의
> ㉡ 물화(物化; reification) 문제
> ㉢ 상호주관성(inter-subjectivity)
> ㉣ 하몬(Harmon)의 행위이론(Action Theory)

답 ③

| 18 | 현상학적 접근방법 | 난이도 ●●● |

현상학은 인간행위의 가치는 행위가 산출한 합리적인 결과보다는 행위의 동기나 의도 자체에 있다고 본다. 인간행위의 가치를 행위 자체보다 그 행위가 산출한 결과로 보는 것은 행태론적 관점이다.

선지분석
① 법칙을 정립하는 과학적 방법은 행태론의 방법론이고, 현상학은 의미를 이해하는 해석학적 방법을 선호한다.
②, ④ 현상학은 인간들은 자신 또는 다른 사람의 행위에 의미를 부여함으로써 조직을 설계한다고 본다.

답 ③

19

2017년 국가직 7급(10월 추가)

현상학적 행정연구에 대한 설명으로 옳지 않은 것은?

① 행정현상은 사람들의 의식, 생각, 언어, 개념 등을 통해 구성된 것이다.
② 행정연구에서는 행정활동과 관련된 사람들 사이의 상호작용에 의해 구성된 상호주관적 경험이 중요하다.
③ 행정연구에서 가치와 사실의 구별을 인정하며, 현상을 개체적으로 파악하고자 한다.
④ 기존의 관찰이나 믿음에 영향을 받지 않기 위해 '괄호 안에 묶어두기' 또는 '현상학적 판단정지'가 중요하다.

KEYWORD 014 공공선택론적 접근방법

20

2018년 지방직 9급

공공선택이론에 대한 설명으로 옳지 않은 것은?

① 사회의 비시장적인 영역들에 대해서 경제학적 방식으로 연구한다.
② 시민들의 요구와 선호에 민감하게 부응하는 제도 마련으로 민주행정의 구현에도 의의가 있다.
③ 전통적 관료제를 비판하고 그것을 대체할 공공재 공급방식의 도입을 강조한다.
④ 효용극대화를 추구한다는 합리적 개인에 대한 가정은 현실적합성이 높다고 평가받는다.

| 19 | 현상학적 행정연구 | 난이도 ●●● |

행정연구에서 가치와 사실의 구별을 인정하며, 현상을 개체적으로 파악하고자 하는 접근방법은 현상학이 아니라 이와 반대되는 행태론적 접근방법에 해당한다.

선지분석
①, ② 현상학은 상호주관적 경험에 의해 형성된 주관적 의미의 이해를 강조한다.
④ 현상학은 현상학적 판단정지를 통하여 주관적 의미를 제대로 이해하고자 한다.

답 ③

| 20 | 공공선택이론 | 난이도 ●●○ |

모든 인간은 효용극대화를 추구한다는 합리적 개인에 대한 가정은 개인의 선택은 경제적 이익 이외에 개인의 가치관이나 사회적 상호작용의 영향을 받는다는 측면을 도외시하고 있다.

선지분석
① 공공선택론은 비시장적 의사결정(non-market decision making)에 대한 경제학적 연구 또는 정치학에 경제학을 응용하는 것이다.
② 공공재와 공공서비스의 효율적 공급을 위한 조직적 장치로, 권한의 분산과 관할권의 중첩을 제시하고 있다. 이렇게 하면 각 권력기관은 경쟁을 통하여 고객에 대한 서비스를 만족시킬 수 있다고 주장한다.
③ 공공서비스를 독점적으로 공급하는 전통적인 정부관료제는 시민의 요구에 민감하게 반응을 보일 수 없는 제도이며, 공공서비스의 독점적 공급은 소비자인 시민의 선택을 억압한다고 인식한다. 이에 대한 대응으로 경쟁을 통한 공공서비스 공급을 강조한다.

답 ④

21

2017년 국가직 7급(10월 추가)

공공선택론(public choice theory)에 대한 설명으로 옳은 것은?

① 관할권이 다른 지방정부로 이주하는 것은 개인의 지방정부에 대한 선호 표시와는 관련이 없다.
② 집권적이며 계층제적 구조를 강조하는 정부관료제가 시민의 요구에 민감하게 반응한다고 주장한다.
③ 공공선택론의 대표적인 학자들 중에는 뷰캐넌(Buchanan), 오스트롬(Ostrom), 니스카넨(Niskanen)이 있다.
④ 개인이 아닌 공공조직을 분석의 기초단위로 채택함으로써 방법론적 개체주의에 반대한다.

22

2016년 서울시 7급

공공선택론에 대한 비판적 시각으로 가장 적절하지 않은 것은?

① 행정은 가치중립적인 것이며 정치의 영역 밖에 있다고 가정하는데, 이는 현실적합성이 매우 떨어진다.
② 시민과 기업의 참여를 통한 서비스의 공동 공급을 주장하지만, 이는 실현 불가능한 이상향에 가깝다.
③ 현실 세계가 효용극대화를 추구하고 있으며 합리적인 개인들로 구성되어 있다고 가정하는데, 이는 현실적이지 못하다.
④ 자유경쟁시장의 논리를 공공부문에 도입하고자 하는데, 그 논리 자체가 현상유지와 균형이론에 집착하는 것이며 시장실패라는 고유한 한계 또한 가지고 있다.

---

21 공공선택론   난이도 ●●○

공공선택론의 대표적인 학자로는 뷰캐넌(Buchanan), 오스트롬(Ostrom), 니스카넨(Niskanen) 등이 있다. 뷰캐넌(Buchanan)은 털록(Tullock)과 함께 비용을 고려한 효율적인 집합적 의사결정규칙을, 니스카넨(Niskanen)은 예산극대화모형을 주장하였다. 또한, 오스트롬(Ostrom)은 윌슨(Wilson)류 행정패러다임(관료행정)을 비판하면서 민주행정패러다임(다원조직제와 비계서적 조정, 관할중첩의 활용)을 주장하였다.

(선지분석)

① 티부(Tiebout)가설에 따르면 관할권이 다른 지방정부로 이주하는 것이 개인의 지방정부에 대한 선호 표시의 수단이라고 본다.
② 집권적이며 계층제적 구조를 강조하는 정부관료제가 시민의 요구에 민감하게 반응하지 못하여 전통적인 정부는 실패했다고 본다.
④ 공공선택론은 개인을 분석의 기초단위로 채택함으로써 방법론적 개체주의를 추구한다.

답 ③

22 공공선택론에 대한 비판적 시각   난이도 ●●○

공공선택론은 참여가 아닌 경쟁을 통해 서비스를 생산·공급하는 경제학의 방법론을 비시장영역에 도입한 이론이다.

(선지분석)

①, ③ 행정과 인간관에 대한 기본가정이 현실성이 약하다는 비판이 있다.
④ 공공선택은 균형이론에 집착하는 것으로, 보수주의 접근이라는 비판이 있다.

공공선택론의 공헌과 한계

공헌	한계
• 행정학의 연구범위 확대 • 민주행정 구현에 기여 • 정부실패의 대응책으로 공공부문에 시장원리 및 경쟁 개념 도입	• 제도적 유산이나 문화 또는 상징체계 등 간과 • 경제인 가정에 대한 비판 • 정부 역할을 간과

답 ②

23 ☐☐☐   2016년 지방직 9급

공공선택론에 대한 설명으로 옳지 않은 것은?

① 공공선택론은 역사적으로 누적 및 형성된 개인의 기득권을 타파하기 위한 접근이다.
② 공공선택론은 공공재의 공급에서 경제학적인 분석도구를 적용한다.
③ 공공선택론에서는 공공서비스를 독점 공급하는 전통적인 정부관료제가 시민의 요구에 민감하게 대응할 수 없는 장치라고 본다.
④ 공공선택론은 공공서비스의 효율적 공급을 위해서 분권화된 조직 장치가 필요하다는 입장이다.

24 ☐☐☐   2016년 국회직 8급

던리비(Dunleavy)의 관청형성모형에 대한 설명으로 옳지 않은 것은?

① 니스카넨(Niskanen)의 예산극대화모형을 비판한 모형이다.
② 관료들의 효용은 소속 기관이 통제하는 전체 예산액 중 일부분에만 관련된다.
③ 고위직 관료는 금전적 편익보다는 수행하는 업무의 성격과 업무환경에서 오는 효용을 증진시키는 데 더 큰 관심을 갖는다.
④ 합리적 관료들은 소규모의 엘리트 중심적이고, 정치권력의 중심에 접근해 있는 부서에서 참모기능수행을 원한다.
⑤ 통제기관의 경우 예산이 증가할수록 권력이 커지기 때문에 예산을 증액하려는 성향이 높게 나타난다.

| 23 | 공공선택론 | 난이도 ●●● |

공공선택론은 제도적 유산이나 문화 또는 상징체계 등을 간과한다는 비판이 있으며, 정부역할을 간과함으로써 시장의 불완전성으로 부패의 확산과 빈부격차의 심화를 초래할 우려가 있다.

(선지분석)
② 공공선택론은 비시장적 의사결정(non-market decision making)에 대한 경제학적 연구이다.
③ 공공선택론은 공공서비스를 독점적으로 공급하는 전통적인 정부관료제는 시민의 요구에 민감하게 반응을 보일 수 없는 제도이며, 공공서비스의 독점적 공급은 소비자인 시민의 선택을 억압한다고 인식한다.
④ 공공선택론은 공공재와 공공서비스의 효율적 공급을 위한 조직적 장치로써 권한의 분산과 관할권의 중첩을 제시하고 있다.

답 ①

| 24 | 던리비(Dunleavy)의 관청형성모형 | 난이도 ●●● |

던리비(Dunleavy)는 니스카넨(Niskanen)의 예산극대화모형을 비판하면서 예산극대화 동기는 기관의 성격과 예산의 유형에 따라 달라진다고 주장하였다. 즉, 통제기관과 사업예산의 경우에는 예산극대화 동기가 발생하지 않는다고 주장한다.

(선지분석)
①, ② 예산극대화 동기는 기관의 성격과 예산의 유형에 따라 달라진다고 주장하며, 니스카넨(Niskanen)의 예산극대화모형을 비판한다.
③, ④ 고위관료는 예산보다는 책임이 덜 하고 강한 권한의 참모기능수행을 원한다고 본다. 즉, 합리적인 고위직 관료들은 예산과 같은 금전적인 효용보다는 업무와 관련된 효용을 더 추구한다고 보았다.

답 ⑤

25　　　　　　　　　　　　　　　　　　2018년 국회직 8급

던리비(Dunleavy)의 관청형성모형에 대한 설명으로 가장 옳은 것은?

① 고위관료의 선호에 맞지 않는 기능을 민영화나 위탁계약을 통해 지방정부나 준정부기관으로 넘긴다.
② 합리적인 고위직 관료들은 소속기관의 예산극대화를 추구한다.
③ 중하위직 관료는 주로 관청예산의 증대로 이득을 얻는다.
④ 관료들이 정책결정을 할 때 사적 이익보다는 공적 이익을 우선시한다.

| 25 | 던리비(Dunleavy)의 관청형성모형 | 난이도 ●●● |

던리비(Dunleavy)는 합리적인 고위관료들은 예산극대화 동기 대신 관청형성 동기가 더 강하여 계선기능은 고위관료의 선호에 맞지 않으므로 준정부기관이나 책임운영기관 등 다양한 정부조직을 형성하여 떠넘기고 자신들은 참모기능을 수행하기를 선호한다고 주장한다.

(선지분석)
② 예산극대화 동기보다는 관청형성 동기가 더 강하다고 주장한다.
③ 관청예산이 아니라 핵심예산의 증대로 이득을 얻는다고 본다.
④ 관료는 이기적·합리적인 경제인으로, 사적 이익을 더 우선시한다.

■ 관청형성모형의 예산 유형

구분	기관의 유형	예산극대화 동기
핵심예산 (기관 자체의 운영비)	전달기관 (고전적 조직)	• 하위·중위관료들은 주로 핵심예산(부처운영비)의 증대로부터 이득을 얻게 됨 • 운영비 예산이 많아질 경우, 하위·중위관료들은 직업적 안정성(신분보장)이 보장되고, 직위의 수가 증가함에 따라 승진 기회가 확대되기 때문임
관청예산 (핵심예산 + 해당 기관이 민간부문에 지불하는 지출액)	이전기관	• 고위관료들은 핵심예산을 제외한 관청예산(민간 기업 등에 지불하는 보조금 등)의 증대로부터 이득을 얻게 됨 • 민간부문에 지불하는 보조금이 증대할 경우, 부서의 위신이 상승하게 되고 고객과의 관계 등에서 우위를 점할 수 있기 때문임
사업예산 (관청예산 + 해당 기관이 다른 공공기관에 이전하는 지출액)	통제기관	예산극대화 동기가 발생하지 않음
초사업예산 (사업예산 + 영향력을 미칠 수 있는 타기관 예산)	-	-

답 ①

26　　　　　　　　　　　　　　　　　　2016년 경찰간부

공공선택론에 대한 설명으로 가장 옳지 않은 것은?

① 비시장적 의사결정, 즉 정치적 문제에 대한 경제학적인 연구이다.
② 개인은 기본적으로 이기적이며, 합리적인 행위자라고 가정한다.
③ 분석의 기본단위를 개인에게 두는 방법론적 개체주의를 취한다.
④ 공공재 공급의 능률성 향상을 위해 정부실패의 원인이 되는 관료제의 중첩적 관할권 문제를 해결할 것을 제안하였다.

| 26 | 공공선택론 | 난이도 ●●○ |

공공선택이론은 관할구역의 중첩과 분권으로 정부실패 문제를 해결하고자 하였다.

(선지분석)
① 공공선택론은 공공부문에 경제적인 연구방법을 적용한 비시장적 의사결정에 관한 경제학적 연구이다.
②, ③ 공공선택론에서 개인은 시장의 합리적 경제주체와 동일하다고 가정한다.

답 ④

27

2014년 국가직 9급

예산결정에 대한 공공선택론적 관점의 설명으로 옳은 것은?

① 본질적 문제해결보다는 보수적 방식을 통해 예산의 정치적 합리성이 제고될 수 있다.
② 니스카넨(W. Niskanen)에 의하면 예산결정에 있어 관료의 최적수준은 정치인의 최적수준보다 낮다.
③ 정치인과 관료들은 개인효용함수에 따라 권력이나 예산규모의 극대화를 추구한다.
④ 재원배분 형태는 장기 균형과 역사적 상황에 따른 단기의 급격한 변화를 반복한다.

28

2011년 지방직 7급

니스카넨(Niskanen)의 예산극대화모형(budget-maximization model)에 대한 설명으로 옳지 않은 것은?

① 정치가는 사회후생의 극대화를 추구한다고 가정한다.
② 정치가는 총편익과 총비용의 차이인 순편익이 최대가 되는 수준에서 공공서비스를 공급하려 한다고 본다.
③ 관료는 자신의 효용을 극대화하려는 합리적 경제인이라고 가정한다.
④ 관료는 한계편익곡선과 한계비용곡선이 교차하는 점에서 공공서비스를 공급하려 한다고 본다.

27	예산결정에 대한 공공선택론적 관점	난이도 ●●○

니스카넨(W. Niskanen)은 관료와 정치인들의 목적함수를 다르게 보았지만, 정치인과 관료들은 개인효용함수에 따라 권력이나 예산규모의 극대화를 추구하는 것은 니스카넨(Niskanen)의 모형에 국한하지 않고 공공선택론의 전반적인 특성을 언급한 것이다. 즉, 예산결정에 있어서 정치인들이나 관료 모두 개인효용함수에 따라 자신들의 권력이나 예산규모의 극대화를 추구하려 한다는 것으로, 공공선택론은 방법론적 개체주의에 따라 정치인도 개인의 권력과 득표의 극대화를 추구하는 이기주의자로 가정된다.

선지분석

① 공공선택모형은 예산결정의 경제적 합리성을 높이기 위하여 경제학적 관점을 공공부문에 도입한 방식이다. 그러나 본질적 문제해결보다는 보수적 방식을 통해 예산의 정치적 합리성이 제고될 수 있는 것은 점증주의에 입각한 예산결정방식이다.
② 니스카넨(Niskanen)의 예산극대화모형에 의하면, 관료의 예산점이 정치인의 예산점보다 높다.
④ 공공선택론은 역사적 상황에 따른 변화를 인정하지 않는다. 역사적 상황에 따른 변화는 역사적 신제도주의가 강조한다.

답 ③

28	니스카넨(Niskanen)의 예산극대화모형	난이도 ●●●

정치인은 사회후생의 극대화를 추구하여 총편익과 총비용의 차이인 순편익이 최대가 되는 수준(한계편익=한계비용)에서 공공서비스를 공급하려고 하지만, 관료는 자신의 효용극대화를 추구하며 총비용과 총편익이 일치하는 지점에서 공공서비스를 공급하려 한다.

선지분석

①, ② 니스카넨(Niskanen)의 예산극대화모형에 의할 때, 정치가는 총편익과 총비용의 차이가 가장 큰 사회후생의 극대화 지점에서 예산을 결정하려고 한다고 가정한다.
③ 관료는 이기적·합리적 경제인으로 가정한다.

답 ④

29 □□□　　　　　　　　　　2020년 국가직 7급

니스카넨(Niskanen)의 예산극대화이론과 던리비(Dunleavy)의 관청형성이론에 대한 설명으로 옳지 않은 것은?

① 니스카넨(Niskanen)에 따르면 최적의 서비스 공급 수준은 한계편익(marginal benefit)과 한계비용(marginal cost)이 일치하는 수준에서 결정된다.
② 두 이론 모두 관료를 자신의 이익과 효용을 추구하는 인간으로 가정한다.
③ 던리비(Dunleavy)에 따르면 관청형성의 전략 중 하나는 내부 조직 개편을 통해 정책결정 기능과 수준을 강화하되 일상적이고 번잡스러운 업무는 분리하고 이전하는 것이다.
④ 니스카넨(Niskanen)에 따르면 예산극대화 행동은 예산유형과 직위의 관계, 기관유형, 시대적 상황 등의 측면에서 다양하게 나타날 수 있다.

30 □□□　　　　　　　　　　2021년 군무원 9급

공공선택론(public choice theory)에 대한 설명으로 가장 옳지 않은 것은?

① 방법론적 집단주의를 지향한다.
② 정치·행정현상을 경제학적 논리를 통해 분석하고자 한다.
③ 개인 선호를 중시하여 공공서비스 관할권을 중첩시킬 수도 있다.
④ 중위투표자이론(median vote theorem)도 공공선택론의 일종이다.

29 　예산극대화이론과 관청형성이론　　난이도 ●●●

니스카넨(Niskanen)이 아니라 던리비(Dunleavy)의 주장이다. 던리비(Dunleavy)는 니스카넨(Niskanen)의 예산극대화모형을 비판하면서 예산극대화의 동기는 기관의 성격과 예산의 유형에 따라 달라진다고 주장하였다. 즉, 통제기관과 사업예산은 예산극대화 동기가 발생하지 않는다고 주장한다.

선지분석
① 니스카넨(Niskanen)에 따르면 최적의 서비스 공급 수준은 한계편익(marginal benefit)과 한계비용(marginal cost)이 일치하는 수준에서 총효용이 극대화되도록 결정되어야 한다.
② 두 이론 모두 관료를 자신의 이익과 효용을 추구하는 이기적인 인간으로 본다.
③ 던리비(Dunleavy)에 따르면 관청형성전략이 이루어짐에 따라 일상적인 기능은 준정부조직이나 외부계약 등으로 넘기고 결정기능이나 참모기능만을 수행하려 한다.

답 ④

30 　공공선택론　　난이도 ●○○

공공선택론은 방법론상 개체주의다. 개인의 행동을 기본적 분석단위로 하여, 정치·경제 및 행정현상을 분석하려 한다.

선지분석
② 공공선택론은 '비시장적 의사결정(non-market decision-making)에 대한 경제학적 연구 또는 정치학에 경제학을 응용하는 것'이다.
③ 개인의 선호에 따른 선택을 중시하며, 주민복지와 급변하는 환경에 적응할 수 있기 위해서는 의사결정센터를 다원화시키는 권한의 분산과 관할권의 중첩이 필요하다고 본다.
④ 양대 정당하에서 두 정당은 집권에 필요한 과반수의 득표를 획득을 위해 중위투표자 선호에 맞춘 정강정책을 제시한다고 보는 중위투표자정리도 공공선택론의 이론이다.

답 ①

31 □□□
2007년 국회직 8급

공공부분에서 대리인이론을 극복하기 위한 제도적 장치로 가장 적합한 것은?

① 공무원의 교육훈련 강화를 통해 전문성을 제고한다.
② 권한위임을 통해 부하직원의 권한을 강화하고 분권화를 실시한다.
③ 연금제도의 정착을 통해 직업의 안정성을 보장한다.
④ 성과급 제도의 도입을 통해 인센티브 장치를 강화한다.
⑤ 외부효과를 치유하기 위한 적극적인 노력을 강화한다.

31 대리인이론을 극복하기 위한 제도적 장치 난이도 ●○○

공공부문에서 대리손실을 줄이기 위해서는 대리인에게 성과 중심의 인센티브를 강화할 필요가 있다.

선지분석
① 공무원의 전문성 강화는 정보의 비대칭성을 확대시킨다.
②, ③, ⑤ 대리인이론은 정보의 비대칭성과 대리인의 이기심에서 파생되는 문제이다. 그러므로 권한위임, 연금제도는 대리인이론을 극복하기 위한 제도적 장치와는 관련없는 조치이다.

대리손실의 극소화 방안

정보의 균형화	주인이 대리인에 대한 정보를 확보하여 감시 강화
성과 중심의 대리인 통제	사소한 절차보다는 결과 중심의 통제 필요
인센티브의 제공	대리인의 성향에 따라 성과급과 고정급의 적절한 조화 필요

답 ④

32 □□□
2004년 충남 9급

중위투표자이론(Median Voter Theorem)에 대한 설명으로 타당한 것은?

① 중위투표자이론은 투표자의 선호의 강도와 크기를 모두 고려한다.
② 중위투표자의 선택에 대해 투표자들은 모두 만족한다.
③ 중위투표자의 선택은 경제적으로 효율적 수준을 보장해 준다.
④ 중위투표자모형은 선택에 소요되는 비용은 전혀 고려하지 않는다.

32 중위투표자이론 난이도 ●●●

중위투표자이론에서는 유권자들은 자신이 선호하는 정강정책이 없어지면 기권한다고 보는데, 이는 기권할 때 지불하는 비용은 전혀 고려하지 않기 때문이다.

선지분석
① 중위투표자이론은 모든 투표자의 선호의 강도와 크기를 모두 고려하는 것이 아니다.
② 중위투표자이론은 중간선호에 있는 집단의 선호와 일치하는 대안이 선택된 것이며 그들만 만족시킨 결과이다.
③ 중위투표자이론은 다수가 지지하는 대안보다는 중간선호자가 선호하는 대안이 선택된 것이므로, 자원배분의 효율성을 보장하지 못한다.

답 ④

33　　　　　　　　　　　　　2021년 군무원 7급

행정현상이나 정치현상(정책현상)에 경제학 접근을 도입하고 민주행정의 원형으로도 불리고 있는 정책결정모형은?

① 공공선택모형(public choice model)
② 정치행정모형(politics-administration model)
③ 점증모형(incremental model)
④ 최적모형(optimal model)

33　정책결정모형　　　　　　　　난이도 ●○○

공공선택론은 비시장영역에 경제학적 방법을 도입하였으며 다조직, 분권, 관할권의 중첩을 통한 민주행정 패러다임을 제시한다.

답 ①

34　　　　　　　　　　　　　2024년 지방직 9급

공공선택이론에 대한 설명으로 옳지 않은 것은?

① 인간을 이기적이고 합리적인 경제인으로 본다.
② 비시장적 의사결정을 경제학적 관점에서 연구한다.
③ 뷰캐넌(Buchanan), 털럭(Tullock), 오스트롬(Ostrom) 등이 대표적인 학자이다.
④ 경제주체의 집단적 선택행위를 중시하는 방법론적 집단주의 입장이다.

34　공공선택이론　　　　　　　　난이도 ●○○

공공선택론은 방법론적 개체주의에 입각해서 개인의 행동을 기본적 분석단위로 하여, 정치·경제 및 행정현상을 분석하려 한다.

선지분석
① 공공선택론에 있어서 개인이란 합리적이고 이기적인 존재이며, 자기의 효용극대화를 목표로 한다.
② 공공선택론은 '비시장적 의사결정(non-market decision-making)에 대한 경제학적 연구 또는 정치학에 경제학을 응용하는 것'이다.
③ 뷰캐넌(Buchanan), 털럭(Tullock), 오스트롬(Ostrom) 등이 체계화시킨 이론이다.

답 ④

35
2024년 군무원 9급

다음 중 공공선택이론에 대한 설명으로 가장 적절하지 않은 것은?

① 중위투표자 이론은 중간선호자만을 만족시킨 모형으로서 모든 투표자의 선호를 고려하지 않기 때문에 자원배분의 효율성을 보장하지 못한다.
② 티부(Tiebout)에 의하면, 지역주민의 완전한 이동성이라는 시장 배분적 과정을 통하여 지방공공재의 적정규모 공급이 가능하다.
③ 공공선택이론은 소비자인 개인의 선호를 존중하고, 경쟁을 통하여 공공서비스를 생산하고 공급함으로써 행정의 대응성을 높일 수 있다고 주장한다.
④ 고위직 관료들의 관청형성전략(bureau-shaping strategy)은 소속 조직을 보다 집권화된 대규모의 계서적 관료조직으로 개편시키게 된다.

35	공공선택이론	난이도 ●●○

관청형성전략이 이루어짐에 따라 일상적인 기능은 준정부조직이나 외부계약 등으로 넘기고 결정기능이나 참모기능만을 수행하려 한다. 따라서 집권화된 대규모 계서적 조직으로 개편시키는 것은 옳지 않은 설명이다.

선지분석
① 중위투표자 정리는 중간선호자만을 고려하지 모든 선호를 고려하지 못하므로 자원배분의 효율성을 보장하지 못한다.
② 티부가설은 주민들이 지방 간 자유롭게 이동이 가능하기 때문에 지방공공재에 대한 주민들의 선호가 표시되고, 지방정부를 주민 스스로 선택할 수 있기 때문에 이러한 시장배분적 과정을 통하여 지방공공재 공급의 적정규모가 결정될 수 있다는 이론이다.
③ 공공선택론자들은 공공서비스를 제공할 때에 시민 개개인의 선호와 선택을 존중하고 경쟁을 통하여 서비스를 생산하고 공급하게 함으로써 행정의 대응성을 높일 수 있다고 주장한다.

답 ④

KEYWORD 015 신제도적 접근방법

36
2017년 사회복지직 9급

신제도주의에 대한 설명 중 가장 옳은 것은?

① 합리적 선택 제도주의는 방법론적 전체주의 입장에서 제도를 개인으로 환원시키지 않고, 제도 그 자체를 전체로서 이해함을 강조한다.
② 역사적 제도주의는 선진제도 학습에 따른 제도의 동형화를 강조한다.
③ 사회학적 제도주의는 기존 경로를 유지하려는 제도의 속성을 강조한다.
④ 사회학적 제도주의는 조직 구성원이 제도를 넘어선 효용 극대화의 합리성에 따라 행동하기보다 주어진 제도 안에서 적합한 방식을 찾아 행동할 가능성이 높음을 강조한다.

36	신제도주의	난이도 ●●○

베버(Weber) 등은 조직의 합리성과 효율성을 강조한다. 반면, 사회학적 신제도주의에서는 현대조직에서 사용되는 많은 제도적 형태와 절차들이 가장 효율적이란 이유에서 채택된 것이 아니라, 그 사회에서 만들어진 '문화적으로 독특한 관행' 때문에 채택된 것이라고 주장한다.

선지분석
① 합리적 선택 제도주의는 방법론적 개체주의 입장이다.
② 학습에 따른 제도의 동형화를 강조하는 것은 사회학적 신제도주의이다.
③ 역사적 신제도주의가 제도의 경로의존성을 강조한다.

답 ④

37

2015년 지방직 9급

역사적 신제도주의의 특징으로 옳지 않은 것은?

① 행정기관, 의회, 대통령, 법원 등 유형적인 개별 정치제도가 주된 연구대상이다.
② 제도를 이해하는 데 있어 역사적·사회적 맥락의 중요성을 강조한다.
③ 제도가 형성되면 안정성과 경로의존성을 갖는다고 본다.
④ 제도란 공식적 법규범뿐만 아니라 비공식적 절차, 관례, 관습 등을 포함한다.

38

2020년 국가직 7급

신제도주의 유형과 그 특징을 바르게 연결한 것은?

	합리적 선택 제도주의	역사적 제도주의	사회학적 제도주의
①	중범위수준 제도분석	제도동형성	경로의존성
②	거래비용	경로의존성	제도동형성
③	전략적 상호작용	중범위수준 제도분석	거래비용
④	경로의존성	전략적 상호작용	중범위수준 제도분석

---

37 역사적 신제도주의 난이도 ●○○

행정기관, 의회, 대통령, 법원 등 유형적인 개별 정치제도를 주된 연구대상으로 하는 것은 구제도주의의 특징이다.

선지분석
② 역사적 신제도주의는 역사적 맥락과 경로의존성을 강조한다.
③ 역사적 신제도주의는 제도의 안정성과 지속성을 강조한다.
④ 제도는 공식적·묵시적으로 공유하는 규범이나 규칙을 포함한다.

신제도론 유파 비교

구분	합리적 선택 신제도주의	역사적 신제도주의	사회학적 신제도주의
개인의 선호 형성	외생적	내생적	내생적
접근 방법	• 연역이론 • 방법론상 개체주의	• 귀납이론 • 방법론상 총체주의	• 귀납이론 • 방법론상 총체주의
내용	• 집단행동의 딜레마 극복 • 거래비용 감소	• 권력의 불균형 • 국가·정치 권력의 자율성 강조 • 역사적 우연성 강조 • 비효율적 제도의 존재 설명 • 정책의 의도하지 않는 결과 설명	제도의 규범적 측면보다 인지적 측면을 강조

답 ①

38 신제도주의 유형 난이도 ●●●

ⓐ 중범위 수준의 제도분석은 역사적 신제도주의에 대한 내용이다.
ⓑ 제도적 동형화는 사회학적 신제도주의에 대한 내용이다.
ⓒ 거래비용은 합리적 선택 신제도주의에 대한 내용이다.

신제도론 유파 비교

구분	합리적 선택 신제도주의	역사적 신제도주의	사회학적 신제도주의
제도의 개념	개인의 합리적 (전략적) 계산	• 역사적 특수성 (맥락) • 경로의존성	사회문화 및 상징
학문적 기초	경제학	정치학	사회학
강조점	• 전략적 행위 • 제도의 균형 중시	• 경로의존성 • 권력불균형 • 역사적 과정	인지적 측면
초점	개인 중심 (개인의 자율성)	국가 중심 (국가의 자율성)	사회 중심 (문화의 자율성)
제도의 측면	공식적 측면 강조	공식적 측면 강조	비공식적 측면 강조
제도의 변화 원인	• 전략적 선택 • 경제적 분석	• 외부적 충격 • 결절(結節)된 균형	• 유질동형화 • 적절성의 논리

답 ②

39
2018년 국회직 8급

다음 중 행태주의와 제도주의에 대한 기술로 옳은 것은?

① 행태주의에서는 인간의 자유와 존엄과 같은 가치를 강조한다.
② 제도주의에서는 사회과학도 엄격한 자연과학의 방법을 따라야 한다고 본다.
③ 행태주의에서는 시대적 상황에 적합한 학문의 실천력을 중시한다.
④ 각국에서 채택된 정책의 상이성과 효과를 역사적으로 형성된 제도에서 찾으려는 것은 제도주의 접근의 한 방식이다.
⑤ 제도의 변화와 개혁을 지향한다는 점에서 행태주의와 제도주의는 같다.

40
2015년 서울시 9급

신제도주의에 대한 설명 중 가장 옳지 않은 것은?

① 신제도주의는 행태주의에서 규명하고자 했던 개인의 선호체계와 행위결과 간의 직선적 인과관계에 의문을 제기한다.
② 합리적 선택 신제도주의 계열에는 거래비용 경제학, 공공선택이론, 공유재이론 등이 있다.
③ 사회학적 신제도주의는 경제적 효율성이 아니라 사회적 정당성 때문에 새로운 제도적 관행이 채택된다고 주장한다.
④ 역사적 신제도주의는 경로의존적인 사회적 인과관계를 강조하므로 특정 제도가 급격한 변화에 의해 중단될 수 있는 가능성을 부정한다.

---

39 행태주의와 제도주의의 비교 난이도 ●●○

역사학적 신제도주의는 국가 간의 정책의 상이성과 제도가 나라마다 다르게 형성되는 경로의존성을 중시한다.

선지분석
① 행태주의는 가치와 사실을 분리하여 연구대상에서 가치를 배제하기 때문에 인간을 물화시키는 방법론을 사용한다. 따라서 인간의 자유와 존엄과 같은 인본주의 가치를 강조하지 않는다.
② 사회현상을 자연현상과 동일시하여 자연과학적인 논리실증주의를 강조하는 것은 행태주의적 접근법이다.
③ 1960년대 말 미국 사회 격동기의 문제를 해결하기 위하여 행정의 실천성 및 적실성 등의 문제에 관심을 갖는 후기행태주의 입장이다.
⑤ 행태주의는 객관적인 사실에 입각한 일반법칙적인 연구에만 몰두한 나머지 실천성과 적실성이 결여된 보수적인 경향의 접근법으로, 제도의 변화와 개혁을 지향하지 않는다.

답 ④

40 신제도주의 난이도 ●●○

역사적 신제도주의는 경로의존성을 중시하므로 제도의 지속성을 강조하지만, 급격한 변화(결절된 충격)에 의하여 중단될 수 있는 가능성 또한 인정한다.

선지분석
① 신제도주의는 제도의 독립변수성을 강조하기 때문에 행태론의 직선적 인과관계를 비판한다.
② 경제학적 접근법들이 합리적 선택 신제도주의 계열이다.
③ 사회학적 신제도주의는 사회문화가 정당하다고 인지하는 것을 제도로 본다.

답 ④

41

2014년 국가직 7급

신제도주의이론에 대한 설명으로 옳지 않은 것은?

① 역사적 제도주의에서는 제도의 경로의존성(path dependency)을 강조한다.
② 신제도주의는 이론적 배경을 달리하는 역사적 제도주의, 합리적 선택이론, 사회학적 제도주의 등으로 구별된다.
③ 신제도주의는 기존의 행태주의가 시대별 정책적 차이나 다양성을 설명하지 못하는 한계를 가지고 있다는 점에 주목한다.
④ 구제도주의와 신제도주의의 공통점은 제도의 개념을 동태적인 것으로 파악하면서, 국가 간 차이에 대한 설명을 시도하는 것이다.

---

41 신제도주의이론 난이도 ●○○

구제도주의는 신제도주의와 달리 제도의 동태적 측면을 파악하지 못하며, 제도의 국가 간 차이 등에 대해서는 설명하지 못한다.

(선지분석)
① 역사적 신제도주의는 제도가 역사적 경로에 의존한다고 보았다.
② 홀(P. Hall)의 신제도론의 유파 구분으로 옳은 지문이다.
③ 신제도주의는 제도와 역사(시대)에 대한 인식이 없는 행태주의나 제도적 제약을 간과한 다원주의에 대한 반발이었다.

답 ④

42

2013년 지방직 9급

다음 중 신제도주의에 대한 설명으로 옳은 것만을 모두 고른 것은?

> ㄱ. 합리적 선택 신제도주의가 형성되는 데 거래비용접근법이 많은 영향을 미쳤다.
> ㄴ. 사회학적 신제도주의는 문화가 제도의 형성에 미치는 영향을 간과한다.
> ㄷ. 역사적 신제도주의는 행위자 간의 상호작용을 제약하는 제도의 영향력과 제도적 맥락을 강조한다.

① ㄱ, ㄴ
② ㄱ, ㄷ
③ ㄴ, ㄷ
④ ㄱ, ㄴ, ㄷ

---

42 신제도주의 난이도 ●●○

ㄱ. 합리적 선택 신제도주의는 경제학적 접근법으로, 거래비용접근법의 영향을 받았다.
ㄷ. 역사적 신제도주의는 제도의 역사적 맥락과 경로의존성을 강조한다.

(선지분석)
ㄴ. 사회학적 신제도주의에서 제도는 환경적 상황에 의존하는 바가 크다. 즉, 문화가 정당하다고 인지하는 것이 제도이다.

답 ②

43

2021년 지방직 9급

신제도주의에 대한 설명으로 옳지 않은 것은?

① 제도는 법률, 규범, 관습 등을 포함한다.
② 역사적 제도주의는 제도가 경로의존성을 따른다고 본다.
③ 사회학적 제도주의는 적절성의 논리보다 결과성의 논리를 중시한다.
④ 합리적 선택 제도주의는 제도가 합리적 행위자의 이기적 행태를 제약한다고 본다.

44

2022년 군무원 7급

다음 중 신제도주의에 대한 설명으로 가장 옳지 않은 것은?

① 사회학적 제도주의는 제도의 변화에서 개인의 역할을 전혀 인정하지 않는다.
② 역사적 제도주의는 제도의 횡단적 측면을 중시하면서 국가 간에 어떻게 유사한 제도의 형태를 취하는가에 관심을 갖는다.
③ 역사적 제도주의는 주로 국가 간 비교사례 연구를 통한 귀납적 방법으로 이론화를 시도하였다.
④ 합리적 선택 제도주의는 방법론적 개인주의를 취하는 반면 사회학적 제도주의는 방법론적 전체주의의 입장을 취한다.

---

43 신제도주의   난이도 ●●○

사회학적 신제도주의는 결과성의 논리보다 적절성의 논리를 강조한다. 조직에 새로운 제도적 형태나 관행이 채택되는 이유는 새로운 제도적 형태나 관행이 조직의 목적·수단의 효율성을 증진시키기 때문이 아니라, 조직이나 참여자들의 사회적 정당성을 제고하기 때문이라는 것이다.

[선지분석]
① 신제도론에서 제도는 공식적인 법률뿐만 아니라 규범이나 관습 등이 포함된다.
② 역사적 신제도주의는 제도가 역사적 경로에 의존한다고 본다.
④ 신제도론은 제도의 독립변수성을 강조하므로, 합리적 선택의 신제도주의는 제도가 합리적인 행위자의 이기적이고 행태를 제약한다고 본다.

답 ③

44 신제도주의   난이도 ●●○

사회학적 신제도주의에 대한 설명이다. 역사적 신제도주의는 제도의 종단적 측면을 중시하면서 국가 간 제도가 어떻게 달라지는가에 대한 관심을 갖는다.

[선지분석]
① 사회학적 신제도주의는 제도가 개인의 전략적 선택이나 선호에 의하여 변화되지 않는다고 본다.
③ 역사적 신제도주의는 제도가 국가 간에 왜 달라지는지를 비교·연구하는 귀납적 접근법을 사용한다.
④ 합리적 선택의 신제도주의는 개인의 전략적 선택으로 제도가 형성된다는 방법론적 개체주의를, 사회학적 신제도주의는 사회문화가 제도를 형성한다는 방법론적 전체주의를 취한다.

답 ②

45

2020년 국가직 9급

행정학의 접근방법에 대한 설명으로 옳은 것은?

① 법적·제도적 접근방법은 개인이나 집단의 속성과 행태를 행정현상의 설명변수로 규정한다.
② 신제도주의 접근방법에서는 제도를 공식적인 구조나 조직 등에 한정하지 않고, 비공식적인 규범 등도 포함한다.
③ 후기행태주의 접근방법은 행정을 자연·문화적 환경과 관련하여 이해하면서 행정체제의 개방성을 강조한다.
④ 툴민(Toulmin)의 논변적 접근방법은 환경을 포함하여 거시적인 관점에서 행정현상을 분석하고, 확실성을 지닌 법칙의 발견을 강조한다.

| 45 | 행정학의 접근방법 | 난이도 ●●○ |

신제도주의 접근법은 제도를 공식적 또는 묵시적으로 공유하는 규범이나 규칙으로 본다. 제도를 공식적인 구조나 조직 등에 한정하는 것은 구제도론이다.

(선지분석)
① 개인이나 집단의 속성과 행태를 행정현상의 설명변수로 규정하는 것은 행태론적 접근법이다.
③ 후기행태주의가 아니라 생태론적 접근법에 대한 설명이다. 후기행태주의는 적실성의 신조(credo of relevance)와 실천(action)을 강조한다. 사회과학 연구는 급박한 사회문제 해결에 적실성이 있게 이루어져야 하며, 사회과학자의 임무는 연구 결과를 통해 인류의 가치를 보전하고 사회를 개혁하는 데 기여하여야 한다고 주장한다.
④ 논변적 접근법은 행정현상과 같은 가치 측면의 규범성을 연구할 때, 결정에 대한 정당성을 갖추는 것과 타협·합의를 도출하는 민주적 절차를 중시하는 담론적 접근법이다.

답 ②

46

2021년 군무원 7급

신제도주의에 대한 설명으로 가장 적절하지 않은 것은?

① 신제도주의는 그동안 내생변수로만 다루어 오던 정책 혹은 행정환경을 외생변수와 같이 직접적인 분석대상에 포함시켜 종합·분석적인 연구에 기여하고 있다.
② 역사적 제도주의는 각국에서 채택된 정책의 상이성과 효과를 역사적으로 형성된 각국의 제도에서 찾고자 한다.
③ 합리적 선택 제도주의는 경제학에 이론적 배경을 두고 있다.
④ 사회학적 제도주의에서는 제도의 범위를 가장 넓게 보고 있다.

| 46 | 신제도주의 | 난이도 ●●● |

신제도주의는 정책이나 행정환경을 외생변수로만 다루었던 정책 혹은 행정환경을 내생변수로 취급하여 종합·분석적인 연구에 기여하고 있다.

(선지분석)
② 역사적 제도주의는 제도가 나라마다 다르게 형성되므로 국가 간의 정책의 상이성과 효과성을 설명한다.
③ 합리적 선택의 제도주의는 경제학을 이론적 기반으로 한다.
④ 사회학적 제도주의는 가장 넓은 수준의 거시적 이론이다.

답 ①

47　　　　　　　　　　　　　　　　2020년 지방직 7급

사회학적 신제도주의에 대한 설명으로 옳지 않은 것은?

① 개인의 행위는 고립된 상태에서 선택되는 것이 아니라 사회관계에 의하여 영향을 받는다는 의미에서 '배태성(embeddedness)'이라는 개념을 사용한다.
② 조직들이 시장의 압력 속에서 생존하기 위해 경쟁력 있는 조직형태나 조직관리기법을 합리적으로 선택하는 것은 규범적 동형화(normative isomorphism)의 예이다.
③ 정부의 규제정책에 따라 기업들이 오염방지장치를 도입하거나 장애인 고용을 확대하는 것은 강압적 동형화(coercive isomorphism)의 예이다.
④ 정부의 제도개혁에 선진국의 제도를 도입하여 적용하는 것은 모방적 동형화(mimetic isomorphism)의 예이다.

48　　　　　　　　　　　　　　　　2024년 군무원 7급

다음 중 신제도주의에 대한 설명으로 가장 적절하지 않은 것은?

① 신제도주의는 구제도주의와 동일하게 합리적 행동모형에 대해 회의적이다.
② 역사적 신제도주의는 제도가 경로의존성을 가지며 현재의 정책선택을 제약한다고 본다.
③ 사회학적 신제도주의는 방법론적 개체주의에 의해서 분석한다.
④ 합리적 선택 신제도주의는 개인의 선택 결과에 대한 연역적 예측을 할 수 있다고 본다.

47　사회학적 신제도주의　　난이도 ●●●

조직들이 시장의 압력 속에서 생존하기 위해 경쟁력 있는 조직형태나 조직관리기법을 합리적으로 선택하는 것으로 보는 것은 합리적 선택 신제도주의 예이다. 사회학적 신제도주의는 동형화의 과정을 통하여 제도가 형성되고 변화된다고 설명하는데, 동형화의 유형에는 규범적 동형화, 강압적 동형화, 모방적 동형화가 있다. 규범적 동형화는 주로 직업적 전문화 과정에서 발생한다.

선지분석
① 배태성이란 구성원들이 자신의 개인적 선호나 경제적 이익의 추구보다는 사회적 정당성에 따라 행동하려는 것을 의미한다.

제도적 동형화의 3가지 차원

강압적 동형화	외부의 강압에 순응하는 과정에서 발생
모방적 동형화	• 자발적으로 성공사례를 벤치마킹하여 모방하는 과정에서 발생 • 능률성 제고를 직접적인 목표로 하기보다는 '성과를 향상시키기 위하여 노력하고 있다'는 인상을 환경에 심는 것을 목표로 함
규범적 동형화	• 주로 직업적 전문화 과정에서 발생 • 내부적인 조직 효율성 증대와는 무관하게 발생

답 ②

48　신제도주의　　난이도 ●●○

사회학적 신제도주의는 방법론적 총체주의, 귀납적 접근에 의한 연구를 한다.

선지분석
① 합리적 선택 신제도주의는 전통적 합리적 선택이론과는 달리 현실에서 효용극대화를 추구하는 인간은 ⓐ 불완전 정보를 지닌 제한된 합리성과 거래비용이 존재하는 상황에서 ⓑ 다양한 제도적 제약하에서 행동한다는 점을 인정하고 제도가 개인의 합리적 선택에 미치는 영향에 초점을 둔다. 신제도주의는 구제도주의와 동일하게 합리적 행동모형에 회의적이며 제한된 합리성을 전제로 한다.
② 역사적 제도주의에서는 제도의 중요성과 함께 제도가 형성된 역사적 맥락을 강조한다. 이러한 제도의 역사적 맥락은 구체적으로 경로의존성(path-dependency)이라는 용어로 표현된다. 경로의존성에 따르면 제도의 변화는 역사적으로 확립된 제도의 경로에 따라 이루어지기 때문에, 기존 제도는 새로운 제도가 취할 모습을 제약한다는 것이다.
④ 합리적 선택 신제도주의는 개인에 대한 가정을 통해 제도를 설명하는 미시적 이론이며, 그 가정으로부터 결론에 도달하는 연역적 방법이다.

답 ③

KEYWORD 016 신행정론, 후기행태주의, 비판행정론

49 □□□
2017년 국가직 9급(4월 시행)

다음 중 신행정학(New Public Administration)의 핵심 내용으로 옳은 것만을 모두 고른 것은?

> ㄱ. 효율성 강조
> ㄴ. 실증주의적 연구 지향
> ㄷ. 적실성 있는 행정학 연구
> ㄹ. 고객 중심의 행정
> ㅁ. 기업식 정부 운영

① ㄱ, ㄴ
② ㄴ, ㄷ
③ ㄷ, ㄹ
④ ㄹ, ㅁ

50 □□□
2015년 서울시 7급

신행정학의 특징으로 가장 옳지 않은 것은?

① 정치행정일원론보다는 정치행정이원론에 가까운 입장이다.
② 행정학 연구에 있어 적실성을 강조한다.
③ 행정의 고객지향성을 강조한다.
④ 분권화와 참여를 강조한다.

---

49 신행정학   난이도 ●○○

ㄷ. 신행정학은 급박한 사회문제 해결이 적실성이 있게 이루어져야 하며, 사회과학자의 임무는 연구 결과를 통해 인류의 가치를 보전하고 사회를 개혁하는 데 기여하여야 한다는 것이다.
ㄹ. 신행정학은 고객지향성과 참여의 확대를 강조하였는데, 이는 행정권의 종국적 근원을 시민으로 보고 고객의 참여를 강조한 것이다.

(선지분석)
ㄱ. 신행정학은 사회·경제적으로 불리한 위치에 있는 계층을 위하여 보다 우선적 배려를 통한 사회적 형평을 강조한다.
ㄴ. 신행정학은 행태주의의 현실 처방성 결여를 비판하며 나온 반논리실증주의 계열이다.
ㅁ. 신행정학은 격동의 시대에 있어서는 행정인이 적극적·독립변수적 역할을 수행해야 함을 강조한다. 반면, 기업식 정부 운영은 신공공관리론의 특징이다.

답 ③

50 신행정학   난이도 ●○○

신행정학은 절박한 사회문제의 해결을 위하여 적실성과 실천성을 강조하므로, 행정의 가치를 적극 추구하고 정책을 지향해야 한다는 정치행정일원론의 관점이다.

(선지분석)
② 신행정학은 사회과학 연구는 급박한 사회문제 해결에 공헌해야 한다는 적실성을 강조한다.
③ 신행정학은 행정권의 종국적 근원을 시민으로 보고, 고객의 참여를 강조한다.
④ 외부인의 참여를 촉진하기 위해 분권화를 강조한다.

📄 **신행정학의 특징**
㉠ 사회적 형평
㉡ 행정인의 적극적 역할 강조
㉢ 고객지향성과 참여의 확대
㉣ 반(反) 계층제를 주장: 전통적 계층제의 수정 주장
㉤ 행정의 가치지향과 행정책임 강화
㉥ 행태론의 지양과 규범주의 및 가치주의 추구

답 ①

51

2011년 국가직 9급

신행정학(New Public Administration)에 대한 설명으로 옳지 않은 것은?

① 왈도(Waldo), 마리니(Marini), 프레드릭슨(Frederickson) 등이 주도하였다.
② 기업식 정부 운영을 주장하면서 신자유주의적 행정개혁에 앞장섰다.
③ 행태주의의 한계를 지적하면서 가치문제와 처방적 연구를 강조하였다.
④ 고객인 국민의 요구를 중시하는 행정을 강조하고, 시민참여의 확대를 주장하였다.

52

2011년 지방직 7급

왈도(D. Waldo)의 주장이나 사상으로 옳지 않은 것은?

① 행정에는 권위가 필요하지만 민주주의를 증진해야 한다는 전제를 배제할 수 없다고 보았다.
② 신행정학은 다양한 관점을 보이지만 대체로 규범이론, 철학, 사회적 타당성, 행동주의(activism)로 특징지을 수 있다고 하였다.
③ 행정관리론에서 개발된 행정원리를 토대로 행정의 처방적 기능을 강조하였다.
④ 가치로부터 구분된 순수한 사실이란 존재하지 않는다고 주장하므로, 사이몬(H. Simon)의 행태주의에 반대하는 입장이다.

---

51 신행정학 난이도 ●○○

신행정학은 신자유주의적 행정개혁 및 기업식 정부 운영과는 무관하다. 기업식 정부 운영을 주장하면서 신자유주의적 행정개혁에 앞장선 것은 신공공관리론이다.

(선지분석)
① 왈도(Waldo) 등이 주도한 1968년 미노브룩 회의에 참여했던 소장학자들이 신행정학을 주도하였다.
③ 신행정학은 후기행태론 계열인 행정학 이론으로, 가치지향과 처방성을 강조한다.
④ 신행정학은 고객의 참여와 분권화된 조직구조를 강조한다.

답 ②

52 왈도(Waldo) 난이도 ●●○

신행정학은 행정관리론에서 개발된 행정원리를 토대로 한 것이 아니라 후기행태론적 관점에서 적실성의 신조(credo of relevance)와 실천(action)을 통한 행정의 처방적 기능을 강조하였다.

(선지분석)
① 민주주의를 증진하기 위해 고객의 참여를 강조한다.
② 신행정학은 가치지향, 행동주의로 대표되는 행정인의 적극적 역할을 강조한다.
④ 가치와 사실을 구별하는 행태론을 비판하고, 가치지향의 행정학을 추구한다.

답 ③

53

2019년 지방직 9급

미국에서 등장한 행정이론인 신행정학(New Public Administration)에 대한 설명으로 옳지 않은 것은?

① 신행정학은 미국의 사회문제 해결을 촉구한 반면 발전행정은 제3세계의 근대화 지원에 주력하였다.
② 신행정학은 정치행정이원론에 입각하여 독자적인 행정이론의 발전을 이루고자 하였다.
③ 신행정학은 가치에 대한 새로운 인식을 기초로 규범적이며 처방적인 연구를 강조하였다.
④ 신행정학은 왈도(Waldo)가 주도한 1968년 미노브룩(Minnowbrook)회의를 계기로 태동하였다.

53 신행정학

신행정학은 1960년대 말 미국 사회의 격동기에 행정의 적실성과 실천성을 강조한 후기행태론 계열의 이론으로, 정책과 가치 중심의 정치행정일원론에 입각하여 독자적인 행정이론의 발전을 이루고자 하였다. 신행정학은 가치의 중요성을 부각하고, 행정의 방향을 제시하였으며, 연구의 적실성을 제고하였다는 공헌점이 있다.

답 ②

54

2021년 군무원 7급

1960년대 미국의 '신행정학' 운동과 가장 관련이 없는 것은?

① 적실성
② 고객에 의한 통제
③ 전문직업주의
④ 사회적 형평성

54 신행정학

왈도(Waldo)의 전문직업주의는 행정학의 정체성과 관련된 것이며, 신행정학과는 직접 관련성이 없다.

선지분석
① 신행정학은 후기행태주의 계열의 이론으로, 과학성보다는 현실 문제의 해결에 중점을 두는 적실성을 주장한다.
② 고객지향적 행정을 강조하며, 시민참여 등 고객에 의한 통제를 중시한다.
④ 행정이념으로서 사회적 형평을 강조한다.

답 ③

55　　　　　　　　　　　　　　　　　2022년 국가직 7급

다음의 역사적 배경을 바탕으로 태동한 행정학 연구에 대한 설명으로 옳지 않은 것은?

- 월남전 패배, 흑인 폭동, 소수민족 문제 등 미국사회의 혼란을 해결하지 못하는 학문의 무력함에 대한 반성으로 나타났다.
- 1968년 미국 미노브룩회의에서 왈도의 주도하에 새로운 행정학의 방향모색으로 태동하였다.

① 고객 중심의 행정, 시민의 참여, 가치문제 등을 중시했다.
② 행정학의 실천적 성격과 적실성을 회복하기 위한 정책 지향적 행정학을 요구하였다.
③ 행정의 능률성을 강조했으며, 논리실증주의 및 행태주의의 주장을 지지하였다.
④ 소외계층을 위한 복지서비스를 확대해 사회적 형평을 실현해야 한다는 행정의 적극적 역할을 강조했다.

56　　　　　　　　　　　　　　　　　2025년 국가직 9급

신행정론에 대한 설명으로 옳지 않은 것은?

① 미국의 시민권 운동, 빈곤문제 등에 대응하여 행정이 사회의 실질적 문제를 해결하지 못하고 있다는 비판에서 대두되었다.
② 논리실증주의와 행태주의를 계승하였다.
③ 행정능률 지상주의에서 탈피하여 적실성, 사회적 형평성 등 가치를 중요시한다.
④ 정치와 행정의 긴밀한 관계를 주장한 점에서 정치·행정 일원론적 관점에 가깝다.

| 55 | 행정학 연구 | 난이도 ●○○ |

제시문은 신행정학의 대두배경이다. 신행정학은 사회적 적실성을 강조하며, 과학성보다 기술성을 강조하였다.

선지분석
①, ②, ④ 신행정학의 주요 특징에 해당한다.

답 ③

| 56 | 신행정론 | 난이도 ●○○ |

신행정론은 기성의 행태주의 중심의 행정이론에 불만을 품었던 미국의 소장학자들, 특히 왈도(Waldo)가 주도한 1968년 미노브룩(Minnowbrook) 회의에 참여하였던 젊은 학자들을 중심으로 하여 주장되었던 행정학의 새로운 경향에 관한 이론이다. 따라서 행태주의와 논리실증주의를 계승한 것이 아니라 비판한 것이다.

선지분석
① 신행정론은 1960년대 월남전과 흑인폭동 등 다양한 사회문제에 대해 기존의 행태주의에 입각한 사실 중심의(가치문제가 배제된) 사회과학이 문제해결능력을 상실함에 따라, 행태주의에 대한 비판과 함께 대두 되었다.
③ 능률지상주의를 탈피하여 현실의 절박한 문제를 해결하고자 하는 적실성과 형평성 등 가치를 중시한 가치지향적이다.
④ 신행정학은 정치행정일원론 관점이다.

답 ②

57

2008년 서울시 9급

다음 기술된 항목 중 후기행태주의 접근방법에 관한 설명으로 짝지어진 것은?

> ㄱ. 배경은 1960년대 흑인에 대한 인종차별, 월남전에 대한 반전데모 및 강제징집에 대한 저항 등 미국 사회의 혼란이라고 볼 수 있다.
> ㄴ. 1960년대 중반부터 존슨 행정부가 위대한 사회의 건설이라는 기치를 내걸고 하류층, 소외계층의 복지향상을 위하여 사회복지정책을 추진하면서 이의 추진에 지적 자원을 제대로 제공하지 못했던 정치학에 대한 비판이다.
> ㄷ. 인간을 경제적 이윤을 추구하는 합리적 존재로 가정하고, 행정의 원리들을 발견하는데 주된 관심을 기울인다.
> ㄹ. 사회과학자들은 그 사회의 급박한 문제를 연구대상으로 삼아서 사회의 개선에 기여하기보다는 과학적 방법을 적용할 수 있는 것을 연구대상으로 삼아야 한다.
> ㅁ. 가치평가적인 정책연구보다 가치중립적인 과학적 연구를 지향하고 있으며 정책학의 발전과는 무관하다.

① ㄱ, ㄴ
② ㄴ, ㄷ
③ ㄹ, ㅁ
④ ㄱ, ㄴ, ㅁ
⑤ ㄱ, ㄹ, ㅁ

58

2005년 서울시 7급

비판적 담론주의에 대한 설명으로 타당하지 않은 것은?

① 사회관계의 지나친 합리화로부터의 인간해방을 추구한다.
② 보다 적극적으로 시민참여를 강화시키려는 주장이다.
③ 의사소통의 왜곡이나 불균형을 배제하려는데 초점을 둔다.
④ 정책공동체(policy community)나 이슈네트워크(issue network)와 동일한 개념이다.
⑤ 하버마스(Habermas)가 이의 발전에 주도적 역할을 하였다.

---

57 후기행태주의 접근방법 난이도 ●○○

후기행태주의는 행정의 정책지향성 내지는 가치지향성, 실천과 적실성을 강조하며 정책과학, 현상학 등과 함께 신행정학(NPA)의 중심 위치를 차지하게 되었다.
ㄱ. 후기행태주의는 1960년대 미국 사회의 혼란기를 배경으로 성립되었다.
ㄴ. 후기행태주의는 존슨(Johnson)의 복지정책을 학문적으로 지원하는 측면에서 성립되었다.

(선지분석)
ㄷ. 과학적 관리론에 대한 설명이다.
ㄹ, ㅁ. 행태론적 접근법에 대한 내용이다.

답 ①

58 비판적 담론주의 난이도 ●●○

비판적 담론주의는 하버마스(Habermas)에 의하여 주도되었다. 의사소통의 왜곡이나 불균형을 배제하려는 인본주의 이론으로, 사회적 제약으로부터 인간해방을 추구하며 시민들의 참여를 강화시키려는 이론이다. 즉, 비판적 담론이론은 현대사회에서 사회관계의 지나친 합리화를 비판하고, 합리화로 초래된 사회 지배기구로부터의 인간 해방에 초점을 두는 접근방법이다. 정책공동체나 뉴거버넌스와 전혀 무관하지는 않지만 동일한 개념은 아니다.

답 ④

KEYWORD 017 신공공관리론

59 □□□
2018년 국가직 9급

신공공관리론(NPM)에 대한 비판적 논의에 해당하지 않는 것은?

① 공공부문은 민간부문과 다르기 때문에 민간부문의 관리기법을 공공부문에 그대로 적용하는 데에는 한계가 있다.
② 민주적 책임성과 기업가적 재량권 간의 갈등으로 인하여 정부관료제의 효율성을 제고하기 어렵다.
③ 고객 중심 논리는 국민을 관료주도의 행정서비스 제공에 의존하는 수동적 존재로 전락시킬 우려가 있다.
④ 정치적 논리를 우선하여 내부관리적 효율성을 경시하는 경향이 있다.

60 □□□
2017년 국가직 7급(10월 추가)

다음과 같은 내용의 공통적인 특성을 갖는 행정이론은?

- 공익을 사적 이익의 총합으로 파악한다.
- 기업가적 목표 달성을 위해 폭넓은 행정 재량을 공무원에게 허용할 수 있다.
- 경영학의 성과관리와 경제학의 신제도주의가 혼합되어 영향을 주었다.

① 신공공관리론
② 뉴거버넌스
③ 신공공서비스론
④ 신행정론(신행정학)

| 59 | 신공공관리론에 대한 비판 | 난이도 ●○○ |

신공공관리론(NPM)은 정부실패를 해결하기 위하여 시장의 경쟁을 공공부문에 도입함으로써 내부관리의 효율성과 성과를 제고시키려는 기법이므로, 행정의 정치적 성격 등을 경시하는 경향이 있다.

선지분석
① 정부의 실패를 해결하기 위해 경영기법만을 강조한 나머지 관료에 대한 불신을 가중시키고, 나아가 국가의 역할이나 공공행정의 특수성을 경시하고 있다.
② 관료에 대한 자율성 및 재량의 확대·성과 중심의 책임운영기관화 등은 의회와 대통령의 통제를 어렵게 하여, 대의민주주의의 기본원리인 행정의 정치적 책임성 확보를 어렵게 한다.
③ 국민을 시민으로서가 아닌 소비자로 보게 되는데, 시민형과 달리 소비자형에서는 개인주의를 강조한다.

답 ④

| 60 | 신공공관리론의 특징 | 난이도 ●○○ |

제시문은 신공공관리론에 대한 설명이다. 신공공관리론은 사익의 합을 공익으로 보며, 경영학과 경제학의 영향을 받아 재량권이 부여된 기업가적 정부를 추구한다.

📄 신공공관리론의 정부혁신 내용
㉠ 인력 감축 및 조직 구조의 개편
㉡ 성과 중심 체제 지향
㉢ 지출가치(value for money)의 증대
㉣ 권한 위임과 융통성의 부여
㉤ 성과를 통한 책임과 통제의 강화
㉥ 경쟁과 고객서비스 지향
㉦ 정부규제의 개혁과 정부 간 협력 강조
㉧ 정책능력의 강화

답 ①

61

2015년 서울시 9급

기업가 정신과 기업경영 원리를 행정에 도입함으로써 정부의 효율성과 효과성을 높여나갈 수 있음을 강조한 오스본(D. Osborne)과 게블러(T. Gaebler)의 정부재창조 원리에 대한 설명으로 옳지 않은 것은?

① 촉진적 정부: 노젓기보다 방향 잡아주기
② 지역사회가 주도하는 정부: 권한부여보다 서비스 제공
③ 경쟁적 정부: 서비스 제공에 경쟁 도입
④ 고객지향적 정부: 관료제가 아닌 고객 요구의 충족

62

2015년 사회복지직 9급

전통적인 관료제 정부와 기업가적 정부에 대한 설명으로 옳은 것은?

① 행정의 가치적 측면에서 기업가적 정부는 형평성과 민주성을 추구한다.
② 행정관리 기제에 있어서 기업가적 정부는 임무 중심 관리를 추구한다.
③ 행정관리 방식에 있어서 전통적인 관료제 정부는 예측과 예방을 중시한다.
④ 공공서비스를 제공함에 있어서 전통적인 관료제 정부는 민영화 방식의 도입을 추진한다.

---

61 정부재창조 원리 난이도 ●○○

서비스를 직접 제공하기보다는 민간이 제공할 수 있도록 권한을 부여한다. 그 외에도 정부재창조 원리는 분권적 정부, 성과·결과 지향 정부, 사명·임무 중심 정부 등의 특징이 있다.

(선지분석)
① 정부의 역할은 방향 잡아주기(Steering)이다.
③ 규제보다는 시장의 경쟁을 도입한다.
④ 관료 중심이 아니라 고객 중심이다.

답 ②

62 전통적인 관료제 정부와 기업가적 정부 난이도 ●○○

기업가적 정부는 규칙보다는 임무 중심의 관리를 추구한다. 즉, 전통적 관료제가 규칙·규정 중심의 관리라면, 기업가적 정부는 임무·사명 중심의 관리이다.

(선지분석)
① 기업가적 정부는 경제성과 효율성, 효과성을 중시한다.
③ 전통적인 관료제 정부는 예방보다는 사후 대처를 중시한다.
④ 민영화, 민간위탁 등의 경쟁의 도입을 추진하는 것은 기업가적 정부이며, 전통적인 관료제 정부는 독점적 공급을 중시한다.

답 ②

63   2015년 서울시 9급

신공공관리론에 대한 설명 중 가장 옳은 것은?

① 신공공관리론은 정부의 역할(steering)을 시장에 맡겨야 한다는 이론이다.
② 신공공관리론의 고객 중심 논리는 국민을 능동적인 존재로 만들 수 있다.
③ 신공공관리론은 행정 효율성을 향상시키기 위해 기업가적 재량권을 선호하므로 공공책임성의 문제를 야기할 수 있다.
④ 신공공관리론은 수익자 부담원칙 강화, 경쟁원리 강화, 민영화 확대, 규제 강화 등을 제시한다.

| 63 | 신공공관리론 | 난이도 ●○○ |

신공공관리론은 시장 논리와 기업식 경영만을 강조하는 이론으로, 효율성은 중시하지만 대국민 책임성이나 민주성을 확보하기는 힘들다.

(선지분석)
① 집행기능(노젓기; rowing)은 시장에 맡기지만 정부 본연의 역할(방향잡기; steering)은 정부가 수행해야 한다고 본다.
② 고객 중심 논리는 국민을 수동적인 국정의 대상으로 만들 수 있다.
④ 규제 강화가 아니라 규제 완화 등을 제시한다.

> **신공공관리론의 한계**
> ㉠ 행정의 책임성 확보 곤란
> ㉡ 형평성 악화
> ㉢ 공행정과 사행정의 근본적 차이 무시
> ㉣ 공무원의 사기 저하
> ㉤ 소비자관의 한계
> ㉥ 정책과 집행의 분리 문제

답 ③

64   2014년 지방직 7급

신공공관리론에 대한 설명으로 옳지 않은 것은?

① 신공공관리론의 이면에는 공공선택론, 주인 – 대리인이론, 거래비용이론 등이 자리잡고 있다.
② 신공공관리론에서는 수익자 부담원칙의 강화, 정부부문 내 경쟁원리 도입 등을 행정개혁의 방향으로 제시한다.
③ 관료제는 비효율적이므로 다른 수단으로 대체되어야 하며, 혁신을 통해 기업형 정부로 변화되어야 한다고 본다.
④ 신공공관리론에서는 사회적 요구에 대한 능동적 대처를 위해 구조적 통합을 통한 분절화의 축소를 지향하고 있다.

| 64 | 신공공관리론 | 난이도 ●●○ |

신공공관리론은 정책과 집행의 분리, 책임운영기관 등 행정의 분절화를 강조한다.

(선지분석)
① 신공공관리론은 경제학적 접근법을 지향하는 이론 중 하나이다.
② 신공공관리론은 시장의 경쟁원리를 정부개혁의 방향으로 제시한다.
③ 신공공관리론은 '전통적 정부를 기업가적 정부로 재창조'할 것을 주장한다.

답 ④

65 2021년 군무원 9급

신공공관리에 대한 설명으로 가장 옳지 않은 것은?

① 신공공관리는 전통적이고 관료적인 관리방식을 개혁하기 위해 1980년대부터 진행된 개혁프로그램이다.
② 신공공관리는 정부의 크기와 관계없이 시장지향적인 효율적인 정부를 만들 수 있는 개혁방안에 관심을 갖는다.
③ 시장성 테스트, 경쟁의 도입, 민영화나 규제완화 등 일련의 정부개혁 아이디어가 적용된다.
④ 신공공관리 옹호론자들은 기존 관료제 중심의 패러다임을 대체할 수 있는 새로운 패러다임이 될 수 있다고 주장한다.

| 65 | 신공공관리 | 난이도 ●○○ |

신공공관리론(NPM)은 일반적으로 '신관리주의'와 '시장주의'의 결합으로, ⓐ 작은 정부의 구현(정부의 기능과 규모 축소)과 ⓑ 전통 관료제의 행정운영방식 개선(성과주의 실현)을 내용으로 한다.

답 ②

66 2020년 지방직 9급

작은정부를 적극적으로 옹호하는 것은?

① 행정권 우월화를 인정하는 정치행정일원론
② 경제공황 극복을 위한 뉴딜정책
③ 사회복지 프로그램의 확대
④ 신공공관리론

| 66 | 신공공관리론 | 난이도 ●○○ |

정부실패 이후 신자유주의적 관점에서 작은 정부를 지향하는 것은 신공공관리론이다.

(선지분석)
① 정치행정일원론은 경제대공황 이후 행정이 적극적으로 시장에 개입하는 행정국가 시기의 큰 정부를 설명하는 이론이다.
② 경제대공황을 극복하기 위한 루즈벨트(Roosevelt)의 뉴딜정책은 작은 정부에서 큰 정부로의 전환이었다.
③ 사회복지 정책으로 대표되는 복지국가는 행정권의 확대를 가져왔으며 행정국가와 직결된다.

답 ④

67

2021년 지방직 9급

신공공관리론에서 지향하는 '기업가적 정부'의 특성에 해당하지 않는 것은?

① 경쟁적 정부
② 노젓기 정부
③ 성과 지향적 정부
④ 미래 대비형 정부

68

2018년 서울시 7급(6월 시행)

오스본(Osborne)과 개블러(Gaebler)가 제시한 기업가적 정부 운영의 원리를 〈보기〉에서 모두 고른 것은?

〈보기〉
ㄱ. 투입, 과정, 성과를 균형 있게 연계한 예산 배분
ㄴ. 권한 분산과 하부 위임을 통한 참여적 의사결정 촉진
ㄷ. 서비스 공급자로서의 정부관료제 역할 강화
ㄹ. 공공서비스 제공에 경쟁 원리를 도입
ㅁ. 목표와 임무 중심의 조직 운영
ㅂ. 문제에 대한 사후수습 역량의 강화

① ㄱ, ㄴ, ㅂ
② ㄴ, ㄹ, ㅁ
③ ㄴ, ㄷ, ㄹ, ㅁ
④ ㄱ, ㄷ, ㄹ, ㅂ

---

67 신공공관리론 | 난이도 ●○○

신공공관리론은 노젓기가 아니라 방향잡기를 강조한다. 노젓기(집행)업무는 주로 민영화가 이루어진다.

답 ②

68 기업가적 정부 운영의 원리 | 난이도 ●●○

ㄴ. 권한 분산과 하부 위임을 통한 참여적 의사결정 촉진, ㄹ. 공공서비스 제공에 경쟁 원리를 도입, ㅁ. 목표와 임무 중심의 조직 운영이 기업가적 정부 운영의 원리이다.

전통적 관료제와 기업가적 정부, 정부재창조 비교

구분		정부재창조	전통적 관료제	기업가적 정부
목적달성 수단의 제고		촉매적·촉진적	노젓기(rowing), 사공 ⇨	방향키(steering), 조타수
		시장지향적	행정 메커니즘 (인위적) ⇨	시장 메커니즘 (자율적)
통제의 위치 전환		분권적	집권적 계층제 (명령·통제) ⇨	분권·참여·팀워크·협의·network
		지역사회가 주도	서비스 직접 제공 ⇨	권한의 부여 (empowering)
성과의 향상		성과·결과지향	투입 중심 예산 ⇨	성과·결과 중심 예산
		경쟁적	독점적 공급 ⇨	경쟁 도입 (민영화, 민간위탁)
		기업가적	지출 지향 ⇨	수익 창출
목표의 명확화		사명·임무 중심	규칙·규정 중심 관리 ⇨	임무·사명 중심 관리
		고객지향	관료(행정) 중심 ⇨	고객(국민) 중심
		미래지향적·예견적	사후 치료·치유 ⇨	예측·예견과 사전예방

답 ②

69 □□□
2021년 군무원 7급

오스본(D. Osborne)과 게블러(T. Gaebler)의 『정부재창조론』(Reinventing Government)에서 제시된 '기업가적 정부 운영의 10대 원리'와 가장 관련이 없는 것은?

① 기업가적 정부는 서비스 공급자보다는 촉매작용자, 중개자, 그리고 촉진자 역할을 수행해야 한다.
② 경쟁 원리의 도입을 통해 행정서비스 공급의 경쟁력을 제고해야 한다.
③ 업무 성과를 제고하기 위해서는 투입이 아니라 산출이나 결과를 기준으로 자원을 배분해야 한다.
④ 수입 확보 위주의 정부 운영 방식에서 탈피하여 예산지출의 개념을 활성화하는 것이 필요하다.

70 □□□
2023년 군무원 9급

다음 중 신공공관리론의 특징에 대한 설명으로 가장 적절한 것은?

① 시장원리 도입으로서 경쟁 도입과 고객지향의 확대이다.
② 급격한 행정조직 확대로 행정의 공동화가 발생하지 않는다.
③ 정부, 시장, 시민사회의 평등한 관계를 중시한다.
④ 결과보다 과정에 가치를 둔다.

| 69 | 기업가적 정부 | 난이도 ●●○ |

기업가적 정부는 지출보다는 수익 창출을 중시한다.

(선지분석)
①, ②, ③ 기업가적 정부에 대한 옳은 설명이다.

답 ④

| 70 | 신공공관리론 | 난이도 ●○○ |

신공공관리론은 민간부문의 경영방식을 공공부문에 도입하려는 '관리주의'와 시장경쟁과 같은 유인체계를 공공서비스 제공에 도입하며, 고객에 대한 대응성을 향상시키는 것을 중시한다.

(선지분석)
② 신공공관리론(NPM)은 일반적으로 '신관리주의'와 '시장주의'의 결합으로, 작은 정부의 구현(정부의 기능과 규모 축소)과 관련된다. 급격한 행정조직의 확대는 틀린 문장이다.
③ 신공공관리론은 정부 기능의 축소 및 폐지, 민영화 또는 민간위탁을 강조한다. 정부, 시장, 시민사회의 평등한 관계를 통한 협력은 뉴거버넌스의 특징이다.
④ 신공공관리론은 과정보다 결과에 가치를 둔다.

답 ①

71

2024년 국가직 9급

신공공관리론에 입각한 정부개혁의 내용으로 옳지 않은 것은?

① 효율성 대신 형평성에 초점을 맞춘 고객지향적 정부 강조
② 수익자 부담 원칙의 강화
③ 정부 부문 내의 경쟁 원리 도입
④ 결과 혹은 성과 중심주의 강조

72

2014년 지방직 9급

다음 중 신공공관리론자들이 지향하는 가치와 거리가 먼 것을 모두 고른 것은?

> ㄱ. 하이예크(Hayek)의 『노예에로의 길』
> ㄴ. 미국의 '위대한 사회(The Great Society)' 정책
> ㄷ. 성과에 의한 관리
> ㄹ. 오스본(Osborne)과 게블러(Gaebler)의 『정부 재창조』
> ㅁ. 유럽식의 '최대의 봉사자가 최선의 정부'

① ㄱ, ㄴ
② ㄱ, ㄷ
③ ㄴ, ㄹ
④ ㄴ, ㅁ

71	신공공관리론	난이도 ●○○

신공공관리론은 정부실패 이후 신자유주의를 기반으로 민간의 시장기법을 도입하여 성과와 효율을 도입하고자 한 행정이론이다. 형평성보다는 효율성에 초점을 맞춘 고객지향적 정부를 강조한다.

(선지분석)
② 신공공관리론은 시장원리에 따라 수익자부담주의를 강조한다.
③ 공공부문에 시장의 경쟁원리를 도입하고자 한다.
④ 투입이나 절차보다는 결과 혹은 성과 중심의 행정을 강조한다.

답 ①

72	신공공관리론이 지향하는 가치	난이도 ●●○

ㄴ, ㅁ은 복지정책을 강조하는 행정국가 경향으로, 탈행정국가를 지향하는 신공공관리론과는 거리가 멀다.
- ㄴ. 위대한 사회(The Great Society) 정책은 미국 존슨 행정부가 추진한 빈곤과의 전쟁으로, 행정국가 절정기 때의 대표적인 복지정책이었다.
- ㅁ. '최대의 봉사자가 최선의 정부'는 영국 대처 행정부 이전에 추진되었던 전통적인 복지정책기조이다.

(선지분석)
ㄱ, ㄷ, ㄹ은 모두 행정국가의 문제점을 해결하기 위한 신공공관리론적 철학이나 특성과 관련된다.
- ㄱ. 하이예크(Hayek)의 『노예에로의 길(1944)』은 시장에 대한 국가의 개입이나 국가기획을 반대한 입장으로, 신자유주의나 대처리즘, 신공공관리론의 철학적 기초가 되었다.
- ㄷ. 신공공관리론은 성과 중심의 행정을 지향한다.
- ㄹ. 오스본(Osborne)과 게블러(Gaebler)의 『정부 재창조』는 신공공관리론을 추진했던 미국 클린턴(Clinton) 행정부의 정부혁신전략이다.

답 ④

73

2019년 서울시 7급(3월 추가)

작은 정부와 큰 정부에 대한 설명으로 가장 옳지 않은 것은?

① 큰 정부의 등장은 대공황 등 경제위기 속에서 시장에 대한 정부의 적극적 개입을 통해 대공황을 극복해야 한다는 케인즈주의에 사상적 기반을 두고 있다.
② 시장실패에 대한 대응으로 나타난 큰 정부는 규제를 완화하고 사회보장, 의료보험 등 사회정책을 펼침으로써, 정부의 적극적 역할을 강조하였으며, 이러한 이유로 정부의 크기가 커졌다.
③ 경제 대공황 극복을 위하여 등장한 뉴딜 정책과 함께 2차 세계대전 등 전쟁은 큰 정부가 탄생하는 데 결정적인 영향을 주었다.
④ 작은 정부를 주장하는 하이예크(Hayek)는 케인즈(Keynes)의 주장을 반박하며, 정부의 시장 개입은 단기적 경기 부양에는 효과적일 수 있어도 장기적으로는 시장의 효율성을 심각하게 훼손한다고 주장하였다.

74

2024년 군무원 7급

다음 중 '작지만 효율적인 정부'에 대한 설명으로 가장 적절하지 않은 것은?

① 큰 정부에 반발하여 규모와 역할을 축소하는 외형적인 측면에 중점을 둔 개혁을 의미한다.
② 관료제형 정부관리방식을 개혁하기 위해 1980년대부터 진행된 개혁프로그램의 산물이다.
③ 기본적으로 시장지향적 경쟁 원리를 효율성 제고의 중요한 수단으로 삼는다.
④ 성과 중심 관리를 강조하며, 재량 부여와 결과에 대한 분명한 책임을 묻는 관리 방식이다.

| 73 | 작은 정부와 큰 정부 | 난이도 ●●○ |

시장실패에 대한 대응으로 나타난 큰 정부는 규제를 강화하고 사회보장, 의료보험 등 사회정책을 펼침으로써 정부의 적극적 역할을 강조하였으며, 이러한 이유로 정부의 크기가 커졌다. 즉, 큰 정부론은 시장실패를 극복하기 위하여 정부의 개입을 강조하는 입장이고, 작은 정부론은 정부실패를 극복하기 위하여 정부개입을 줄이고 공공부문을 시장화해야 한다는 입장이다.

답 ②

| 74 | 작은 정부 | 난이도 ●●○ |

작은 정부는 절대적이라기보다 상대적인 표현이다. 외형적으로는 작은 정부지만 효율적인 정부를 추구한다.

선지분석
② 1980년대 이후 서구 선진국에서 출현한 신보수주의·신자유주의는 그 당시 심각한 경기침체와 재정적자를 겪고 있던 영국, 미국 등의 국가들에게 최소비용으로 최대효과를 산출하는 작은 정부로의 움직임을 재촉하는 계기가 되었다.
③ 작은 정부를 실천하는 수단의 기초는 민간화와 민간위탁을 활성화하는 것이다.
④ 작은 정부는 투입과 절차 중심이 아닌 산출과 결과에 중점을 두며, 이를 위하여 조직 목표의 명확화·자율성 부여와 적절한 인센티브 제공·성과 측정 및 평가체제의 확립을 강조한다.

답 ①

75

2022년 국가직 9급

정부관의 변천에 대한 설명으로 옳지 않은 것은?

① 19세기 근대 자유주의 국가는 '야경국가'를 지향하였다.
② 대공황 이후 케인스주의, 루스벨트 대통령의 뉴딜정책은 큰 정부관을 강조하였다.
③ 영국의 대처리즘, 미국의 레이거노믹스는 작은 정부를 지향하였다.
④ 하이에크(Hayek)는 『노예의 길』에서 시장실패를 비판하고 큰 정부를 강조하였다.

KEYWORD 018 뉴거버넌스론(신국정관리론)

76

2018년 지방직 7급

거버넌스(Governance)에 기반한 서비스 연계망의 단점으로 옳지 않은 것은?

① 분절화로 인해 집행통제가 어려움
② 정보부족으로 인해 조정이 어려움
③ 서비스의 공동생산에 따라 책임소재가 불분명
④ 이해당사자 간 상호의존적인 교환의 필요성 증가

| 75 | 정부관 | 난이도 ●●○ |

하이에크(Hayek)는 『노예의 길』에서 정부실패를 비판하고 작은 정부를 강조하였다.

(선지분석)
① 19세기 근대 자유주의 국가는 국가의 역할을 국방·치안·외교 등 소극적인 질서유지에 국한하는 작은 정부(야경국가)를 지향하였다.
② 경제대공황 이후의 케인즈의 총수요 관리정책, 뉴딜정책 등은 시장실패를 해결하기 위한 정부의 적극적 개입과 큰 정부를 강조하였다.
③ 영국의 대처리즘, 미국의 레이거노믹스는 신자유주의에 입각한 작은 정부를 지향하였다.

답 ④

| 76 | 서비스 연계망의 단점 | 난이도 ●●● |

거버넌스(Governance)에서는 구성원 간 갈등과 대립보다는 협력과 신뢰를 기반으로 하기 때문에 이해당사자 간 상호의존적인 교환의 필요성은 상대적으로 덜 하다고 보아야 할 것이다.

(선지분석)
① 거버넌스(Governance)하에서는 서비스 공급을 여러 조직과 기관들이 관여하여 추진하기 때문에 집행에 대한 통제를 상실하는 분절화가 나타난다.
② 거버넌스(Governance) 연계망은 정보부족 등으로 인하여 조정비용, 대리비용 등이 많이 발생한다.
③ 다수의 참여로 인한 결정은 책임이 모호하다는 점에서 한계가 있다.

답 ④

77　□□□　2018년 국회직 9급

거버넌스(governance)에 대한 설명으로 옳지 않은 것을 〈보기〉에서 모두 고르면?

〈보기〉
ㄱ. 파트너십과 유기적 결합관계를 중시한다.
ㄴ. 성공적 거버넌스 구축을 위해서는 사회적 자본(social capital)이 축적되어야 한다.
ㄷ. 거버넌스 체제가 적절히 작동하기 위해서는 주도적 집단에 의한 룰(rule)이 정립되어야 한다.
ㄹ. 거버넌스는 사회가 안정되고 불확실성이 감소하는 사회에서 보다 성공적으로 작동한다.
ㅁ. 국민을 고객으로만 보는 것을 넘어 국정의 파트너로 본다.

① ㄱ, ㄴ
② ㄴ, ㄷ
③ ㄷ, ㄹ
④ ㄷ, ㅁ
⑤ ㄹ, ㅁ

78　□□□　2014년 국가직 7급

뉴거버넌스에 대한 설명으로 옳지 않은 것은?

① 참여자 간 신뢰와 협력을 강조한다.
② 정치적 과정은 중요하게 인식되지 않는다.
③ 정부만이 공공서비스를 독점적으로 생산하고 공급한다고 보지 않는다.
④ 정책 과정에서 정부와 민간부문 및 비영리부문 간의 네트워크를 활용한다.

77　거버넌스(Governance)　난이도 ●●○

ㄷ. 거버넌스 체제가 적절히 작동하기 위해서는 특정 집단의 주도가 아니라 네트워크 참여자들 간의 협력에 의한 룰이 정립되어야 한다.
ㄹ. 거버넌스는 사회의 안정성 여부보다는 참여자들 간의 신뢰 수준에 따라 성공 여부가 결정된다. 즉, 참여자들 간의 신뢰 수준이 높을수록 거버넌스는 성공적으로 작동한다.

답 ③

78　뉴거버넌스　난이도 ●○○

뉴거버넌스는 네트워크에 의한 민관협력적 통치현상으로, 신공공관리론과는 달리 정치적 과정을 매우 중요하게 인식한다. 따라서 탈정치화가 아니라 재정치화를 강조한다.

(선지분석)
① 경쟁과 갈등보다 신뢰와 협력을 토대로 한다.
③ 민관협치, 즉 공동생산을 중시한다.
④ 정부에 의한 독점적 공급보다는 민관협력적 네트워크를 기반으로 한다.

답 ②

79

2023년 군무원 9급

다음 중 뉴거버넌스(New Governance)에 대한 설명으로 가장 거리가 먼 것은?

① 국민을 고객으로만 보는 것을 넘어 국정의 파트너로 본다.
② 행정의 효율성을 중시하지만 신공공관리론적 정부개혁에 대해 비판적으로 접근한다.
③ 행정의 경영화와 시장화를 중시하기 때문에 행정과 정치의 관계를 이원론적으로 보는 경향이 강하다.
④ 파트너십과 유기적 결합관계를 중시한다.

KEYWORD 019 신공공관리론과 뉴거버넌스론

80

2016년 서울시 7급

신공공관리론(new public management)과 뉴거버넌스론(new governance)에 대한 설명으로 가장 옳은 것은?

① 신공공관리론의 인식론적 기초는 민주주의이다.
② 뉴거버넌스론의 인식론적 기초는 공동체주의이다.
③ 신공공관리론은 관료의 역할로 조정자(coordinator)의 역할을 강조하였다.
④ 뉴거버넌스론은 관료의 역할로 공공기업가(public entrepreneur)의 역할을 강조하였다.

---

79 뉴거버넌스   난이도 ●●○

신공공관리론은 행정의 경영화에 의한 정치행정이원론의 성격이 강하나, 뉴거버넌스는 다양한 구성원의 참여를 중시하여 정치행정일원론적 입장이라고 할 수 있다.

(선지분석)

① 신공공관리론은 국민을 공리주의에 입각하여 국정의 대상인 '고객'으로 파악하는 데 비해, 뉴거버넌스는 시민주의에 바탕을 두고 덕성을 지닌 '시민'으로 파악한다.
② 뉴거버넌스는 신공공관리접근법의 한계(지나친 시장주의 행정운영으로 인한 공무원의 사기저하, 행정문화와의 괴리문제, 책임성, 민주성 측면에서의 문제)에 대해서 비판적으로 접근한다.
④ 신공공관리론은 경쟁의 원리를 중시하지만, 뉴거버넌스는 경쟁보다는 신뢰를 기반으로 파트너십과 유기적 결합관계를 중시한다.

답 ③

80 신공공관리론과 뉴거버넌스론의 비교   난이도 ●○○

(선지분석)

① 신공공관리론의 인식론적 기초는 신자유주의이다.
③ 신공공관리론은 관료의 역할로 공공기업가의 역할을 강조하였다.
④ 뉴거버넌스론은 관료의 역할로 조정자의 역할을 강조하였다.

신공공관리론과 신국정관리론의 비교

구분		신공공관리론	신국정관리론
공통점		• 정부역할에 대한 인식: 방향잡기(Steering) • 공공부문과 민간부문의 구별의 상대화 • 정부실패의 극복을 위해서 대두된 이론 • 투입보다는 산출에 대한 통제 강조	
차이점	인간관	홉스적 인간관	로크적 인간관
	경쟁 vs 신뢰	경쟁	신뢰, 조정, 협조
	시장화 vs 참여	시장화	참여
	국민	고객	시민
	효율 vs 민주	생산성, 효율성	민주성 (단, 효율성을 희생시키는 것은 아님)
	이론	정치행정이원론	정치행정일원론

답 ②

81

2016년 서울시 9급

피터스(B. Guy Peters)의 뉴거버넌스 정부개혁모형에 대한 설명으로 가장 옳지 않은 것은?

① 시장모형은 구조 개혁 방안으로 평면조직을 상정한다.
② 참여정부모형의 관리 개혁 방안은 총체적 품질관리, 팀제이다.
③ 유연조직모형의 정책결정 개혁 방안은 실험이다.
④ 전통제정부모형의 공익 기준은 창의성과 활동주의이다.

82

2019년 국가직 7급

피터스(G. Peters)의 정부모형에 대한 설명으로 옳은 것은?

① 참여모형에서는 조직의 고위층과 최하위층 간에 계층 수가 많지 않아야 한다.
② 유연정부모형은 변화하는 정책수요에 맞춰 탄력적으로 구성원들을 활용함으로써 이들의 조직과 업무에 대한 몰입도를 높인다.
③ 시장모형은 정치지도자들의 권력을 약화시키고 기업가적 관료들의 정책결정자로서의 역할을 제고하는 결과를 가져왔다.
④ 탈규제모형은 정부역할의 적극성 및 개입성이 높으면 공익 구현이 어렵다는 인식을 전제한다.

---

81 피터스(Peters)의 뉴거버넌스 정부개혁모형   난이도 ●●○

구조 개혁 방안으로 평면조직을 상정하는 것은 참여정부모형이다. 시장모형은 구조 개혁 방안으로 분권화를 상정한다.

피터스(Peters)의 뉴거버넌스 정부개혁 방안

구분	전통모형	시장모형 (market gov't)	참여모형 (participative gov't)	신축모형 (flexible gov't)	탈규제 모형 (deregulatory gov't)
문제 진단	전근대적 권위	對 민간 독점 정부내부 독점	계층제	영속성	내부규제에 따른 감사대비 행정
구조의 개혁 방안	계층제	분권화	평면조직 (계층제 완화)	가상조직 (네트워크 형성)	제안 없음
관리의 개혁 방안	직업공무원 내부규제	성과급, 민간기법을 도입	총체적 품질관리 (TQM), 팀(team)제	직업공무원제를 탈피하여 임시적 관리를 활용	예산, 인력, 조직 등의 관리상 재량권 확대
정책 결정의 개혁 방안	정치·행정이원론	내부시장, 시장적 유인을 통한 경쟁유발	협의, 협상	실험	기업가적 정부
공익의 기준	안정성 (지속성), 평등	저비용·고효율	참여, 협의	저비용, 조정	창의성, 활동주의

답 ①

---

82 피터스(Peters)의 정부모형   난이도 ●●●

참여모형은 계층제를 문제로 보고, 평면조직으로 조직구조를 개혁할 필요가 있다고 본다.

선지분석

② 가상조직과 가변적 인사관리는 공무원의 신분보장이 되지 않으므로, 이들의 조직이나 업무에 대한 몰입도는 낮아질 가능성이 크다.
③ 정치지도자들의 권력을 약화시키고 기업가적 관료들의 정책결정자로서의 역할을 제고하는 결과를 가져온 것은 시장모형이 아니라 탈규제모형에 대한 설명이다.
④ 탈규제모형은 조직 내의 지나친 내부규제(통제)가 많은 문제점을 야기한다고 보면서, 조직 내 중하위 관리자에게 관리적 재량을 확대할 필요가 있다고 본다. 또한 공익의 기준을 창의성과 활동주의로 본다. ④의 경우, 지문 자체가 탈규제모형과는 전혀 관련이 없는 지문이다.

답 ①

83 ◻◻◻ 2021년 군무원 7급

피터스(B. Guy Peters)의 정부개혁모형 중 참여정부모형과 가장 관련이 없는 것은?

① 문제의 진단 기준은 계층제이다.
② 구조의 개혁 방안은 평면조직이다.
③ 관리의 개혁 방안은 가변적 인사관리이다.
④ 정책결정의 개혁 방안은 협의·협상이다.

84 ◻◻◻ 2024년 지방직 9급

피터스(Peters)가 미래의 국정관리(The Future of Governing)에서 제시한 정부개혁 모형에 해당하지 않는 것은?

① 시장모형
② 자유민주주의모형
③ 참여모형
④ 탈규제모형

| 83 | 정부개혁모형 | 난이도 ●●○ |

신축적 정부모형이 관리의 개혁 방안으로 가변적 인사관리를 제안한다. 참여정부모형의 관리개혁 방안은 팀제나 TQM이다.

선지분석
① 참여정부모형의 진단 기준은 계층제이다.
② 참여정부모형은 계층제가 축소된 평면조직이다.
④ 정책결정의 개혁 방안으로서 협의와 협상을 제안한다.

답 ③

| 84 | 정부개혁모형 | 난이도 ●○○ |

피터스(Peters)는 거버넌스를 정부가 행정행위를 관장해가는 과정이라고 전제하면서, '전통적' 거버넌스인 전통적 정부모형에 대한 대안으로, '뉴'거버넌스에 기초한 4가지의 정부개혁모형을 제시하고 있다. 4가지 정부모형에는 ⓐ 시장모형, ⓑ 신축모형, ⓒ 참여모형, ⓓ 탈규제모형이 있다.

답 ②

85 2021년 국가직 9급

신공공관리와 뉴거버넌스에 대한 설명으로 옳은 것은?

① 뉴거버넌스가 상정하는 정부의 역할은 방향잡기(steering)이다.
② 신공공관리의 인식론적 기초는 공동체주의이다.
③ 신공공관리가 중시하는 관리 가치는 신뢰(trust)이다.
④ 뉴거버넌스의 관리 기구는 시장(market)이다.

85 신공공관리와 뉴거버넌스의 비교   난이도 ●○○

뉴거버넌스에서 정부의 역할은 방향잡기(steering)이다. 이는 뉴거버넌스와 신공공관리론의 공통점이다.

선지분석
② 공동체주의는 뉴거버넌스의 인식론적 기초이다.
③ 신뢰는 뉴거버넌스가 중시하는 관리 가치이다.
④ 시장은 신공공관리의 관리 기구이다.

답 ①

KEYWORD 020 신공공서비스론

86 2018년 지방직 7급

덴하트와 덴하트(J. V. Denhardt & R. B. Denhardt)가 제시한 신공공서비스론(new public service)의 일곱 가지 기본 원칙에 대한 설명으로 옳지 않은 것은?

① 민주적으로 생각하고 전략적으로 행동해야 한다.
② 방향을 잡기보다는 시민에 대해 봉사해야 한다.
③ 공익을 공유된 가치를 창출하는 담론의 결과물로 인식해야 한다.
④ 기업주의 정신보다는 시민의식의 가치를 받아들여야 한다.

86 신공공서비스론의 기본 원칙   난이도 ●●○

신공공서비스론에서 공무원은 전략적으로 생각하고 민주적으로 행동하여야 한다.

선지분석
② 신공공서비스론은 방향잡기도, 노젓기도 아닌 시민에 대한 봉사(서비스)를 중시한다.
③ 공익을 개인 이익의 총합이 아닌 공유된 가치를 창출하는 담론의 결과로 인식한다.
④ 기업가 정신보다는 시민 정신이 우위임을 강조한다.

답 ①

87

2017년 지방직 9급(12월 추가)

신공공서비스론의 주장으로 보기 어려운 것은?

① 관료가 반응해야 하는 대상은 고객이 아닌 시민이다.
② 정부의 역할은 방향제시(steering)가 아닌 노젓기(rowing)이다.
③ 관료의 동기부여 원천은 보수나 기업가 정신이 아닌 공공서비스 제고이다.
④ 공익은 개인이익의 단순한 합산이 아닌 공유하고 있는 가치에 대해 대화와 담론을 통해 얻은 결과물이다.

88

2016년 서울시 7급

신공공서비스론(NPS)에 대한 설명으로 가장 옳지 않은 것은?

① 신공공서비스론은 민주주의 이론 및 비판이론, 포스트 모더니즘 등을 바탕으로 탄생한 복합적 이론이다.
② 책임성 확보의 방법으로 행정인이 민주적으로 선출된 대표자에게 책임을 다하는 것을 강조한다.
③ 정책 과정에 있어서 전략적으로 생각하고 민주적으로 행동해야 한다고 강조한다.
④ 관료의 역할로 방향잡기보다는 시민들로 하여금 공유된 가치를 표명하고 그것을 충족시킬 수 있도록 도와주고 봉사해야 함을 강조한다.

---

87 신공공서비스론의 주장   난이도 ●○○

신공공서비스론에서 정부의 역할은 봉사이다. 노젓기(rowing)를 강조하는 행정은 전통적 행정이며, 신공공관리론은 방향잡기(steering)를 강조한다.

(선지분석)
① 신공공관리론은 관료의 반응대상이 고객이지만, 신공공서비스론은 시민이다.
③ 신공공관리론은 동기부여의 원천이 작은 정부를 추구하고자 하는 기업가 정신이며, 신공공서비스론은 봉사를 통해 사회에 기여하고자 하는 욕구가 동기부여 원천이다.
④ 신공공관리론은 공익을 개인이익의 단순한 합산으로 보지만, 신공공서비스론은 공유가치에 대한 담론의 결과물로 본다.

답 ②

88 신공공서비스론   난이도 ●●○

신공공서비스론은 책임성이란 것이 단순한 것이 아니라는 점을 인식하라는 원칙하에 책임은 다면적임을 강조한다. 즉, 법, 공동체, 정치규범, 전문성, 시민이익 존중 등 책임의 다면성을 강조한다.

(선지분석)
① 신공공서비스론은 민주적 시민이론, 비판이론, 지역공동체와 시민사회모형, 조직인본주의와 담론이론, 포스트 모더니즘 등에 기초한다.
③ '전략적으로 행동하고 민주적으로 행동하라'는 신공공서비스론의 7대 원칙 중 하나이다.
④ 신공공서비스론에서 관료의 역할은 시민을 통제하는 역할 대신 시민으로 하여금 공동의 이해관계를 표현하도록 하고, 지역사회가 직면하고 있는 문제를 해결하는 과정에서 협상과 중재 기능을 담당한다.

답 ②

89
2016년 서울시 9급

신공공서비스론(New Public Service, NPS)에서 강조하는 공무원의 동기유발 요인은?

① 기업가 정신
② 보수의 상승
③ 신분 보호
④ 사회봉사

90
2015년 사회복지직 9급

신공공서비스론의 기본원칙에 대한 설명으로 옳지 않은 것은?

① 관료 역할의 중요성은 시민들로 하여금 그들의 공유된 가치를 표명하고 그것을 충족시킬 수 있도록 도와주는 데 있다.
② 관료들은 시장에만 주의를 기울여서는 안 되며 헌법과 법령, 지역사회의 가치, 시민의 이익에도 관심을 기울여야 한다.
③ 예산지출 위주의 정부운영 방식에서 탈피하여 수입 확보의 개념을 활성화하는 것이 필요하다.
④ 공공의 욕구를 충족시키기 위한 정책은 집합적 노력과 협력적 과정을 통해 효과적으로 달성될 수 있다.

---

89 공무원의 동기유발 요인

신공공서비스론에서는 관료의 동기유발 요인을 사회에 대한 봉사를 통해 사회에 기여하려는 욕구에서 찾는다. 또한 관료는 시민을 통제하는 대신 시민으로 하여금 공동의 이해관계를 표현하도록 하고, 지역사회가 직면하고 있는 문제를 해결하는 과정에서 협상과 중재를 담당하며, 공유된 가치 창출을 위해 시민, 지역공동체 집단들과 이익을 협상하고 중재하는 역할을 담당한다고 보았다.

답 ④

90 신공공서비스론의 기본원칙

예산지출 위주의 정부운영 방식에서 탈피하여 수입 확보의 개념을 활성화하는 것이 필요하다는 내용은 기업가적 정부 운영의 원리에 해당한다.

(선지분석)
① 방향잡기가 아닌 서비스 제공자로서의 정부를 지향한다.
② 정부의 책임은 시장뿐만이 아니라 헌법, 법률, 공동체 가치, 전문직업적 기준, 시민들의 이해까지도 포함한다.
④ 공익, 공무원의 시민에 대한 서비스 책임, 공동체 중심적인 시민의식, 광범위한 참여에 의한 문제해결과 민주적 거버넌스를 강조함으로써 행정의 공공성에 주의를 환기시켰다.

답 ③

91

2015년 서울시 9급

신공공서비스이론에 대한 설명으로 가장 옳지 않은 것은?

① 정부의 역할은 시민에 대해 봉사하는 것이다.
② 기대하는 조직은 주요 통제권이 조직 내 유보된 분권화된 조직이다.
③ 공유가치에 대한 담론의 결과를 공익으로 본다.
④ 전략적 합리성을 가정한다.

92

2018년 서울시 7급(3월 추가)

신공공서비스론(New Public Service)에 대한 설명으로 가장 옳지 않은 것은?

① 공무원들은 고객이 아니라 시민에게 봉사해야 한다고 본다.
② 공익은 공유된 가치에 대한 담론의 결과로 이해된다.
③ 정부는 시장의 힘을 활용하는 데 있어 방향잡기의 역할을 해야 한다고 본다.
④ 법, 공동체, 정치규범, 전문성, 시민이익 등 다양한 책임성 기제의 중요성을 강조한다.

| 91 | 신공공서비스이론 | 난이도 ●●○ |

조직 내 유보된 분권화된 조직은 신공공서비스이론이 아니라 신공공관리론에서 기대하는 조직구조이다. 신공공서비스이론이 기대하는 조직구조는 리더십을 공유하는 협동적 구조이다.

선지분석
① 신공공관리론에서 정부의 역할을 방향잡기(Steering)이고, 신공공서비스이론에서는 시민에 대한 봉사이다.
③ 신공공관리론은 개인 이익의 총합을 공익으로 보지만, 신공공서비스이론은 공유가치에 대한 담론의 결과를 공익으로 본다.
④ 신공공서비스이론이 추구하는 합리성이 전략적 합리성이다.

답 ②

| 92 | 신공공서비스론 | 난이도 ●○○ |

신공공서비스론은 정부의 역할에 대해 방향잡기(steering)와 노젓기(rowing)의 구분이 불가능하므로, 시민들에게 힘을 실어주고 봉사하는 서비스를 강조한다.

선지분석
④ 책임을 진다는 것은 단순한 것이 아니라 복잡하다는 것을 인정한다. 따라서 정부의 책임은 시장뿐만 아니라 헌법, 법률, 공동체 가치, 전문직업적 기준, 시민들의 이해 등까지도 포함한다.

답 ③

93

2019년 서울시 7급(3월 추가)

덴하트(J. V. Denhardt)와 덴하트(R. B. Denhardt)가 제시한 신공공서비스론의 주요 내용과 가장 거리가 먼 것은?

① 생산성과 더불어 사람의 가치를 강조한다.
② 책임성의 복잡성과 다차원성에 주목한다.
③ '전략적 사고'와 더불어 '민주적 행동'의 중요성을 강조한다.
④ 관료의 역할과 관련하여 '방향잡기'와 함께 '봉사'를 강조한다.

94

2021년 국가직 9급

신공공서비스론의 특성에 대한 설명으로 옳지 않은 것은?

① 정부의 역할은 시민에 대한 봉사여야 한다.
② 공익은 개인적 이익의 집합체이기 때문에 시민들과 신뢰와 협력의 관계를 확립해야 한다.
③ 책임성이란 단순하지 않기 때문에 관료들은 헌법, 법률, 정치적 규범, 공동체의 가치 등 다양한 측면에 관심을 기울여야 한다.
④ 생산성보다는 사람에게 가치를 부여하기 때문에 공공조직은 공유된 리더십과 협력의 과정을 통해 작동되어야 한다.

| 93 | 신공공서비스론의 주요 내용 | 난이도 ●●○ |

신공공서비스론은 행정과 관료의 역할은 단순한 방향잡기(steering)나 노젓기(rowing)가 아니라 국민에 대한 봉사(service)여야 한다고 주장한다. 즉, 관료는 시민을 통제하는 역할 대신 시민으로 하여금 공동의 이해관계를 표현하도록 하고, 지역사회가 직면하고 있는 문제를 해결하는 과정에서 협상과 중재 역할을 담당한다. 또한, 관료는 시민이 담론을 통해 공유된 가치를 표명하고 이와 함께 공익에 대한 집단적 의미로 발전시킬 수 있는 활동의 장을 만드는 데 기여해야 한다.

답 ④

| 94 | 신공공서비스론 | 난이도 ●○○ |

신공공서비스론에서 공익은 공유하는 가치에 대한 담론의 결과로 본다. 공익을 개인 이익의 집합으로 보는 것은 신공공관리론이다.

선지분석
①, ③, ④ 모두 신공공서비스론의 특성에 해당하는 옳은 설명이다.

답 ②

95   2024년 군무원 7급

다음 중 신공공서비스론에 대한 설명으로 가장 적절하지 않은 것은?

① 고객이 아닌 시민에게 봉사하라고 주장한다.
② 행정이 가치갈등상황에 직면하게 되면 시민참여와 토론을 통하여 결정할 것을 주장한다.
③ 다양한 단체와 조직의 이익을 조정하는 정부의 역할을 과소평가한다는 비판을 받는다.
④ 민주적 목표의 성취를 위해서 수단적·기술적 전문성을 중시한다.

96   2022년 지방직 7급

행정이론에 대한 설명으로 옳지 않은 것은?

① 신행정학은 행정의 적실성 회복을 강조한다.
② 발전행정론은 환경이 행정에 미치는 영향에 주목한다.
③ 공공선택론은 시민들의 다양한 요구와 선호에 민감하게 부응할 수 있는 제도적 장치 마련을 강조한다.
④ 신공공관리론은 지역사회 문제를 해결하는 과정에서 시민들의 공유된 가치를 관료가 협상하고 중재해야 한다고 주장한다.

---

95 신공공서비스론 난이도 ●●●

신공공서비스론은 민주적 목적 성취를 위한 수단적·기술적 전문성을 과소평가한다.

선지분석
① 국민을 주권자인 시민으로 보며 시민에 대한 봉사를 강조한다.
② 정부는 공공담론의 촉진, 그리고 공익의 증진에 기여하는 책임을 져야한다고 처방한다.
③ 다양한 사회세력의 이익을 조정하는 정부의 역할에 대해 소홀히 다룬다.

답 ④

96 행정이론 난이도 ●●●

신공공서비스론에 대한 설명이다. 신공공서비스론에서 관료의 역할은 시민을 통제하는 역할 대신 시민으로 하여금 공동의 이해관계를 표현하도록 하고, 지역사회가 직면하고 있는 문제를 해결하는 과정에서 협상과 중재 기능을 담당한다.

선지분석
① 신행정학은 사회적 적실성을 강조하였다.
② 논란이 될 수 있다. 발전행정론은 행정의 독립변수역할을 강조하지만 일면 발전행정론은 문화권에 따른 후진국의 행정을 연구했다는 점에서 환경이 행정에 미치는 영향에 주목하였다고도 볼 수 있다.
③ 공공선택론자들은 공공서비스를 제공할 때에 시민 개개인의 선호와 선택을 존중하고 경쟁을 통하여 서비스를 생산하고 공급하게 함으로써 행정의 대응성을 높일 수 있다고 주장한다. 공공재와 공공서비스의 효율적 공급을 위한 조직적 장치로 '권한의 분산과 관할권의 중첩'을 제시하여 이렇게 하면 각 권력기관은 경쟁을 통하여 고객에 대한 서비스를 만족시킬 수 있다고 주장한다.

답 ④

97　2024년 지방직 9급

신공공서비스론에 대한 설명으로 옳지 않은 것은?

① 신공공관리론을 극복하기 위해 등장하였으며, 비판이론과 포스트모더니즘을 활용한다.
② 공익은 시민의 공유된 가치에 대한 담론의 결과이다.
③ 정부는 '노젓기'보다 '방향잡기'에 집중하면서 시민에게 더 많은 권력을 부여해야 한다.
④ 정부관료는 헌법과 법률, 정치 규범, 시민에 대한 대응성을 중요시해야 한다.

KEYWORD 021　포스트 모더니즘

98　2018년 서울시 9급

포스트 모더니즘에 기초한 행정이론의 특징으로 가장 옳지 않은 것은?

① 맥락 의존적인 진리를 거부한다.
② 타자에 대한 대상화를 거부한다.
③ 고유한 이론의 영역을 거부한다.
④ 지배를 야기하는 권력을 거부한다.

97　신공공서비스론　난이도 ●○○

정부의 역할은 봉사이다. 공유된 가치 창출을 위해 시민, 지역공동체 집단들과 이익을 협상하고 중재해야 한다고 본다.

선지분석
① 신공공서비스론은 민주적 시민이론, 지역공동체와 시민사회모형, 조직인본주의와 담론이론, 비판이론과 포스트모더니즘 등에 기초한다.
② 공익을 공유가치에 대한 담론의 결과로 본다.
④ 신공공서비스론에서 책임성 확보방안은 다면적이다. 관료는 법, 공동체, 정치규범, 전문성, 시민 이익 존중에 대한 대응성을 중요시해야 한다.

답 ③

98　포스트 모더니즘 관련 행정이론의 특징　난이도 ●●●

포스트 모더니즘에 기초한 행정이론은 시공을 초월하여 적용되는 보편적 진리보다는 시대와 상황에 따라 적용되는 진리가 다르다는 맥락 의존적인 진리를 강조한다.

선지분석
② 포스트 모더니즘은 타인을 조작의 대상이나 인식의 개체로 보지 않고, 자신과 언제든지 소통과 교류가 가능한 주체로 본다. 즉, 타인을 인식적 타자가 아니라 도덕적 타자로 본다.
③ 포스트 모더니즘은 학문이나 이론 간 경계·영역을 거부·타파하고 학문 간 통합을 강조한다.
④ 포스트 모더니즘은 인간을 억압·통제·지배하는 권력을 거부하고 인간을 행위의 주체로 보는 해방주의를 주장한다.

답 ①

99 ☐☐☐ 2015년 서울시 9급

포스트 모더니티이론 및 그에 입각한 행정에 대한 설명으로 가장 옳지 않은 것은?

① 행정은 객관적으로 연구될 수 있다는 설화를 해체해야 한다.
② 인권, 인간 이성과 인간 중심적 관점에서의 행정을 강조하였다.
③ 진리의 기준은 맥락 의존적이다.
④ 행정에 있어서의 상상, 해체, 타자성 등을 강조하였다.

100 ☐☐☐ 2011년 지방직 7급

포스트 모더니티(post modernity) 행정이론에 대한 설명으로 옳지 않은 것은?

① 파머(D. Farmer)는 패러다임 간의 통합(paradigm integration)을 연구전략의 하나로 주장하였다.
② 상대적이고 다원주의적이며, 동시에 해방주의적 성격의 세계관을 지니고 있다.
③ 바람직한 행정서비스는 다품종 소량생산 체제에서 제공될 가능성이 높다.
④ 파머(D. Farmer)에 따르면, 나 아닌 다른 사람을 인식적 타인(epistemic other)이 아닌 도덕적 타인(moral other)으로 인정한다.

| 99 | 포스트 모더니티이론 | 난이도 ●●○ |

인간 이성을 강조하는 서구의 합리주의는 모더니티의 특징이다. 포스트 모더니티는 인간의 이성을 핵심으로 하는 모더니티를 배격하고 대두된 사조로, 구성주의·상대주의 및 다원주의·해방주의를 특징으로 한다.

선지분석
① 포스트 모더니티에서 말하는 해체는 텍스트(언어, 몸짓, 이야기, 설화, 이론)의 근거를 파헤쳐 보는 것으로, 이를 당연한 것으로 여기지 않고 해체해보면 텍스트를 더 잘 이해할 수 있게 된다고 주장한다.
③ 포스트 모더니티는 진리의 기준을 맥락 의존적이라고 보고 있으며, 거시이론, 거대한 설화, 거시 정치 등을 부인한다.
④ 파머(Farmer)는 행정에 있어서의 상상, 해체, 탈영역화, 타자성 등을 강조하였다.

답 ②

| 100 | 포스트 모더니티 행정이론 | 난이도 ●●○ |

파머(Farmer)는 패러다임 간의 통합을 연구 전략의 하나로 주장한 것이 아니라 상상, 해체, 영역해체, 타자성을 포스트 모더니티 행정이론의 핵심요소로 강조한 학자이다. 그는 관료제를 중심으로 한 근대 행정이론을 과학주의, 기술주의, 기업주의 등에 기초한 것으로 비판하면서 포스트 모더니티의 행정이론을 주장하였다.

선지분석
② 포스트 모더니티의 지적 특성으로 구성주의, 상대주의, 다원주의, 해방주의가 있다.
③ 포스트 모더니티는 다품종 소량생산 체제의 다양성을 추구한다.
④ 타자성이란 타인을 도덕적 타인으로 인정하는 것이다.

답 ①

101 2020년 지방직 7급

파머(Farmer)가 주장한 포스트 모더니티 행정이론의 내용으로 옳지 않은 것은?

① 나 아닌 다른 사람을 인식적 객체가 아닌 도덕적인 타자(他者)로 인정한다.
② 관점에 따라 다양한 가능성이 허용되는 상상(imagination)보다는 과학적 합리성(rationality)이 더 중요하다.
③ 행정에서도 지식과 학문의 영역 간 경계가 사라지는 탈영역화(deterritorialization)가 나타난다.
④ '행정은 객관적으로 연구될 수 있다'는 설화는 해체(deconstruction)를 통해 더 잘 이해할 수 있다.

102 2007년 충북 9급

포스트 모더니즘 행정이론에 대한 설명 중 옳지 않은 것은?

① 우리가 발견할 수 있는 객관적 사실이 있다고 보는 객관주의를 배척한다.
② 포스트 모더니즘의 세계관은 상대주의적이며 다원주의적인 것이다.
③ 해체의 개념을 통해 타인을 하나의 대상으로서가 아니라 도덕적 타인으로 인정하고 개방적인 태도를 가져야 한다는 점을 강조하고 있다.
④ 포스트 모더니즘은 해방주의적인 성향을 지닌다.

---

101 포스트 모더니티   난이도 ●●○

포스트 모더니티(post modernity)의 행정이론은 서구의 합리주의인 과학적 합리성(rationality)보다는 상상, 해체, 영역해체, 타자성(도덕적 타자) 등을 중시한다. '상상'이란 소극적으로는 규칙에 얽매이지 않는 행정의 운영이며, 적극적으로는 문제의 특수성을 인정하는 것이다.

(선지분석)
① 타자성이란 나 아닌 다른 사람을 인식적 객체로서가 아니라 도덕적 타자로 인정하는 것이다.
③ 탈영역화(영역해체)란 지식의 고유영역과 경계를 타파하는 것이다.
④ 포스트 모더니티에서 말하는 해체라는 것은 텍스트(언어, 몸짓, 이야기, 설화, 이론)의 근거를 파헤쳐 보는 것이다. 예를 들면 '행정의 실무는 능률적이어야 한다는 것'은 하나의 설화인데, 이러한 설화들을 당연한 것으로 받아들이지 않고 해체해 보면, 설화를 더 잘 이해할 수 있게 된다고 할 수 있다.

답 ②

102 포스트 모더니즘 행정이론   난이도 ●●○

타인을 하나의 대상으로서가 아니라 도덕적 타인으로 인정하고 개방적인 태도를 가져야 한다는 점을 강조하는 것은 해체 개념이 아니라 '타자성(他者性)'과 관련있다. 행정에서 타자성은 다양성에 대한 선호와 함께 행정의사결정의 개방성을 의미한다.

(선지분석)
① 객관주의를 배척하고 사회적 현실은 우리들의 마음 속에서 구성된다고 보는 구성주의를 지지한다.
② 절대 유일의 가치는 존재하지 않으며, 다양한 가치가 존재한다고 보는 상대주의 및 다원주의 세계관이다.
④ 조직과 사회적 구조의 지시와 제약으로부터 해방을 추구한다.

답 ③

103 □□□ 2021년 군무원 7급

포스트 모더니티이론에서 규칙에 얽매이지 않는 행정의 운영이나 특수성을 인정하는 것에 해당하는 것은?

① 상상(imagination)
② 해체(deconstruction)
③ 영역 해체(deterritorialization)
④ 타자성(alterity)

---

103 포스트 모더니티 난이도 ●○○

포스트 모더니티 특성 중 상상(imagination)은 소극적으로는 과거의 관행과 규칙에 얽매이지 않는 행정의 운영이며, 적극적으로는 문제의 특수성을 인정하는 것이다.

(선지분석)
② 해체는 텍스트(언어, 몸짓, 이야기, 설화, 이론)의 근거를 파헤쳐 보는 것이다.
③ 영역 해체는 지식의 경계가 사라지는 탈영역화, 학문영역 간의 경계파괴를 의미한다.
④ 타자성이란 다른 사람을 인식적 객체로서가 아니라 도덕적 타자로 인정하는 것이다.

답 ①

KEYWORD 022 행정이론 종합

104 □□□ 2018년 국회직 8급

다음 〈보기〉 중 옳은 것을 모두 고르면?

〈보기〉
ㄱ. 인간관계론에서 조직 참여자의 생산성은 육체적 능력보다 사회적 규범에 의해 좌우된다.
ㄴ. 과학적 관리론은 과학적 분석을 통해 업무수행에 적용할 유일 최선의 방법을 발견할 수 있다고 전제한다.
ㄷ. 체제론은 비계서적 관점을 중시한다.
ㄹ. 발전행정론은 정치, 사회, 경제의 균형성장에 크게 기여하였다.

① ㄱ, ㄴ
② ㄱ, ㄹ
③ ㄴ, ㄷ
④ ㄴ, ㄹ
⑤ ㄷ, ㄹ

---

104 행정이론의 정의 및 특징 난이도 ●●●

ㄱ, ㄴ. 각각 인간관계론과 과학적 관리론에 대한 옳은 설명이다.

(선지분석)
ㄷ. 체제론은 체제 간에도 상위체제 > 중간체제 > 하위체제의 계층적 서열이 존재한다는 계서적 관점을 취하고 있다.
ㄹ. 발전행정론은 행정체제가 다른 분야의 발전을 이끌어 나가는 불균형적 접근법을 중시한다.

📄 과학적 관리론과 인간관계론 비교

구분	과학적 관리론	인간관계론
주요 이론	테일러(Taylor)의 과업관리, 포드(Ford)의 동시관리, 페욜(Fayol)의 전체관리	메이요(E. Mayo)의 호손실험(사회심리적 요인 중시)
인간관	• 합리인 · 경제인: 경제적 유인 중시 • 인간을 기계적 존재로 파악 • 인간의 합리적 · 타산적 측면	• 사회인: 비경제적 유인, 사회심리적 동기 중시 • 인간을 감정적 존재로 파악 • 인간의 비합리적 · 감정적 · 사회적 측면
조직관	합리적 · 기계적 모형: 공식적 조직 중시	비합리적 모형: 비공식 조직 · 소집단 중시
환경관	폐쇄체제관	
행정변수	구조	인간
능률관	• 기계적 능률성 • 단기적 · 공리적 · 물적 · 대차대조표적 능률	• 사회적 능률성 • 장기적 · 인간적 · 질적 · 규범적 능률
관리방식	• 권위적 리더십, X이론적 관리 • 직무 · 업무 · 과업 중심	• 민주적 리더십, Y이론적 관리 • 인간 · 관계 · 부하 중심
목적	생산성 · 능률성 향상 촉구 ⇨ 정치행정이원론, 공사행정일원론	

답 ①

105 ☐☐☐ 2018년 지방직 9급

행정이론의 패러다임과 추구하는 가치를 바르게 연결한 것은?

① 행정관리론 - 절약과 능률성
② 신행정론 - 형평성과 탈규제
③ 신공공관리론 - 경쟁과 민주성
④ 뉴거버넌스론 - 대응성과 효율성

106 ☐☐☐ 2022년 지방직 9급

행정학의 주요 접근법, 학자, 특성을 바르게 연결한 것은?

① 행정생태론 - 오스본(Osborne)과 게블러(Gaebler) - 환경요인 중시
② 후기행태주의 - 이스턴(Easton) - 가치중립적·과학적 연구 강조
③ 신공공관리론 - 리그스(Riggs) - 시장원리인 경쟁을 도입
④ 뉴거버넌스론 - 로즈(Rhodes) - 정부·시장·시민사회 간 네트워크

---

105 행정이론과 추구하는 가치 난이도 ●○○

행정관리론은 고전행정학으로, 정치행정이원론에 입각하여 행정을 기본적으로 관리 또는 집행으로 보고, 능률성을 행정이념으로 추구한다.

(선지분석)
② 신행정론은 1960년대 말 형평성을 중시하며 정부개입에 의한 복지정책을 추구하였다.
③ 신공공관리론은 신자유주의를 인식론으로 하며, 정부실패를 극복하기 위하여 시장의 경쟁원리와 기법을 받아들여 효율성을 중시하였지만, 민주성과 책임성은 저해된다는 단점이 있다.
④ 뉴거버넌스는 정부와 기업, 시민사회의 협치를 강조하는 모형으로 민주성과 대응성을 중시한다. 협력을 통해 효율성을 확보한다는 견해가 다수견해이지만, 신공공관리론과 비교할 때 뉴거버넌스는 상대적으로 효율보다는 민주성과 대응성을 중시한 모형이다.

답 ①

106 행정학의 주요 접근법 난이도 ●●○

④만 옳게 연결되어 있다.

(선지분석)
① 오스본(Osborne)과 게블러(Gaebler)는 생태론이 아니라 신공공관리론의 기업형 정부를 주장한 학자이다.
② 후기행태주의는 가치지향적·처방적 연구를 강조하였다. 가치중립적·과학적 연구를 강조한 접근법은 행태론이다.
③ 리그스(Riggs)는 생태론을 주장한 학자이다.

답 ④

107

2017년 지방직 9급(12월 추가)

행정지도의 폐단에 해당하지 않는 것은?

① 책임소재가 불분명할 수 있다.
② 공무원의 재량이 많이 작용하기 때문에 형평성이 보장되기 어렵다.
③ 입법과정의 복잡한 절차가 필요하다.
④ 행정의 과도한 경계확장을 유도한다.

108

2017년 지방직 9급(12월 추가)

행정학의 발달에서 〈보기 1〉의 인물과 〈보기 2〉의 주장한 내용을 바르게 연결한 것은?

〈보기 1〉
ㄱ. 리그스(F. Riggs)
ㄴ. 가우스(J. Gaus)
ㄷ. 화이트(L. White)
ㄹ. 사이먼(H. Simon)

〈보기 2〉
A. 행정이론은 동시에 정치이론을 의미한다.
B. 조직의 최고관리층은 기획, 조직, 인사, 지휘, 조정, 보고, 예산 기능을 담당한다.
C. 정치와 행정의 관계는 연속적이기 때문에 양자를 구별하는 것은 적절하지 않다.
D. 원리주의의 원리들은 과학적인 실험을 거치지 않은 격언(proverb)에 불과하다.

① ㄱ - A
② ㄴ - B
③ ㄷ - C
④ ㄹ - D

---

107 행정지도의 폐단   난이도 ●●○

행정지도는 국민의 임의적 협력을 기대하여 행하는 비권력적 사실행위로, 별도의 입법절차 없이 긴급한 행정수요에 응급적으로 대응할 수 있다는 장점이 있다.

선지분석
① 법적 근거가 없이 임의적 협력을 전제하기 때문에 책임소재가 불분명할 수 있다.
② 재량권이 남용되어 형평성을 저해할 수 있다.
④ 행정기능의 과도한 팽창을 초래할 수 있다.

답 ③

108 행정학자와 그 주장   난이도 ●●○

행태주의자 사이먼(Simon)은 고전행정학자들이 주장한 원리주의의 원리들이 과학적인 검증을 거치지 않은 속담이나 격언에 불과하다고 비판하였다.

선지분석
A. 행정이론은 동시에 정치이론이라고 주장한 학자는 가우스(Gaus)이다.
B. 최고관리층의 7대 기능을 POSDCoRB이라고 제시한 사람은 귤릭(Gulick)이다.
C. 정치와 행정관계가 연속적 관계라며 정치행정일원론을 주장한 대표적 학자는 디목(Dimock)이다.

답 ④

109　2017년 지방직 9급(12월 추가)

딜레마이론에 대한 설명으로 옳은 것은?

① 부정확한 정보와 의사결정자의 결정 능력 한계로 인해 발생하는 딜레마 상황에 주목한다.
② 대안을 선택하지 않는 비결정도 딜레마에 대한 하나의 대응형태로 볼 수 있다.
③ 두 대안이 추구하는 가치 간 충돌이 있는 경우 결국 절충안을 선택하게 된다.
④ 딜레마의 구성 요건으로서 단절성(discreteness)이란 시간의 제약이 존재하므로 어떤 식의 결정이든 해야 함을 의미한다.

109	딜레마이론	난이도 ●●●

대안을 아예 선택하지 않는 비결정(결정의 회피나 포기)도 딜레마에 대한 소극적 대응전략의 하나이다.

(선지분석)
① 딜레마이론은 정보의 부정확성, 결정자의 능력상 한계, 대안의 불명확성으로 인하여 발생하는 것이 아니라 대안이 구체적이고 명료할 경우에 두 대안 중 하나를 선택해야 하는 상황에서 발생한다.
③ 딜레마는 상충되는 두 대안의 절충이 불가능한 분절성을 전제로 한다.
④ 단절성이 아니라 선택불가피성(선택압력)에 해당한다.

📄 정책딜레마

㉠ 정책딜레마의 논리적 구성요건

분절성	대안 간 절충이 불가능하다는 것
상충성	대안의 상충으로 인해 하나의 대안만 선택해야 한다는 것
균등성	대안이 가져올 결과 가치가 균등해야 한다는 것
선택의 불가피성	최소한 하나의 대안을 반드시 선택해야 한다는 것

㉡ 정책딜레마 대응행동

소극적 대응	• 결정의 회피(비결정) • 결정의 지연 • 책임의 전가 • 상황의 호도
적극적 대응	• 새로운 딜레마 상황 조성 • 정책문제의 재규정 • 대안의 동시 선택

답 ②

110　2024년 군무원 7급

다음 중 정책딜레마모형에 대한 설명으로 가장 적절한 것은?

① 정책문제 대한 정부조직의 관할이 명확하게 구분될 때 정책딜레마가 발생한다.
② 정책딜레마는 상호갈등적인 정책대안들이 구체적이고 명료할 때 발생한다.
③ 정책딜레마 상황에서는 갈등집단들의 내부응집력이 약하다.
④ 정책딜레마는 갈등집단 간의 권력 불균형 상황에서 발생한다.

110	정책딜레마	난이도 ●●●

정책딜레마는 특정 대안의 선택으로 이익을 보는 집단과 손해를 보는 집단이 명확히 구분될 때 발생한다.

(선지분석)
① 정책문제에 대한 관할이 중첩될 때 딜레마가 증폭된다. 명확하게 구분될 때 딜레마가 증폭되지는 않는다.
③ 갈등집단들의 내부응집력이 강할 때 딜레마가 증폭된다.
④ 갈등집단 간의 권력균형이 이루어져 있을 때 딜레마가 증폭된다.

📄 딜레마 증폭 요인

㉠ 갈등 당사자들의 정책결정의 회피나 지연을 용납하지 않을 때
㉡ 갈등집단 간의 권력균형이 이루어져 있을 때
㉢ 갈등집단들의 내부응집력이 강할 때
㉣ 특정 대안의 선택으로 이익을 보는 집단과 손해를 보는 집단이 명확히 구분될 때
㉤ 정책문제에 대한 정부조직의 관할이 중첩될 때

답 ②

111
2015년 서울시 9급

행정이론에 대한 설명으로 가장 옳지 않은 것은?

① 신공공관리론에서는 국민을 납세자나 일방적인 서비스 수혜자가 아닌 정부의 고객으로 인식한다.
② 탈신공공관리론은 신공공관리론의 결과로 나타난 재집권화와 재규제를 경계한다.
③ 뉴거버넌스론의 하나인 유연조직모형에서는 관리의 개혁 방안으로 가변적 인사관리를 제시한다.
④ 신공공서비스론에서는 공익을 공유된 가치에 대한 담론의 결과물로 인식한다.

111	행정이론	난이도 ●●○

탈신공공관리론은 재집권화와 재규제의 주창한다.

탈신공공관리론(post-NPM)

개념	신공공관리론의 개혁의 한계를 보완하기 위해 대두된 일련의 조치
주요 내용	• 구조적 통합을 통한 분절화의 축소 • 재집권화와 재규제의 주창 • 총체적 정부 또는 합체적 정부의 주도 • 역할모호성의 제거 및 명확한 역할관계의 안출 • 민관파트너십 강조 • 집권화, 역량 및 조정의 증대 • 중앙의 정치·행정적 역량 강화 • 환경적·역사적·문화적·맥락적 요소에의 유의

답 ②

112
2018년 국회직 8급

다음 중 탈신공공관리론(post-NPM)에서 강조하는 행정개혁 전략으로 옳지 않은 것은?

① 분권화와 집권화의 조화
② 민간 - 공공부문 간 파트너십 강조
③ 규제완화
④ 인사관리의 공공책임성 중시
⑤ 정치적 통제 강조

112	탈신공공관리론의 행정개혁 전략	난이도 ●●○

시장지향주의와 규제완화(탈규제, 탈정치)를 강조한 이론은 신공공관리론으로, 탈신공공관리론에서는 정부 역량 강화의 재규제, 재정치, 정치적 통제를 강조하였다.

관리기술 측면에서의 신공공관리론과 탈신공공관리론의 비교

구분	신공공관리론	탈신공공관리론
조직관리의 기본철학	• 경쟁과 자율성을 강조하는 민간부문의 관리기법 도입 • 경쟁의 원리 도입 • 규정과 규제의 완화 • 관리자의 자율성·책임성 강조	자율성과 책임성의 증대
통제 메커니즘	결과·산출 중심의 통제	과정과 소통 중심
인사관리의 특징	• 경쟁적 인사관리, 능력·성과 기반 인사관리 • 경쟁적 인센티브 중시 • 개방형 인사제도	공공책임성 중시

답 ③

113　2020년 지방직 7급

탈신공공관리(Post NPM)에 대한 설명으로 옳지 않은 것은?

① 성과보다는 공공책임성을 중시하는 인사관리 강조
② 탈관료제모형에 기반을 둔 경쟁과 분권화 강조
③ 구조적 통합을 통한 분절화의 축소와 조정의 증대
④ '통(通) 정부(whole of government)'적 접근

113　탈신공공관리　난이도 ●●○

탈관료제모형에 기반한 경쟁과 분권은 신공공관리론의 특징이다. 탈신공공관리론은 시장원리를 지나치게 강조하는 신공공관리론의 한계를 보완하기 위한 접근으로, 관료제모형과 탈관료제모형의 조화를, 경쟁과 분권보다는 공공책임성과 재집권화를 추구한다.

📄 신공공관리론과 탈신공공관리론의 비교

비교 국면		신공공관리론	탈신공공관리론
정부 기능	정부·시장 관계의 기본철학	• 시장지향주의 • 규제 완화	• 정부의 정치·행정적 역량 강화 • 재규제의 주장 • 정치적 통제 강조
	주요 행정가치	능률성, 경제적 가치 강조	민주성·형평성 등 전통적 행정 가치 동시 고려
	정부규모와 기능	• 정부 규모와 기능의 감축 • 민간화, 민영화, 민간위탁	민간화·민영화의 신중한 접근
	공공서비스 제공의 초점	시민과 소비자 관점의 강조	민간·공공부문의 파트너십 강조
조직 구조	기본모형	탈관료제모형	관료제모형과 탈관료제모형의 조화
	조직구조의 특징	• 비항구적·유기적 구조, 임시조직 • 네트워크 활용 • 비계층적 구조 • 구조적 권한 이양과 분권화	• 재집권화 • 분권화와 집권화의 조화
	조직개편의 방향	소규모의 준자율적 조직으로 분절화 예 책임운영기관	• 분절화 축소 • 총체적 정부 강조 • 집권화 역량 및 조정의 증대
관리 기술	조직관리의 기본철학	• 경쟁과 자율성을 강조하는 민간부문의 관리기법 도입 • 경쟁의 원리 도입 • 규정과 규제의 완화 • 관리자의 자율성·책임성 강조	자율성과 책임성의 증대
	통제 메커니즘	결과·산출 중심의 통제	과정과 소통 중심
	인사관리의 특징	• 경쟁적 인사관리 • 능력·성과 기반 인사관리 • 경쟁적 인센티브 중시 • 개방형 인사제도	공공책임성 중시

답 ②

114　2022년 군무원 7급

탈신공공관리(post-NPM)의 아이디어들로 묶인 것으로 가장 옳은 것은?

> ㄱ. 총체적 정부 또는 연계형 정부
> ㄴ. 민간위탁과 민영화의 확대
> ㄷ. 민간·공공부문의 파트너십 강조
> ㄹ. 정부부문 내 경쟁 원리 도입
> ㅁ. 중앙의 정치·행정적 역량 강화
> ㅂ. 환경적·역사적·문화적 요소에의 유지

① ㄱ, ㄴ, ㅁ, ㅂ
② ㄴ, ㄷ, ㄹ, ㅁ
③ ㄱ, ㄷ, ㅁ, ㅂ
④ ㄷ, ㄹ, ㅁ, ㅂ

114　탈신공공관리　난이도 ●●●

ㄱ, ㄷ, ㅁ, ㅂ만 탈신공공관리론의 특징에 해당한다.

(선지분석)
ㄴ, ㄹ. 탈신공공관리론이 아니라 신공공관리론의 특징에 해당한다.

답 ③

115　　　　　　　　　　　　　　　　2024년 군무원 9급

탈신공공관리론(post-NPM)에 대한 설명으로 가장 적절하지 않은 것은?

① 탈신공공관리의 기본 목표는 신공공관리의 역기능적 측면을 교정하고 통치역량을 강화하며, 정치·행정의 통제와 조정을 개선하기 위해 재집권화와 재규제를 주창하는 것이다.
② 탈신공공관리는 신공공관리의 조정이 아닌 신공공관리의 주요 아이디어를 대체하는 것이다.
③ 탈신공공관리는 구조적 통합을 통해 분절화의 축소를 추구한다.
④ 중앙의 정치·행정적 역량 강화를 추구한다.

116　　　　　　　　　　　　　　　　2016년 서울시 9급

귤릭(L. H. Gulick)이 제시하는 POSDCoRB에 대한 설명으로 가장 옳지 않은 것은?

① P는 기획(Planning)을 의미한다.
② O는 조직화(Organizing)를 의미한다.
③ Co는 협동(Cooperation)을 의미한다.
④ B는 예산(Budgeting)을 의미한다.

115　탈신공공관리론　　　　　난이도 ●●○

탈신공공관리론은 신공공관리론을 대체하는 것이 아닌 조정하는 개념이다(『새행정학 2.0』).

답 ②

116　POSDCoRB　　　　　난이도 ●○○

Co는 협동(Cooperation)이 아니라 조정(Coordinating)이다.

📄 POSDCoRB

귤릭(Gulick)의 POSDCoRB란 최고관리자의 기능을 의미한다.
㉠ 기획(Planning)
㉡ 조직화(Organizing)
㉢ 인사(Staffing)
㉣ 지휘(Directing)
㉤ 조정(Coordinating)
㉥ 보고(Reporting)
㉦ 예산(Budgeting)

답 ③

117　2016년 서울시 7급

행정학과 관련된 학자에 대한 설명으로 가장 옳지 않은 것은?

① 굿노(F. J. Goodnow)는 행정은 국가의 의지를 실천하는 것이라고 주장하였다.
② 테일러(F. W. Taylor)는 시간과 동작에 관한 연구를 통해 최선의 방법(one best way)을 추구하였다.
③ 사이먼(H. A. Simon)은 행정 원리의 보편성과 과학성을 강조하였다.
④ 귤릭(L. H. Gulick)은 POSDCoRB를 통해 능률적인 관리 활동방법을 제시하였다.

118　2017년 국가직 7급(10월 추가)

다음 중 지역사회의 권력구조를 설명하는 성장기구론에 대한 설명으로 옳은 것만을 모두 고른 것은?

> ㄱ. 자기 소유의 주택가격 상승을 위하는 주민들이 많을수록 성장연합이 더 강한 힘을 발휘하는 경향이 있다.
> ㄴ. 토지 문제와 개발 문제 그리고 이와 연계된 도시의 공간 확장 문제 등과 관련이 있다.
> ㄷ. 반성장연합은 일부 지역주민과 환경운동집단 등으로 이루어진다.
> ㄹ. 성장연합은 반성장연합에 비해서 토지 또는 부동산의 교환가치보다는 사용가치를 중시한다.

① ㄱ, ㄴ, ㄷ
② ㄱ, ㄴ, ㄹ
③ ㄱ, ㄷ, ㄹ
④ ㄴ, ㄷ, ㄹ

117　행정학과 관련된 학자　난이도 ●●●

사이먼(Simon)의 행정행태론은 보편적인 행정 원리를 주장한 고전적 원리주의에 대한 비판으로부터 시작하였다. 그는 고전적 조직 원리들은 검증되지 않은 속담이나 격언에 불과하다고 비판하였다.

(선지분석)
① 굿노(Goodnow)의 행정개념으로, 그는 정치행정이원론을 체계화하였으며, 시정개혁운동에 크게 기여하였다.
② 테일러(Taylor)는 '시간과 동작 연구(time & motion study)에 의한 구체적인 표준작업량 부과'를 통해 조직의 기계적 능률을 극대화할 수 있다는 최선의 방법(one best way)을 추구하였다.
④ 전통적인 정치행정이원론이나 행정관리론에서의 행정과정은 귤릭(Gulick)의 POSDCoRB로 표현된다. 그는 POSDCoRB를 통해 능률적인 관리 활동방법을 제시하였다.

답 ③

118　성장기구론　난이도 ●●●

ㄱ. 토지의 교환가치를 중시하는 주택소유자들이 성장연합의 구성원이다.
ㄴ. 설문에 대해서 성장연합과 반성장연합이 투쟁을 한다.
ㄷ. 토지나 부동산의 사용가치를 중시하는 환경운동집단 등이 반성장연합의 주요 구성원이다.

(선지분석)
ㄹ. 성장기구론은 성장연합과 반성장연합의 대립 과정에서 성장연합이 승리하여 지역개발이 이루어진다는 것이다. 따라서 성장연합은 토지의 교환가치를 더 중시하는 입장이고, 반성장연합은 사용가치를 중시하며 개발에 반대하는 입장이다.

답 ①

119
2015년 국가직 9급

행정학의 접근방법에 대한 설명으로 옳은 것은?

① 법률적·제도론적 접근방법은 공식적 제도나 법률에 기반을 두고 있기 때문에 제도 이면에 존재하는 행정의 동태적 측면을 체계적으로 파악할 수 있다.
② 행태론의 접근방법은 후진국의 행정현상을 설명하는 데 크게 기여했으며, 행정의 보편적 이론보다는 중범위이론의 구축에 자극을 주어 행정학의 과학화에 기여했다.
③ 합리적 선택 신제도주의는 방법론적 전체주의(holism)에, 사회학적 신제도주의는 방법론적 개체주의(individualism)에 기반을 두고 있다.
④ 신공공관리론은 기업경영의 원리와 기법을 그대로 정부에 이식하려고 한다는 비판을 받는다.

120
2021년 군무원 9급

행정현상에 대한 접근방법의 설명으로 가장 옳지 않은 것은?

① 과학적 방법은 동작연구, 시간연구 등에서 같이 행정현상에 존재하는 규칙성을 찾아내 보편타당한 법칙성을 도출하는 데 가장 유용한 방법이다.
② 생태론적 접근방법은 행정변수 중에서 특히 환경 변화와 사람의 행태를 연구대상으로 한다.
③ 역사적 접근방법과 법적·제도적 접근방법은 제도와 구조에 보다 초점을 맞춘 것으로 볼 수 있다.
④ 시스템적 방법의 장점은 시스템을 이루는 부분들 각각의 기능과 부분 간 유기적 상호작용을 잘 이해할 수 있다는 데 있다.

---

119 행정학의 접근방법   난이도 ●○○

신공공관리론은 행정과 경영을 동일시하며, 기업경영의 원리와 기법을 그대로 공공부문에 이식하려 한다는 비판이 따른다. 뉴거버넌스나 신공공서비스이론은 이러한 신공공관리론의 한계를 보완하려는 것이다.

(선지분석)
① 법률적·제도론적 접근방법은 구제도론을 말하는 것으로, 동태적 측면을 파악할 수 없다. 구제도론은 구체적·정태적·보편적·공식적·유형적 제도를 중시한다.
② 후진국의 행정현상을 설명하는 데 크게 기여했으며, 행정의 보편적 이론보다는 중범위이론의 구축에 자극을 주어 행정학의 과학화에 기여한 것은 생태론에 대한 설명이다.
③ 합리적 선택 신제도주의는 방법론적 개체주의에, 사회학적 신제도주의는 방법론적 전체주의에 기반을 둔다.

답 ④

120 행정현상   난이도 ●●●

생태론적 접근방법은 '행정체제를 하나의 유기체로 파악하여 행정현상을 사회적·자연적·문화적 환경과 관련시켜 이해하려는 접근방법'으로, 분석수준은 행위자 중심의 미시분석보다 집합적 행위나 제도에 초점을 두는 거시분석의 성격을 지닌다.

답 ②

121

2015년 국가직 9급

행정이론에 대한 설명으로 옳지 않은 것은?

① 행정관리론(사무관리론·조직관리론)에서는 계획과 집행을 분리하고, 권한과 책임을 명확히 규정할 것을 강조하였다.
② 신행정학에서는 정부의 적극적인 역할과 적실성 있는 정책의 수립을 강조하였다.
③ 뉴거버넌스론에서는 공공참여자의 활발한 의사소통, 수평적 합의, 네트워크 촉매자로서의 정부 역할을 강조하였다.
④ 신공공서비스론에서는 시민을 주인이 아닌 고객의 관점으로 볼 것을 강조하였다.

---

121 행정이론 난이도 ●○○

신공공관리론에서는 기업형 정부와 고객지향적 행정관에 의하여 시민을 주인이 아닌 고객으로 보지만, 신공공서비스는 시장원리의 무분별한 도입에 반기를 들면서 시민을 고객(국정의 객체)이 아닌 시민(국정의 주체)으로 보아야 한다고 주장한다.

선지분석
① 행정관리론(과학적 관리론)은 계획과 집행을 분리하는 정치행정이원론이며, 법에 의한 명확한 규정 정립을 강조한다.
② 신행정학은 정부의 적극적인 역할을 강조하며, 적실성을 추구한다.
③ 뉴거버넌스론에서 정부는 네트워크 조정자로서의 역할을 강조한다.

답 ④

122

2015년 서울시 7급

행정학의 이론과 접근방법에 대한 설명 중 가장 옳지 않은 것은?

① 행태주의는 행태의 규칙성 및 인과성을 경험적으로 입증하고 설명할 수 있다고 보며, 가치와 사실을 통합하고 가치중립성을 지향한다.
② 체제론에 따르면 체제의 변화나 성장은 기존의 균형 상태에서 일어나지 않고 구성요소 중 어느 하나에 변화가 생기거나 새로운 이질적 요소가 투입될 때 발생한다고 본다.
③ 생태론은 가우스(J. M. Gaus)와 리그스(F. W. Riggs) 등이 발전시킨 이론으로 행정의 보편적 이론보다는 중범위이론의 구축에 자극을 주고, 행정학의 과학화에 기여하였다.
④ 신제도주의는 공식적인 제도뿐만 아니라 비공식적 제도나 규범에 관심을 가지며, 외생변수로 다루어졌던 정책 혹은 행정환경을 내생변수로 분석대상에 포함시켰다.

---

122 행정학의 이론과 접근방법 난이도 ●●○

행태주의는 가치와 사실을 분리하여 연구 대상에서 가치를 배제하고 사실만을 연구 대상으로 한다. 즉, 가치중립성을 추구한다.

선지분석
② 체제론은 기본적으로 균형이론이다. 외부로부터 이질적 요소 등이 투입되면, 변화를 의미하는 동태성을 인정하지만 곧바로 균형으로 가는 동태적 균형이다.
③ 생태론은 중범위이론의 구축에 자극을 주었다.
④ 신제도론은 공식적·비공식적으로 공유하는 규범이나 규칙을 제도로 본다.

답 ①

123 (2021년 군무원 9급)

행정이론에 관한 다음의 기술 중 가장 옳지 않은 것은?

① 신공공관리론(New Public Management)은 국민을 고객으로 인식하고 공공부문에 시장원리를 도입하고자 하였다.
② 거버넌스(Governance)이론은 정부, 시장, 시민사회의 협력과 협치를 지향한다.
③ 신제도주의는 제도가 개인과 조직, 국가의 성패를 결정한다고 보고 있다.
④ 신행정학(New Public Administration)은 행태주의와 논리실증주의를 비판하면서 등장하였다.

124 (2022년 국가직 9급)

(가)~(라)의 행정이론이 등장한 시기를 순서대로 바르게 나열한 것은?

> (가) 정부와 공공부문에 참여하는 다양한 참여자들의 네트워크를 중시하고, 정부는 전체 네트워크를 관리하는 조정자의 입장에 있다고 하였다.
> (나) 미국 행정학의 '지적 위기'를 지적하면서 인간을 이기적·합리적 존재로 전제하고, 공공재의 공급이 서비스 기관 간 경쟁과 고객의 선택에 의해 이루어지는 시스템을 제안하였다.
> (다) 정치는 국가의 의지를 표명하고 정책을 구현하는 것이며, 행정은 이를 실천하는 관리활동으로서 정치와 행정의 차이를 분명히 하였다.
> (라) 왈도(Waldo)를 중심으로 가치와 형평성을 중시하면서 사회의 문제해결에 대한 현실 적합성을 갖는 새로운 행정학의 정립을 시도하였다.

① (다) → (라) → (가) → (나)
② (다) → (라) → (나) → (가)
③ (라) → (다) → (가) → (나)
④ (라) → (다) → (나) → (가)

---

123 행정이론

신제도주의는 인간의 행위와 정치·경제·사회현상을 설명하는 데 있어서 ⓐ '제도의 중요성·독립변수성을 인식'하며, ⓑ '제도와 개인의 행태 간 관계', 그리고 '제도의 발생·변동'에 초점을 두는 일련의 연구방법이라 할 수 있다. 제도와 개인의 행태 간 관계에 초점을 두지 제도가 개인과 조직, 국가의 성패를 결정한다고 보지는 않는다.

선지분석
① 신공공관리론은 국민을 고객으로 인식하며, 정부실패를 극복하고자 시장의 원리를 도입하고자 하였다.
② 거버넌스로서의 행정이란, '공공문제해결을 위한 국가 - 시장 - 시민사회 공동체로 구성된 연결망을 통한 집합적 노력'이라고 할 수 있다.
④ 신행정학은 가치중립적·보수적인 행태론이나 논리실증주의를 비판하며 대두된 이론이다.

답 ③

124 행정이론

행정이론의 등장 시기는 (다) → (라) → (나) → (가) 순이 옳다.
(다) 정치행정이원론을 주장한 굿노(Goodnow)의 『정치와 행정』에서 주장된 내용이며, 굿노(Goodnow)는 과학적 관리론자이다.
(라) 왈도(Waldo)가 신행정론의 필요성을 제창하면서 1960년대 말 미국 사회의 격동기 때 주장했던 내용이다.
(나) 공공선택이론에 대한 설명으로 1970년대의 이론이다.
(가) 거버넌스론에 대한 설명으로 1990년대에 등장했다.

답 ②

125

2014년 지방직 9급

큰 정부론과 작은 정부론의 논쟁에 대한 설명으로 옳지 않은 것은?

① 작은 정부론은 민영화의 확대를 주장하지만, 또다른 시장실패를 유발할 수 있다는 점에서 네트워크 거버넌스의 필요성이 제기되기도 한다.
② 공공재는 시장에서 적절하게 제공되지 못하므로 정부가 제공해야 한다는 주장은 시장에 대한 정부의 개입을 강조한다.
③ 작은 정부론은 정부의 개입이 초래하는 대표적 정부실패의 사례로 독점으로 인해 발생하는 X-비효율성을 제시한다.
④ 큰 정부론자는 '비용과 편익이 괴리되어 시장실패가 발생하는 경우, 정부가 시장에 개입해야 한다'고 주장한다.

| 125 | 큰 정부론과 작은 정부론의 논쟁 | 난이도 ●●○ |

큰 정부론은 시장실패를 치유하기 위하여 정부의 개입을 강조하는 입장이고, 작은 정부론은 정부실패를 치유하기 위하여 정부개입을 줄이고 공공부문을 시장화해야 한다는 입장이다. 비용과 편익(수익)의 괴리(절연)는 시장실패가 아니라 정부실패의 요인이며, 이를 치유하기 위해서는 작은 정부를 지향해야 한다.

(선지분석)
① 신공공관리론 등 작은 정부론은 정부실패를 해결하기 위해 민영화·시장화 등을 주장했지만 그에 대한 반발로 거버넌스가 등장했다.
② 공공재의 존재는 전형적인 시장실패 요인이다.
③ 경쟁의 압력에 노출되지 않아 비용 등이 증가하는 X-비효율성은 전형적인 정부실패 요인이다.

답 ④

126

2011년 지방직 7급

우리나라 현행 제도상 사회적 기업에 대한 설명으로 옳은 것은?

① 이익을 재투자하거나 그 일부를 연계기업에 배분할 수 있다.
② 재화 및 서비스의 생산·판매 등 영업활동을 하여야 한다.
③ 정부는 매년 사회적 기업의 활동실태를 조사하고 육성계획을 수립·추진하여야 한다.
④ 설립 초기의 일정기간 동안에는 유급근로자를 고용하지 않고 무급근로자만으로 운영할 수 있다.

| 126 | 사회적 기업 | 난이도 ●●○ |

사회적 기업이란 취약계층에게 사회서비스 또는 일자리를 제공하거나 지역사회에 공헌함으로써 지역주민의 삶의 질을 높이는 등의 사회적 목적을 추구하면서 재화 및 서비스의 생산·판매 등 영업활동을 하는 기업이다(「사회적 기업 육성법」 제2조).

(선지분석)
① 사회적 기업은 연계기업에 투자할 수 없다.
③ 고용노동부장관은 사회적 기업을 육성하고 체계적으로 지원하기 위하여 사회적 기업 육성 기본계획을 5년마다 수립하여야 한다(「사회적 기업 육성법」 제5조).
④ 사회적 기업으로 인증받기 위해서는 유급근로자를 고용하여 재화와 서비스의 생산·판매 등 영업활동을 해야 한다(「사회적 기업 육성법」 제8조).

답 ②

127
2019년 국가직 7급

다음 행정이론에 대한 설명으로 옳지 않은 것은?

> 변화 시작의 시간적 전후관계나 동반관계, 변화과정의 시간적 장단(長短)관계를 사회현상 연구에 적용하는 접근 방법이다. 정책이 실제로 실행되는 타이밍, 정책대상자들의 학습시간, 정책의 관련요인들 간 발생순서 등이 정책효과를 다르게 할 수 있다고 주장한다.

① 원인변수와 결과변수 간 인과관계가 원인변수들이 작용하는 순서에 따라 달라지지는 않는다고 본다.
② 정책이나 제도의 도입 이후 어느 시점에서 변경을 시도해야 바람직한 결과를 낳을 것인지에 주목한다.
③ 정책이나 제도의 효과는 어느 정도 숙성기간이 지난 후에 평가하는 것이 보다 합리적이라고 본다.
④ 시차적 요소에 대해 적절하게 고려하지 않아 정부개혁의 실패가 나타난다고 본다.

---

127 시차이론 난이도 ●●●

문제는 시차이론에 대한 설명이다. 시차이론은 사회현상을 발생시키는 주체들의 속성이나 행태가 시간적 차이를 두고 변화되는 사실을 사회현상에 적용하는 연구방법으로, 원인변수들의 작동의 순서가 결과변수에 미치는 영향을 달라지게 만드는 경우를 연구한다.

선지분석
② 시차적 접근방법은 제도의 도입 과정에서 발생하는 시차적 요소 (제도 도입의 순서 혹은 선후관계의 변화, 원인변수의 수나 작동 순서의 변화 등)에 의해 그 결과가 달라진다고 본다. 따라서 시차적 접근방법은 정책이나 제도의 도입 이후 어느 시점에서 변경을 시도해야 바람직한 결과를 낳을 것인지에 주목한다.
③ 시차적 접근방법은 정책이나 제도의 효과는 시차(time lag)를 두고 발생하기 때문에 어느 정도 숙성기간이 지난 후에 평가하는 것이 보다 합리적이라고 본다.
④ 시차적 접근방법은 현실적으로 한국의 정책집행 과정, 특히 정부개혁이 효과를 거두지 못한 이유를 파악하려는 데서 시작되었다.

답 ①

128
2022년 군무원 9급

다음 중 우리나라의 행정환경에 대한 설명으로 가장 옳지 않은 것은?

① 개방체제에서의 국가 간 관계로 인해 글로벌환경은 행정에 사회, 기술 등 여러 측면에서 영향력이 확대되었다.
② 법 집행 과정에서 재량의 폭이 커지면 법의 일관성과 공정성을 잃기 쉽다.
③ 경제환경의 불확실성은 정치적 환경에 의해 심화될 수도 있다.
④ 한국사회는 현재 공동체의식이 강하기 때문에 사회환경은 복잡하거나 불확실할 가능성이 낮다.

---

128 우리나라의 행정환경 난이도 ●●●

최근의 한국사회는 고도의 이질성과 다양성의 결합으로 인하여 사회환경이 복잡하거나 불확실할 가능성이 높다.

답 ④

129　　2022년 군무원 7급

다음 중 정부실패와 관련한 설명으로 가장 옳지 않은 것은?

① 니스카넨(Niskanen)은 관료조직이 자기 부처의 예산을 극대화하여 권한을 확대하고자 하는 이기적 행위가 있음을 경험적으로 입증하였다.
② 파킨슨(Parkinson)은 공무원 규모는 업무량에 상관없이 증가한다고 주장했다.
③ 피콕-와이즈만(Peacock-Wiseman)은 공공지출과정을 분석하여 공공지출이 불연속적으로 증대되는 과정을 설명하였다.
④ 바그너(Wagner)는 경제성장과 관계없이 국민총생산에서 공공지출이 높아진다는 공공지출 증가의 법칙을 주장하였다.

| 129 | 정부실패 | 난이도 ●●● |

바그너(Wagner)의 경비팽창의 법칙은 공공재의 수요는 소득탄력적이기 때문에 소득수준 향상 및 도시화의 진전과 국민소득의 증대, 사회의 상호의존관계 심화가 정부성장 요인이 되었다는 것이다.

선지분석
① 니스카넨(Niskanen)의 예산극대화법칙을 옳게 설명하고 있다.
② 파킨슨(Parkinson)은 공무원의 수는 본질적인 업무량에 관계없이 일정 비율로 증가한다는 공무원 수 증가의 법칙을 주장하였다.
③ 피콕과 와이즈만(Peacock & Wiseman)은 전쟁 등 위기 시에는 공적 지출이 사적 지출을 대신하게 되며, 위기 시에 한번 늘어난 재정수준은 경제가 정상으로 회복되어 지출요인이 사라진 뒤에도 잉여재원이 다른 새로운 사업을 추진하는 데 이용되므로 원상태로 돌아오지 않는다고 보았다. 또한 공공지출이 급격히 (불연속적으로) 증가한다는 전위효과를 주장하였다.

답 ④

130　　2023년 지방직 9급

정부 예산팽창이론에 대한 설명으로 옳지 않은 것은?

① 바그너(Wagner)는 경제 발전에 따라 국민의 욕구 부응을 위한 공공재 증가로 인해 정부 예산이 증가한다고 주장한다.
② 피코크(Peacock)와 와이즈맨(Wiseman)은 전쟁과 같은 사회적 변동이 끝난 후에도 공공지출이 그 이전 수준으로 되돌아가지 않는 데에서 예산팽창의 원인을 찾고 있다.
③ 보몰(Baumol)은 정부 부문과 민간 부문 간의 생산성 격차를 통해 정부 예산의 팽창 원인을 설명하고 있다.
④ 파킨슨(Parkinson)은 관료들이 자신들의 권력 극대화를 위해 필요 이상으로 자기 부서의 예산을 추구함에 따라 정부 예산이 지속적으로 증가한다고 주장한다.

| 130 | 공공서비스 공급 | 난이도 ●●○ |

관료예산극대화가설을 주장한 니스칸넨(Niskannen)이다. 파킨슨은 본질적인 업무량에 관계없이 공무원 수가 늘어난다는 관료제국주의를 주장하였다.

선지분석
① 바그너(Wagner)는 공공재의 수요는 소득탄력적이기 때문에 소득수준 향상 및 도시화의 진전과 국민소득의 증대, 사회의 상호의존관계 심화가 정부성장 요인이 되었다는 것이다.
② 피코크와 와이즈만(Peacock & Wiseman)은 전쟁 등의 위기 시에 공적 지출이 사적 지출을 대신하게 되며 위기 시에 한번 늘어난 재정수준은 경제가 정상으로 회복되어 지출요인이 사라진 뒤에도 원상태로 돌아오지 않는 것에서 예산팽창의 원인을 찾고 있다.
③ 보몰(Baumol)은 정부부문이 노동집약적인 성격을 띠고 있기 때문에 민간부문에 비해 생산성 증가가 더디며, 과도한 규모의 경제와는 반대로 고정비용보다 변동비용이 더 많은 비중을 차지하여 비용절감이 힘들고 생산비용이 빨리 증가하므로 정부지출의 규모가 점차 커질 수밖에 없다는 것이다.

답 ④

131 ☐☐☐ 2024년 군무원 9급

다음 중 공공재의 공급 규모에 대한 설명으로 가장 적절하지 않은 것은?

① 니스카넨(Niskanen)의 예산극대화모형에 따르면 공공재는 과다공급된다.
② 파킨슨(Parkinson)의 법칙이 적용되면 공공재는 과다공급된다.
③ 보몰(Baumol)의 효과로 인하여 정부의 지출 규모가 감소하여 공공재는 과소공급된다.
④ 다운스(Downs)에 의하면, 국민의 합리적 무지 내지 무관심은 공공재의 과소공급을 가져온다.

132 ☐☐☐ 2025년 국가직 7급

다음 설명에 해당하는 것은?

> 정부 부문은 저자본 노동집약적인 서비스 산업이어서 자본집약적인 제조업이나 민간 부문에 비해서 생산성이 낮고, 서비스 원가에서 임금이 차지하는 비율이 높다. 따라서 임금의 인상은 정부 서비스 비용을 증대시키게 되고, 결과적으로 정부지출이 증가하는 원인이 된다.

① 보몰효과(Baumol effect)
② 그레셤의 법칙(Gresham's law)
③ 바그너의 국가 활동 증대 법칙(Wagner's law)
④ 피코크와 와이즈맨(A.Peacock & J. Wiseman)의 전위효과(displacement effect)

131	공공재의 공급	난이도 ●●○

보몰(Baumol)효과는 정부부문이 노동집약적인 성격을 띠고 있기 때문에 민간부문에 비해 생산성 증가가 더디며, 과도한 규모의 경제와는 반대로 고정비용보다 변동비용이 더 많은 비중을 차지하여 비용절감이 힘들고 생산비용이 빨리 증가하므로 정부지출의 규모가 점차 커질 수밖에 없다는 것이다.

(선지분석)
① 니스카넨(Niskanen)의 예산극대화모형은 관료는 자신의 이익을 극대화하고자 적정규모를 초과하여 과다지출을 하게 된다.
② 파킨슨(Parkinson)의 법칙은 공무원 숫자가 증가하는 것을 설명하므로 과다공급의 근거가 된다.
④ 다운스(Downs)의 합리적 무지는 합리적 개인은 사적 이익을 추구하며, 정보수집에 따른 비용과 이에 따른 편익을 고려하여 정보수집 여부를 판단하게 된다. 이들은 공공서비스의 공급에 대해 정확하게 평가하지 못하고, 공공서비스의 확대에 대해 저항하게 된다. 따라서 과소공급의 근거이다.

답 ③

132	보몰효과	난이도 ●○○

제시문은 보몰병 또는 보몰효과를 의미한다.

(선지분석)
② 그레셤의 법칙(Gresham's law)은 악화가 양화를 구축한다는 경제학의 용어로 무능한자가 유능한자를 몰아낸다는 의미로 사용되기도 한다.
③ 바그너의 법칙은 공공재의 수요는 소득탄력적이기 때문에 소득수준 향상 및 도시화의 진전과 국민소득의 증대, 사회의 상호의존관계 심화가 정부성장 요인이 되었다는 것이다.
④ 피코크와 와이즈맨(A.Peacock & J. Wiseman)의 전위효과는 전쟁 등의 위기 시에 국민의 조세부담 증대에 대한 허용 수준이 높아진다는 것이다. 즉, 위기 시에는 공적 지출이 사적 지출을 대신하게 된다는 논리이다.

답 ①

133 □□□   2023년 국가직 9급

행정이론에 대한 설명으로 옳은 것은?

① 과학적관리론은 최고관리자의 운영원리로 POSDCoRB를 제시하였다.
② 행정행태론은 가치와 사실을 구분하고 가치에 기반한 행정의 과학화를 시도하였다.
③ 신행정론은 실증주의적 방법론을 비판하고 사회적 형평성과 적실성을 강조하였다.
④ 신공공관리론은 민간과 공공 부문의 파트너십을 강조하고 기업가 정신보다 시민권을 중요시하였다.

134 □□□   2023년 지방직 9급

행정이론의 발달을 오래된 순서대로 바르게 나열한 것은?

> (가) 과학적 관리론 – 테일러(Taylor)
> (나) 신공공관리론 – 오스본과 게블러(Osborne & Gaebler)
> (다) 신행정론 – 왈도(Waldo)
> (라) 행정행태론 – 사이먼(Simon)

① (가) – (다) – (라) – (나)
② (가) – (라) – (다) – (나)
③ (라) – (가) – (나) – (다)
④ (라) – (다) – (나) – (가)

---

133   행정이론   난이도 ●●○

신행정론은 행태론의 논리실증주의를 비판하고, 1960년대 말 미국 사회 격동기의 절박한 문제들을 해결하기 위하여 형평성과 적실성을 강조한 새로운 행정학 접근법이다.

선지분석

① 귤릭(Gulick)은 '행정과학의 연구'(1937)에서 능률적인 구조설계로서 POSDCoRB를 강조하였다. 전통적인 정치행정이원론이나 행정관리론에서의 행정과정으로, 귤릭(Gulick)의 POSDCoRB로 표현된다. POSDCoRB란 최고관리자의 기능을 의미하기도 하는 것으로, 기획(Planning), 조직화(Organizing), 인사(Staffing), 지휘(Directing), 조정(Coordinating), 보고(Reporting), 예산(Budgeting)을 의미한다.
② 사이먼(Simon)의 행태론은 가치와 사실을 구분하고 사실에 기반한 행정과학화를 시도하였다.
④ 민·관 파트너십을 강조하고 기업가정신보다 시민정신을 중시한 이론은 뉴거버넌스론이다.

답 ③

314   행정이론의 발달순서   난이도 ●○○

행정이론은 (가) – (라) – (다) – (나) 순으로 발달하였다.
(가) 테일러(Taylor)의 과학적 관리론은 1910년대에 제시된 이론이다.
(라) 사이먼(Simon)의 행정행태론은 1945년에 소개되었다.
(다) 왈도(Waldo)의 신행정론은 1968년 미노브룩(Minnowbrook)에서 태동되었다.
(나) 신공공관리론은 1980년대 초에 등장하였다. 클린턴(Clinton) 행정부에서 오스본과 게블러(Osborne & Gaebler)에 의해 정부재창조론으로 제시되었다.

답 ②

135　　2023년 지방직 9급

블랙스버그 선언(Blacksburg Manifesto)과 행정재정립운동(refounding movement)에 대한 설명으로 옳지 않은 것은?

① 블랙스버그 선언은 행정의 정당성을 침해하는 정치·사회적 상황을 비판했다.
② 행정재정립운동은 직업공무원제를 옹호했다.
③ 행정재정립운동은 정부를 재창조하기보다는 재발견해야 한다고 주장했다.
④ 블랙스버그 선언은 신행정학의 태동을 가져왔다.

136　　2022년 지방직 7급

넛지(nudge)의 특성으로 옳은 것만을 모두 고르면?

> ㄱ. 넛지 방식으로 정책을 설계하는 것을 선택설계라고 한다.
> ㄴ. 정책대상집단의 행동에 개입하지만 개인의 자유로운 선택을 허용한다.
> ㄷ. 넛지는 디폴트 옵션 설정 방식처럼 사람들의 인지적 편향을 전략적으로 활용하는 정책수단이다.

① ㄱ, ㄴ
② ㄱ, ㄷ
③ ㄴ, ㄷ
④ ㄱ, ㄴ, ㄷ

135　블랙스버그 선언과 행정재정립 운동　　난이도 ●●●

블랙스버그 선언은 1980년대 중반에 선언되었던 것으로 1968년 미노브룩회의에서 태동된 신행정학의 태동을 가져왔다는 지문은 성립이 되지 않는다.

선지분석
① 블랙스버그 선언은 웜슬리(Wamsley) 등이 주장하였으며, 미국 사회에서 일어나고 있는 필요 이상의 관료에 대한 공격 등 행정의 정당성(正當性)을 침해하는 정치·사회적 문제점을 지적한 선언이다.
② 행정재정립운동은 정치행정이원론을 재해석하여 블랙스버그 선언의 연장선상에서 직업공무원제를 적극 옹호하였다.
③ 행정재정립운동은 신공공관리론을 비판하며 정부를 재창조하기보다는 재발견해야 한다고 주장한다.

답 ④

136　넛지이론　　난이도 ●●●

넛지(nudge)의 특성으로 ㄱ, ㄴ, ㄷ 모두 옳다.
ㄱ. 넛지는 행동경제학이 발견한 인간의 행동 메커니즘을 정책에 응용한 것이다. 넛지 방식으로 정책을 설계하는 것을 선택설계라고 한다. 바람직한 결과를 위한 선택설계가 필요하다고 주장한다.
ㄴ. 넛지는 원래 '팔꿈치로 슬쩍 찌르다'라는 뜻으로 이를 선택을 유도하는 부드러운 개입이라는 행동경제학의 용어로 만들었다. 따라서 정책대상집단의 행동에 개입하지만 개인의 자유로운 선택을 허용한다.
ㄷ. 넛지의 핵심은 자동적으로 설정되는 기본값인 '디폴트옵션'에 있다. 예를 들어 장기 기증의 디폴트 옵션을 동의로 정한다면, 이에 대한 거절의 의사표시 전까지는 장기 이식에 동의하는 것으로 간주하게 된다.

답 ④

137

2023년 국가직 7급

다음 대화에서 옳지 않은 말을 한 사람은?

> A. 신공공관리론의 학문적 토대는 신고전학파 경제학인데, 넛지이론은 공공선택론이야.
> B. 신공공관리론은 효율성을 증대하여 고객 대응성을 높이자는 목표를 가지는데, 넛지이론은 행동변화를 통해서 삶의 질을 높이는 것이 목표야.
> C. 신공공관리론에서는 경제적 합리성을 가정하지만, 넛지이론에서는 제한된 합리성을 가정하지.
> D. 신공공관리론에서는 공무원이 정치적 기업가가 되길 원하지만 넛지이론에서는 선택설계자가 되길 바라지.

① A
② B
③ C
④ D

138

2023년 군무원 7급

세일러와 선스타인(Thaler & Sunstein)이 제시한 넛지이론(Nudge Theory)과 가장 거리가 먼 것은?

① 행동경제학에서는 휴리스틱과 행동 편향에 따른 영향이 개인의 의사결정과 선택에 영향을 미쳐 자신의 후생 손실을 초래하는 외부효과가 행동적 시장실패의 핵심 요소라고 본다.
② 넛지란, 어떤 선택을 금지하거나 경제적 유인을 크게 변화시키지 않으면서 예측 가능한 방향으로 사람들의 행동을 변화시키는 선택설계의 제반 요소를 의미한다.
③ 전통경제학에서는 명령지시적 정부규제나 경제적 유인을 정책수단으로 활용하지만, 넛지는 기본적으로 간접적이고 유도적인 방식의 정부 개입방식으로서 촉매적 정책수단의 성격을 띠고 있다.
④ 넛지는 엄격하게 검증된 증거에 기반하여 정책을 선택하거나 결정하는 것을 강조한다.

---

137 넛지이론 | 난이도 ●●○

신공공관리론의 학문적 토대는 신고전학파 경제학이고 넛지이론은 행동경제학이다.

신공공관리론과 넛지이론

구분	신공공관리론	넛지이론
이론의 학문적 토대	신고전학파 경제학, 공공선택론	행동경제학
합리성	완전한 합리성, 경제학 합리성	제한된 합리성, 생태적 합리성
정부 역할의 이념적 기초	신자유주의, 시장주의	자유주의적 개입주의 (넛지를 통한 정책은 강제적이지 않고, 정책 대상자에게 선택의 자유를 보장)
정부 역할의 근거와 한계	시장실패와 제도실패, 정부실패	행동적 시장실패와 정부실패
공무원상	정치적 기업가	선택설계자
정부정책의 목표	고객주의, 개인의 이익 증진	행동 변화를 통한 삶의 질 제고
정책 수단	경제적 인센티브	넛지
정부개혁 모델	기업가적 정부	넛지정부

답 ①

---

138 넛지이론 | 난이도 ●●●

전통적 시장실패에서는 외부효과, 즉 제3자에게 긍정적·부정적 파급효과를 창출하는 것이 시장실패의 핵심요인으로 보지만 행동경제학에서는 휴리스틱과 행동 편향에 따른 영향이 개인의 의사결정과 선택에 영향을 미쳐 자신의 후생손실을 초래하는 내부효과가 행동적 시장실패의 핵심요소이다.

선지분석

② 넛지에서는 자유주의적 개입주의, 정부의 새로운 역할 및 정책수단으로서 선택설계의 개념을 도입하였다.
③ 정부는 선택설계자로서의 역할을 수행해야 하고, 이를 위해 전통적인 정책 수단인 법률과 규제, 경제적 유인 수단 등과 구별되는 새로운 정책수단인 넛지를 활용해야 한다.
④ 넛지는 엄격하게 검증된 증거에 기반하여 정책을 선택하거나 결정하는 것을 강조한다.

답 ①

139 넛지이론 (2024년 지방직 7급)

넛지(Nudge) 이론에 대한 설명으로 옳은 것은?

① 자유주의적 개입주의 원리에 따라 시장기반의 경제적 인센티브 수단을 선호한다.
② 행동경제학에 기반하여 실험을 통한 귀납적 분석보다는 가정에 기초한 연역적 분석을 지향한다.
③ 정부의 역할 및 정책수단으로서 선택설계의 개념을 도입한다.
④ 인간의 휴리스틱은 인지적 오류와 행동편향을 방지한다.

140 (2023년 지방직 9급)

무어(Moore)의 공공가치창출론(creating public value)적 시각에 대한 설명으로 옳지 않은 것은?

① 행정의 정당성 위기를 극복하기 위한 대안적 접근이다.
② 전략적 삼각형 개념을 제시한다.
③ 신공공관리론을 계승하여 행정의 수단성을 강조한다.
④ 정부의 관리자들은 공공가치 실현에 힘써야 한다고 주장한다.

---

139 넛지이론 난이도 ●●○

넛지에서는 자유주의적 개입주의, 정부의 새로운 역할 및 정책수단으로서 선택설계의 개념을 도입하였다.

선지분석
① 자유주의적 개입주의 원리는 맞지만, 시장기반의 경제적 인센티브 수단을 선호하는 것은 신공공관리론이다.
② 반대이다. 신고전파 경제학이 연역적 분석을 지향하고, 넛지이론은 행동경제학에 기반하여 실험을 통한 귀납적 분석을 지향한다.
④ 인간은 제한된 합리성으로 인해 불확실한 상황에서 이루어지는 판단과 선택을 효율적으로 수행하기 위해 휴리스틱이라는 의사결정 방법을 활용한다. 인지적 오류와 행동편향으로 인한 비합리적 의사결정을 행동경제학에서는 행동적 시장실패라고 정의한다. 넛지이론은 행동적 시장실패를 해결하기 위한 정부 역할의 필요성에 관한 규범적 근거와 이에 적합한 정책 수단을 제시하고 있다.

답 ③

140 공공가치창출론   난이도 ●●●

신공공관리론은 도구적 관점에서 행정의 수단성만을 강조함으로써 정부의 존재 이유에 대한 근본적 의문에 적절한 답을 제공하지 못하였다. 신공공관리론이 야기한 이러한 행정의 정당성 위기, 즉 행정의 공공성 약화를 극복하기 위한 대안적인 패러다임으로 등장한 것이 공공가치관리론이다.

(선지분석)
① 신공공관리론이 야기한 이러한 행정의 정당성 위기, 즉 행정의 공공성 약화를 극복하기 위한 대안적인 패러다임으로 등장한 것이 공공가치관리론이다.
② 무어는 공공가치창출론에서 공공가치의 전략적 창출을 위한 전략적 삼각형(Strategic triangle)을 제시하였다. 전략적 삼각형이란 ⓐ 정당성, ⓑ 운영역량(시민역량, 관료역량), ⓒ 공공가치(비전, 목표의 실현)의 전략적 연계를 의미한다.
④ 정부관리자들은 공공가치 실현에 힘써야 한다고 주장한다.

전통적 공공행정론, 신공공관리론, 공공가치관리론의 비교

구분	전통적 공공행정론	신공공관리론	공공가치관리론
공익	정치인이나 전문가가 정의	개인 선호의 집합	숙의를 거친 공공의 선호
성과목표	정치적으로 정의	효율성 (고객 대응성과 경제성 보장)	공공가치 달성 (서비스 제공, 만족, 사회적 결과, 신뢰 및 정당성)
책임성 확보	정치인에 대한 책임, 정치인을 통한 의회에 대한 책임	성과계약을 통한 상위 기관에 대한 책임, 시장 메커니즘을 통한 고객에 대한 책임	다원적 차원 (정부 감시자로서 시민, 사용자로서의 고객, 납세자)
서비스 전달체계	계층조직, 자율규제하는 전문직	민간조직, 책임행정기관	대안적 전달체계를 실용적으로 선택 (공공부문, 공공기관, 책임행정기관, 민간기업, 공동체조직)
관리자의 역할	규칙과 적합한 절차의 준수를 보장	동의하는 성과목표를 정의하고 달성	숙의 절차와 전달 네트워크를 운영 조성하고 전체 시스템의 역량 유지에 기여
공공서비스 정신	공공부문이 독점	공공서비스 정신에 대해 회의적	공공서비스 정신 독점보다는 공유한 가치를 통한 관계 유지가 중요
민주적 과정의 기여	책임성의 전달 (선거를 통한 조직 리더 선출 경쟁으로 책임성 확보)	목표의 전달 (목표의 형성 및 성과 점검으로 한정되고 관리자가 수단을 선택)	대화의 형성과 전달 (지속적인 민주적 소통 과정이 필수적)
공공참여	투표, 선출직 정치인에 대한 압박으로 제한	고객만족도조사 등로 제한적 허용	다원적 (소비자, 시민, 이해관계자 등) 참여 보장

답 ③

141 □□□   2024년 지방직 9급

공공가치론에 대한 설명으로 옳은 것만을 모두 고르면?

> ㄱ. 무어(Moore)는 공공가치 실패를 진단하는 도구로 '공공가치 지도그리기(mapping)'을 제안한다.
> ㄴ. 보우즈만(Bozeman)은 공공기관에 의해 생산된 순(純)공공가치를 추정하는 '공공가치 회계'를 제시했다.
> ㄷ. '전략적 삼각형' 모델은 정당성과 지지, 운영 역량, 공공가치로 구성된다.
> ㄹ. 시장과 공공부문이 공공가치 실현에 필수적으로 요구되는 재화와 서비스를 제공하지 못할 때 '공공가치 실패'가 일어난다.

① ㄱ, ㄴ
② ㄱ, ㄹ
③ ㄴ, ㄷ
④ ㄷ, ㄹ

141 공공가치론   난이도 ●●●

공공가치의 창출과 공공관리자의 거시적인 전략적 사고를 강조한 무어(Moore)의 공공가치창출론과 공공가치의 실재론에 기초하여 공공가치 실패를 강조하는 보우즈만(Bozeman)의 접근법이 있다.
ㄷ. 무어(Moore)는 공공가치 창출론에서 공공가치의 전략적 창출을 위한 전략적 삼각형(strategic triangle)을 제시하였다. 전략적 삼각형이란 ⓐ 정당성, ⓑ 운영역량(시민역량, 관료역량), ⓒ 공공가치(비전, 목표의 실현)의 전략적 연계를 의미한다.
ㄹ. 보우즈만(Bozeman)의 공공가치 실패기준에 해당한다.

(선지분석)
ㄱ. 공공가치 실패를 진단하는 공공가치 지도그리기(public value mapping)는 무어(Moore)가 아닌 공공가치 실패론을 주장한 보우즈만(Bozeman)이다.
ㄴ. 무어(Moore)는 '공공가치 회계(public value accounting)' 개념을 통하여 공공가치에 대한 철학적 기초를 제공하였다.

답 ④

142　　　　　　　　　　　　　　　　　　　2025년 지방직 9급

행정이론에 대한 설명으로 옳지 않은 것은?

① 공공가치관리론에서 보즈만(Bozema)은 정당성과 지지, 공공가치, 운영역량으로 구성된 전략적 삼각형(strategic triangle) 모형을 제시한다.
② 신공공서비스론은 정부의 역할에 대해 시장에 의한 방향잡기보다 시민에 대한 봉사를 강조한다.
③ 뉴거버넌스론은 정부와 민간부문 그리고 비영리부문 간 상호신뢰 관계에 기초한 협력적 네트워크를 강조한다.
④ 공공선택론은 공공부문의 시장경제화를 통해 시민의 편익을 극대화할 수 있는 서비스의 공급과 생산이 가능하다고 본다.

143　　　　　　　　　　　　　　　　　　　2023년 국가직 7급

정부신뢰 및 시민참여에 대한 설명으로 옳은 것만을 모두 고르면?

> ㄱ. 도덕성 확보, 정책 내용의 일관성 유지, 정부 역량은 모두 정부신뢰의 구성인자이다.
> ㄴ. 정부와 시민 간의 신뢰 유형 중 신탁적 신뢰는 대칭적 관계에서 형성된다.
> ㄷ. 시민들이 기피하는 시설의 건설 추진 여부에 대한 공론조사에서 시민대표단을 구성하여 토론하는 것은 숙의민주주의의 사례이다.

① ㄱ
② ㄱ, ㄷ
③ ㄴ, ㄷ
④ ㄱ, ㄴ, ㄷ

142　행정이론　　　　　　　　　　　난이도 ●●○

전략적 삼각형모형을 제시하며 공공가치창출을 강조하는 학자는 무어(Moore)이다. 보즈만은 공공가치실패론을 주장하였다.

[선지분석]
② 신공공서비스론의 정부역할은 시민에 대한 봉사이다.
③ 뉴거버넌스론은 공공부문과 민간부문의 협력을 강조한다.
④ 공공선택론은 공공부문에 경제학의 방법론을 도입하여 시민의 편익을 극대화할 수 있는 서비스의 공급과 생산이 가능하다고 본다.

답 ①

143　정부신뢰 및 시민참여　　　　　　난이도 ●●●

ㄱ. 정부가 신뢰를 제고하기 위해서는 도덕성 확보, 정책내용의 일관성, 전문성 등이 필요하다.
ㄷ. 공론조사는 숙의민주주의의 유형 중 하나이다.

[선지분석]
ㄴ. 신탁적 신뢰란 주인 – 대리인 관계에서 발생하는 신뢰를 의미한다. 행정기관과 시민 사이에서 발생하며 정보의 비대칭성으로 주인이 대리인을 전폭적으로 믿는 상태에서 발생하는 신뢰이다.

답 ②

144

2025년 국가직 7급

숙의민주주의에 대한 설명으로 옳지 않은 것은?

① 대의민주주의를 견고히 강화하는 수단으로 활용된다.
② 정책결정의 절차적 정당성과 수용성을 높이는 데 기여한다.
③ 숙의민주주의를 구체화하는 방법으로 공론조사, 합의회의, 시민배심원제 등이 있다.
④ 충분한 정보제공과 균형 잡힌 토론을 전제로 하며, 정책에 대한 사회적 갈등을 완화하는 기능을 한다.

145

2025년 국가직 9급

다음 설명에 해당하는 개념은?

> 공직자는 옳은 일을 하기 위해 비도덕적인 행위를 하는 상황에 놓이기도 한다. 왈처(Walzer)가 제시한 이 개념은 공직을 통해 대표성을 지닌 개인이 국가나 공동체의 대의를 위해, 개인의 가치관이나 윤리관에서는 수용할 수 없는 결정을 내려야 하는 문제 상황을 의미한다.

① 더러운 손의 딜레마(the problem of dirty hands)
② 선택의 역설(the paradox of choice)
③ 집단행동의 딜레마(collective action problems)
④ 편견의 동원(mobilization of bias)

---

144 숙의민주주의 난이도 ●●○

숙의민주주의란 숙의가 의사결정의 중심이 되는 민주주의 형식으로 대의민주주의를 보완하는 성격이지 강화하는 게 아니다.

선지분석
② 숙의민주주의는 숙의를 통하여 정책결정의 절차적 정당성과 수용성을 높이는 데 기여한다.
③ 숙의민주주의를 구현하는 구체적인 방법으로는 공론조사, 합의회의, 시민배심원제 등이 있다.
④ 숙의민주주의는 충분한 정보제공과 균형 잡힌 토론을 전제로 하며, 토론을 통하여 사회적 갈등을 완화하는 긍정적인 기능을 한다.

답 ①

145 더러운 손의 딜레마 난이도 ●●●

제시문은 '공직자는 옳은 일을 하기 위해 비도덕적인 행위를 하는 상황에 놓인 것'을 의미하며, 이를 더러운 손의 딜레마라 한다.

선지분석
② 선택의 역설이란 정보의 양이 너무 많을수록 선택이 어려워지는 현상을 의미한다. 미국의 심리학자 Barry Schwartz가 최초로 제시한 이론이다.
③ 집단행동의 딜레마란 집단 또는 잠재적 집단이 공통의 이해관계가 걸려 있는 문제를 스스로의 노력으로 해결하지 못하는 상황을 말한다.
④ 편견의 동원은 현존하는 정치체재 내의 지배적 규범이나 절차를 강조하여 변화를 위한 주장을 꺾는 방법이다.

답 ①

CHAPTER 4 행정이념

KEYWORD 023 주요 이념

01 □□□
2018년 서울시 7급(6월 시행)

행정이 추구하는 가치에 대한 설명으로 옳은 것을 〈보기〉에서 모두 고른 것은?

〈보기〉
ㄱ. 효과성을 추구하는 과정에서 능률성의 희생이 발생될 수 있다.
ㄴ. 민주성은 국민과의 관계뿐만 아니라 정부 관료제 내부의 의사결정 과정의 두 가지 측면에서 논의된다.
ㄷ. 절차적 합리성은 목표에 비추어 적합한 행동이 선택되는 정도를 의미한다.
ㄹ. 투명성은 정보공개뿐만 아니라 정보에 대한 접근권까지 포함하는 개념이다.
ㅁ. 제도적 책임성은 자율적이고 적극적인 행정책임을 의미한다.

① ㄱ, ㄷ, ㅁ
② ㄴ, ㄷ, ㅁ
③ ㄱ, ㄴ, ㄹ
④ ㄴ, ㄷ, ㄹ

02 □□□
2023년 지방직 9급

행정가치에 대한 설명으로 옳지 않은 것은?

① 합리성은 어떤 행위가 궁극적 목표 달성의 최적 수단이 되느냐의 여부를 가리는 개념이다.
② 효율성은 목표의 달성도를 나타내고, 효과성은 투입 대비 산출의 비율을 의미한다.
③ 자율적 책임성은 공무원이 직업윤리와 책임감에 기초해 전문가로서 자발적인 재량을 발휘할 때 확보된다.
④ 행정의 민주성은 국민과의 관계뿐만 아니라 관료조직의 내부 의사결정 과정의 측면에서도 고려된다.

| 01 | 행정가치 | 난이도 ●●● |

ㄱ. 효과성은 목표달성도이고 능률성은 투입 대비 산출의 비율을 의미하는 수단적 이념이므로, 추구하는 과정에서 양자는 상충될 수 있다.
ㄴ. 대외적 민주성은 국민과의 관계이고, 대내적 민주성은 관료제 내부의 관점이다.
ㄹ. 투명성의 핵심은 국민에 대한 정보공개 및 접근성 보장이다.

(선지분석)
ㄷ. 사이먼(Simon)의 절차적 합리성이 아니라 내용적 합리성을 의미한다.
ㅁ. 자율적이고 적극적인 행정책임은 제도적 책임이 아닌 주관적 책임을 의미한다.

답 ③

| 02 | 행정가치 | 난이도 ●●○ |

반대로 기술되어 있다. 목표의 달성도는 효과성이고 투입 대비 산출의 비율은 효율성에 해당한다.

(선지분석)
① 합리성은 어떤 행위가 목표달성에 최적의 수단이 되느냐의 여부이다.
③ 자율적 책임은 공무원이 직업윤리에 기초하여 자발적으로 지고자 하는 책임이다.
④ 행정의 민주성은 ⓐ 행정과 국민과의 관계라는 대외적 민주성 차원과, ⓑ 행정조직 내부의 민주화라는 대내적 민주성 차원이라는 2가지 측면에서 논의된다.

답 ②

03 2018년 서울시 9급

행정이념에 대한 설명으로 가장 옳지 않은 것은?

① 디목(Dimock)은 기술적 능률성을 대체하는 개념으로 사회적 능률성을 제시하고 있는데, 이는 행정이 그 목적가치인 인간과 사회를 위해서 산출을 극대화하고 그 산출이 인간과 사회의 만족에 기여하는 것을 의미한다.
② 1930년대를 분수령으로 하여 정치행정이원론의 지양과 정치행정일원론으로 전환과 때를 같이 해서 행정에서 민주성의 이념이 대두되었다.
③ 효과성은 수단적·과정적 측면에 중점을 두는 반면에 능률성은 목표의 달성도를 중시한다.
④ 합법성은 법률적합성, 법에 의한 행정, 법에 근거한 행정, 즉 법치행정을 의미한다. 합법성을 지나치게 강조하는 경우 수단가치인 법의 준수가 강조되어 목표의 전환(displacement of goal), 형식주의를 가져올 수 있다.

04 2020년 군무원 9급

디목(M. Dimock)의 사회적 능률에 대한 설명으로 가장 적절하지 않은 것은?

① 사회적 형평성을 보장하기 위한 개념이다.
② 행정의 사회 목적 실현과 관련이 있다.
③ 경제성과 연계될 수 있는 개념이다.
④ 최소의 투입으로 최대의 산출을 추구한다.

---

03 행정이념별 특징 난이도 ●●○

능률성(efficiency)은 투입 대 산출의 비율로 수단적·과정적 측면에 중점을 두는 반면, 효과성(effectiveness)은 목표달성도로서 결과적 측면에 중점을 둔다.

선지분석
① 투입 대 산출의 비율을 수치적 관점에서 바라본 기계적 능률성과 달리, 디목(Dimock)은 행정이 그 목적가치인 인간과 사회를 위해서 산출을 극대화하고 그 산출이 인간과 사회의 만족에 기여하는 사회적 능률을 강조하였다.
② 1930년대 경제대공황을 계기로 등장한 정치행정일원론에서 사회적 능률 개념이 등장하였으며, 이는 실질적으로 민주성을 의미한다.
④ 근대 입법국가 때 강조되었던 합법성은 법률에 적합한 행정을 의미하며, 행정의 일관성·공평성을 높여주지만 동조과잉(목표의 전환), 행정의 형식화 등의 폐단을 가져올 수 있다.

답 ③

04 사회적 능률성 난이도 ●○○

사회적 형평성과 디목(M. Dimock)의 사회적 능률성은 관련이 없다. 사회적 형평성은 롤스(Rawls)의 정의론과 관련이 있다.

답 ①

05

2015년 지방직 9급

행정에 대한 설명으로 옳지 않은 것은?

① 행정은 정부의 단독행위가 아니라 사회의 다양한 주체들이 함께 참여하는 협력행위로 변해가고 있다.
② 행정은 사회의 공공가치 실현을 목적으로 한다.
③ 행정은 민주주의의 원칙에 따라 재원의 확보와 사용에 있어서 국회의 통제를 받는다.
④ 행정의 본질적 가치로는 능률성, 책임성 등이 있으며, 수단적 가치로는 정의, 형평성을 들 수 있다.

06

2012년 국가직 7급

행정이념에 대한 설명으로 옳지 않은 것은?

① 19세기 후반 현대 미국 행정학의 태동기에 강조되었던 행정이념은 민주성과 합법성이었다.
② 효과성은 발전행정론에서 강조된 행정이념으로서 과정보다는 산출·결과에 중점을 둔다.
③ 롤스(J. Rawls)의 정의관은 자유와 평등의 조화를 추구하는 입장으로서 신행정론의 등장 이후 사회적 형평성 논의에 많은 영향을 미쳤다.
④ 민주성과 능률성은 항상 상충되는 것은 아니고 상호 보완적일 수 있다.

05	행정	난이도 ●○○

능률성은 행정의 본질적 가치가 아니라 수단적 가치이며, 정의와 형평성은 수단적 가치가 아니라 본질적 가치에 해당한다. 본질적 가치란 행정을 통해 이룩하고자 하는 궁극적 가치이며, 수단적 가치는 실제적인 행정과정에서 구체적 지침이 되는 규범적 기준이다.

행정의 본질적 가치와 수단적 가치

본질적 가치	공익성, 형평성, 정의, 자유, 평등, 사회적 형평성
수단적 가치	합법성, 능률성, 민주성, 합리성, 효과성, 가외성, 생산성, 신뢰성, 투명성

답 ④

06	행정이념	난이도 ●○○

19세기 후반 현대 미국 행정학의 태동기에 강조되었던 이념은 능률성이다. 능률성이란 투입에 대한 효과의 비율의 의미하며, 능률성은 최소의 비용과 노력으로 최대의 효과를 가져오는 것을 말한다.

(선지분석)
② 목표달성도인 효과성은 발전행정론의 행정이념이다.
③ 롤스(Rawls)의 정의론은 진보와 보수의 중도적 시각이며, 공정한 분배를 강조하는 정의관은 사회적 형평성에 영향을 미쳤다.
④ 민주성과 능률성은 상충되는 측면과 보완되는 측면이 있다.

답 ①

07 □□□
2019년 지방직 9급

행정이 추구하는 가치에 대한 설명으로 옳지 않은 것은?

① 합리성은 어떤 행위가 궁극적인 목표달성을 위한 최적의 수단이 되느냐를 가리키는 개념이다.
② 효과성은 투입 대비 산출의 비율을, 능률성은 목표의 달성도를 나타내는 개념이다.
③ 행정의 민주성은 대외적으로 국민 의사의 존중·수렴과 대내적으로 행정조직의 민주적 운영이라는 두 가지 측면이 있다.
④ 수평적 형평성이란 동등한 것을 동등하게 취급하는 것, 수직적 형평성이란 동등하지 않은 것을 서로 다르게 취급하는 것을 의미한다.

08 □□□
2021년 군무원 7급

아래 두 법률 제1조(목적)의 빈칸에 공통으로 들어갈 행정이념을 차례대로 옳게 연결한 것은?

> 「국가공무원법」
> 제1조【목적】이 법은 각급 기관에서 근무하는 모든 국가공무원에게 적용할 인사행정의 근본 기준을 확립하여 그 공정을 기함과 아울러 국가공무원에게 국민 전체의 봉사자로서 행정의 ○○○이며 □□□인 운영을 기하게 하는 것을 목적으로 한다.
>
> 「지방공무원법」
> 제1조【목적】이 법은 지방자치단체의 공무원에게 적용할 인사행정의 근본 기준을 확립하여 지방자치행정의 ○○○이며 □□□인 운영을 도모함을 목적으로 한다.

① 합법적, 민주적
② 합법적, 중립적
③ 민주적, 중립적
④ 민주적, 능률적

| 07 | 행정이 추구하는 가치 | 난이도 ●○○ |

능률성은 투입(input) 대비 산출(output)의 비율을, 효과성은 목표의 달성도를 나타내는 개념이다. 능률성은 최소의 비용으로 최대의 산출을 나타내는 반면, 효과성은 능률성과 달리 비용이나 투입의 개념이 포함되어 있지 않아 비용을 전혀 고려하지 못하는 치명적인 약점이 있다.

답 ②

| 08 | 행정이념 | 난이도 ●○○ |

「국가공무원법」 제1조는 공정성, 민주성, 능률성을, 「지방공무원법」 제1조는 민주성, 능률성을 규정하고 있다.

답 ④

KEYWORD 024 정의와 사회적 형평성

09 □□□ 2018년 국가직 9급

롤스(J. Rawls)의 정의론에 대한 설명으로 옳지 않은 것은?

① 원초적 자연상태(state of nature)하에서 구성원들의 이성적 판단에 따른 사회형태는 극히 합리적일 것이라고 가정하는 사회계약론적 전통에 따른다.
② 현저한 불평등 위에서는 사회의 총체적 효용 극대화를 추구하는 공리주의가 정당화될 수 없다고 본다.
③ 사회의 모든 가치는 평등하게 배분되어야 하며, 불평등한 배분은 그것이 사회의 최소 수혜자에게도 유리한 경우에 정당하다고 본다.
④ 자유와 평등의 조화를 추구하는 중도적 입장보다는 자유방임주의에 의거한 전통적 자유주의 입장을 취하고 있다.

10 □□□ 2020년 국가직 9급

공리주의적 관점에서 공익을 설명한 것으로 옳은 것만을 모두 고르면?

> ㄱ. 사회 전체의 효용이 증가하면 공익이 향상된다.
> ㄴ. 목적론적 윤리론을 따르고 있다.
> ㄷ. 효율성(efficiency)보다는 합법성(legitimacy)이 윤리적 행정의 판단기준이다.

① ㄱ
② ㄷ
③ ㄱ, ㄴ
④ ㄴ, ㄷ

09	정의론의 특징	난이도 ●○○

사회적 형평의 실현을 위한 평등이론은 '롤스(J. Rawls)의 정의론'으로 대표된다. 롤스(J. Rawls)의 정의론은 자유와 평등의 중도적 입장에서 정의의 원리를 도출한 것이다.

선지분석
① 원초적 상태에서 인간은 이기적이고 합리적인 인간을 전제한다.
② 총체적 효용이 아니라 공정한 분배를 정의로 본다.
③ 가장 약자에게 혜택을 주는 최소극대화의 원리를 정의로 본다.

답 ④

10	공리주의적 관점에서의 공익	난이도 ●●○

공리주의는 절대적 가치나 동기보다는 목적 달성 등 결과만 중시하는 상대주의적 또는 목적론적 윤리관으로 분배의 공평보다는 사회 전체의 효용만 증가하면 공익이 향상되는 것으로 보는 관점이다.
ㄱ. 최대다수 최대행복으로 대표되는 벤담(Bentham)의 공리주의는 사회 전체의 효용이 증가하면 공익이 향상된 것으로 본다.
ㄴ. 결과보다는 절대적 가치나 동기를 중시하는 것이 절대론(의무론)에 해당하고 공리주의는 목적달성이라는 결과만 중시하는 상대론(목적론)적 윤리관이다.

선지분석
ㄷ. 분배를 강조하는 형평성이나 절차적 합법성보다 공리주의는 효율성이나 성과 등 결과적 가치를 중시한다.

답 ③

11

2018년 서울시 7급(3월 추가)

행정이념으로서의 형평성에 대한 설명으로 가장 옳지 않은 것은?

① 롤스(Rawls)의 최소최대원칙(minimax principle)은 사회에서 가장 취약한 집단에게 최대의 편익이 돌아가게 하는 정책이 바람직하다는 기준을 의미한다.
② 인간의 기본욕구 충족과 최소한의 평등 확보 측면에서 욕구이론은 수평적 형평에 대한 유용한 기준을 제시한다.
③ 실적의 차이에 따른 차등적 배분의 정당성을 뒷받침하는 실적이론은 수직적 형평의 관념을 바탕으로 하고 있다.
④ 행정에의 참여와 가치지향을 강조하는 신행정론에서 주목한 바 있다.

12

2015년 사회복지직 9급

롤스(Rawls)가 주장한 사회 정의의 원리에 대한 설명으로 옳지 않은 것은?

① 정의의 제1원리는 '기본적 자유의 평등 원리'로서, 개개인에 대해 다른 사람의 유사한 자유와 상충되지 않는 범위 내에서 최대한의 기본적 자유에의 평등한 권리가 인정되어야 한다는 원리이다.
② 정의의 제2원리의 하나인 '차등 원리'는 저축 원리와 양립하는 범위 내에서 가장 불우한 사람들의 편익을 최대화해야 한다는 원리이다.
③ 정의의 제2원리의 하나인 '기회 균등의 원리'는, 사회·경제적 불평등은 그 모체가 되는 모든 직무와 지위에 대한 기회 균등이 공정하게 이루어진 조건하에서 직무나 지위에 부수해 존재해야 한다는 원리이다.
④ 정의의 제1원리가 제2원리에 우선하고, 제2원리 중에서는 '차등 원리'가 '기회 균등의 원리'에 우선되어야 한다.

---

11 형평성의 특징   난이도 ●●●

롤스(Rawls)는 『정의론』에서 사회에서 가장 취약한 집단에게 최대의 편익이 돌아가게 하는 정책이 바람직하다는 최소극대화원칙(Maximin principle)을 제시하였다.

(선지분석)
②, ③ 수평적 공평과 수직적 공평은 일반적으로 '기회'로 보아 실적이론은 수평적 공평, 평등이론은 수직적 공평으로 보지만, 반대로 '결과'로 보아 반대로 표현하는 경우도 간혹 있다.
④ 정의론은 신행정학의 행정이념인 사회적 형평성에 영향을 미쳤다.

답 ①

12 롤스(Rawls)가 주장한 사회 정의의 원리   난이도 ●○○

제1원리가 제2원리에 우선하며, 제2원리 중에서도 '기회 균등의 원리'가 '차등 원리'에 우선한다.

(선지분석)
① 정의의 제1원리인 동등한 자유의 원리에 대한 옳은 설명이다.
② 차등 원리에 대한 옳은 설명으로, 사회경제적 불평등은 불평등이 가장 불리한 입장에 있는 사람에게도 이익이 되는 경우에만 정당화될 수 있다는 것이다.
③ 기회 균등의 원리는 직무와 직위가 모든 사람에게 공정하게 개방되어야 함을 주장한다.

답 ④

13
2008년 선관위 9급

형평성에 대한 설명으로 옳은 것은?

① 대표관료제는 수평적 형평성을 확보하기 위함이다.
② 롤스(J. Rawls)는 원초적 상태하에서 합리적 인간은 최대극소화원리에 따른다고 한다.
③ 정부의 환경보존사업에 필요한 비용을 공채발행으로 조달하여 다음 세대에게 그 부담을 전가하는 것은 수직적 형평성에 해당한다.
④ 형평성은 총체적 효용 개념을 강조한다.

14
2022년 군무원 7급

정보화 사회로 진입하면서 산업구조의 변화, 질적 성장에 대한 요구 증대, 저출산·고령화로 인한 인구구조 변화, 민주주의 발전에 따른 지방정부의 역할 강화 등의 복합적인 여러 사회변화가 일어나고 있으며 이러한 변화 속에서 형평성에 대한 관심이 증대되고 있다. 다음 중 사회적 형평성과 관련된 설명으로 가장 옳은 것은?

① 대표관료제는 수평적 형평성을 확보하기 위함이다.
② 롤스(J. Rawls)는 원초적 상태 하에서 합리적 인간의 최대극소화 원리에 따른다고 한다.
③ 정부의 환경보존사업에 필요한 비용을 공채 발행으로 조달하여 다음세대에게 그 부담을 전가하는 것은 수직적 형평성에 해당한다.
④ 형평성은 총체적 효용 개념을 강조한다.

| 13 | 형평성 | 난이도 ●●○ |

수직적 공평은 ⓐ 가진 자와 가지지 못한 자의 공평과 ⓑ 현세대와 차세대 간의 공평을 포함하는 개념으로, 사회적으로 동일한 경우에는 동일하게 취급하고 서로 다른 경우에는 서로 다르게 취급하는 것이다.

(선지분석)
① 대표관료제는 수직적 형평성을 확보한다.
② 가장 약자에게 가장 큰 혜택을 주는 최소극대화의 원리에 따른다.
④ 형평성은 분배적 효용 개념을 강조한다.

답 ③

| 14 | 사회적 형평성 | 난이도 ●●○ |

정부가 공채를 발행하여 비용을 세대 간에 분담하는 세대 간 공평은 수직적 공평에 부합된다.

(선지분석)
① 대표관료제는 수직적 공평에 부합된다.
② 롤스(J. Rawls)는 합리적 인간은 최소극대화원리(Maximin)에 의한 의사결정에 따를 것이라고 가정한다.
④ 형평성은 공리주의와 달리 총체적 효용보다는 약자에 대한 우선적 배분을 더 중시한다.

답 ③

15

2021년 군무원 9급

행정이념에 대한 설명으로 가장 옳지 않은 것은?

① 행정이념은 절대적인 것이 아니라 시대적 상황과 정치체제에 따라 변할 수 있다.
② 능률성은 투입 대비 산출의 비율을, 효과성은 목표의 달성도를 나타내는 개념이다.
③ 행정의 민주성은 대외적으로 국민 의사를 존중하고 수렴하며 대내적으로 행정조직을 민주적으로 운영한다는 두 가지 측면을 가지고 있다.
④ 수평적 형평성이란 동등하지 않은 것을 서로 다르게 취급하는 것, 수직적 형평성이란 동등한 것을 동등하게 취급하는 것을 의미한다.

| 15 | 행정이념 | 난이도 ●○○ |

수평적 형평성은 사회적으로 '동일한 경우에는 동일하게 취급'하는 것이고, 수직적 형평성은 '서로 다른 경우에는 서로 다르게 취급'하는 것이다.

답 ④

16

2024년 지방직 9급

사회적 형평성(social equity)에 대한 설명으로 옳지 않은 것은?

① 1968년 개최된 미노부룩 회의(Minnowbrook conference)에서 태동한 신행정론에서 강조하였다.
② 롤스(Rawls)의 정의론은 사회적 형평성 논의에 영향을 주었다.
③ 수직적 형평성(vertical equity)은 '동등한 여건에 있지 않은 사람을 동등하게 취급'함을 의미하며, 누진세가 그 예이다.
④ 수평적 형평성(horizontal equity)은 '동등한 여건에 있는 사람을 동등하게 취급'함을 의미하며, 동일노동 동일임금이 그 예이다.

| 16 | 사회적 형평성 | 난이도 ●○○ |

사회적으로 '동일한 경우에는 동일하게 취급하고(수평적 형평), 서로 다른 경우에는 서로 다르게 취급하는 것(수직적 형평)'이다. 다른 여건에 있는 사람을 다르게 다루는 것이 수직적 형평이다.

선지분석
① 신행정학이 추구하는 행정이념이 사회적 형평성이다.
② 사회적 형평의 실현을 위한 평등이론은 '롤스(Rawls)의 정의론'으로 대표된다.
④ 수평적 형평성은 동등한 여건에 있는 사람을 동등하게 취급한다.

답 ③

CHAPTER 4 행정이념

17

2025년 지방직 9급

다음 설명에 해당하는 행정가치는?

> 신행정론의 등장과 함께 강조된 개념으로 민주이념 실현과정에서 정치·경제적으로 소외된 약자 및 소수집단에 대한 특별한 배려가 필요함을 의미하며 롤스(Rawls)의 '차등의 원리'가 이론적 근거이다.

① 평등성
② 형평성
③ 민주성
④ 능률성

KEYWORD 025 가외성과 합리성 및 공익, 효과성

18

2016년 국가직 9급

다음 설명에 해당하는 것은?

> 이것은 불확실한 상황에서의 오류 발생가능성을 최소화하고 체제의 신뢰성을 높이기 위해 강조되는 행정가치이며, 여러 기관에서 한 가지 기능이 혼합되는 중첩성(overlapping)과 동일 기능이 여러 기관에서 독립적으로 수행되는 중복성(duplication) 등을 포괄하는 개념이다.

① 가외성(redundancy)
② 합리성(rationality)
③ 효율성(effciency)
④ 책무성(accountability)

| 17 | 사회적 형평성 | 난이도 ●○○ |

지문에서 설명하는 행정이념은 형평성(Equity)이다.

답 ②

| 18 | 가외성 | 난이도 ●○○ |

제시문은 가외성(redundancy)에 해당하는 개념이다. 가외성의 예로는 권력분립·양원제·법원의 삼심제 등이 있으며, 만장일치·집권 등은 가외성의 예가 아니다.

가외성의 효용과 한계

효용	• 행정의 신뢰성 증진 • 환경변화에 대한 적응성 및 대응성의 제고 • 정보의 정확성 확보 • 창의성 제고 • 타협 및 협상의 사회 유도 • 목표의 전환 현상 방지 • 조화있는 체제성 유지
한계	• 중복된 기능의 수행으로 인한 비용의 문제(능률성과 대치) • 기능 중복으로 인한 갈등 및 마찰

답 ①

19　　　　　　　　　　　　　　　　2019년 국가직 7급

다음과 관련 있는 행정가치에 대한 설명으로 옳은 것은?

- 안전을 위하여 자동차의 제동장치를 이중으로 설계하였다.
- 정전에 대비하여 건물 자체적으로 자가발전시설을 갖추도록 하였다.

① 창의성이 제고될 수 있다.
② 수단적 가치보다는 행정의 본질적 가치로서의 성격이 더 강하다.
③ 행정체제의 신뢰성과 안정성을 저하시킨다.
④ 형평성과 상충관계에 있다.

20　　　　　　　　　　　　　　　　2010년 수탁 9급

행정에 있어서 가외성(redundancy)에 대한 설명으로 옳은 것은?

① 란다우(M. Landau)는 권력분립 및 연방주의를 가외성의 현상으로 보았다.
② 정보체제의 안전성을 증진시키기 위해서는 초과분의 채널이나 코드가 없는 비가외적 설계가 필요하다.
③ 불확실성이 커질수록 가외성의 필요성은 줄어든다.
④ 조직 내외에서 가외성은 기능상 충돌의 가능성을 없애는 역할을 한다.

| 19 | 행정가치 | 난이도 ●●○ |

문제의 박스에 제시하고 있는 내용은 가외성(redundancy)에 대한 설명이다. 가외성은 중첩적이고 반복적인 상호작용으로 적당한 긴장감과 창의성이 유발될 수 있다. 혼자서 일을 하는 경우보다 여럿이 상의하여 일을 하는 경우 좀 더 창의적인 아이디어가 나올 수 있다.

선지분석
② 가외성은 행정의 수단적 가치에 해당한다.
③ 조직 내의 가외성 장치는 정책결정의 불확실성을 극복하기 위해 다양한 정보와 대안을 준비하고, 이를 통해 오류를 최소화하여 조직의 안정성(안전성)·신뢰성을 제고할 수 있다.
④ 가외성은 경제성이나 능률성과 대치되는 개념이다.

답 ①

| 20 | 가외성 | 난이도 ●○○ |

분권, 법원의 삼심제도, 연방주의, 상하양원제 등은 가외성의 대표적 현상이다. 가외성은 불확실성하에서 행정의 신뢰성 및 안정성을 높인다는 측면에서 기본적 타당성이 인정된다.

선지분석
② 초과분의 정보채널 등 가외적 조직설계가 필요하다.
③ 불확실성과 위기적 상황일수록 가외성은 필요하다.
④ 가외성은 중첩과 중복으로 인한 기능상 충돌 및 책임의 모호성을 초래할 우려가 있다.

답 ①

21

2008년 수탁 7급

사이먼(H. Simon)의 절차적 합리성(procedural rationality)에 대한 설명으로 옳은 것은?

① 절차적 합리성은 행위자의 목표와 행위선택의 우선순위가 분명한 것을 말한다.
② 절차적 합리성은 객관적 합리성이라고도 하는데 주어진 여건 속에서 가능한 최선의 대안을 선택하는 합리성을 말한다.
③ 절차적 합리성은 행동 대안을 선택하기 위하여 사용된 절차가 인간의 인지능력과 여러 가지 한계에 비추어 보았을 때 얼마만큼 효과적이었는가의 정도를 의미한다.
④ 절차적 합리성은 결정이 생성되는 과정보다 선택의 결과에 더 관심을 갖는다.

22

2008년 서울시 9급

합리성에 대한 설명으로 옳지 않은 것은?

① 베버(M. Weber)는 관료제를 형식적 합리성의 극치로 설명하고 있다.
② 개인적 합리성의 추구가 반드시 집단적 합리성으로 연결되는 것은 아니다.
③ 합리성은 본질적 행정가치보다는 수단적 행정가치에 포함된다.
④ 사이먼(H. Simon)의 절차적 합리성은 목표에 비추어 적합한 행동이 선택되는 정도를 의미한다.
⑤ 디징(P. Diesing)의 기술적 합리성은 목표와 수단 사이에 존재하는 인과관계의 적절성을 의미한다.

---

21 사이먼(H. Simon)의 절차적 합리성   난이도 ●●○

절차적 합리성에 대한 옳은 설명이다. 사이먼(H. Simon)은 합리성을 내용적 합리성(substantive rationality)과 절차성 합리성(procedural rationality)으로 구분하였다.

선지분석
①, ②, ④ 모두 절차적 합리성이 아니라 내용적 합리성에 해당하는 설명이다.

사이먼(H. Simon)의 합리성 구분

내용적 합리성	선택된 수단이 목표에 적합한 것인지의 정도
절차적 합리성	행동 대안을 선택하기 위하여 사용된 절차가 인간의 인지능력과 여러 가지 한계에 비추어 보았을 때 얼마만큼 효과적이었는가의 정도

답 ③

22 합리성   난이도 ●●○

사이먼(H. Simon)은 목표에 비추어 적합한 행동이 선택되는 정도를 내용적 합리성이라 하였으며, 절차적 합리성은 인간의 인지능력에 입각한 제한된 합리성을 말한다.

선지분석
① 베버(Weber)는 수단이 목표에 적합한 정도를 형식적 합리성이라 하고, 관료제가 사용하는 합리성이라 한다.
② 개인의 합리성(=사익)이 집단의 합리성(=공익)으로 연결되지 않는 경우도 있다(예 공유지의 비극 등).
③ 공익·정의 등이 본질적 가치이고, 합리성은 수단적 가치이다.
⑤ 디징(Diesing)의 기술적 합리성 개념으로, 목표달성에 적합한 수단의 채택 정도를 의미한다.

답 ④

23

2006년 서울시 9급

디징(P. Diesing)이 말하는 합리성의 유형에 대한 설명 중 옳은 것은?

① 기술적 합리성(technical rationality)은 경쟁 상태에 있는 목표를 어떻게 비교하고 선택할 것인가 하는 것을 의미한다.
② 경제적 합리성(economic rationality)은 주어진 목표를 가장 잘 달성할 수 있는 수단을 찾는 것을 의미한다.
③ 사회적 합리성(social rationality)은 사회 내의 여러 세력들의 정책결정 과정을 개선하는 것을 의미한다.
④ 법적 합리성(legal rationality)은 보편성과 공식적 질서를 통하여 예측가능성을 높이는 것을 의미한다.
⑤ 정치적 합리성(political rationality)은 사회구성원 간의 조화된 통합성을 확보하는 것을 의미한다.

24

2017년 국가직 9급(4월 시행)

공익(public interest) 개념의 실체설과 과정설에 대한 설명으로 옳은 것은?

① 실체설은 집단 간 상호작용의 산물이 공익이라고 본다.
② 과정설의 대표적인 학자에는 플라톤(Plato)과 루소(Rousseau)가 있다.
③ 실체설은 공익이라는 미명하에 개인의 이익이 침해될 수 있는 위험요소를 내포하고 있다.
④ 과정설은 공익과 사익이 명확히 구분된다는 입장이다.

23	디징(Diesing)의 합리성 유형	난이도 ●●○

법적 합리성(legal rationality)이란 인간과 인간 간에 권리·의무관계가 성립할 때에 나타나는 것으로, 인간 행위를 법적으로 예측가능하게 하고 행정의 공식적 질서를 탄생시켜 준다.

선지분석

①은 경제적 합리성, ②는 기술적 합리성, ③은 정치적 합리성, ⑤는 사회적 합리성에 해당한다.

디징(Diesing)의 합리성

정치적 합리성	보다 나은 정책을 추진할 수 있는 정책결정구조의 합리성
경제적 합리성	비용과 편익을 측정·비교하여 목적을 선택·평가하는 과정과 관련되며, 비교가 가능한 대립되는 두가지 이상의 목적의 존재를 전제로 함
사회적 합리성	사회구성원들 간 조정·통합의 정도
기술적 합리성	목표달성에 적합한 수단의 채택 정도
법적 합리성	보편성과 공식적 질서를 통하여 예측가능성을 높이는 것

답 ④

24	공익 개념의 실체설과 과정설	난이도 ●○○

실체설은 공익을 사익을 초월한 실체적, 규범적, 도덕적 개념으로 파악하며, 집단을 개인보다 우선시하므로 개인의 이익이 공익이라는 미명하에 침해될 수 있는 여지가 있다.

선지분석

① 공익을 집단 간 상호작용의 산물이라고 보는 것은 과정설이다.
② 플라톤(Plato), 루소(Rousseau) 등은 실체설의 대표적인 학자이다.
④ 과정설은 개인주의·자유주의·다원주의에 입각한 공익관으로, 사익을 초월한 별도의 공익이란 존재할 수 없으며, 공익이란 사익의 총합이거나 사익 간의 타협의 산물이라고 본다.

답 ③

25

2013년 국회직 8급

행정가치에 대한 다음 설명 중 옳은 것은 모두 몇 개인가?

> ㄱ. 실체설은 공익을 사익의 총합이라고 파악하며, 사익을 초월한 별도의 공익이란 존재하지 않는다고 본다.
> ㄴ. 롤스(Rawls)의 사회 정의의 원리에 의하면 정의의 제1원리는 기본적 자유의 평등 원리이며, 제2원리는 차등 조정의 원리이다. 제2원리 내에서 충돌이 생길 때에는 차등 원리가 기회 균등의 원리에 우선되어야 한다.
> ㄷ. 과정설은 공익을 사익을 초월한 실체적, 규범적, 도덕적 개념으로 파악하며, 공익과 사익과의 갈등이란 있을 수 없다고 본다.
> ㄹ. 베를린(Berlin)은 자유의 의미를 두 가지로 구분하면서, 간섭과 제약이 없는 상태를 적극적 자유라고 하고, 무엇을 할 수 있는 자유를 소극적 자유라고 하였다.

① 0개
② 1개
③ 2개
④ 3개
⑤ 4개

| 25 | 행정가치 | 난이도 ●●○ |

ㄱ, ㄴ, ㄷ, ㄹ. 모두 행정가치에 대한 설명으로 옳지 않다.

(선지분석)
ㄱ. 공익을 사익의 총합이라고 파악하며, 사익을 초월한 별도의 공익이란 존재하지 않는다고 보는 것은 실체설이 아니라 과정설에 대한 설명이다.
ㄴ. 롤스(Rawls)의 제2원리 내에서 충돌이 생길 때에는 차등 원리보다 기회 균등의 원리가 우선되어야 한다.
ㄷ. 공익을 사익을 초월한 실체적, 규범적, 도덕적 개념으로 파악하며, 공익과 사익 간의 갈등이란 있을 수 없다고 보는 것은 과정설이 아니라 실체설에 대한 설명이다.
ㄹ. 간섭과 제약이 없는 상태가 소극적 자유, 무엇인가를 할 수 있는 자유가 적극적 자유이다.

답 ①

26

2019년 국가직 9급

공익에 대한 설명으로 옳은 것은?

① 「국가공무원법」은 제1조에서 공무원은 국민 전체의 봉사자로서 공익을 추구해야 함을 명시하고 있다.
② 「공무원 헌장」은 공무원이 실천해야 하는 가치로 공익을 명시하고 있다.
③ 신공공서비스론에서는 공익을 행정의 목적이 아닌 부산물로 보아야 한다는 점을 강조한다.
④ 공익에 대한 실체설에서는 공익을 사익 간 타협 또는 집단 간 상호작용의 산물로 본다.

| 26 | 공익 | 난이도 ●●○ |

2016년 1월 대통령 훈령으로 제정·공포된 「공무원 헌장」에는 공무원이 지향하여야 할 가치들을 선언적으로 명시하고 있다.

> 「공무원 헌장」
> 우리는 자랑스러운 대한민국의 공무원이다. 우리는 헌법이 지향하는 가치를 실현하며 국가에 헌신하고 국민에게 봉사한다. 우리는 국민의 안녕과 행복을 추구하고 조국의 평화 통일과 지속 가능한 발전에 기여한다. 이에 굳은 각오와 다짐으로 다음을 실천한다.
> 하나. 공익을 우선시하며 투명하고 공정하게 맡은 바 책임을 다한다.
> 하나. 창의성과 전문성을 바탕으로 업무를 적극적으로 수행한다.
> 하나. 우리 사회의 다양성을 존중하고 국민과 함께 하는 민주행정을 구현한다.
> 하나. 청렴을 생활화하고 규범과 건전한 상식에 따라 행동한다.

(선지분석)
① 「국가공무원법」 제1조(목적)는 국민 전체의 봉사자로서의 자세를 천명하고 있지만, 공익 추구라는 가치는 명시되어 있지 않다.

> 「국가공무원법」 제1조【목적】이 법은 각급 기관에서 근무하는 모든 국가공무원에게 적용할 인사행정의 근본 기준을 확립하여 그 공정을 기함과 아울러 국가공무원에게 국민 전체의 봉사자로서 행정의 민주적이며 능률적인 운영을 기하게 하는 것을 목적으로 한다.

③ 신공공서비스론에서는 공익을 행정의 부산물이 아닌 궁극적인 목표로 보아야 한다는 점을 강조한다.
④ 공익을 사익 간 타협 또는 집단 간 상호작용의 산물로 보는 것은 실체설이 아니라 과정설에 해당한다.

답 ②

27

2019년 서울시 9급

공익에 대한 설명으로 가장 옳지 않은 것은?

① 과정설은 개인의 사익을 초월한 공동체 전체의 공익이 따로 있다고 보는 견해이다.
② 실체설은 사회 전 구성원의 총효용을 극대화함으로써 공익에 도달할 수 있다고 보는 견해이다.
③ 과정설은 공익이 사익의 총합이거나 사익 간의 타협·조정 과정을 통해 얻어지는 것으로 보는 견해이다.
④ 실체설은 사회공동체 내지 국가의 모든 가치를 포괄하는 절대적인 선의 가치가 있다고 보는 견해이다.

---

27 공익   난이도 ●○○

개인의 사익을 초월한 공동체 전체의 공익이 따로 있다고 보는 견해는 과정설이 아니라 실체설에 해당한다. 따라서 실체설은 공익과 사익의 갈등이란 있을 수 없고, 언제나 공익이 우선시된다고 보아 공익의 결정·실현 과정에서 국가나 정부의 역할을 강조한다. 흔히 개발도상국과 권위주의모형에 적용되며, 선진국과 다원화된 사회에서는 적용하기 어렵다.

답 ①

28

2022년 지방직 9급

공익에 대한 설명으로 옳은 것만을 모두 고르면?

> ㄱ. 실체설에 의하면 공익은 사익을 초월한 것이다.
> ㄴ. 과정설에 의하면 공익은 사익 간 갈등을 조정·타협하는 과정에서 산출되는 것이다.
> ㄷ. 실체설은 다원적 민주주의에 도움을 준다.
> ㄹ. 플라톤(Plato)과 루소(Rousseau) 모두 공익 실체설을 주장하였다.

① ㄱ, ㄴ
② ㄴ, ㄷ
③ ㄱ, ㄴ, ㄹ
④ ㄱ, ㄷ, ㄹ

---

28 공익   난이도 ●●○

ㄱ, ㄴ, ㄹ은 옳고, ㄷ만 옳지 않다.
ㄱ. 실체설은 공익이란 사익을 초월한 실체적·규범적·도덕적 개념으로, 공익과 사익의 갈등이란 있을 수 없고 언제나 공익이 우선시된다고 본다(공익과 사익은 충돌되지 않음).
ㄴ. 과정설은 공익이 사익 간 갈등이 조정·타협된 결과로 본다.
ㄹ. 플라톤(Plato), 루소(Rousseau), 롤스(Rawls) 등은 실체설의 대표적인 학자이다.

선지분석
ㄷ. 다원적 민주주의와 연관되는 모형은 과정설이다. 과정설에서는 사익들 간의 갈등이나 대립이 있을 때, 사익 간의 타협 또는 집단 상호작용의 산물을 공익으로 본다(다원주의적 공익론).

답 ③

29 공익   2022년 군무원 9급

공익(public interest)에 대한 '과정설'의 설명으로 가장 옳지 않은 것은?

① 공익은 인식 가능한 행동결정의 유용한 안내자 역할을 한다는 입장이다.
② 공익은 하나의 실체라기보다 다수의 이익들이 조정되면서 얻어진 결과로 본다.
③ 공무원의 행동을 경쟁관계에 있는 집단들의 이익을 돕는 조정자의 역할로 이해한다.
④ 실체설의 주장을 행정의 정당성 확보를 위해 도입된 상징적 수사로 간주한다.

30 공익   2023년 국회직 8급

공익에 대한 설명으로 옳지 않은 것은?

① 공익 실체설은 공익 과정설의 주장을 행정의 정당성과 통합성을 확보하기 위한 상징적 수사로 간주한다.
② 적법절차의 준수에 의한 공익의 보장은 공익 과정설에 가깝다.
③ 기초주의(foundationalism) 인식론은 공익 실체설에 가깝다.
④ 공공재의 존재와 공유지 비극의 문제는 공익 실체설의 근거가 될 수 있다.
⑤ 다원적 민주주의에 나타나는 이익집단 사이의 상호조정 과정에 의한 정책결정은 공익 과정설에 가깝다.

| 29 | 공익 | 난이도 ●●● |

과정설은 규범적·도덕적 요인이 경시되고, 국가 이익이나 공동 이익의 존재를 고려하지 않으므로 인식 가능한 행동결정의 유용한 안내자 역할에 소극적이다.

선지분석
② 과정설은 공익이 수많은 사익 간 갈등의 조정·타협의 소산물로서 도출된다는 입장이다.
③ 과정설에서 공무원의 역할은 중립적 조정자 역할을 수행해야 한다는 입장이다.
④ 공익 개념의 비현실성 및 추상성(상징적 수사)에 의존하는 실체설에 대한 비판이다.

답 ①

| 30 | 공익 | 난이도 ●●● |

공익을 행정의 정당성과 통합성을 확보하기 위한 상징적 수사로 간주하는 입장은 과정설이다. 과정설에서는 실체설이 주장하는 절대적 가치나 도덕적 선 등은 구체적인 정책결정의 기준이 될 수 없다는 입장이다.

선지분석
③ 기초주의란 정당화된 믿음이나 건전한 전제로부터 추론된 결론을 토대로 절대적이고 확실한 기초에 의존하는 인식론을 말한다. 이는 공익의 실체설에 가깝다.
④ 공공재의 존재와 공유지 비극의 문제는 시장의 자율적인 힘으로는 공익을 기대할 수 없으며 정부의 개입이나 역할이 필요하다는 실체설의 근거가 될 수 있다.

답 ①

31 □□□
2020년 지방직 9급

행정가치에 대한 설명으로 옳지 않은 것은?

① 공익 과정설에 따르면 사익을 초월한 별도의 공익이란 존재할 수 없다.
② 롤스(Rawls)는 사회정의의 제1원리와 제2원리가 충돌할 경우 제1원리가 우선이라고 주장한다.
③ 파레토 최적 상태는 형평성 가치를 뒷받침하는 기준이다.
④ 근대 이후 합리성은 목표를 달성하는 수단과 관련된 개념이다.

32 □□□
2022년 군무원 9급

다음 중 공무원 부패를 방지하기 위해 가장 중요한 가치로서 인식되는 것은?

① 형평성
② 민주성
③ 절차성
④ 투명성

| 31 | 행정가치 | 난이도 ●○○ |

파레토 최적과 칼도-힉스(Kaldo-Hicks) 보상기준은 경제적 능률성의 기준이며, 형평성이나 민주성을 고려할 수 없다는 한계가 있다.

(선지분석)
① 과정설은 개인주의·자유주의·다원주의에 입각한 공익관으로, 공익이란 사익의 총합이거나 사익 간의 타협의 산물이며, 사익을 초월한 별도의 공익이란 존재할 수 없다고 본다.
② 롤스(Rawls)는 정의의 제1원리와 제2원리가 충돌할 때 제1원리가 우선하고, 제2원리 중에서도 기회균등의 원리와 차등의 원리가 충돌할 때는 기회균등의 원리가 우선한다는 입장이다.
④ 근대 이후, 합리성은 대체로 목표에 대한 수단의 적합성을 의미한다.

답 ③

| 32 | 투명성 | 난이도 ●○○ |

투명성 확보는 청렴성 확보를 위한 최소한의 전제조건이 된다. 투명성이 확보되어 외부로 명확히 드러난다면 부패 가능성을 줄일 수 있을 것이다.

답 ④

33

2018년 서울시 7급(3월 추가)

조직효과성의 경쟁가치모형(Competing Values Model)에서 조직의 성장 및 자원획득의 목표를 강조하는 관점은?

① 개방체제 관점
② 내부과정 관점
③ 인간관계 관점
④ 합리적 목표 관점

34

2020년 국회직 8급

〈보기〉에서 설명하는 모형으로 옳은 것은?

〈보기〉
이 모형은 한 조직, 특히 공공조직은 다양한 가치를 공유할 수밖에 없음에도 불구하고 기존 연구들이 조직문화를 단일 차원적으로 접근함으로써 갖게 되는 한계를 극복하기 위한 다중 차원적 접근방법 중 하나이다. 이 모형에 따르면, 조직문화의 유형은 두 가지 차원, 즉 내부 대 외부, 그리고 통제성 대 유연성을 기준으로 인간관계모형, 개발체제모형, 내부과정모형, 그리고 합리적 목표모형 등 네 가지로 구분된다.

① 조직문화창조모형
② 갈등·협상모형
③ 혼합주사모형
④ 경쟁가치모형
⑤ 하위정부모형

---

33 경쟁가치모형 난이도 ●●○

조직의 성장 및 자원획득의 목표를 강조하는 관점은 퀸과 로보그[Quinn & Rohbaugh(1983)]의 경쟁적 가치접근법 중 개방체제 관점(모형)에 해당한다.

선지분석
② 내부과정 관점은 안정과 균형, ③ 인간관계 관점은 구성원의 만족도, ④ 합리적 목표 관점은 효율성과 관련이 있다.

📄 **경쟁적 가치접근법**

퀸과 로보그[Quinn & Rohrbauch(1983)]는 어떤 조직이 효과적인가 하는 것은 가치판단적인 것이라고 지적하였다. 즉, 조직의 효과성을 평가하는 기준은 누가 평가하느냐, 어떤 이해관계를 대변하느냐와 관련되는 가치판단의 문제라고 본다.

구분	조직	인간
통제	합리적 목표모형	내부과정모형
유연성	개방체제모형	인간관계모형

답 ①

34 경쟁가치모형 난이도 ●●○

제시문은 조직문화나 효과성을 평가하는 경쟁가치모형에 대한 설명이다. 퀸과 로보그[Quinn & Rohrbaugh(1983)]는 '어떤 조직이 효과적인가'하는 것은 대립되는 다양한 가치판단에 달려있다고 지적하고, 상충되는(양립될 수 없는) 가치에 의한 통합적 분석틀에 입각하여 경쟁가치모형을 완성시켰다.

답 ④

35 ☐☐☐   2022년 지방직 9급

조직문화의 경쟁가치모형에 대한 설명으로 옳지 않은 것은?

① 위계문화는 응집성을 강조한다.
② 혁신지향문화는 창의성을 강조한다.
③ 과업지향문화는 생산성을 강조한다.
④ 관계지향문화는 사기 유지를 강조한다.

| 35 | 경쟁가치모형 | 난이도 ●●● |

퀸과 로보그(Quinn & Rohbaugh)의 경쟁적 가치모형 중 구성원의 응집성과 사기를 강조하는 것은 인간관계모형으로, 관계문화를 제시한다.

📄 **퀸과 로보그(Quinn & Rohbaugh)의 경쟁적 가치모형과 문화**

모형	문화
인간관계모형	관계문화
내부과정모형	위계문화
개방체제모형	혁신지향문화
합리목표모형	과업지향문화

답 ①

PART 2

정책학

CHAPTER 1 / 정책학 서론
CHAPTER 2 / 정책의제설정론
CHAPTER 3 / 정책분석론
CHAPTER 4 / 정책결정론
CHAPTER 5 / 정책집행론
CHAPTER 6 / 정책평가론과 기획론

CHAPTER 1 정책학 서론

KEYWORD 026 정책의 의의

01 □□□　　　　　　　　　　　　　　　2006년 광주 소방

정책학의 등장배경과 관련하여 라스웰(H. Lasswell)에 관한 설명으로 옳지 않은 것은?

① 새로운 정책학의 패러다임으로 묵시적 지식과 경험의 존중을 강조하였다.
② 정책 과정에 관한 연구와 정책 과정에 필요한 지식에 관한 연구의 두 가지 방향에서 정책학적 경향이 나타나고 있다고 지적했다.
③ 정책학은 1951년 라스웰(H. Lasswell)의 정책지향(Policy Orientation)이라는 논문으로부터 출발했다.
④ 라스웰(H. Lasswell)이 제안한 초기 정책학은 흑인폭동 및 월남전 등 사회적 혼란시기인 1960년대에 재출발하였다.

02 □□□　　　　　　　　　　　　　　　2022년 지방직 7급

정책학의 발전과정에 대한 설명으로 옳은 것은?

① 드로어(Dror)는 정책결정의 방법, 지식, 체제에 관심을 두어야 한다고 주장하고, 정책결정체제에 대한 이해와 정책결정의 개선을 강조하였다.
② 정책의제 설정이론은 정책의제의 해결방안 탐색을 강조하며, 문제가 의제로 설정되지 않는 비결정(nondecision making) 상황에 관하여는 관심이 적다.
③ 라스웰(Lasswell)은 정책과정에 관한 지식보다 정책에 필요한 지식이 더 중요하며, 사회적 가치는 분석 대상에서 제외해야 함을 강조하였다.
④ 1950년대에는 담론과 프레임을 통한 문제구조화에 관심이 높아 OR(operation research)과 후생경제학의 기법 활용에는 소홀하였다.

| 01 | 정책학과 라스웰(H. Lasswell) | 난이도 ●○○ |

묵시적 지식과 경험은 드로(Y. Dror)가 강조한 특징으로, 그는 그 외에 순수연구와 응용연구 간의 통합, 학문 간의 경계 타파(범학문성), 거시적 수준에 초점을 두었다.

(선지분석)
② 라스웰(H. Lasswell)은 정책 과정에 필요한 실증적 지식과 정책 과정에 필요한 처방적·규범적 지식의 방향의 경향을 지적하였다. 또한 맥락성(관련성·지향성), 문제지향성, 연구방법의 다양성(연합학문적 연구)을 주장하였다.
③, ④ 라스웰(H. Lasswell)의 정책학은 후기행태주의와 함께 부활하였다.

답 ①

| 02 | 정책학과 라스웰 | 난이도 ●●● |

드로어는 정책학의 목적은 정책결정체제에 대한 이해를 증진시키고 이를 개선하는 것이며, 정책학은 보다 구체적으로 바람직한 정책결정을 위한 방법, 지식 그리고 체제(system)에 직접적인 관심을 기울여야 한다는 입장이다.

(선지분석)
② 무의사결정은 엘리트자신의 이익과 상충되는 도전과 주장을 적극적으로 좌절시키는 의도적 무결정을 의미하며 이러한 연구가 신엘리트론자들에 의해서 이루어졌다.
③ 라스웰(Lasswell)은 자신의 획기적인 논문이 발표된 지 20년만인 1971년에 발간된 저서에서 정책학의 두 가지 목적(정책과정에 대한 경험적 지식과 정책과정에서 필요한 지식의 제공)을 되풀이하면서 정책학이 추구해야 할 기본적 속성들을 제시하였다.
④ 1950년대 행태주의는 과학적·실증적·경험적 연구방법을 특징으로 하고 정확한 계량화를 중요시하였다. 즉, OR과 후생경제학의 기법을 활용하였다.

답 ①

03 □□□
2024년 지방직 9급

정책학의 발달에 대한 설명으로 옳지 않은 것은?

① 1951년 『정책지향(policy orientation)』이라는 논문은 정책학의 정체성 확립에 기여하였다.
② 라스웰(Lasswell)은 1971년 『정책학 소개(A Pre-View of Policy Sciences)』에서 맥락지향성, 이론지향성, 연합학문지향성을 제시하였다.
③ 1980년대 정책학의 연구는 정책형성, 집행, 평가, 변동 등 다양한 분야로 확대되었다.
④ 드로(Dror)는 정책결정단계를 상위정책결정(meta-policymaking), 정책결정(policymaking), 정책결정 이후(post-policymaking)로 나누는 최적모형을 제시하였다.

04 □□□
2023년 군무원 9급

다음 중 정책(policy)에 대한 설명으로 가장 거리가 먼 것은?

① 정부목표 달성의 수단인 동시에 공적인 문제해결을 위한 수단이라는 이중성을 보유하고 있다.
② 정치행정이원론에 기초한 행정관리설과 밀접한 관련이 있다.
③ 정책은 삼권분립하에서 입법부의 역할을 위축시킬 수 있다.
④ 정책결정은 공적인 의사결정과정으로서 복수의 단계와 절차로 이루어진다.

---

03 정책학의 발달 | 난이도 ●●●

라스웰(Lasswell)은 정책과학의 패러다임으로 맥락지향성, 문제지향성, 연합학문성 및 규범지향성을 강조하였으며, 이론지향성은 제시하지 않았다.

선지분석
① 1951년 『정책지향(policy orientation)』이라는 논문은 정책학의 시발점이 되었다는 평가를 받는다.
③ 정책과학은 1980년대 들어 정책집행, 평가, 변동 등 다양한 영역으로 연구가 확대되었다.
④ 드로(Dror)는 정책결정의 단계를 상위정책결정단계(meta-policy making stage), 정책결정단계(policy making stage), 정책결정 이후단계(post-policy making stage)로 나눈 최적모형을 제시하였다.

답 ②

04 정책 개념 | 난이도 ●●○

정책은 정책문제의 해결이라는 실천적인 목표를 지니고 있으므로 문제지향적이다. 따라서 정치행정일원론에 기초한 후기행태주의 접근법과 밀접한 관련이 있다.

선지분석
① 정책이란 바람직한 사회상태를 이룩하려는 정책목표와 이를 달성하기 위해 필요한 정책수단에 대하여 권위 있는 정부기관이 공식적으로 결정한 기본방침이다.
③ 정책을 행정부가 주도하는 현대행정의 경향에서는 입법부의 역할을 위축시킬 수 있다.
④ 정책결정과정은 문제의 파악과 정의에서 시작하여 대안의 선택까지 복수의 단계와 절차로 이루어진다.

답 ②

05

2013년 서울시 7급

정치적 관점에서 바라본 정책 개념의 설명으로 가장 거리가 먼 것은?

① 가치를 사실에 투사해서 얻은 행동계획
② 사회 전체를 위한 가치의 권위적 배분의 결과
③ 주어진 목표달성을 위한 자원의 효율적·효과적 활용계획
④ 사회문제의 정의를 통한 문제의 해결방침
⑤ 목표와 수단에 대해 구속력 있는 정부기관이 내린 결정

| 05 | 정책 개념 | 난이도 ●●● |

주어진 목표달성을 위한 자원의 효율적·효과적 활용계획은 경제적 관점에서 바라본 정책 개념이다.

선지분석
① 가치를 사실에 투사해서 얻은 행동계획, ② 사회 전체를 위한 가치의 권위적 배분의 결과, ④ 사회문제의 정의를 통한 문제의 해결방침, ⑤ 목표와 수단에 대해 구속력 있는 정부기관이 내린 결정은 모두 사회문제를 해결하기 위해 가치를 권위적으로 배분하는 정치적 관점의 정책 개념에 해당한다[이스턴(D. Easton)].

답 ③

06

2013년 국가직 9급

정책 메커니즘에 대한 설명으로 옳지 않은 것은?

① 정책은 편파적으로 이익과 손해를 나누어주는 성격도 갖고 있다.
② 모든 사회문제는 정책의제화된다.
③ 정책목표와 정책수단 사이에는 인과관계가 있어야 한다.
④ 정책대안 선택의 기준들 사이에는 갈등이 있을 수 있다.

| 06 | 정책 메커니즘 | 난이도 ●○○ |

모든 사회문제가 정책의제화되는 것은 아니다. 엘리트들의 이익과 기득권에 도전해오는 주장에 대해서는 무의사결정 등에 의하여 의제채택이 기각되는 경우도 있다.

선지분석
① 모든 정책은 수익자집단과 비용부담집단으로 구별된다.
③ 수단을 집행하면 목표가 달성되는 인과관계가 있을 때, 정책이 시행된다.
④ 대안 선택 기준들 사이에는 갈등이 있을 수 있다. 예를 들면 능률성과 민주성은 보완되기도 하고 충돌되기도 한다.

답 ②

07

2011년 서울시 9급

정책문제를 올바르게 정의하기 위해서 고려해야 할 요소로 보기 어려운 것은?

① 정책목표의 설정
② 관련 요소 파악
③ 역사적 맥락 파악
④ 인과관계 파악
⑤ 가치판단

08

2022년 군무원 7급

정책과정에 관료가 우월적 위치를 차지하게 되는데 이러한 관료의 우월적 위치의 근원으로 다음 중 가장 옳지 않은 것은?

① 정치자원의 활용
② 정보의 통제
③ 사회적 신뢰
④ 전략적 지위

---

07 정책문제 정의 난이도 ●●○

정책목표의 설정은 정책문제의 정의 이후 이루어지는 단계로, 정책문제를 올바르게 정의하기 위해서 고려해야 할 요소와 무관하다. 정책문제를 파악하고 정의할 때에는 정책문제의 원인과 결과(인과관계), 특성(문제의 심각성, 피해범위) 등을 파악해야 한다.

📄 **일반적인 정책결정 과정**

정책문제의 파악과 정의 → 정책목표의 설정 → 정책대안의 탐색·개발 → 정책대안의 결과 예측 → 예측된 결과에 대한 비교·평가(미래예측 정책분석기법 포함) → 최적대안의 선택 순으로 진행된다.

답 ①

08 정책과정에서 관료의 우월적 위치의 근원 난이도 ●●○

정치적 자원은 정치인들의 전유물로, 관료들이 소유·행사할 수 없는 요소이다.

📄 **정책과정에서 관료들의 우월적 지위의 근원**

㉠ 정책에 대한 높은 전문성과 정보 보유
㉡ 국회의원들의 시간과 정보 부족: 준입법권 등 관료 권한 증대
㉢ 정책결정과 집행이 통합되는 추세: 정치행정일원론과 상향적 집행의 일반화
㉣ 관료들에 대한 광범위한 재량권 부여: 전략적 지위 보유
㉤ 국민적 신뢰: 정치인들보다 행정수요를 객관적·중립적이고 신속하게 반영

답 ①

09

2021년 군무원 9급

정책에 대한 설명으로 가장 옳지 않은 것은?

① 정책은 행정학의 발달과정에 있어 통치기능설과 관계가 있다.
② 정책은 공정성과 가치중립성(value-free)을 지향한다.
③ 정책은 행정국가화 경향의 산물이다.
④ 정책은 정부실패의 원인이 될 수 있다.

| 09 | 정책 | 난이도 ●○○ |

정책은 방향성과 미래성을 가지고, 무엇이 바람직한 상태인가 하는 가치판단에 의존하기 때문에 가치지향적인 규범성의 성격을 띤다.

답 ②

KEYWORD 027 정책의 유형

10

2018년 서울시 7급(3월 추가)

정책의 유형과 분류에 대한 설명으로 가장 옳은 것은?

① 로위(Lowi)의 정책 분류는 다원주의와 엘리트주의를 통합하려는 노력의 일환으로 볼 수 있다.
② 알몬드와 포웰(Almond & Powell)에 따르면 조세 및 부담금 등은 재분배정책으로 볼 수 있다.
③ 로위(Lowi)는 군인연금에 관한 정책을 분배정책으로 분류한다.
④ 로위(Lowi)의 정책 분류에 따라 정책에 대한 조작적 정의(operationalization)가 용이해졌다.

| 10 | 정책의 유형과 분류 | 난이도 ●●○ |

로위(Lowi)는 다원론(규제정책)과 엘리트이론(재분배정책)의 통합을 시도하였다.

(선지분석)
② 알몬드와 포웰(Almond & Powell)에 따르면 조세 및 부담금, 공무원 모집 등은 추출정책에 해당한다.
③ 로위(Lowi)는 보수나 연금에 관한 정책을 구성정책으로 분류한다.
④ 로위(Lowi)의 분류는 정책분류에서 사용한 기본 개념들의 모호함이 조작화(operationalization)를 어렵게 한다는 약점을 지닌다.

답 ①

11

2016년 지방직 7급

로위(Lowi)는 강제력의 행사방법과 강제력의 적용영역 차이에 따라 정책을 네 가지(A~D)로 유형화하고, 정책유형별 특징과 사례를 제시하였다. 이에 대한 설명으로 옳지 않은 것은?

강제력의 적용영역 강제력의 행사방법	개별적 행위	행위의 환경
간접적	A	B
직접적	C	D

① A에서는 정책 내용이 세부단위로 쉽게 구분되고 각 단위는 다른 단위와 별개로 처리될 수 있다.
② B에는 선거구 조정, 정부조직이나 기구 신설, 공직자 보수 등에 관한 정책이 포함된다.
③ C에서는 피해자와 수혜자가 명백하게 구분되며, 정책결정자와 집행자가 서로 결탁하여 갈라먹기식(log-rolling)으로 정책을 결정하는 것이 어렵다.
④ D에서는 지방적 수준에서 분산적인 정책결정이 이루어진다.

---

11 정책유형별 특징과 사례   난이도 ●●○

A는 배분정책, B는 구성정책, C는 규제정책, D는 재분배정책에 각각 해당한다. 재분배정책의 경우는 주로 복지정책으로 중앙정부 차원에서 집권적으로 결정된다. 로위(Lowi)는 강제력의 행사방법과 강제력의 적용대상을 기준으로 정책을 4가지로 나누었는데, 먼저 수직적 차원에서 강제력의 적용이 직접적(immediate)인가, 간접적(remote)인가에 따라 나누고 수평적 차원에서 강제력의 적용대상이 개인의 행위인가, 행위의 환경인가에 따라서 나누었다.

📄 **강제력의 적용영역과 행사방법에 따른 분류**

강제력의 적용영역 강제력의 행사방법	개별적 행위	행위의 환경
간접적	배분정책	구성정책
직접적	규제정책	재분배정책

답 ④

12

2019년 서울시 9급

로위(Lowi)의 정책유형 중 선거구의 조정 등 헌법상 운영규칙과 관련된 정책으로 가장 옳은 것은?

① 구성정책
② 배분정책
③ 규제정책
④ 재분배정책

---

12 로위(Lowi)의 정책유형   난이도 ●○○

제시문은 로위(Lowi)의 정책유형 중 구성정책에 해당한다. 구성정책은 정치체제·행정체제의 구성과 운영에 관련된 정책으로써 사회 전체의 이익과 정부 자체를 대상으로 하며, 정부기관 신설·선거구의 조정·공무원의 보수와 연금 등이 이에 해당한다. 로위(Lowi)는 강제력의 적용영역과 강제력의 행사방법을 기준으로 정책의 유형을 아래와 같이 구별하였다.

답 ①

13

2019년 지방직 7급

로위(Lowi)의 정책유형 분류에서 강제력이 행위의 환경에 직접적으로 적용되는 것은?

① 재분배정책(redistributive policy)
② 규제정책(regulatory policy)
③ 구성정책(constituent policy)
④ 분배정책(distributive policy)

14

2018년 서울시 9급

정책유형에 대한 설명으로 가장 옳지 않은 것은?

① 로위(Lowi)는 정책의 유형에 따라 정책의 결정 및 집행과정이 달라진다고 보았으며, 정책유형에 따라 정치적 관계가 달라질 것으로 가정하고 있다.
② 로위(Lowi)는 정책유형을 배분정책, 구성정책, 규제정책, 재분배정책으로 구분하였으며, 구분의 기준이 되는 것은 강제력의 행사방법(간접적, 직접적)과 비용의 부담주체(소수에 집중 아니면 다수에 분산)이다.
③ 로위(Lowi)의 분류 중 재분배정책의 예는 연방은행의 신용통제, 누진소득세, 사회보장제도이고, 구성정책의 예는 선거구 조정, 기관신설 등이다.
④ 리플리와 프랭클린(Ripley & Franklin)은 보호적 규제정책을 제시하는데, 이는 소수자나 사회적 약자, 그리고 일반대중을 보호하기 위해서 개인이나 집단의 권리 행사나 행동의 자유를 제한하는 정책이다.

---

13 로위(Lowi)의 정책유형   난이도 ●●○

로위(Lowi)는 강제력의 행사방법과 강제력의 적용대상을 기준으로 정책을 4가지 유형으로 나누었다. 그의 분류에 따르면 재분배정책의 경우, 강제력의 적용대상이 행위의 환경(사회전체)이면서 강제력의 적용방법이 직접적인 정책에 해당한다.

답 ①

14 정책유형   난이도 ●○○

로위(Lowi)는 강제력의 행사방법과 강제력의 적용대상을 기준으로 정책을 4가지로 나누었다. 수직적 차원에서 강제력의 적용이 직접적(immediate)인가, 간접적(remote)인가에 따라 나누고, 수평적 차원에서 강제력의 적용대상이 개인의 행위인가, 행위의 환경(사회전체)에 따라서 나누었다.

(선지분석)
① 로위(Lowi)는 정책유형에 따라 정책과정(결정 및 집행과정)이 달라진다고 보고 정책을 유형화하였다. 다만 리플리와 프랭클린(Ripley & Franklin)에 비하면, 정책집행보다는 정책결정과정이 더 중요한 영향을 받는다고 하였다.
③ 누진소득세 등 사회보장제도는 재분배정책에 해당하고, 선거구 조정 및 정부기관신설은 구성정책에 해당한다.
④ 리플리와 프랭클린(Ripley & Franklin)은 보호적 규제정책을 제시하였다. 보호적 규제정책은 소수자나 사회적 약자, 그리고 일반대중을 보호하기 위해서 개인이나 집단의 권리 행사나 행동의 자유를 제한하는 정책이다(최저임금제 등).

답 ②

15

2024년 국가직 9급

로위(Lowi)의 정책유형에 대한 설명으로 옳지 않은 것은?

① 정부 혹은 정치체제의 정통성과 정당성을 확보하고, 국민의 단결력이나 자부심을 높여 줌으로써 정부의 정책활동을 원활하게 하기 위한 정책은 구성정책에 해당한다.
② 기초생활보장 대상자에 대한 생활 보조금 지급 등과 같이 소득이전과 관련된 정책은 재분배정책에 해당한다.
③ 도로 건설, 하천·항만 사업과 같이 국민에게 공공서비스나 혜택을 제공하기 위한 정책은 분배정책에 해당한다.
④ 사회구성원이나 집단의 활동을 통제해 다른 사람이나 집단을 보호하려는 목적을 가진 정책은 규제정책에 해당한다.

16

2017년 국가직 7급(8월 시행)

리플리와 프랭클린(Ripley & Franklin)은 정책유형에 따라 집행 과정의 특징이 다르다고 주장한다. 다음과 같은 특징이 있는 정책유형은?

- 집행 과정의 안정성과 정형화의 정도가 높다.
- 집행에 대한 갈등의 정도가 낮다.
- 집행을 둘러싼 이념적 논쟁의 정도가 낮다.
- 참여자 간 관계의 안정성이 높다.
- 작은 정부에 대한 요구와 압력의 정도가 낮다.

① 분배정책
② 경쟁적 규제정책
③ 보호적 규제정책
④ 재분배정책

15	로위(Lowi)의 정책유형	난이도 ●○○

지문은 구성정책이 아닌 알몬드와 포웰(Almond & Powell)이 제시한 상징정책에 해당한다.

선지분석
② 재분배정책에 대한 옳은 설명이다.
③ 분배정책에 대한 옳은 설명이다.
④ 규제정책 중 보호적 규제정책에 대한 옳은 설명이다.

답 ①

16	정책유형	난이도 ●○○

제시문은 정책유형 중 분배정책의 특징에 해당하며, 이는 국민들에게 권리·편익·서비스를 배분하는 정책(보조금 지급 등)이다. 분배정책에서 수혜집단은 개인·집단 등으로 특정적이나, 비용부담집단은 일반국민으로 불특정하므로 집단 간의 갈등이나 대립이 미미하며, 이념적 논쟁 또한 재분배정책에 비해 미약하다. 따라서 수혜집단들 간의 갈라먹기식 정치(pork-barrel politics)나 서로 후원 및 상부상조(log-rolling)의 행태에 의해 원만한 정책과정이 진행된다.

배분정책(Distributive policy)

의미	권리·이익·서비스를 배분(급부행정)
예	SOC(도로, 학교, 항만) 건설보조금·지원금
수혜자	주로 특정인(특정 개인 및 기업)
비용부담자	불특정인(일반국민의 세금)
갈등·대립	심한 대립 없음
집행난이도	비용부담자의 저항이 없어 집행이 용이함
특징	포크배럴(Pork Barrel Politics), 로그롤링(Logrolling), 비영합게임(non zero-sum game)

답 ①

17 2022년 국가직 7급

리플리(Ripley)와 프랭클린(Franklin)의 경쟁적 규제정책에 대한 설명으로 옳지 않은 것은?

① 국가가 소유한 희소한 자원에 대해 다수의 경쟁자 중에서 지정된 소수에게만 서비스나 재화를 공급하도록 규제한다.
② 선정된 승리자에게 공급권을 부여하는 대신에 이들에게 규제적인 조치를 하여 공익을 도모할 수 있다.
③ 경쟁적 규제정책의 예로는 주파수 할당, 항공노선 허가 등이 있다.
④ 정책집행 단계에서 규제받는 자들은 규제기관에 강하게 반발하거나 저항하기도 한다.

18 2025년 국가직 9급

리플리(Ripley)와 프랭클린(Franklin)이 제시한 경쟁적 규제정책에 해당하는 것은?

① 특정 기업에게 특정 노선의 항공 운항권 부여
② 공공요금 책정
③ 최저임금제도 및 근로시간 제한
④ 환경 문제를 개선하기 위한 규제

---

17 경쟁적 규제정책   난이도 ●●○

경쟁적 규제정책의 경우 정부로부터 재화나 서비스의 독점적인 공급권을 획득하려는 소수의 집단들이 치열하게 경쟁하는 양상이 나타난다. 집행단계에서 강하게 저항하는 것이 아니다.

> **경쟁적 규제정책(competitive regulatory policy)**
> **- 규제정책 + 분배정책**
> ㉠ 다수의 경쟁자 중에서 특정한 개인이나 단체에게 일정한 재화나 서비스·권리 등을 공급할 수 있도록 하면서 공익을 위해 서비스 제공의 일정한 측면을 규제하는 정책(예 고속버스노선 허가, 방송국 설립인가, 이동통신사업자 선정, 의사면허 등)이다.
> ㉡ 지대추구행위(rent seeking)의 발생가능성이 크며, 해당 재화·용역의 희소성과 그 할당방식에 관해 일반대중의 이해관계가 얽혀 있으므로 정부개입이 필요하다.

답 ④

18 경쟁적 규제정책   난이도 ●○○

경쟁적 규제정책이란 다수의 경쟁자 중에서 특정한 개인이나 단체에게 일정한 재화나 서비스·권리 등을 공급할 수 있도록 하면서 공익을 위해 서비스 제공의 일정한 측면을 규제하는 정책(예 고속버스노선 허가, 방송국 설립인가, 이동통신사업자 선정, 의사면허 등)이다.

(선지분석)
②, ③, ④ 보호적 규제정책에 해당한다.

> **보호적 규제정책(protective regulatory policy)**
> **- 규제정책 + 재분배정책**
> ㉠ 개인이나 집단의 권리행사나 행동의 자유를 구속·통제하여 일반대중을 보호하려는 정책[식품 및 의약품의 허가, 근로기준 설정, 최저임금제, 독과점 규제 및 공정거래법, 특정요금을 싸게 받는 공공요금 정책(교차보조의 성격을 지니는 보호적 규제) 등]이다.
> ㉡ 일반적인 규제정책으로 공중에게 해로운 활동 및 조건은 금지되고 이로운 활동은 요구된다.

답 ①

19 ☐☐☐   2015년 지방직 9급

정책을 규제정책, 분배정책, 재분배정책, 추출정책으로 분류할 때, 저소득층을 위한 근로장려금제도는 어느 정책으로 분류하는 것이 타당한가?

① 규제정책
② 분배정책
③ 재분배정책
④ 추출정책

20 ☐☐☐   2015년 사회복지직 9급

다음 분배정책과 재분배정책에 대한 설명으로 옳은 것만을 모두 고른 것은?

> ㄱ. 분배정책에서는 로그롤링(log rolling)이나 포크배럴(pork barrel)과 같은 정치적 현상이 나타나기도 한다.
> ㄴ. 분배정책은 사회계급적인 접근을 기반으로 이루어지기 때문에 규제정책보다 갈등이 더 가시적이다.
> ㄷ. 재분배정책에는 누진소득세, 임대주택건설사업 등이 포함된다.
> ㄹ. 재분배정책은 자원배분에 있어서 이해당사자들 간의 연합이 분배정책에 비하여 안정적으로 이루어진다.

① ㄱ, ㄴ
② ㄱ, ㄷ
③ ㄴ, ㄷ
④ ㄷ, ㄹ

---

19   재분배정책   난이도 ●○○

저소득층을 위한 근로장려금제도 등 복지정책은 재분배정책에 해당한다. 여기서 근로장려금이란, 일은 하지만 소득이 낮아 생활이 어려운 근로자와 가족에게 장려금을 지급함으로써 근로를 장려하고 실질소득을 지원하는 '근로연계형 소득지원제도'이다.

재분배정책(Redistributive policy)	
의미	소득 이전(고소득층에서 저소득층으로)
예	누진세, 사회보장지출, 바우처, 영구임대아파트, 부(負)의 소득세 등
수혜자	특정인(저소득층)
비용부담자	특정인(고소득층)
갈등·대립	갈등과 대립이 가장 심함
집행난이도	비용부담자의 저항이 강하여 가장 집행하기 곤란함
특징	계급 대립, 이데올로기적 대립(zero-sum game)

답 ③

20   분배정책과 재분배정책   난이도 ●●○

ㄱ. 분배정책에서는 공적 재원으로 추진되는 분배정책은 포크배럴(pork barrel)과 로그롤링(log rolling) 현상이 나타나며, 정책집행 시 갈등이 거의 없다.
ㄷ. 재분배정책은 가진 자의 부를 거두어 가지지 못한 자에게 이전하는 이전정책으로, 임대주택 건설사업, 누진소득세, 실업수당 등 복지정책이 대표적인 예이다.

(선지분석)
ㄴ. 재분배정책에 대한 설명이다. 분배정책은 안정적 정책집행을 위한 루틴화(제도화)의 가능성이 높고, 갈등이나 반발이 별로 없어 가장 집행이 용이한 정책이다.
ㄹ. 재분배정책은 분배정책에 비하여 안정적 정책을 위한 루틴화의 가능성이 낮고 집행을 둘러싼 이데올로기의 논쟁 강도가 높으며, 감축을 위한 압력이나 반발이 심하여 집행이 가장 어려운 정책이다.

답 ②

21
2015년 서울시 9급

분배정책에 대한 설명으로 옳지 않은 것은?

① 이해당사자 간 제로섬(zero sum) 게임이 벌어지고 갈등이 발생될 가능성이 규제정책에 비해 상대적으로 더 크다.
② 일반적으로 포크배럴(pork barrel) 현상이 발생한다.
③ 도로, 다리의 건설, 국·공립학교를 통한 교육서비스의 제공 등이 분배정책에 해당한다.
④ 정책 과정에서 이해당사자들이 서로 협력하는 로그롤링(log rolling) 현상이 발생한다.

22
2015년 서울시 7급

정책유형의 분류에 대한 설명으로 가장 옳지 않은 것은?

① 로위(Lowi)는 정책을 강제력의 행사방법과 강제력의 적용대상에 따라 분배정책, 구성정책, 규제정책, 재분배정책으로 구분하였다.
② 분배정책은 참여자들 간의 정면대결보다는 갈라먹기식(log-rolling)에 의해 이루어지며, 이해관계보다는 이데올로기가 작용한다.
③ 구성정책은 헌정수행에 필요한 운영규칙과 관련된 정책으로 선거구의 조정, 정부의 새로운 조직이나 기구의 설립, 공직자의 보수 등에 관한 정책 등이 이에 해당된다.
④ 규제정책은 분배정책에 비해 피규제자(피해자)와 수혜자가 명백하게 구분된다.

---

21 분배정책 난이도 ●●○

이해당사자 간 제로섬(zero sum) 게임이 벌어지고 갈등이 발생될 가능성이 규제정책에 비해 상대적으로 더 큰 것은 분배정책이 아니라 재분배정책의 특성에 해당한다. 분배정책은 공적 재원으로 추진되기 때문에 제로섬 게임이 발생하지 않고 갈등이 규제정책에 비해 적으며, 집행하기가 가장 용이하다.

선지분석

②, ④ 포크배럴(pork barrel)과 로그롤링(logrolling)이 발생하는 정책은 분배정책이다.
③ SOC 건설, 보조금 지급, 국·공립학교를 통한 교육서비스의 제공은 분배정책에 해당한다.

답 ①

22 정책유형의 분류 난이도 ●○○

분배정책은 철의 삼각 등에 의하여 포크배럴(Pork Barrel)과 로그롤링(Log-rolling)이 이루어지는데, 이는 참여자들의 이해관계가 작용한 결과이다. 이해관계보다 이데올로기가 작용하는 정책은 진보와 보수 등이 대립하는 재분배정책이다.

선지분석

① 분배정책, 구성정책, 규제정책, 재분배정책은 로위(Lowi)의 분류기준으로 옳은 지문이다.
③ 구성정책은 총체적 권위배분과 관련된 헌정질서를 수립하는 정책이다. 따라서 선거구의 조정, 정부의 새로운 조직이나 기구의 설립, 공직자의 보수 등은 구성정책의 예로 옳은 지문이다.
④ 규제정책은 분배정책에 비해 비용부담집단이 명확히 대두되기 때문에 피해자와 수혜자가 명백하게 구분된다.

답 ②

23　　　　　　　　　　　　　　　　2014년 국가직 7급

다음 중 정책유형과 사례를 바르게 연결한 것만을 모두 고른 것은?

```
ㄱ. 추출정책 - 부실기업 구조조정
ㄴ. 상징정책 - 노령연금제도
ㄷ. 규제정책 - 최저임금제도
ㄹ. 구성정책 - 정부조직 개편
ㅁ. 분배정책 - 신공항 건설
ㅂ. 재분배정책 - 지방자치단체에 지원되는 국고보조금
```

① ㄱ, ㄴ, ㅁ
② ㄱ, ㄹ, ㅂ
③ ㄴ, ㄷ, ㅂ
④ ㄷ, ㄹ, ㅁ

24　　　　　　　　　　　　　　　　2013년 지방직 9급

정책유형과 그 사례를 바르게 연결한 것은?

① 분배정책(distribution policy) - 사회간접자본의 구축, 환경오염방지를 위한 기업 규제
② 경쟁적 규제정책(competitive regulatory policy) - TV·라디오 방송권 부여, 국·공립학교를 통한 교육서비스
③ 보호적 규제정책(protective regulatory policy) - 작업장 안전을 위한 기업 규제, 국민건강보호를 위한 식품위생 규제
④ 재분배정책(redistribution policy) - 누진세를 통한 사회보장 지출 확대, 항공노선 취항권의 부여

| 23 | 정책유형과 사례 | 난이도 ●○○ |

ㄷ. 최저임금제도는 근로자를 보호하려는 사회적 규제이다.
ㄹ. 정부조직 신설·개편 및 선거구역 획정 등은 구성정책이다.
ㅁ. 공항, 항만, 도로, 교량 등 사회간접자본(SOC)은 모두 분배정책이다.

(선지분석)
ㄱ. 부실기업 구조조정은 강제퇴출로 규제정책의 일종이다.
ㄴ. 노령연금제도에 대해서는 사회적 약자에 대한 재분배정책으로 보는 견해와 노인집단에 주는 분배정책으로 보는 견해가 있다.
ㅂ. 지방자치단체나 기업에 대한 보조금, 지원금 등도 모두 분배정책이다.

답 ④

| 24 | 정책유형과 사례 | 난이도 ●○○ |

보호적 규제정책이란 사적 행위에 제약을 가하는 조건을 설정함으로써 일반공중을 보호하려는 정책으로, 작업장 안전을 위한 기업 규제, 국민건강보호를 위한 식품위생 규제 등이 이에 해당한다.

(선지분석)
① 사회간접자본의 구축은 분배정책이나, 환경오염방지를 위한 기업 규제는 규제정책이다.
② 국·공립학교를 통한 교육서비스는 분배정책이다.
④ 항공노선 취항권의 부여는 경쟁적 규제정책이다.

보호적 규제정책과 경쟁적 규제정책 비교

보호적 규제정책	규제정책 + 재분배정책
	개인이나 집단의 권리행사나 행동의 자유를 구속·통제하여 일반대중을 보호하려는 정책
경쟁적 규제정책	규제정책 + 분배정책
	다수의 경쟁자 중에서 특정 개인이나 단체에게 일정한 재화나 서비스·권리 등을 공급할 수 있도록 하면서 공익을 위해 서비스 제공의 일정한 측면을 규제하는 정책

답 ③

25

2019년 지방직 9급

로위(Lowi)가 제시한 구성정책의 사례로 옳지 않은 것은?

① 공직자 보수에 관한 정책
② 선거구 조정 정책
③ 정부기관이나 기구 신설에 관한 정책
④ 국유지 불하 정책

26

2020년 국가직 7급

로위(Lowi)의 정책 유형에 대한 설명 중 분배정책에 해당하는 것만을 모두 고르면?

> ㄱ. 정책 과정에서 이해당사자들 간의 협상을 통해 비교적 안정적인 연합을 형성한다.
> ㄴ. 누진소득세와 같이 이데올로기적인 기반에서 정책결정이 이루어진다.
> ㄷ. 로그롤링(log-rolling)이나 포크배럴(pork-barrel)과 같은 정치적 현상이 나타난다.
> ㄹ. 집단 사이의 갈등 수준이 상당히 높은 편이며, 개인이나 집단의 행위를 통제하기 위하여 정부의 강제력이 직접적으로 동원된다.

① ㄱ, ㄴ
② ㄱ, ㄷ
③ ㄴ, ㄷ
④ ㄷ, ㄹ

| 25 | 구성정책의 사례 | 난이도 ●○○ |

국유지의 불하 정책은 구성정책이 아니라 국민들에게 서비스나 기회, 이득을 나눠주는 배분정책의 한 예로써, SOC 건설, 보조금 지급, 국공립 교육서비스, 신공항건설 등 또한 이에 해당한다.

(선지분석)
① 공직자 보수에 관한 정책, ② 선거구 조정 정책, ③ 정부기관이나 기구 신설에 관한 정책은 구성정책이다. 즉, 구성정책은 선거구 조정, 정부 기관 신설, 공무원 보수와 연금에 관한 정책을 일컫는다.

답 ④

| 26 | 로위(Lowi)의 정책유형 | 난이도 ●●○ |

로위(Lowi)는 정책유형의 독립변수성을 강조하여 정책유형과 정책과정이 연계되어 있음을 주장하였으며, 강제력의 행사방법과 강제력의 적용영역 차이에 따라 정책을 네 가지로 분류하였다.
ㄱ. 분배정책은 포크배럴(pork-barrel) 또는 로그롤링(log-rolling)으로 나눠먹기식 정치가 나타나므로, 이해당사들 간에 안정적인 정치적 연합이 이루어진다.
ㄷ. 포크배럴(pork-barrel) 또는 로그롤링(log-rolling)과 같은 정치·경제적 특성은 분배정책에서 나타난다.

(선지분석)
ㄴ. 재분배정책에 대한 설명이다. 재분배정책은 누진소득세 등 이데올로기 논쟁이 발생한다.
ㄹ. 정부의 강제력이 직접적으로 동원되는 것은 규제정책과 재분배정책이고 강제력이 간접적으로 동원되는 것은 분배정책과 구성정책이다.

답 ②

27

2021년 국가직 9급

로위(Lowi)의 정책유형과 그에 대한 설명으로 옳은 것만을 모두 고르면?

> ㄱ. 규제정책은 특정 개인이나 집단에 대한 선택의 자유를 제한하는 유형의 정책으로 강제력이 특징이다.
> ㄴ. 분배정책의 사례에는 FTA협정에 따른 농민피해 지원, 중소기업을 위한 정책자금지원, 사회보장 및 의료보장 정책 등이 있다.
> ㄷ. 재분배정책은 고소득층으로부터 저소득층으로 소득이 전을 목적으로 하기 때문에 계급대립적 성격을 지닌다.
> ㄹ. 재분배정책의 사례로는 저소득층을 위한 근로장려금 제도, 영세민을 위한 임대주택 건설, 대덕 연구개발특구 지원 등이 있다.
> ㅁ. 구성정책은 정부기관의 신설과 선거구 조정 등과 같이 정부기구의 구성 및 조정과 관련된 정책이다.

① ㄱ, ㄴ, ㄷ
② ㄱ, ㄷ, ㅁ
③ ㄴ, ㄹ, ㅁ
④ ㄷ, ㄹ, ㅁ

28

2022년 국가직 9급

정책의 유형 중에서 정책목표에 의해 일반 국민에게 인적·물적 자원을 부담시키는 정책은?

① 추출정책
② 구성정책
③ 분배정책
④ 상징정책

---

27 로위(Lowi)의 정책유형   난이도 ●●○

로위(Lowi)의 정책유형에 대한 설명으로 옳은 것은 ㄱ, ㄷ, ㅁ이다.
ㄱ. 규제정책은 강제력이 개별행위에 직접적으로 미치는 정책이다.
ㄷ. 재분배정책은 계급투쟁과 이념투쟁이 발생한다.
ㅁ. 로위(Lowi)의 구성정책에 해당하는 옳은 설명이다.

(선지분석)
ㄴ. 정책자금지원은 보조금적 성격으로 보면 배분정책적 관점도 있고, 중소기업에 초점을 두면 재분배정책적 성격도 일부가 있다. 그러나 사회보장정책 등은 명확히 재분배정책이므로 옳지 않은 지문이다.
ㄹ. 저소득층 근로장려금, 영세민 임대주택 등은 재분배정책이지만 대덕연구특구 지원 등은 분배정책에 해당한다.

답 ②

28 알몬드와 포웰(Almond & Powell)의 추출정책   난이도 ●○○

일반국민으로부터 인적·물적 자원을 동원·부담시키는 정책은 알몬드와 포웰(Almond & Powell)의 분류 중 추출정책에 해당한다.

(선지분석)
② 구성정책은 정부기관의 신설이나 변경, 선거구 조정, 공무원의 보수와 연금, 행정구역개편 등과 관련된 정책이다.
③ 분배정책은 국민들에게 권리·편익·서비스를 배분하는 정책 (보조금 지급 등)이다.
④ 상징정책은 정치체제의 정당성·정통성을 높이거나 정책순응의 확보, 국민적 일체감과 사회통합을 유도하는 정책이다.

답 ①

29

2023년 지방직 9급

로위(Lowi)의 정책유형과 리플리와 프랭클린(Ripley & Franklin)의 정책유형에는 없지만, 앨먼드와 파월(Almond & Powell)의 정책유형에는 있는 것은?

① 상징정책
② 재분배정책
③ 규제정책
④ 분배정책

---

29 정책유형 난이도 ●○○

상징정책은 알몬드와 파월(Almond & Powell)만이 제시한 정책유형이다. 알몬드와 파월(Almond & Powell)은 정책을 상징정책, 추출정책, 분배정책, 재분배정책으로 구분하였다.

답 ①

30

2025년 국가직 7급

다음 설명 (가), (나)와 유형 A ~ D를 바르게 연결한 것은?

- (가) 샐리스버리(R. Salisbury): 요구패턴(demand pattern)은 통합적이고, 결정체제(decisional system)는 분산적인 정책유형
- (나) 윌슨(J. Wilson): 비용은 다수에 분산되고, 편익은 소수에 집중되는 유형

| A. 자율규제 정책 | B. 재분배정책 |
| C. 기업가적 정치 | D. 고객지향 정치 |

	(가)	(나)
①	A	C
②	A	D
③	B	C
④	B	D

---

30 정책유형 난이도 ●●●

(가)는 R. Salisbury가 주장한 자율규제정책, (나)는 J. Wilson이 주장한 고객정치에 각각 해당한다.

R. Salisbury의 분류

구분		수요자의 요구 패턴	
		통합	분산
공급자의 결정 패턴	통합	재분배정책 (정치적 재량)	규제정책 (기획적 재량)
	분산	자율규제정책 (전문적 재량)	배분정책 (기술적 재량)

답 ②

KEYWORD 028 정책네트워크

31 □□□
2018년 서울시 7급(3월 추가)

로즈(Rhodes) 등을 중심으로 논의된 정책네트워크모형의 특징으로 가장 옳지 않은 것은?

① 정책공동체는 비교적 폐쇄적이고 안정적이며 지속적인 네트워크이다.
② 이슈네트워크의 행위자는 매우 유동적이고 불안정하며, 이슈의 성격에 따라 주요 행위자가 수시로 변할 수 있다.
③ 정책네트워크를 구성하는 행위자들 간의 관계 형성 동기는 소유 자원의 상호의존성에 기인한다.
④ 정책네트워크를 통한 정책산출은 처음 의도한 정책내용과 유사하며, 정책산출에 대한 예측이 용이하다.

32 □□□
2017년 지방직 9급(12월 추가)

정책네트워크에 대한 설명으로 옳은 것은?

① 정책공동체(policy community)의 참여자는 하위정부(sub-government)에 비해 제한적이다.
② 정책공동체(policy community)는 일시적이고 느슨한 형태의 집합체다.
③ 이슈네트워크(issue network)에서는 비교적 소수의 엘리트들이 협력하여 특정한 영역의 정책결정을 지배한다.
④ 하위정부(subgovernment)의 주된 참여자는 정부관료, 선출직 의원, 이익집단이다.

| 31 | 정책네트워크모형의 특징 | 난이도 ●●● |

정책네트워크는 정책산출에 대한 예측이 용이하지 않다는 점을 강조하고 있다. 그 이유는 정책과정이 동태적이고 복잡할 뿐만 아니라 정책산출과정 속 각종 이해관계자나 참여자들 간 상호작용에 의하여 처음 의도했던 정책내용과 달라질 수 있기 때문이다. 이슈네트워크 또한 정책산출 예측이 곤란하지만, 정책공동체는 이슈네트워크보다 비교적 예측이 용이하다.

(선지분석)
① 정책공동체는 이슈네트워크에 비해 안정적이고 지속적이다.
② 이슈네트워크의 참여자는 불안정하고 지속성이 없는 유동성을 가진다.
③ 정책네트워크는 행위자들이 가지는 자원을 기반으로 한 상호의존성을 가진다.

답 ④

| 32 | 정책네트워크 | 난이도 ●●○ |

하위정부 또는 철의 삼각은 관료, 의회 상임위원회, 이익집단 간 삼자연합에 의하여 정책결정이 이루어진다고 본다.

(선지분석)
① 조직 내외의 전문가가 참여하는 정책공동체보다 하위정부(철의 삼각)의 참여자가 더 제한적이다.
② 일시적이고 느슨한 형태의 집합은 이슈공동체에 해당하는 설명이다.
③ 이슈네트워크는 다양한 이해관계자들이 광범위하게 참여하는 개방적이고 일시적인 네트워크이다.

답 ④

33 ☐☐☐ 2024년 국가직 9급

정책과정에서 철의 삼각(iron triangle)에 해당하지 않는 것은?

① 의회 상임위원회
② 행정부 관료
③ 이익집단
④ 법원

34 ☐☐☐ 2015년 서울시 9급

다음 이론에 대한 설명 중 옳은 것만을 모두 고르면?

> ㄱ. 이익집단론은 정치체제가 잠재이익집단과 중복회원 때문에 특수이익에 치우치지 않는다고 주장한다.
> ㄴ. 신다원주의론은 자본주의 국가에서는 기업가 집단의 특권적 지위가 현실의 정책 과정에서 나타난다고 본다.
> ㄷ. 하위정부론은 정책분야별로 이익집단, 정당, 해당 관료조직으로 구성된 실질적 정책결정권을 공유하는 네트워크가 존재한다고 주장한다.

① ㄱ
② ㄱ, ㄴ
③ ㄴ, ㄷ
④ ㄱ, ㄴ, ㄷ

| 33 | 철의 삼각 | 난이도 ●○○ |

철의 삼각(하위 정부)이란 의회 상임위원회, 관료, 이익집단으로 구성된 정책네트워크모형이다.

(선지분석)
①, ②, ③ 모두 철의 삼각의 구성요소에 해당한다.

답 ④

| 34 | 정책네트워크이론 | 난이도 ●○○ |

ㄱ. 이익집단론(다원론)의 논거는 잠재이익집단론과 중복회원론이다.
ㄴ. 신다원주의론은 기업의 특권적 지위와 정부의 능동적 역할을 인정하는 이론이다.

(선지분석)
ㄷ. 하위정부론(철의 삼각)은 이익집단, 의회 상임위원회, 해당 관료조직으로 구성된 실질적 정책결정권을 공유하는 네트워크가 존재한다고 주장한다.

답 ②

35 □□□ 2016년 국가직 9급

정책커뮤니티와 이슈네트워크를 비교한 것으로 옳지 않은 것은?

① 네트워크 내 자원배분과 관련하여 정책커뮤니티는 근본적인 관계가 교환관계이고 모든 참여자가 자원을 보유하고 있으나, 이슈네트워크는 근본적인 관계가 제한적 합의이고 어떤 참여자는 자원보유가 한정적이다.
② 참여자 수와 관련하여 정책커뮤니티는 극히 제한적이며 의식적으로 일부 집단의 참여를 배제하기도 하나, 이슈네트워크는 개방적이며 다양한 행위자들이 참여한다.
③ 이익의 종류와 관련하여 정책커뮤니티는 경제적 또는 전문직업적 이익이 지배적이나, 이슈네트워크는 관련된 모든 이익이 망라된다.
④ 합의와 관련하여 정책커뮤니티는 어느 정도의 합의는 있으나 항상 갈등이 있고, 이슈네트워크는 모든 참여자가 기본적인 가치관을 공유하며 성과의 정통성을 수용한다.

36 □□□ 2013년 서울시 7급

정책결정 참여자로서의 관료의 역할에 대한 설명으로 옳지 않은 것은?

① 조합주의는 관료의 적극적 역할을 옹호한다.
② 엘리트주의에서는 관료의 적극적 역할보다는 지배계층의 역할에 주목한다.
③ 철의 삼각에서 관료는 특수 이익집단의 이익에 종속되는 경향이 있다.
④ 다원주의에서는 외부집단이나 지배계층보다 관료의 역할을 더욱 중요시한다.
⑤ 이슈네트워크에서는 이슈에 따라 관료가 방관자가 되거나 주도적 역할을 하기도 한다.

---

35 정책커뮤니티와 이슈네트워크 난이도 ●●○

합의와 관련하여 이슈네트워크는 어느 정도의 합의는 있으나 항상 갈등이 있고, 정책커뮤니티는 모든 참여자가 기본적인 가치관을 공유하며 성과의 정통성을 수용한다.

📄 정책공동체와 이슈네트워크의 비교

구분	정책공동체	이슈네트워크
참여자	정부영역과 민간영역의 전문가 집단	다수의 개인 및 관련집단 참여
외부참여	비교적 제한적	제한 없음
참여자들 간의 관계	공동체 내의 문제해결에는 동의, 그 방안에 대해서는 갈등	쟁점만 공유 (서로 알고 있다는 가정 ×)
경계	완화	경계 불분명, 자유로운 진입과 퇴장
지속성	보통	낮음(유동적)
행위자 간의 관계	의존적, 협력적 (positive-sum game)	경쟁적, 갈등적 (negative-sum game)

답 ④

36 관료의 역할 난이도 ●●○

다원주의에서는 지배계층이나 관료의 역할보다는 이익집단 등 외부집단의 역할이 중요하다.

선지분석
① 조합주의는 국가의 자율성을 강조하기 때문에 관료의 적극적 역할을 옹호한다.
② 엘리트주의는 국가의 자율성을 인정하지 않기 때문에 관료도 소극적 역할을 담당하는 대신 엘리트가 적극적 역할을 담당한다.
③ 철의 삼각에서 관료는 3자 중 하나인 이익집단의 이익에 종속되어지는 경향이 있다.
⑤ 이슈네트워크에서 관료는 이슈에 따라 소극적·적극적 역할을 수행한다.

답 ④

37
2012년 지방직 9급

정책네트워크의 유형 중 하위정부(sub-government)모형에 대한 설명으로 옳지 않은 것은?

① 상대적으로 자율성과 안정성이 높다.
② 폐쇄적 관계를 강조하고 다른 이익집단의 참여를 배제한다.
③ 행정수반의 관심이 약하거나 영향력이 적은 재분배정책 분야에서 주로 형성된다.
④ 헤클로(Heclo)는 이익집단이 늘어나고 다원화됨에 따라 적용의 한계가 있다고 지적한다.

38
2012년 국가직 7급

'정책네트워크(policy network)'에 대한 설명으로 옳지 않은 것은?

① 참여자 간 교호작용 속에서 형성되는 연계가 중요하고, 참여자와 비참여자를 구분하는 경계가 없다.
② 정책형성뿐만 아니라 정책집행까지 설명하는 유용한 도구이다.
③ 정책네트워크유형에는 하위정부, 정책공동체, 정책문제망 등이 있다.
④ 행위자들 사이에 나타나는 상호작용의 패턴을 찾아내는 데 사용된다.

| 37 | 하위정부모형 | 난이도 ●○○ |

하위정부모형은 국민과 대통령의 관심이 낮은 분배정책의 분야에서 주로 형성되며, 소수의 공식 엘리트와 영향력 있는 특정 이익집단 간 제한된 참여 속에서 안정적 관계를 형성하며, 해당 정책과정을 지배한다고 주장한다.

(선지분석)
① 하위정부모형은 정책네트워크 중 자율성과 안정성이 가장 높다.
② 다른 집단의 참여를 인정하지 않는다.
④ 이익집단의 수가 증가한 현대 정책과정을 설명하는 데에는 한계가 있다는 비판을 받는다.

답 ③

| 38 | 정책네트워크 | 난이도 ●●○ |

정책네트워크는 참여자와 비참여자를 구분하는 경계가 존재하며, 이슈네트워크도 특정 경계가 없는 것일 뿐 경계는 존재한다.

(선지분석)
② 정책네트워크는 복잡하고 동태적인 정책과정 전(全) 단계를 설명하는 유용한 도구이다.
③ 정책네트워크의 유형으로는 하위정부, 정책공동체, 이슈네트워크(=정책문제망)가 있다.
④ 행위자 간의 관계의 안정성과 지속성을 중심으로 설명한다.

답 ①

39

2012년 국가직 9급

정책네트워크이론(모형)에 대한 설명으로 옳지 않은 것은?

① 정책네트워크이론의 대두배경은 정책결정의 부분화와 전문화 추세를 반영한다.
② 철의 삼각(iron triangle)모형은 소수 엘리트 행위자들이 특정 정책의 결정을 지배한다는 점을 강조한다.
③ 이슈네트워크(issue network)모형은 쟁점을 둘러싼 정책 참여자들 간의 상호작용을 중시한다.
④ 정책과정에 대한 국가중심 접근방법과 사회중심 접근방법이라는 이분법적 논리를 극복하지 못하고 있다.

40

2019년 국가직 9급

정책네트워크에 대한 설명으로 옳지 않은 것은?

① 정책네트워크의 참여자는 정부뿐만 아니라 민간부문까지 포함한다.
② 정책공동체(policy community)에 비해서 이슈네트워크(issue network)는 제한된 행위자들이 정책과정에 참여하며 경계의 개방성이 낮은 특성이 있다.
③ 헤클로(Heclo)는 하위정부모형을 비판적으로 검토하면서 정책이슈를 중심으로 유동적이며 개방적인 참여자들 간의 상호작용 현상을 묘사하기 위한 대안적 모형을 제안하였다.
④ 하위정부(sub-government)는 선출직 의원, 정부관료, 그리고 이익집단의 역할에 초점을 맞춘다.

| 39 | 정책네트워크이론(모형) | 난이도 ●○○ |

정책네트워크모형은 공적 부문과 사적 부문 간 경계가 불분명해지고 있으며, 다양한 공식·비공식 참여자들 간의 상호작용과 관계를 중심으로 정책과정을 분석하므로 국가와 사회의 이분법을 극복하고 있다.

(선지분석)
① 정책환경이 복잡해지고 정책과정이 부분화·전문화됨에 따라, 다양한 행위자들의 상호의존성이 높아졌기 때문에 정책네트워크가 대두되었다.
② 철의 삼각은 3자(의회 해당상임위, 관료, 이익집단)가 정책결정을 지배한다고 본다.
③ 이슈네트워크는 특정 이슈를 중심으로 네트워크가 형성된다.

답 ④

| 40 | 정책네트워크 | 난이도 ●○○ |

정책공동체(policy community)는 조직 내외 전문가들만이 참여할 수 있으므로, 이슈네트워크(issue network)에 비해서 제한된 행위자들이 정책과정에 참여하며 경계의 개방성이 낮은 특성이 있다.

(선지분석)
① 정책네트워크의 참여자는 정부영역과 민간영역을 포함한다.
③ 헤클로(Heclo)는 이익집단의 수가 증가하고 다원화됨에 따라 하위정부식 정책결정이 거의 불가능해졌다고 주장하면서 특정 이슈를 중심으로 이해관계나 전문성을 갖는 개인 및 조직으로 구성되는 네트워크를 제시하였다.
④ 하위정부모형은 관료, 의회 상임위원, 이익집단으로 구성된 안정적 정책망에 해당된다.

답 ②

41 □□□ 2023년 국가직 7급

정책네트워크의 개념과 유형에 대한 설명으로 옳지 않은 것은?

① 수많은 공식·비공식적 참여자가 존재하는 정책네트워크는 정책과정의 참여자들 간 상호작용을 구조적인 차원으로 설명하는 틀이다.
② 정책네트워크의 경계는 구조적인 틀에 따라 달라지는 상호인지의 과정에 의하기보다는 공식기관들에 의해 결정된다.
③ 하위정부모형은 이익집단, 의회의 상임위원회, 주요 행정부처로 구성되는 네트워크를 말하며, 안정성이 높은 것이 특징이다.
④ 정책공동체모형은 하위정부모형에 대한 대안으로 대두되었으나 전문화된 정책영역에서 정책결정이 이루어진다는 측면에서 서로 유사한 점이 있다.

42 □□□ 2024년 군무원 7급

다음 중 정책네트워크에 대한 내용으로 적절한 것을 모두 고른 것은?

> ㄱ. 정책네트워크는 분산적 정치체제를 전제로 한다.
> ㄴ. 하위정부모형에서는 경계가 모호하며 개방성이 높다고 본다.
> ㄷ. 이슈네트워크모형에서는 참여자 간의 안정성이 높다고 본다.
> ㄹ. 정책공동체모형에서는 참여자 간의 권력이 균형을 이루지 못하고 있다고 본다.

① ㄱ
② ㄱ, ㄴ
③ ㄱ, ㄷ, ㄹ
④ ㄱ, ㄴ, ㄷ, ㄹ

---

41 정책네트워크 난이도 ●●●

정책네트워크모형은 다양한 행위자들의 동태적인 상호작용을 통해 결정된다고 본다. 따라서 정책네트워크의 경계도 공식기관들에 의해서 결정된다기보다 다양한 행위자들의 동태적인 상호작용패턴이나 상호인지과정을 통해 다양한 형태로 결정되어진다고 가정한다.

(선지분석)
① 정책네트워크는 복잡한 정치·경제·기술적 특징과 자원의 상호의존성이 내포된 정책문제를 대상으로 다수의 공·사부문의 행위자가 참여하고 연결되어 있는 조직의 복합체이다.
③ 하위정부모형은 소수의 공식엘리트와 영향력 있는 특정 이익집단 간 제한된 참여 속에서 안정적 관계를 형성하며 해당 정책과정을 지배한다(관료, 의회 상임위원, 이익집단). 즉, 소수행위자로 구성된 안정적 정책망에 해당된다.
④ 하위정부모형대안의 하나로서 제시된 정책공동체모형에서도 특정 정책분야에 대해 전문지식이 있는 사람들(대학교수, 연구원, 공무원, 기자, 국회의원 등)이 공식적·비공식적으로 접촉하면서 형성된 하나의 공동체라는 점은 하위정부모형과 유사하다.

답 ②

42 정책네트워크 난이도 ●●○

ㄱ. 정책네트워크는 정책과정에 참여하는 행동주체들 사이의 연계작용에 관심을 가지며 여러 하위체제들로 구성된 분산적·분권적 정치체제를 전제로 한다.

(선지분석)
ㄴ. 하위정부모형은 행위자들의 관계가 안정적·폐쇄적이다.
ㄷ. 이슈네트워크모형에서 행위자들은 유동적이고 불안정적인 관계를 가진다.
ㄹ. 정책공동체모형에서는 참여자 간의 균등한 권력을 보유하고 있다고 본다.

답 ①

43

2020년 지방직 7급

정책네트워크의 유형별 특징에 대한 설명으로 옳지 않은 것은?

① 철의 삼각(iron triangle)모형에서는 이익집단, 관련 행정부처(관료조직), 그리고 의회 위원회가 연합하여 실질적인 정책결정이 이루어진다고 본다.
② 하위정부(subgovernment)모형은 철의 삼각모형의 경험적 타당성에 대해 의문을 제기하면서 참여자의 범위를 대폭 확대하였다.
③ 정책공동체(policy community)의 주요 구성원에는 하위정부모형의 참여자 외에 전문가집단이 포함된다.
④ 이슈네트워크(issue network)는 정책공동체와 비교할 때 네트워크의 경계가 불분명하여 참여자들의 진입과 퇴장이 쉬운 편이다.

44

2024년 군무원 9급

다음 중 정책네트워크의 유형에 대한 설명으로 가장 적절하지 않은 것은?

① 정책공동체는 대체로 제로섬게임(zero-sum game)의 성격을 띠지만, 정책문제망은 상대적으로 공동의 이익을 추구하는 포지티브섬게임(positive-sum game)이다.
② 정책문제망은 주로 특정한 정책 문제별로 형성되며 그 경계는 모호하고 개방성이 높은 편이다.
③ 정책공동체는 주로 정책 분야별로 형성되며 그 참여자의 범위가 하위정부의 경우보다 비교적 넓은 편이다.
④ 하위정부모형에서 '철의 3각 동맹관계'는 주로 정책 분야별로 형성되며 그들 간에 상호 활발한 교류를 한다.

---

43 정책네트워크 난이도 ●○○

하위정부모형은 철의 삼각모형과 동일한 개념이다. 하위정부모형이란 관료, 의회의 상임위원회, 이익집단이 상호이해관계를 공유하면서 정책영역별로 영향을 미치는 정책네트워크이다. 미국에서 이익집단의 수가 증가하여 다원화됨에 따라 하위정부식 정책결정이 거의 불가능해졌다고 주장하면서 대두된 것이 이슈네트워크이다.

(선지분석)
① 철의 삼각의 3자로서 옳은 지문이다.
③ 정책공동체는 하위정부모형의 참여자 외에 전문가집단이 포함된다. 정책공동체는 특정한 정책분야의 전문가로 구성된 일종의 공동체이다.
④ 이슈네트워크는 정책공동체에 비해 참여자들의 진입 및 퇴장이 비교적 자유롭게 이루어진다.

답 ②

44 정책네트워크의 유형 난이도 ●○○

정책공동체가 의존적, 협력적(positive-sum game, non-zero-sum) 게임을 하고, 정책문제망(이슈네트워크)이 경쟁적, 갈등적(negative-sum game, zero-sum) 게임을 한다.

(선지분석)
② 정책문제망은 참여자 간의 경계 불분명하며 자유로운 진입과 퇴장이 가능하다.
③ 정책공동체는 조직내외의 전문가들이 참여하므로 하위정부보다 참여자의 범위가 넓다.
④ 하위정부모형은 소수의 공식엘리트와 영향력 있는 특정 이익집단 간 제한된 참여 속에서 안정적 관계를 형성하며 해당 정책과정을 지배한다(관료, 의회 상임위원, 이익집단). 3자 간의 교류는 활발하다.

답 ①

KEYWORD 029 정책결정요인론

45　□□□
2014년 국가직 9급

정책결정요인론 중 도슨과 로빈슨(R. Dawson & J. Robinson)이 주장한 '경제적 자원모형'의 내용으로 옳지 않은 것은?

① 소득, 인구 등의 사회·경제적 요인이 정책 내용을 결정한다.
② 정치적 변수는 정책에 단독으로 영향을 미치지 못한다.
③ 정치체제는 환경변수와 정책내용 간의 매개변수가 아니다.
④ 사회경제적 변수, 정치체제, 정책은 순차적 관계에 있다.

46　□□□
2022년 군무원 9급

정책결정요인론에 대한 비판으로 가장 옳지 않은 것은?

① 정치체제가 환경에 미치는 영향을 고려하지 않는다.
② 정치체제의 매개·경로적 역할을 고려하지 않는다.
③ 정치체제가 지니는 정량적 변수를 포함하지 않는다.
④ 정치체제가 정책에 미치는 영향을 과소평가 한다.

45　경제적 자원모형　난이도 ●●●

도슨과 로빈슨[R. Dawson & J. Robinson(1963)]은 사회·경제적 변수(환경)가 정책에 대한 높은 설명력을 제공한다는 경제학자들의 연구결과와 환경이 정치체제에 영향을 미치고 또 정치체제의 특성이 정책에 영향을 미친다는 정치학자들의 연구결과로부터 정치체제와 사회경제적 변수를 모두 포함하는 새로운 이론의 구성을 시도하였다. 이들은 체제이론이 가정하였던 사회·경제적 변수, 정치체제, 정책 간의 순차적 관계를 부정하고 사회·경제적 변수가 정치체제와 정책 모두에 대하여 영향을 미치고 이것이 정치체제와 정책의 상관관계를 초래하였다고 주장하였다. 결국 정치체제와 정책의 관계는 허위의 상관관계라는 것이다.

(선지분석)
① 정치적 변수가 아닌 정책에 영향을 미치지 못한다(허위관계모형).
② 정치적 변수는 정책에 단독으로 영향을 미치는 독립변수가 아니다.
③ 체제이론이 가정하였던 사회·경제적 변수 → 정치체제 → 정책 간의 순차적 관계를 부정하므로 정치체제가 매개변수도 아니다.

답 ④

46　정책결정요인론　난이도 ●○○

정치적 요인은 권력구조·지도자의 리더십 등 중요한 변수라도 계량화가 곤란한 것은 제외되고, 정당 간 경쟁·참여 등 주로 계량화가 용이한 정치적 변수만을 선정하여 분석하였으므로 정치적 요인은 과소평가되었다.

(선지분석)
①, ② 도슨(Dowson)-로빈슨(Robinson)의 경제적 자원모형(1963)은 정치체제의 독자적인 영향력을 부정하고, 사회경제적 변수의 단순한 전달역할에 불과하다고 보았다.
④ 계량화가 용이한 정치적 변수만을 선정하여 분석하였으므로 정치적 요인은 과소평가되었다.

답 ③

47 ☐☐☐ 2022년 국가직 7급

정책결정요인론에 대한 설명으로 옳은 것은?

① 정책의 내용에 영향을 미치는 요인이 무엇인가를 밝히는 이론으로, 사회경제적 요인의 중요성을 과소평가했다는 비판을 받고 있다.
② 도슨-로빈슨(Dawson-Robinson) 모형은 사회경제적 변수가 정치체제와 정책 모두에 영향을 미친다는 모형으로, 사회경제적 변수로 인해 정치체제와 정책의 상관관계가 유발된다고 설명한다.
③ 키-로커트(Key-Lockard) 모형은 사회경제적 변수가 정책에 직접적으로 영향을 미친다는 모형으로, 예를 들면 경제발전이 복지지출 수준에 직접 영향을 준다고 본다.
④ 루이스-벡(Lewis-Beck) 모형은 사회경제적 변수가 정책에 영향을 주는 직접효과가 있고, 정치체제가 정책에 독립적 영향을 주지 않는다고 설명한다.

| 47 | 정책결정요인론 | 난이도 ●●● |

도슨(Dowson)-로빈슨(Robinson)의 경제적 자원모형(1963)은 ⓐ 정치체제의 독자적인 영향력을 부정하고, ⓑ 사회경제적 변수의 단순한 전달역할에 불과하다고 보았다.

선지분석
① 정치적 요인은 권력구조·지도자의 리더십 등 중요한 변수라도 계량화가 곤란한 것은 제외되고, 정당 간 경쟁·참여 등 주로 계량화가 용이한 정치적 변수만을 선정하여 분석하였으므로, 정치적 요인은 과소평가되었다. 반면, 사회·경제적 환경변수는 계량화가 용이하기 때문에 정책에 미치는 영향이 과대평가되었다.
③ 1940년대에 진행된 키(Key), 로카드(Lockard), 펜턴(Fenton) 등의 초기 연구에 따르면 ⓐ 정치적 요인만이 정책에 영향을 미치고, ⓑ 사회경제적 요인은 정치적 요인을 매개로 간접적인 영향을 미친다.
④ 루이스-벡(Lewis-Beck) 모형에서는 사회경제적 변수뿐 아니라, 정치적 변수도 분야별 정부지출에 독립적인 영향을 미치는 것을 통계적으로 분석하였다.

답 ②

CHAPTER 2 정책의제설정론

KEYWORD 030 정책의제설정의 이론적 근거

01 ☐☐☐
2017년 지방직 9급(12월 추가)

정책과정을 설명하는 이론의 내용으로 옳은 것은?

① 현대 엘리트이론은 국가가 소수의 지배자와 다수의 피지배자로 구분되기 어렵다고 본다.
② 공공선택론은 사적 이익보다는 집단 이익을 위한 합리적 선택에 초점을 둔다.
③ 다원주의이론은 정부정책을 다양한 행위자들 간의 협상과 경쟁의 결과로 본다.
④ 조합주의이론은 정책과정에서 국가의 역할이 소극적·제한적이라고 본다.

| 01 | 정책과정 관련 이론 | 난이도 ●○○ |

다원주의이론은 다양한 집단 행위자들 간의 투쟁을 통한 협상, 합의의 결과를 정책으로 본다.

선지분석
① 엘리트이론은 국가는 권력을 가진 소수 지배자(엘리트)와 권력을 가지지 못한 다수의 피지배자(일반대중)로 구분된다고 전제한다.
② 공공선택론은 집단의 이익보다는 사적 이익을 위한 합리적 선택에 초점을 둔다.
④ 조합주의이론은 국가의 자율성을 강조하므로 국가의 역할이 적극적·능동적이라고 본다.

답 ③

02 ☐☐☐
2011년 국가직 9급

다원주의적 민주국가의 정책과정에 대한 설명으로 옳은 것은?

① 정책의제설정은 대부분 동원모형에 따라 이루어진다.
② 사법부가 정책결정과정에서 담당하는 역할이 미미하다.
③ 엘리트가 모든 정책 영역에서 지배적인 권력을 행사한다.
④ 각종 이익집단은 정책과정에 동등한 정도의 접근 기회를 갖는다.

| 02 | 다원주의적 민주주의 국가의 정책과정 | 난이도 ●○○ |

다원주의적 민주국가에서 사회의 각종 이익집단은 정부의 정책과정에 동등한 접근 기회를 가지고 있다고 보고 있다. 다만, 이익집단들 간의 영향력에는 차이가 있음을 인정한다.

선지분석
① 선진·민주·다원화된 국가의 의제설정은 대부분 외부주도형에 따라 이루어진다.
② 국가를 중립적 심판자로 보는 다원주의 국가에서는 심판자로서 사법부의 역할이 크다.
③ 엘리트가 모든 정책 영역에서 지배적 권력을 행사하는 것은 엘리트론이다.

답 ④

03

2019년 서울시 7급(3월 추가)

다원주의론은 기본적으로 집단과정이론과 다원적 권력이론으로 크게 구분되는데, 이들 이론에 공통된 다원주의의 주요 특성으로 가장 옳지 않은 것은?

① 이익집단들 간의 경쟁은 정치체제의 유지에 순기능적이라고 본다.
② 권력의 원천이 특정 세력에 집중되어 있는 것이 아니고 각기 분산된 불공평성을 띤다.
③ 이익집단들 간에 상호 경쟁적이지만 기본적으로는 게임의 규칙을 준수해야 하는 데 합의를 하고 있다고 본다.
④ 다양한 이익집단은 정부의 정책과정에 동등한 접근 기회를 가지고 있으며 이익집단들 간의 영향력에 차이가 있음을 인정하지 않는다.

04

2019년 서울시 9급

다원주의(Pluralism)에 대한 설명으로 가장 옳지 않은 것은?

① 권력은 다양한 세력들에게 분산되어 있다.
② 정책영역별로 영향력을 행사하는 엘리트들이 각기 다르다.
③ 이익집단들 간의 영향력 차이는 주로 정부의 정책과정에 대한 상이한 접근기회에 기인한다.
④ 이익집단들 간의 영향력 차이는 있지만 전체적으로 균형을 유지하고 있다.

---

03 다원주의론의 특징 | 난이도 ●○○

다원주의는 다양한 이익집단들이 정부의 정책과정에 동등한 접근기회를 가지고 있다고 주장하지만, 영향력에는 차이가 있음을 인정한다. 다원주의이론에는 다원주의에 해당하는 이익집단론(집단과정이론)과 이를 바탕으로 연구된 달(Dahl)의 다원주의론(다원적 권력이론)이 있다.

선지분석
① 다원주의에서 이익집단들 간의 경쟁은 정치체제의 유지와 민주주의 발전의 동력이라고 본다.
② 다원주의에서는 권력의 원천이 특정 세력에 집중되어 있는 것이 아니고 다양하게 분산되어 불공평성을 띠지만, 사회 전체적으로는 균형을 이룬다.
③ 이익집단들 간에 상호 경쟁적이지만, 기본적으로는 게임의 규칙을 준수해야 하는 데 합의를 하고 있다고 본다.

답 ④

04 다원주의 | 난이도 ●○○

다원주의는 이익집단들 간 영향력의 차이는 있지만, 정책과정에 대한 접근기회는 동등하다고 본다.

선지분석
① 다원주의에 따르면 민주정치체제에서는 권력이 다양한 세력에 분산되어 있으며, 엘리트 집단 전체가 대중의 요구에 민감하게 움직인다.
② 달(Dahl)의 다원주의에 따르면 엘리트 집단이 존재하기는 하나, 정책결정을 담당하는 엘리트 집단이 정책 분야별로 다르다.
④ 다원주의에 따르면 이익집단들은 상호 경쟁적이지만 게임의 규칙을 준수해야 한다는 데 합의하고 있고, 영향력의 차이는 있지만 전체적으로 균형을 유지한다.

답 ③

05

2020년 지방직 7급

정책참여자의 권력관계모형에 대한 설명으로 옳지 않은 것은?

① 국가조합주의는 국가가 민간부문의 집단들에 대하여 강력한 주도권을 행사한다고 보는 모형이다.
② 다원주의는 주로 개발도상국가에서 경제개발과정에서의 이익집단에 대한 통제를 설명하기 위한 이론으로 활용되었다.
③ 사회조합주의는 사회경제체제의 변화에 순응하려는 이익집단의 자발적 시도로부터 생성되었다.
④ 다원주의는 이익집단 간의 영향력 차이를 인정하지만 전반적으로 균형이 유지되고 있다는 입장을 지닌다.

06

2010년 서울시 9급

시민이 바라는 정책은 직선에 의한 시장선출이나 지방의회 구성에서 출발된다는 주장을 뒷받침할 수 있는 이론은?

① 다원주의
② 엘리트론
③ 제한된 엘리트론
④ 계급주의
⑤ 조합주의

05	정책참여자의 권력관계모형	난이도 ●●○

다원주의는 정책과정은 각종 이익집단 등 제3세력의 참여에 의해 이루어진다는 이론으로, 선진·민주·다원화된 사회에 적용되는 이론이다. 설문은 다원주의가 아니라 국가조합주의에 대한 설명이다.

선지분석
① 국가조합주의는 국가가 통치력을 강화하기 위해 강제적으로 편성한 이익대표체계이다.
③ 사회조합주의는 이익집단의 자발적 시도에 의한 것으로, 서구 선진자본주의의 의회민주주의하에서 나타났다.
④ 다원주의는 이익집단 간의 영향력 차이를 인정하지만, 정치체제에 대한 접근기회가 동등하다고 본다.

답 ②

06	다원주의	난이도 ●●○

달(Dahl)의 기대반응의 법칙에 입각한 다원주의를 말하고 있다. 이는 정치인들이 득표를 얻기 위하여 경쟁하고 결국 선거공약이 정책의 기본방향을 결정하며, 가장 다수의 지지를 얻은 정책이 반영된다는 논리다. 즉, 대중도 선거나 정치참여를 통해 엘리트나 정책에 영향력을 행사할 수 있다고 보아 미국 사회는 형식적으로는 소수가 정책과정을 좌우하고 있지만, 실질적으로는 다수에 의한 정치가 이루어진다고 보았다.

답 ①

07

2017년 국가직 7급(8월 시행)

미헬스(Michels)의 '과두제의 철칙(iron law of oligarchy)' 현상에 가장 부합하는 조직목표 변동유형은?

① 목표 대치(displacement)
② 목표 확대(expansion)
③ 목표 추가(multiplication)
④ 목표 승계(succession)

08

2025년 군무원 9급

다음 설명에 해당하는 개념은?

> 이 개념은 소수 간부에 대한 권력 집중과 지위 강화의 욕구를 설명하며, 미헬스(R. Michels)가 명명하였다. 이 개념에 따르면, 정치적 권력관계가 강조되는 공공부문에 있어 조직의 최고관리자는 조직의 본래 목표를 달성하기보다는 자신의 임기를 연장하고 권력을 유지·강화하기 위한 목표를 더 강조하는 경향이 있다.

① 더러운 손의 딜레마(The Problem Of Dirty Hands)
② 과두제의 철칙(Iron Law Of Oligarchy)
③ 철의 삼각(Iron Triangle)
④ 베버주의(Weberism)

---

07 조직목표 변동유형 난이도 ●○○

미헬스(Michels)는 어느 조직체나 어떤 사회에서도 집단이 구성되면 그 집단에 소수의 엘리트에 의한 지배, 즉 과두제가 나타나는 것이 조직의 철칙이라고 주장하였다. 과두제의 철칙은 수단시되는 소수 간부의 이익이 전체 구성원의 이익보다 중요시되는 목표 전환, 대치 현상을 가져온다.

(선지분석)
② 목표 확대는 목표 자체를 상향조정하는 것을 말한다.
③ 목표 추가는 본래의 목표에 새로운 목표를 추가하는 것을 말한다.
④ 목표 승계는 조직의 목표가 달성되었거나 혹은 달성될 수 없을 경우 조직이 새로운 목표를 재설정하는 것을 말한다.

답 ①

08 과두제의 철칙 난이도 ●●○

지문은 과두제의 철칙에 대한 설명이다

(선지분석)
① 더러운 손의 딜레마(The Problem Of Dirty Hands)는 공직자는 옳은 일을 하기 위해 비도덕적인 행위를 하는 상황에 놓인 것을 의미한다.

답 ②

09 □□□
2020년 국가직 7급

지역사회 권력구조에 관한 이론에 대한 설명으로 옳은 것은?

① 레짐이론은 기업을 비롯한 민간부문 주요 주체들과의 연합이나 연대를 배제하는 특성을 갖는다.
② 성장기구론에서 성장연합은 비성장연합에 비해 부동산의 사용가치(use value), 즉 일상적 사용으로부터 오는 편익을 중시한다.
③ 지식경제 사회에서 엘리트 계층과 일반 대중 사이의 정보비대칭성(asymmetry)이 심화되면 엘리트이론의 설명력은 더 높아진다.
④ 신다원론에서는 정책과정이 지역사회의 모든 구성원들에게 공정하게 개방되어 있으며, 엘리트 집단의 영향력은 의도적 노력의 결과이다.

10 □□□
2023년 국가직 9급

바흐라흐(Bachrach)와 바라츠(Baratz)의 무의사결정론에 대한 설명으로 옳지 않은 것은?

① 무의사결정의 행태는 정책과정 중 정책문제 채택단계 이외에서도 일어난다.
② 기존 정치체제 내의 규범이나 절차를 동원하여 변화 요구를 봉쇄한다.
③ 정책문제화를 막기 위해 폭력과 같은 강제력을 사용하기도 한다.
④ 엘리트의 두 얼굴 중 권력행사의 어두운 측면을 고려하지 못한다고 비판했기 때문에 신다원주의로 불린다.

| 09 | 지역사회 권력구조 | 난이도 ●●● |

권력을 가진 엘리트와 그렇지 못한 일반 대중 사이의 정보비대칭성이 심화되면 일반 대중의 엘리트에 대한 통제가 약화된다. 그 결과, 엘리트 중심의 통치가 강화되어 엘리트이론의 설명력은 더 높아질 수 있다.

(선지분석)
① 레짐이론에서 강조하는 핵심 개념이 비정부 조직과 정부 조직 사이의 협동(cooperations), 상호교통(interaction), 그리고 네트워크(network)인 바, 레짐이론은 기업을 비롯한 민간부문 주요 주체들과 정부의 연합이나 연대를 강조한다.
② 성장기구론에서 성장연합은 비성장연합에 비해 부동산의 사용가치(use value)보다는 교환가치(exchange value)를 중시한다.
④ 신다원론에서는 이익집단은 정치체제로의 동등한 접근기회를 갖는다는 고전적 다원주의를 수정한다. 신다원론에서 정부는 기업가의 이익에 반응하기 위해 전문화된 체제를 갖추고 있으며 능동적으로 기능한다. 즉, 정부는 공정하게 개방되어 있지 않다.

답 ③

| 10 | 무의사결정론 | 난이도 ●○○ |

무의사결정론은 『권력의 두 얼굴(two faces of power)』이라는 저서에서 달(Dahl)이 권력행사의 어두운 측면을 고려하지 못한다고 비판한 신엘리트이론이다.

(선지분석)
① 무의사결정은 정책의제설정 과정뿐만 아니라 정책의 전 과정에서 발생한다.
② 현존하는 정치체제 내의 지배적 규범이나 절차를 강조하여 변화를 위한 주장을 꺾는 방법이다. 이를 편견의 동원이라고 한다.
③ 기존 질서의 변화를 주장하는 요구가 정치적 이슈가 되지 못하도록 테러행위(구타, 암살, 처벌 등)를 가하는 방법이다. 이를 폭력이라 한다.

답 ④

11

2015년 지방직 9급

무의사결정(non-decision making)에 대한 설명 중 옳지 않은 것은?

① 사회문제에 대한 정책과정이 진행되지 못하도록 막는 행동이다.
② 기득권 세력이 그 권력을 이용해 기존의 이익배분 상태에 대한 변동을 요구하는 것이다.
③ 기득권 세력의 특권이나 이익 그리고 가치관이나 신념에 대한 잠재적 또는 현재적 도전을 좌절시키려는 것을 의미한다.
④ 변화를 주장하는 사람으로부터 기존에 누리는 혜택을 박탈하거나 새로운 혜택을 제시하여 매수한다.

12

2014년 국가직 7급

바흐라흐와 바라츠(P. Bachrach & M. S. Baratz)의 무의사결정(non-decision making)을 추진하는 수단이나 방법으로 옳지 않은 것은?

① 폭력이나 테러 행위는 사용되지 않는다.
② 정치체제의 규범, 규칙, 절차 자체를 수정·보완하여 정책 요구를 봉쇄한다.
③ 변화의 주창자에 대해서 현재 부여되고 있는 혜택을 박탈하거나 새로운 이익으로 매수한다.
④ 정치체제 내의 지배적 규범이나 절차를 강조하여 변화를 주장하는 요구가 제시되지 못하도록 한다.

| 11 | 무의사결정 | 난이도 ●●○ |

무의사결정이란 기득권 세력의 특권이나 이익 그리고 가치관이나 신념에 대한 잠재적 또는 현재적 도전을 좌절시키려는 것을 의미한다. 따라서 기득권 세력이 아니라 소외계층 등이 기존의 이익배분 상태에 대해서 변동을 요구하는 것을 기득권 세력이 억압하는 것이다.

선지분석

①, ③ 무의사결정은 엘리트의 가치나 이익에 대한 도전을 억압하거나 방해하는 결정을 말하며, 무의사결정을 통하여 정책과정에 이러한 문제가 제기되어지는 것을 막는다.
④ 변화를 주장하는 사람으로부터 기존에 누리는 혜택을 박탈하거나 새로운 혜택을 제시하여 매수하는 것은 권력의 행사이며, 이는 직접적이기는 하나 온전한 방법의 무의사결정의 수단이다.

답 ②

| 12 | 무의사결정을 추진하는 수단이나 방법 | 난이도 ●○○ |

무의사결정의 수단으로 권력의 사용, 편견의 동원, 편견의 수정과 함께 폭력 등도 사용된다.

무의사결정의 수단과 방법

폭력	가장 직접적인 수단으로 기존 질서의 변화를 주장하는 요구가 정치적 이슈가 되지 못하도록 테러행위(구타, 암살, 처벌 등)을 가하는 방법
권력의 행사	폭력보다 온건한 방법으로, 변화의 주창자에 대해서 현재 부여되고 있는 혜택을 박탈하거나, 새로운 이익으로 매수하는 방법
편견의 동원	정치체제 내의 지배적 규범이나 절차를 강조하여 변화를 위한 주장을 꺾는 간접적 방법 예 우리나라에서 1970년대까지 복지정책, 노동정책, 환경오염규제정책 등이 경제발전제일주의라는 정치이념에 억눌러서 정책문제화하지 못한 것 등
편견의 수정 강화	가장 간접적·우회적 방법으로서 정치체제의 규범, 규칙, 절차 자체를 수정·보완하여 정책의 요구를 봉쇄하는 방법 예 지속적인 경제성장의 필요성을 더욱 강조하여 경제제일주의를 강화시키는 것 등

답 ①

13
2018년 국가직 7급

신엘리트이론에 대한 설명으로 옳지 않은 것은?

① 엘리트들에게 안전한 이슈만을 논의하고 불리한 문제는 거론조차 못하게 봉쇄하는 무의사결정론과 밀접하게 연결되어 있다.
② 모스카(Mosca)나 미헬스(Michels) 등에 의해 대표되는 고전적 엘리트이론과 달리 밀즈(Mills)의 지위접근법이나 헌터(Hunter)의 명성적 접근방법을 도입하였다.
③ 정책결정에 영향을 미치는 정치권력은 두 가지 얼굴이 있다고 주장하며, 이 가운데 하나의 측면만을 고려하는 다원주의를 비판하였다.
④ 엘리트는 정책문제의 정의와 의제설정 과정에서 은밀한 영향력을 행사하기 때문에 실증적 분석방법론의 활용이 어렵다고 주장하였다.

14
2020년 국가직 9급

무의사결정론에 대한 설명으로 옳지 않은 것은?

① 정치체제 내의 지배적 규범이나 절차가 강조되어 변화를 위한 주장은 통제된다고 본다.
② 엘리트들에게 안전한 이슈만이 논의되고 불리한 이슈는 거론조차 못하게 봉쇄된다고 한다.
③ 위협과 같은 폭력적 방법을 통해 특정한 이슈의 등장이 방해받기도 한다고 주장한다.
④ 조직의 주의 집중력과 가용자원은 한계가 있어 일부 사회 문제만이 정책의제로 선택된다고 주장한다.

---

13 신엘리트이론의 특징 난이도 ●●○

신엘리트이론은 무의사결정론을 의미한다. 반면 밀즈(Mills)나 헌터(Hunter)는 신엘리트론이 아니라 초기 미국 엘리트이론의 학자들이다.

선지분석
① 엘리트들에게 불리한 문제를 거론조차 못하게 봉쇄하는 무의사결정론은 신엘리트론을 의미한다.
③ 권력의 두 얼굴이란 엘리트들이 가지고 있는 어두운 얼굴과 밝은 얼굴을 말하는데, 다원주의는 이 중 엘리트들이 선호하는 문제들만 의제화된다는 밝은 얼굴 측면만을 고려하였다고 비판한다.
④ 엘리트는 불리한 문제가 처음부터 제기되지 못하도록 은밀하게 영향력을 행사하기 때문에 신엘리트이론은 실증적이지 못하다는 비판이 따른다.

답 ②

14 무의사결정론 난이도 ●○○

인간과 마찬가지로 조직 또한 주의 집중력에 한계가 있기 때문에 수많은 사회문제 가운데 주의 집중력의 범위 내의 문제만이 정책의제로 설정된다는 주장은 사이먼(Simon)의 의사결정론이다.

선지분석
① 지배적 규범이나 절차를 강조하여 변화에 대한 주장을 억압하는 방법은 무의사결정의 수단 중 편견의 동원이다.
② 지배엘리트들에게 안전한 이슈만 논의되고 불리한 이슈는 거론조차 못하게 의도적으로 봉쇄하는 현상이다.
③ 폭력적 방법도 무의사결정의 한 수단이다.

답 ④

15

2018년 서울시 9급

정책과정에서 행위자 사이의 권력관계이론에 대한 설명으로 가장 옳지 않은 것은?

① 헌터(Hunter)는 지역사회연구를 통해 응집력과 동료의식이 강하고 협력적인 정치 엘리트들이 지역사회를 지배한다는 엘리트론을 주장한다.
② 무의사결정(non decision-making)론은 권력을 가진 집단은 자신들에게 불리하거나 바람직하지 않다고 생각되는 특정 이슈들이 정부 내에서 논의되지 못하도록 봉쇄한다고 설명한다.
③ 다원론을 전개한 달(Dahl)은 New Haven시를 대상으로 한 연구에서 정책결정을 담당하는 엘리트가 분야별로 다른 형태를 보인다고 설명한다.
④ 신다원론에서는 집단 간 경쟁의 중요성은 여전히 인정하면서 집단 간 대체적 동등성의 개념을 수정하여 특정 집단이 다른 집단보다 더욱 강력할 수 있다는 점을 인정하였다.

16

2013년 국가직 9급

다음은 정책과정을 바라보는 이론적 관점들 중 하나를 제시한 것이다. 그 내용과 부합하는 것은?

> 사회의 현존 이익과 특권적 분배 상태를 변화시키려는 요구가 표현되기도 전에 질식·은폐되거나, 그러한 요구가 국가의 공식 의사결정 단계에 이르기 전에 소멸되기도 한다.

① 정책은 많은 이익집단의 경쟁과 타협의 산물이다.
② 정책 연구는 모든 행위자들이 이기적인 존재라는 기본 전제하에서 경제학적인 모형을 적용한다.
③ 실제 정책과정은 기득권의 이익을 수호하려는 보수적인 성격을 나타낼 가능성이 높다.
④ 정부가 단독으로 정책을 결정·집행하는 것이 아니라 시장(market) 및 시민사회 등과 함께 한다.

| 15 | 정책과정 관련 이론 | 난이도 ●○○ |

헌터(Hunter)는 명성접근법에서 명성이 있는 소수의 엘리트가 정책을 주도한다고 보았으며, 정치 엘리트들이 아니다.

(선지분석)
② 신엘리트이론의 일종인 무의사결정론을 옳게 설명하고 있다.
③ 다원론을 전개한 달(Dahl)은 엘리트 간 정치적 경쟁(선거)으로 일반대중의 선호가 정책에 반영될 수 있다고 주장한다.
④ 신다원론은 이익집단 간 경쟁을 중시하면서도 순수 다원론과 달리 정부의 전문적·능동적인 역할을 강조한 결과, 기업집단의 우월적 지위를 인정하였다.

답 ①

| 16 | 무의사결정론 | 난이도 ●○○ |

신엘리트이론의 일종인 무의사결정론을 설명하고 있다. 무의사결정론은 엘리트의 가치나 이익에 대한 잠재적·현재적인 도전을 억제한다.

(선지분석)
① 정책을 이익집단의 경쟁과 타협의 산물로 보는 관점은 다원주의이다.
② 행위자들을 이기적으로 보는 경제학적 모형은 공공선택모형이다.
④ 국가, 시장, 시민사회가 협력하는 것은 거버넌스 관점이다.

답 ③

17

2024년 군무원 9급

다음 중 무의사결정론에 대한 설명으로 가장 적절하지 않은 것은?

① 기득권의 정치권력에 존재하는 두 얼굴 중 어두운 측면의 얼굴에 해당한다.
② 정책결정권자의 무관심이나 무능력 때문에 이루어지는 경향이 크다.
③ 정책결정에 핵심적 권력을 갖는 개인이나 집단에 부정적 영향을 끼치는 주장을 억압·좌절시키거나 고의적으로 방치한다.
④ 기득권 세력은 때때로 정책의제 또는 정책대안의 범위 내용을 제한하여 집행의 의미가 없는 상징적 의제 또는 대안만 채택할 수 있도록 하기도 한다.

18

2016년 국가직 7급

조합주의(corporatism)에 대한 설명으로 옳지 않은 것은?

① 정부활동은 다양한 이익집단 간 이익의 소극적 중재가 역할에 한정된다.
② 이익집단은 단일적·위계적인 이익대표체계를 형성한다.
③ 정부는 사회적 공동선을 달성하기 위해 중요 이익집단과 우호적 협력관계를 유지한다.
④ 이익집단은 상호 경쟁보다는 국가에 협조함으로써 특정 영역에서 자신의 요구를 정책과정에 투입한다.

17	무의사결정론	난이도 ●○○

무의사결정은 무관심이나 무능력이 아닌 의도적인 권력의 행사다.

선지분석
① 『권력의 두 얼굴(two faces of power)』이라는 저서에서 정치권력의 양면성 이론을 주장하였다. 정치권력은 ⓐ 정책문제를 해결하기 위하여 형성되는 권력과 ⓑ 정책의제설정과정에서 갈등을 억압하고, 갈등이 정치과정에 진입하는 것을 방지하는 데 행사되는 보이지 않는 권력의 두 측면을 가지고 있다고 설명한다. 이 중에서 두 번째 권력(ⓑ)이 무의사결정이다.
③ 무의사결정은 정책의제설정에 있어서 지배엘리트들의 이해관계와 일치하는 사회문제만이 채택되고 의사결정자의 가치나 이익에 반하는 사회문제는 정책의제로 채택되지 못하도록 방해·억압하는 결과를 초래하는 결정을 말한다.
④ 무의사결정은 정책의제설정과정뿐만 아니라 정책의 전 과정에서도 발생한다. 집행의 의미가 없는 상징적 의제 또는 대안만 채택할 수 있도록 하는 것도 무의사결정에 해당한다.

답 ②

18	조합주의	난이도 ●●○

조합주의는 정부의 자율성과 적극적인 역할을 강조한다. 정부를 다양한 이익집단 간 이익의 소극적 중재자 역할에 한정된다고 보는 것은 다원주의이다.

선지분석
② 조합주의에서 이익집단은 정부에 의해 독점적 이익대표권을 부여받기 때문에 단일적·위계적인 이익대표체계를 형성한다.
③, ④ 정부와 이익집단은 협력관계를 유지한다. 다만 이 협력관계는 정부가 자율성을 가지며, 이익집단은 자율성이 없는 상태에서 협력관계이다.

답 ①

19 ☐☐☐
2021년 군무원 9급

정책결정의 장에 대한 이론 설명으로 가장 옳지 않은 것은?

① 다원주의는 소수의 개인이나 집단이 아니라 다수의 집단이 정책결정의 장을 주도하고 이들이 정치적 조정과 타협을 거쳐 도달한 합의가 정책이 된다고 본다.
② 엘리트주의는 대중에게 영향력을 행사할 수 있는 위치에 있는 소수의 리더들에 의해서 정책결정이 지배된다고 본다.
③ 정책결정에서 정부의 역할을 줄이고 이익집단과의 상호협력을 보다 중시하는 이론이 조합주의이다.
④ 철의 삼각(iron triangle) 논의는 정부관료, 선출직 의원, 그리고 이익집단의 3자가 장기적이고 안정적이며 우호적인 연합을 형성하면서 정책결정을 지배하는 것으로 본다.

20 ☐☐☐
2013년 국가직 9급

다국적 기업과 같은 중요 산업조직이 국가 또는 정부와 긴밀한 동맹관계를 형성하고 이들이 경제 및 산업정책을 함께 만들어 간다고 설명하는 이론은?

① 신마르크스주의이론
② 엘리트이론
③ 공공선택이론
④ 신조합주의이론

---

19 정책결정의 장에 대한 이론 난이도 ●○○

정책결정에서 정부의 역할을 줄이고 이익집단과의 상호협력을 보다 중시하는 이론은 다원주의다. 조합주의는 정책과정에서 국가와 관료의 적극적 역할을 강조한다.

답 ③

20 신조합주의이론 난이도 ●●○

국가가 이익집단을 지배하고 억압하는 것이 조합주의라면, 신소주의는 국가와 기업의 협력을 강조한다. 특히 다국적 기업의 영향력을 강조하는 신조합주의는 다국적 기업과 국가 또는 정부가 긴밀한 협력 관계를 유지하여 이들이 경제 및 산업정책을 함께 만들어 간다고 설명한다.

📑 **신조합주의의 의의**

㉠ 1970년대 이후 제2차 세계대전 이래 확립된 조직자본주의(생산방식에서는 Fordism, 케인즈주의적 복지국가, 조합주의에 근거한 계급 간 합의)의 쇠퇴와 탈조직자본주의의 등장(Post Fordism으로의 이행, 다국적 기업 등 초국가적 권력단위에 의한 국민국가의 잠식) 속에서 국가·자본·노동 간의 삼각동맹 관계를 정착시켜 왔던 독일과 스웨덴 등의 조합주의 국가들이 다양한 사적 이익집단(중앙집권화된 거대 이익집단)의 참여를 통해 세계화, Post Fordism으로의 이행을 의미하는 것이다(임현백).
㉡ 다국적 기업과 같은 산업조직들이 국가와 긴밀한 동맹 관계를 가지고 이들이 경제 및 산업정책을 함께 만들어간다는 이론이다.

답 ④

21
2025년 국회직 8급

정책과정에서 권력모형에 대한 설명으로 옳은 것만 <보기>에서 모두 고르면?

> ㄱ. 사회조합주의는 이익집단과 국가와의 관계에서 이익집단의 자율적 결성과 능동적 참여가 보장된다고 설명한다.
> ㄴ. 국가조합주의는 국가가 이익집단에 대하여 강력한 주도권을 행사하며, 계층, 종교, 언어, 지역에 근거한 정치적인 하위문화는 억압된다고 설명한다.
> ㄷ. 엘리트이론은 엘리트 간의 정치적 경쟁으로 대중의 선호가 최종 정책에 반영된다고 설명한다.
> ㄹ. 무의사결정론은 지역사회의 엘리트들이 강한 응집성을 가지고 정책을 결정하며, 정치에 무관심한 일반대중은 비판 없이 이를 수용한다고 설명한다.

① ㄱ, ㄴ
② ㄱ, ㄷ
③ ㄴ, ㄷ
④ ㄴ, ㄹ
⑤ ㄷ, ㄹ

22
2023년 지방직 9급

엘리트이론과 다원주의이론에 대한 설명으로 옳지 않은 것은?

① 고전적 엘리트이론에서 엘리트들은 다른 계층에 대해 책임을 지지 않는다.
② 밀즈(Mills)는 명성접근법을 사용하여 엘리트들을 분석한다.
③ 달(Dahl)은 권력이 분산되어 있음을 전제로 다원주의론을 전개한다.
④ 바흐라흐와 바라츠(Bachrach & Baratz)는 무의사결정이 의제설정과정뿐만 아니라 정책결정과정에서도 발생할 수 있다고 주장한다.

| 21 | 권력모형 | 난이도 ●●● |

ㄱ, ㄴ만 옳다.
ㄱ. 사회조합주의는 국가조합주의와 달리 조합에 대한 이익집단의 자율적 결성과 능동적 참여가 보장된다고 설명한다.
ㄴ. 국가조합주의는 국가가 이익집단에 대하여 강력한 주도권을 행사하며, 계층, 종교, 언어, 지역에 근거한 정치적인 하위문화가 국가에 의하여 억압된다고 설명한다.

선지분석
ㄷ. 엘리트 간의 선거로 대표되는 정치적 경쟁으로 인하여 결국 대중의 선호가 최종 정책에 반영된다고 설명하는 이론은 다원주의이다.
ㄹ. 설문은 Hunter의 명성접근법이다.

답 ①

| 22 | 엘리트이론과 다원주의이론 | 난이도 ●○○ |

명성접근법은 1950년대 헌터(Hunter)가 주장한 접근법이다. 밀즈(mills)는 지위접근법을 사용하여 엘리트들의 행태를 분석하였다.

선지분석
① 고전적 엘리트이론에서 엘리트들은 다른 계층에 대해서 책임을 지지 않는 집단의 성격을 띤다.
③ 달(Dahl)은 정치적 자원이 분산되어 동일한 사회계층 출신의 소수 엘리트가 전체 지역사회를 지배하지 못하고 정책영역별로 영향력을 행사하는 엘리트들이 각기 다르고 엘리트 간 서로 경쟁과 갈등이 일어나며, 대중도 선거나 정치참여를 통해 엘리트나 정책에 영향력을 행사할 수 있다고 본다.
④ 무의사결정은 정책의제설정 과정뿐만 아니라 정책의 전 과정에서 발생한다.

답 ②

KEYWORD 031 정책의제설정

23 □□□
2015년 국가직 9급

어떠한 정책문제가 정책의제로 채택될 가능성이 가장 낮은 경우는?

① 정책문제의 해결가능성이 높은 경우
② 이해관계자의 분포가 넓고 조직화 정도가 낮은 경우
③ 선례가 있어 관례화(routinized)된 경우
④ 정책의제화를 요구하는 집단의 규모가 큰 경우

24 □□□
2015년 국가직 7급

킹던(Kingdon)의 정책의 창(정책흐름)모형에 대한 설명으로 옳지 않은 것은?

① 정책과정 중 정책의제설정 단계에 초점을 맞춘 모형이다.
② 정치의 흐름은 국가적 분위기 전환, 선거에 따른 행정부나 의회의 인적 교체, 이익집단들의 로비 활동과 압력 행사 등과 같은 요소들로 구성된다.
③ 문제의 흐름, 정책의 흐름, 정치의 흐름의 세 가지 흐름은 상호의존적 경로를 따라 진행된다.
④ 정책의 흐름은 문제를 검토하여 해결방안들을 제안하는 전문가들과 분석가들로 구성되며, 여기서 여러 가능성들이 탐색되고 그 범위가 좁혀진다.

23	정책의제로 채택될 가능성	난이도 ●○○

이해관계자가 넓게 분포하고 조직화의 정도가 낮은 경우에는 집단행동의 딜레마(1/N)가 생기기 때문에 의제화가 용이하지 않다.

(선지분석)
① 해결가능성이 큰 경우, 의제채택이 용이하다.
③ 선례가 있는 경우 쉽게 의제로 채택된다.
④ 요구하고 있는 집단규모가 크므로, 의제화가 용이하다.

답 ②

24	정책의 창(정책흐름)모형	난이도 ●●○

정책의 창모형은 문제·정책·정치의 3가지 흐름이 상호의존적 경로를 따라 진행되는 것이 아니라, 독자적으로 흘러다니다가 우연히 만나서 의사결정이 이루어진다는 것이다.

(선지분석)
① 정책창이 열려져 있다는 것은 정책의제설정에서부터 최고 의사결정까지의 과정에 필요한 여러 가지 여건들이 성숙되어 있다는 것을 의미하는 모형이므로 옳은 지문이다.
②, ④ 각각 정치적 흐름과 정책의 흐름에 대한 옳은 설명이다.

답 ③

25

2018년 국가직 9급

킹던(J. Kingdon)의 '정책의 창(policy windows)이론'에 대한 설명으로 옳지 않은 것은?

① 마치(J. G. March)와 올슨(J. P. Olsen)이 제시한 쓰레기통모형을 발전시킨 것이다.
② 문제 흐름(problem stream), 이슈 흐름(issue stream), 정치 흐름(political stream)이 만날 때 '정책의 창'이 열린다고 본다.
③ '정책의 창'은 국회의 예산주기, 정기회기 개회 등의 규칙적인 경우뿐 아니라, 때로는 우연한 사건에 의해 열리기도 한다.
④ 문제에 대한 대안이 존재하지 않을 경우 '정책의 창'이 닫힐 수 있다.

26

2023년 지방직 9급

킹던(Kingdon)이 제시한 정책흐름모형에 대한 설명으로 옳은 것만을 모두 고르면?

> ㄱ. 경쟁하는 연합의 자원과 신념 체계(belief system)를 강조한다.
> ㄴ. 쓰레기통모형을 발전시킨 것이다.
> ㄷ. 정책과정의 세 흐름은 문제흐름, 정책흐름, 정치흐름이 있다.

① ㄱ
② ㄷ
③ ㄱ, ㄴ
④ ㄴ, ㄷ

25	정책의 창이론	난이도 ●○○

킹던(J. Kingdon)의 정책의 창(policy windows)이론에 따르면 정책결정에 필요한 3가지 요소(문제의 흐름, 정책의 흐름, 정치의 흐름)가 독자적으로 흘러 다니다가 우연히 만날 때 정책결정이 이루어진다는 모형이다.

(선지분석)
① 쓰레기통모형이 진화된 모형이다.
③ 정책의 창은 우연한 사건에 의해서 열려지기도 하지만, 일반적으로 정책과정의 세 줄기(문제, 정책, 정치) 중에서 정치의 변화에 의하여 열리는 경우가 가장 많다.
④ 대안이 존재하지 않을 경우 정책의 창은 닫힐 수 있다.

답 ②

26	킹던(Kingdon)의 정책흐름모형	난이도 ●○○

ㄴ. 킹던(Kingdon)의 정책흐름모형은 쓰레기통모형이 진화된 모형이다.
ㄷ. 킹던(Kingdon)의 정책흐름모형에서 세 가지 흐름은 문제(Problem), 정책(Policy), 정치(Politics)이다.

(선지분석)
ㄱ. 사바티에(Sabatier)의 통합모형인 정책지지연합모형의 특성에 해당한다.

답 ④

27

2014년 국가직 9급

다음 중 정책의제설정과 관련된 이론과 설명이 옳게 연결된 것은?

A. 사이먼(H. Simon)의 의사결정론
B. 체제이론
C. 다원주의론
D. 무의사결정론

ㄱ. 조직의 주의 집중력은 한계가 있어 일부의 사회문제만이 정책의제로 선택된다.
ㄴ. 문지기(gate-keeper)가 선호하는 문제가 정책의제로 채택된다.
ㄷ. 이익집단들이나 일반 대중이 정책의제설정에 상당한 영향력을 행사한다.
ㄹ. 대중에 대한 억압과 통제를 통해 엘리트들에게 유리한 이슈만 정책의제로 설정된다.

	A	B	C	D
①	ㄱ	ㄴ	ㄷ	ㄹ
②	ㄱ	ㄷ	ㄴ	ㄹ
③	ㄹ	ㄴ	ㄷ	ㄱ
④	ㄹ	ㄷ	ㄴ	ㄱ

27 정책의제설정이론   난이도 ●●○

ㄱ. 사이먼(Simon)의 의사결정론인 만족모형(A)의 특징에 해당한다. 인간은 인지능력의 한계로 모든 문제를 다 인지하지는 못한다.
ㄴ. 이스턴(Easton)의 체제론(B)에 대한 특성이다. 체제의 문제해결능력의 한계로 인하여 문지기가 선호하는 일부 문제만 정책의제로 채택이 된다.
ㄷ. 다원론(C)에 대한 설명으로, 정부는 갈등적 이익을 조정하는 중개인 혹은 게임규칙의 준수를 독려하는 심판자의 역할을 수행한다고 본다.
ㄹ. 신엘리트이론에 해당하는 무의사결정론(D)에 대한 설명이다.

답 ①

28

2014년 서울시 9급

정책의제의 설정에 영향을 미치는 요인에 대한 설명으로 옳지 않은 것은?

① 일상화된 정책문제보다는 새로운 문제가 보다 쉽게 정책의제화된다.
② 정책 이해관계자가 넓게 분포하고 조직화 정도가 낮은 경우에는 정책의제화가 상당히 어렵다.
③ 사회 이슈와 관련된 행위자가 많고, 이 문제를 해결하기 위한 정책의 영향이 많은 집단에 영향을 미치거나 정책으로 인한 영향이 중요한 것일 경우 상대적으로 쉽게 정책의제화된다.
④ 국민의 관심 집결도가 높거나 특정 사회 이슈에 대해 정치인의 관심이 큰 경우에는 정책의제화가 쉽게 진행된다.
⑤ 정책문제가 상대적으로 쉽게 해결될 것으로 인지되는 경우에는 쉽게 정책의제화된다.

28 정책의제의 설정에 영향을 미치는 요인   난이도 ●○○

선례가 없는 새로운 문제보다 일상화된 문제가 더 쉽게 정책의제화된다.

선지분석
② 이해관계가 넓게 분포되고 조직화 정도가 낮은 경우에는 응집력이 약화되어 의제화가 곤란하다(단, 이해관계집단의 규모가 클 때는 의제화가 용이하나, 이해관계가 복잡하게 얽혀 있을 때에는 의제화가 곤란함).
③ 영향을 받는 집단이 많고 문제의 내용이 대중적이며 중요한 것일수록 의제화의 가능성이 높다.
④ 국민적·정치적 관심이 큰 경우 의제화가 용이하다.
⑤ 해결가능성이 높을수록 의제화가 용이하다.

답 ①

29

2016년 지방직 7급

메이(May)는 정책의제설정의 주도자와 대중의 관여 정도에 따라 정책의제설정 과정을 네 가지 유형(A~D)으로 구분하였는데, 이에 대한 설명으로 옳지 않은 것은?

대중의 관여 정도 정책의제설정의 주도자	높음	낮음
민간	A	B
정부	C	D

① A는 외부집단이 주도하여 정책의제 채택을 정부에게 강요하는 경우로, 허쉬만(Hirschman)이 말하는 '강요된 정책문제'에 해당된다.
② B의 경우 정책결정에 영향력을 가진 집단은 대중들에게 정책을 공개하여 지지를 획득하려고 한다.
③ C에서는 이미 민간집단의 광범위한 지지가 형성된 이슈에 대하여 정책결정자가 지지의 공고화(consolidation)를 추진한다.
④ D는 정부의 힘이 강하고 이익집단의 역할이 취약한 후진국에서 일반적으로 많이 나타난다.

30

2025년 국가직 9급

정책의제설정 모형에 대한 설명으로 옳지 않은 것은?

① 외부주도모형에서는 사회문제가 공중의제를 거쳐 공식의제로 전환된다.
② 동원모형에서는 정부가 먼저 공식의제를 채택한 후 공중의제화를 시도한다.
③ 내부접근모형에서는 정부 내부자나 그들과 밀접한 관계에 있는 집단에 의해 의제가 설정된다.
④ 공고화모형에서는 대중의 지지가 낮은 정책문제에 대하여 시민사회가 주도적으로 해결을 시도한다.

---

29 정책의제설정 과정의 유형 | 난이도 ●○○

A는 외부주도형, B는 내부접근형, C는 굳히기형, D는 동원형에 각각 해당한다. 다만 B의 내부접근형은 정책을 일반대중에게 공개하여 지지를 획득하려는 공중의제화 전략을 사용하지 않는다.

선지분석
① 외부주도형을 강요된 의제라 한다.
③ 굳히기형은 대중의 지지가 높은 것을 결정자가 주도하는 모형이다.
④ 동원형은 주로 후진국에서 나타나는 모형이다.

📄 메이(May)의 의제설정모형

주도자 \ 대중의 지지	높음	낮음
사회적 행위자들	외부주도형	내부주도형(내부접근형)
국가	굳히기형	동원형

답 ②

30 정책의제설정 모형 | 난이도 ●○○

공고화(굳히기)모형은 대중적 지지가 높고 정부가 문제를 주도적으로 해결할 수 있는 경우에 나타나는 모형이다.

선지분석
① 외부주도형은 사회문제 → 사회적 이슈 → 공중의제 → 공식의제(정부의제)의 순으로 의제가 채택된다.
② 동원모형은 사회문제 → 공식의제 → 사회적 이슈 → 공중의제의 순으로 의제가 채택된다.
③ 내부접근형은 정부 내의 관료집단 또는 특정 외부집단이 주도하여 이들이 최고 정책결정자에게 접근해 문제를 의제화하는 경우이다.

답 ④

31

2022년 지방직 9급

홀릿(Howlett)과 라메쉬(Ramesh)의 모형에 따라 정책의제설정 유형을 분류할 때, (가)~(라)에 대한 설명으로 옳지 않은 것은?

공중의 지지 의제설정주도자	높음	낮음
사회 행위자(societal actors)	(가)	(나)
국가(state)	(다)	(라)

① (가) - 시민사회단체 등이 이슈를 제기하여 정책의제에 이른다.
② (나) - 특별히 의사결정자들에게 접근할 수 있는 영향력 있는 집단이 정책을 주도한다.
③ (다) - 이미 공중의 지지가 높기 때문에 정책이 결정된 후 집행이 용이하다.
④ (라) - 정책결정자가 이슈를 제기하면 자동적으로 정책의제화 되기 때문에 성공적인 집행을 위한 공중의 지지는 필요없다.

32

2015년 서울시 7급

정책의제설정모형에 대한 설명으로 가장 옳은 것은?

① 올림픽이나 월드컵 유치 등 국민들이 적극적인 관심을 보인 사례는 외부집단이 주도한 외부주도형이다.
② 내부접근형은 대중의 지지를 획득하기 위한 공중의제화 과정이 없다는 점에서 공중의제화 과정을 거치는 동원형과 다르다.
③ 사회문제가 바로 정책의제로 채택되는 과정을 거치는 모형은 외부주도형이다.
④ 동원형은 공중의제화 과정을 거치기 때문에 행정부의 영향력이 작고 민간부문이 발전된 선진국에서 많이 나타나는 모형이다.

---

31 정책의제설정 유형   난이도 ●●○

홀릿(Howlett)과 라메쉬(Ramesh)는 메이(P. J. May)와 함께 정책의제설정모형을 공중의 지지와 의제설정주도자에 따라 4가지로 구분·제시하였다. (라) 동원형은 정부가 주도적으로 PR 등을 통하여 공중의 지지를 이끌어 내는 모형이다.

(선지분석)
① 외부주도형에 대한 설명으로 옳은 지문이다.
② 내부접근형에 해당하며, 특정 외부집단이 주도하여 이들이 최고 정책결정자에게 접근해 문제를 의제화하는 경우이다
③ 공중의 지지가 높고 국가가 의제설정을 주도하는 모형으로, 의제채택 및 집행이 매우 용이하다.

답 ④

32 정책의제설정모형   난이도 ●○○

동원형은 공중의제화 과정을 거치지만, 내부접근형은 공중의제화 전략을 사용하지 않는다.

(선지분석)
① 국민들이 적극적인 관심을 보인 사례를 국가가 주도하는 것은 메이(May)의 굳히기형에 해당한다.
③ 외부주도형이 아니라 내부접근형에 해당한다.
④ 동원형은 행정 PR 등을 통한 공중의제화 과정을 거치지만, 정부의 힘이 강하고 민간부문이 취약한 후진국에서 흔히 나타나는 유형이다.

답 ②

33

2020년 국가직 7급

정책의제설정모형에 대한 설명으로 옳지 않은 것은?

① 내부접근형(inside access model)에서 정부기관 내부의 집단 혹은 정책결정자와 빈번히 접촉하는 집단은 공중의 제화하는 것을 꺼린다.
② 동원형(mobilization model)에서는 주로 정부 내 최고 통치자나 고위정책결정자가 주도적으로 정부의제를 만든다.
③ 외부주도형(outside initiative model) 정책의제설정은 다원화된 정치체제에서 많이 나타난다.
④ 공고화형(consolidation model)은 대중의 지지가 낮은 정책문제에 대한 정부의 주도적 해결을 설명한다.

34

2022년 지방직 7급

정책의제 설정과정의 유형에 대한 설명으로 옳지 않은 것은?

① 내부접근모형에서는 일반 시민의 지지를 얻기 위해 관료집단이 주도한 의제가 정부의 홍보활동을 통해 공중의제로 확산된다.
② 동원모형은 정치지도자의 지시에 따라 사회문제가 바로 정부의제로 채택되며 정부의 힘이 강하고 민간 부문이 취약한 후진국에서 자주 볼 수 있다.
③ 외부주도형은 이익집단들에 의해 제기된 문제가 여론을 형성해 공중의제로 전환되며 정부가 외부의 요구에 민감하게 반응하는 정치체제에서 자주 볼 수 있다.
④ 공고화모형에서는 이미 광범위한 일반 대중의 지지가 있는 경우에, 정부는 동원 노력보다는 이미 존재하는 지지를 그대로 공고화해 의제를 설정한다.

---

33 정책의제설정모형

메이(May)는 정책의제설정모형을 외부주도형, 내부접근형, 공고화모형(굳히기), 동원형 4가지로 구분하였다. 공고화모형(굳히기형)은 대중적 지지가 높은 정책문제에 대한 정부의 주도적인 해결을 설명한다. 즉, 대중의 지지가 높은 것이며 낮은 것이 아니다.

선지분석
① 내부접근형(inside access model)은 사회문제가 정책 담당자들에 의해 바로 정책의제로 채택되나, 공중의제화가 억제되는 의사결정과정이다.
② 동원형(mobilization model)에서는 주로 정치지도자의 지시에 의하여 사회문제가 바로 정부의제로 채택되고, 일반대중의 지지를 얻고자 정부의 PR 활동을 통해 공중의제로 확산시키는 의제설정과정이다.
③ 외부주도형(outside initiative model) 정책의제설정은 민주적이고 다원화된 선진국의 정치체제에서 많이 나타난다.

답 ④

34 정책의제설정모형

내부접근형에서는 사회문제가 정책 담당자들에 의해 바로 정책의제로 채택되나, 공중의제화가 억제되는 의제설정과정이다.

답 ①

35 ☐☐☐   2018년 서울시 7급(3월 추가)

정책의제설정모형에 관한 설명으로 가장 옳은 것은?

① 포자모형은 정책문제가 제기되어 정의되는 환경보다는 정책문제 자체의 성격이 갖는 중요성에 주목한다.
② 이슈관심주기모형은 공공의 관심을 끌기 위한 치열한 경쟁과 별개로 이슈 자체에 생명주기가 있다고 본다.
③ 정책흐름모형은 조직화된 무정부 상태에서의 합리성과는 다른 합리성 가정을 의제설정과정의 설명에 적용한다.
④ 동형화모형은 정부 간 정책전이(policy transfer)가 모방, 규범, 강압을 통해 이뤄진다고 본다.

| 35 | 정책의제설정모형 | 난이도 ●●● |

디마지오(Dimaggio)와 포웰(Powell)의 동형화(Isomorphism) 이론에 따르면 모방, 규범, 강압 3가지 방식에 따라 정부 간 정책전이가 발생한다고 본다.

선지분석

① 포자모형은 곰팡이가 적당한 환경이 조성되어야 성장할 수 있듯이 문제 자체 성격보다는 환경을 중시하는 모형이다.
② 이슈관심에는 주기가 있기 때문에 하나의 문제에 대하여 일반 대중은 오랜 기간 관심을 가지지 못한다고 본다. 즉, 이슈 자체의 생명주기는 없고 관심주기가 있다고 본다.
③ 정책흐름모형은 일반적인 합리성모형과는 달리 쓰레기통모형 등 조직화된 무정부 상태에서의 합리성을 설명하는 모형이다.

답 ④

CHAPTER 3 정책분석론

KEYWORD 032 정책문제정의

01 □□□   2014년 국가직 9급

다음 중 정책문제의 구조화기법과 설명이 옳게 연결된 것은?

> A. 경계분석(boundary analysis)
> B. 가정분석(assumption analysis)
> C. 계층분석(hierarchy analysis)
> D. 분류분석(classification analysis)

> ㄱ. 정책문제와 관련된 여러 구조화되지 않은 가설들을 창의적으로 통합하기 위해 사용하는 기법으로, 이전에 건의된 정책부터 분석한다.
> ㄴ. 간접적이고 불확실한 원인으로부터 차츰 확실한 원인을 차례로 확인해 나가는 기법으로, 인과관계 파악을 주된 목적으로 한다.
> ㄷ. 정책문제의 존속기간 및 형성과정을 파악하기 위해 사용하는 기법으로, 포화표본추출(saturation sampling)을 통해 관련 이해당사자를 선정한다.
> ㄹ. 문제 상황을 정의하기 위해 당면문제를 그 구성요소들로 분해하는 기법으로, 논리적 추론을 통해 추상적인 정책문제를 구체적인 요소들로 구분한다.

	A	B	C	D
①	ㄱ	ㄷ	ㄴ	ㄹ
②	ㄱ	ㄷ	ㄹ	ㄴ
③	ㄷ	ㄱ	ㄴ	ㄹ
④	ㄷ	ㄱ	ㄹ	ㄴ

---

01   정책문제의 구조화기법   난이도 ●●○

ㄱ. 가정분석(B)에 해당한다.
ㄴ. 계층분석(C)에 해당한다.
ㄷ. 경계분석(A)에 해당한다. 여기서 포화표본추출이란 다양한 의견을 가진 이해관계자들을 식별하는 추출기법으로, 최초 이해관계자를 찾아낸 다음 그에게 자기 의견과 같이하는 사람을 한명씩 더 추천하도록 하는 방식을 계속하여 어떤 문제와 연관된 이해관계자들을 식별해내는 추출기법이다. 따라서 포화표본추출 기법을 눈덩이추출기법이라고도 한다.
ㄹ. 분류분석(D)에 해당한다.

답 ③

02 □□□   2024년 지방직 9급

정책문제의 구조화기법에 대한 설명으로 옳은 것만을 모두 고르면?

> ㄱ. 가정분석: 문제상황의 가능성 있는 원인, 개연성(plausible) 있는 원인, 행동가능한 원인을 식별하기 위한 기법
> ㄴ. 계층분석: 정책문제에 관해 서로 대립되는 가정의 창조적 종합을 목표로 하는 기법
> ㄷ. 시네틱스(유추분석): 문제들 사이에 유사한 관계를 인지하는 것이 분석가의 문제해결 능력을 크게 증가시킬 것이라는 가정에 기초한 기법
> ㄹ. 분류분석: 문제상황을 정의하고 분류하기 위해 사용되는 개념을 명확하게 하기 위한 기법

① ㄱ, ㄴ
② ㄱ, ㄹ
③ ㄴ, ㄷ
④ ㄷ, ㄹ

---

02   정책문제의 구조화기법   난이도 ●●○

ㄷ. 시네틱스(유추분석)는 과거에 등장하였거나 다루어 본 적이 있는 문제와 유사한 문제에 대한 분석을 위해 활용될 수 있는 방법으로서, 정책문제 간의 유사성을 조사·분석하여 정책문제 구조화에 유추와 비유를 창조적으로 활용할 수 있게 해주는 기법이다. 새로운 문제처럼 여겨지는 것들도 단지 과거에 등장했던 문제를 새롭게 인식한 것에 불과하기 때문에, 현재의 문제를 해결하기 위해 지금 다루고자 하는 문제와 유사한 과거의 문제를 제대로 이해하면 문제의 해결대안을 쉽게 찾을 수 있을 것으로 가정한다.
ㄹ. 분류분석은 문제 상황을 분류하고 정의하는 데 사용하는 개념 명료화의 기법으로서, 귀납적 사고과정을 통하여 구체적 상황에 대한 경험으로부터 일반적 개념을 도출한다.

선지분석
ㄱ. 가정분석이 아닌 계층분석에 대한 설명이다.
ㄴ. 계층분석이 아닌 가정분석에 대한 설명이다.

답 ④

03 □□□   2013년 서울시 9급

합리적 정책결정 과정에서 정책문제를 정의할 때의 주요 요인이라고 보기 어려운 것은?

① 관련 요소 파악
② 관련된 사람들이 원하는 가치에 대한 판단
③ 정책대안의 탐색
④ 관련 요소들 간의 인과관계 파악
⑤ 관련 요소들 간의 역사적 맥락 파악

04 □□□   2008년 국가직 7급

정책문제의 구조화에 이용되는 기법들 중 연결이 옳은 것은?

① 경계분석(boundary analysis) - 문제의 구성요소 식별
② 계층분석(hierarchy analysis) - 문제 상황의 원인 규명
③ 유추분석(analogy analysis) - 상충적 전제들의 창조적 통합
④ 분류분석(classification analysis) - 문제의 위치 및 범위 파악

---

03 정책문제의 정의   난이도 ●●○

정책대안의 탐색은 정책문제의 정의와 정책목표의 설정 다음에 이루어지는 활동이므로, 정책문제 정의 시 고려사항이 아니다. 정책문제의 정의는 정책문제의 구성요소, 원인, 결과 등을 규정하여 무엇이 문제인지를 밝히는 것이다.

답 ③

04 정책문제의 구조화에 이용되는 기법   난이도 ●●○

계층분석이란 문제 상황의 발생에 영향을 줄 수 있는 가깝고 먼 다양한 원인들을 창의적으로 찾아내는 문제구조화 방법으로, 간접적이고 불확실한 원인으로부터 차츰 확실한 원인을 차례로 확인해 나간다.

선지분석
① 문제의 구성요소 식별은 분류분석이다.
③ 상충적 전제들의 창조적 통합은 가정분석이다.
④ 문제의 위치 및 범위 파악은 경계분석에 해당한다.

정책문제의 구조화기법

경계분석	문제의 위치와 범위를 찾는 것으로, 문제의 존속기간이나 형성과정, 관련 문제 및 이해당사자들을 추출·파악
계층분석	문제와 그 원인의 인과관계를 중심으로 문제의 원인을 단계(계층)별로 찾아나가는 것
분류분석	추상적인 문제 상황을 구체적 구성요소로 분류
유추분석	유사한 문제의 분석을 통해 문제 정의
가정분석	대립되는 여러 가정(가설)들을 창조적으로 통합

답 ②

05 □□□   2007년 서울시 9급

정책문제의 특징으로 보기 어려운 것은?

① 공공성
② 인공성
③ 상호의존성
④ 주관성
⑤ 소망성

KEYWORD 033 제3종 오류

06 □□□   2015년 국가직 9급

통계적 결론의 타당성 확보에 있어서 발생할 수 있는 오류와 그에 대한 설명으로 옳게 연결된 것은?

> ㄱ. 정책이나 프로그램의 효과가 실제로 발생하였음에도 불구하고 통계적으로 효과가 나타나지 않은 것으로 결론을 내리는 경우
> ㄴ. 정책의 대상이 되는 문제 자체에 대한 정의를 잘못 내리는 경우
> ㄷ. 정책이나 프로그램의 효과가 실제로 발생하지 않았음에도 불구하고 통계적으로 효과가 나타난 것으로 결론을 내리는 경우

	제1종 오류	제2종 오류	제3종 오류
①	ㄱ	ㄴ	ㄷ
②	ㄱ	ㄷ	ㄴ
③	ㄴ	ㄱ	ㄷ
④	ㄷ	ㄱ	ㄴ

| 05 | 정책문제의 특징 | 난이도 ●○○ |

정책문제의 특성으로는 정치성, 주관성, 인공성, 동태성(상호의존성), 역사성, 공공성을 들 수 있다. 소망성은 정책대안의 비교·평가 기준으로, 대안의 예측되는 결과가 얼마나 바람직스러운지의 정도를 의미한다.

선지분석
① 공공성이란 정책문제는 공공성을 띠며, 정부가 나서야 할 만큼 많은 사람들과 관련되어 있다는 것이다.
②, ④ 인공성(주관성)이란 문제를 유발하는 외부적 상황은 선택적으로 정의되고 분류되며, 설명되고 평가된다는 것을 의미한다. 즉, 정책문제는 객관적 문제 상황이 사람들의 주관적인 판단 과정을 통해 걸러진 것이다.
③ 상호의존성이란 정책문제는 복잡·다양하고 상호의존적이며, 복합요인에 의해 동시다발적으로 생겨나는 것임을 의미한다.

답 ⑤

| 06 | 정책분석 오류의 유형 | 난이도 ●●● |

ㄱ은 제2종 오류, ㄴ은 제3종 오류, ㄷ은 제1종 오류에 해당한다. 여기서 제1종·제2종 오류는 정책대안 식별상의 오류이며, 제3종 오류는 정책문제 구성상의 오류이다.

ㄱ. 제2종 오류로, 정책 효과가 있는데 없다고 판단하여 옳은 대안을 선택하지 않는 경우이다.
ㄴ. 제3종 오류로, 문제 자체를 잘못 정의한 경우이다. 메타오류·근본적 오류라고도 한다.
ㄷ. 제1종 오류로, 정책 효과가 없는데 있다고 판단하여 잘못된 대안을 선택하는 경우이다.

답 ④

07 ☐☐☐   2008년 국가직 9급

제3종 오류(Type Ⅲ error)에 대한 설명으로 옳지 않은 것은?

① 수단주의적 기획관의 한계를 나타내는 오류 유형이다.
② 문제선택 자체가 잘못된 경우의 오류를 의미한다.
③ 메타오류(meta error)라고도 한다.
④ 주로 문제해결을 위한 합리적인 대안의 선정 과정에서 나타난다.

---

07   제3종 오류   난이도 ●○○

제3종 오류(meta error)는 문제를 잘못 정의하는 것으로, 합리적 대안선택과 관련된 수단적 기획관의 한계를 극복하기 위해 대두되었다. 제1·2종 오류가 정책대안 식별상의 오류라면, 제3종 오류는 정책문제 구성상의 오류이다.

선지분석

②, ③ 제3종 오류는 정책문제 구성상의 오류로, 근본적 오류·메타오류라고도 한다.

답 ④

CHAPTER 4 정책결정론

KEYWORD 034 정책결정의 의의

01 □□□   2014년 사회복지직 9급

정부가 국민에게 영향을 미치는 정책산출은 정책결정과정을 통해서 이루어진다. 이러한 정책결정과정에서 정책의제에 영향을 미치는 공식적 참여자에 해당되지 않는 것은?

① 지방자치단체의 장
② 대통령 비서실장
③ 정당 사무국장
④ 국회의원

02 □□□   2024년 국가직 9급

정책참여자에 대한 설명으로 옳지 않은 것은?

① 시민단체(NGO)는 비공식적 참여자로서 시민 여론을 동원해 정책의제설정, 정책대안제시, 정부의 집행활동 감시 등 정책과정 전반에 영향을 미친다.
② 정당은 공식적 참여자로서 대중의 여론을 형성하고 일반 국민에게 정책 관련 주요 정보를 전달하는 역할을 통해 정책과정에 영향을 미친다.
③ 사법부는 공식적 참여자로서 정책과 관련된 법적 쟁송이 발생한 경우 그 정책의 타당성에 대한 판결을 통해 정책에 영향을 미친다.
④ 이익집단은 비공식적 참여자로서 특정 이해관계를 공유하는 사람들의 모임이며, 구성원들의 이익을 실현하기 위해 정부에 압력을 가함으로써 정책에 영향을 미친다.

| 01 | 공식적 참여자 | 난이도 ●○○ |

정당은 비공식적 정책참여자이다.

선지분석
① 지방자치단체의 장, ② 대통령 비서실장, ④ 국회의원은 모두 공식적 참여자이다.

📄 **정책과정에서의 참여자**

공식적 참여자	의회, 대통령과 행정수반, 행정기관과 관료, 지방에서의 참여자(자치단체장, 지방의회, 지방공무원, 국가 일선행정기관 등), 사법부
비공식적 참여자	이익집단, 정당, NGO, 시민, 언론, 전문가

답 ③

| 02 | 정책참여자 | 난이도 ●○○ |

정당은 비공식적 참여자로서 각종 사회집단의 특정 요구 또는 일반 국민의 요구를 일반정책대안으로 전환시키는 이익집약기능을 수행하며, 선거공약이나 정강정책 등을 통해 이를 나타낸다.

선지분석
① 시민단체(NGO)는 비공식적 참여자로서 정책과정의 모든 단계에서 정부와 견제와 균형을 유지하기 위해 정부와 건설적·협력적 관계를 모색하려 한다.
③ 사법부는 공식적 참여자로서 주로 국가정책과 관련된 판결을 통해 국민생활에 직접적인 영향을 주고 있지만, 현 제도·정책과정하에서 사법부의 역할은 그 제도적 특징상 사후적·수동적 성격을 띠고 있다.
④ 이익집단은 비공식적 참여자로서 특정 문제에 관하여 직·간접적 이해관계 및 관심을 공유하고 있는 사람들의 자발적인 집단을 말하며, 자신의 집단이익 표출 기능을 수행한다.

답 ②

03　　　　　　　　　　　　　　　　2011년 지방직 7급

정책형성과정에 대한 설명으로 옳지 않은 것은?

① 제3종 오류를 방지하는 것이 정책문제 구조화의 핵심으로 간주된다.
② 주요 정책행위자들 간의 치열한 경쟁적 갈등관계는 철의 삼각(iron triangle) 관계라고 불리운다.
③ 정책문제를 정의하고 해석하는 과정은 다양한 결과에 이를 수 있는 애매하고 불투명한 과정으로 간주된다.
④ 정책행위자들은 실질적인 제약과 절차적인 제약하에서 대안을 선택하게 된다.

04　　　　　　　　　　　　　　　　2014년 경찰간부

바람직한 정책목표를 설정하기 위한 요건으로 가장 거리가 먼 것은?

① 내용의 타당성
② 목표 수준의 적절성
③ 평가의 신뢰성
④ 내적 일관성

03	정책형성과정	난이도 ●●○

철의 삼각 관계란 이익집단·상임위원회·관료 3자 간에 형성된 동맹으로, 참여자 간 관계의 안정성이 높은 관계이다. 즉, 소수 행위자로 구성된 안정적 정책망에 해당된다.

선지분석
① 문제정의의 오류가 제3종 오류이며, 이를 방지하기 위하여 문제구조화기법이 사용된다.
③ 정책문제는 주관적이며 복잡하기 때문에 애매하고 불투명한 과정으로 간주된다.
④ 현실에서 대안의 선택은 다양한 제약하에 이루어진다.

답 ②

04	바람직한 정책목표를 설정하기 위한 요건	난이도 ●●○

신뢰성은 정책목표의 내용과는 연관이 없으며, 측정이나 평가의 일관성(규칙성)과 관련되는 개념이다.

선지분석
바람직한 정책목표의 요건에는 ① 내용의 타당성(appropriateness), ② 목표수준의 적절성(adequacy), ④ 내적 일관성이 있다.

답 ③

05
2016년 지방직 9급

정책분석에서 사용되는 주요 미래예측기법 중 미국 랜드(RAND) 연구소에서 개발된 것으로, 전문가들을 대상으로 설문을 반복하여 특정 주제에 대한 합의를 도출하는 접근방식은?

① 델파이분석
② 회귀분석
③ 브레인스토밍
④ 추세연장기법

06
2016년 서울시 7급

집단의 의사결정기법에 대한 설명 중 가장 옳은 것은?

① 델파이(Delphi)기법은 미래 예측을 위해 전문가가 아닌 일반인 다수를 활용하는 의사결정기법이다.
② 브레인스토밍(brainstorming)은 아이디어가 많은 소수에게 여러개 주제에 대해 아이디어를 제시하도록 하여 좋은 아이디어를 발굴하는 기법이다.
③ 지명반론자기법(devil's advocate method)은 작위적으로 특정 조직원들 또는 집단을 반론을 제기하는 집단으로 지정해 반론자 역할을 부여하고, 이들이 제기하는 반론과 이에 대한 제안자의 옹호 과정을 통해 의사결정을 유도하는 기법이다.
④ 명목집단기법(nominal group technique)은 관련자들이 의사결정에 직접 참여하여 대안에 대한 아이디어를 제출하도록 하고 충분한 토의를 거쳐 투표로 의사결정을 하는 기법이다.

---

05 델파이분석 난이도 ●○○

전문가들을 대상으로 설문을 반복하여 특정 주제에 대한 합의를 도출하는 접근방식은 직관적 미래예측기법인 델파이분석(delphi technique)에 해당한다. 델파이기법은 원래 1948년 랜드(RAND) 연구소에서 개발되어 전문가들의 주관적 판단에 의한 미래예측을 위해서 주로 사용되어 오다가, 오늘날에는 조직의 목표설정 및 정책결정에 이르기까지 그 적용 영역이 점차 확대되고 있다. 델파이는 전문가들의 의견을 종합하여 보다 합리적인 아이디어를 도출하려는 방법이다.

📄 델파이분석의 장단점

장점	• 응답은 주관적으로 예측하지만, 응답 결과는 통계적으로 처리됨 • 응답자들의 익명성이 유지되어 외부적 영향력으로 결론이 왜곡되는 것을 방지함 • 집단적 상호작용을 통해 보다 많은 지식교환이 가능해 짐 • 통제된 환류 과정의 반복으로 주제에 대한 관심이 커짐 • 미래예측에 대한 위험이 경감됨
단점	• 응답자의 불성실한 대답 또는 조작 가능성이 있음 • 소수의 의견이 묵살될 가능성이 있음 • 설문 방식에 따라 응답이 크게 좌우됨 • 개인의 주관적, 직관적 판단에 의존하기 때문에 추상성을 극복하기 어려움

답 ①

---

06 집단의 의사결정기법 난이도 ●●○

지명반론자기법(devil's advocate method)에 대한 옳은 설명이다.

선지분석
① 델파이기법은 미래 예측을 위해 관련 분야의 전문가들을 활용하는 방법이다. 즉, 일반인은 참여하지 못한다.
② 브레인스토밍은 소수가 아닌 여러 사람에게 하나의 주제에 대해 아이디어를 제시하도록 하여 예측하는 방법이다.
④ 명목집단기법은 집단적 문제해결에 참여하는 개인들이 개별적으로 해결방안에 대해 구상을 하고, 그에 대해 제한된 집단적 토론만을 한 다음 해결방안에 대해 표결을 하는 기법이다.

답 ③

07　　2013년 국가직 7급

집단적 문제해결의 전통적 방법을 수정한 대안과 그 특징을 바르게 연결하지 않은 것은?

① 델파이기법(delphi method) - 문제해결의 아이디어를 제공하는 사람들이 서로 대면적인 접촉을 하지 않고 각각 독자적으로 형성한 판단들을 종합·정리하는 방법이다.
② 브레인스토밍(brain storming) - 참가자들이 될 수 있는 대로 많은 독창적 의견을 내도록 노력해야 하므로, 이미 제시된 여러 아이디어를 종합하여 새로운 아이디어를 만들어내는 편승기법(piggy backing)의 사용을 지양한다.
③ 변증법적 토론(dialectical inquiry) - 두 집단으로 나누어 토론을 하기 때문에 특정 대안의 장점과 단점이 최대한 노출될 수 있다.
④ 명목집단기법(nominal group method) - 개인들이 개별적으로 해결방안을 구상하고 그에 대해 제한된 집단적 토론만 한 후 표결로 의사를 결정하는 방법이다.

07	집단적 문제해결의 전통적 방법을 수정한 대안
	난이도 ●●○

브레인스토밍(brain storming)은 참가자들이 될 수 있는 대로 많은 독창적 의견을 내도록 노력해야 하며, 이미 제안된 여러 아이디어들을 종합하여 새로운 아이디어를 만들어내는 편승기법(piggy backing)의 사용을 적극 권장한다. 또한 아이디어를 모으는 과정에서 평가를 하지 않는 것이 중요하며, 대안들의 평가·종합을 통해 실현가능성이 없는 대안들을 제거하는 과정으로 전개된다.

답 ②

08　　2021년 국가직 7급

정책델파이(policy delphi)기법에 대한 설명으로 옳지 않은 것은?

① 대립되는 입장에 내재된 가정과 논증을 표면화시키고 명백하게 하기 위하여 노력한다.
② 개인의 판단을 집약할 때, 불일치와 갈등을 의도적으로 강조하는 수치를 사용한다.
③ 정책대안에 대한 주장들이 표면화된 후에는 참가자들로 하여금 비공개적으로 토론을 벌이게 한다.
④ 참가자를 선발하는 과정은 '전문성' 자체보다는 이해관계와 식견이라는 기준에 바탕을 둔다.

08	정책델파이기법
	난이도 ●●●

정책대안에 대한 주장들이 표면화된 후에는 참가자들로 하여금 공개적으로 토론을 벌이게 한다.

답 ③

09

2011년 국가직 7급

다음이 설명하는 정책분석방법은?

> 정책의 우선순위를 설정하고 예측을 하는 데 있어서 하나의 문제를 더 작은 구성요소로 분해하고, 이 요소들을 둘씩 짝을 지어 비교하는 일련의 비교판단을 통해 각 요소들의 영향력에 대한 상대적인 강도와 효용성을 나타내는 방법이다.

① 계층화분석법(analytical hierarchy process)
② 교차충격매트릭스방법(cross impact matrix)
③ 정책델파이방법(policy delphi method)
④ 외삽법(extrapolation)

09 정책분석방법 난이도 ●●○

설문은 1970년대 사티(Saaty) 교수가 개발한 예측기법인 계층화분석법에 대한 설명이다. 이는 불확실한 상황하에서 확률 추정이 불가능한 경우에 대안 간 우선순위를 따져 미래를 예측하는 기법으로, 각 계층에 포함된 하위목표 또는 평가기준으로 표현되는 구성요소들을 둘씩 짝을 지어, 바로 상위계층의 어느 한 목표 또는 평가기준에 비추어 평가하는 쌍쌍비교를 시행한다.

📋 계층화분석법의 분석단계

제1단계	문제를 몇 개의 계층 또는 네트워크 형태로 구조화
제2단계	구성요소들을 둘씩 짝지어 상위계층의 어느 한 목표 또는 평가기준에 비추어 평가하는 쌍대비교(이원비교)를 시행
제3단계	각 계층에 있는 요소별 우선순위를 설정하고, 이를 바탕으로 최종적인 대안 간 우선순위를 설정

답 ①

10

2017년 서울시 7급

정책분석의 기법과 그 내용의 연결로 가장 옳은 것은?

① DEA분석 - 정책과 우선순위 선정을 위한 기법
② AHP분석 - 생산성/효율성 분석을 위한 기법
③ Q-방법론 - 주관적 요인을 측정하기 위한 기법
④ 시나리오기법 - 전문가들의 주관적 의견을 수렴하기 위한 기법

10 정책분석의 기법 난이도 ●●○

Q-방법론(Q-methodology)이란 인간의 주관적인 영역을 중심으로 정책을 분석하는 기법이다.

선지분석
① DEA(Data Envelopment Analysis)는 정책대안의 상대적 효율성·생산성을 분석하기 위한 성과분석기법이다.
② AHP(Analysis of Hierarchical Process), 즉 계층화분석법이란 쌍대비교를 통한 정책의 우선순위 선정을 위한 시스템분석기법이다.
④ 전문가들의 주관적 의견을 수렴하기 위한 기법은 델파이기법이다.

📋 시나리오분석

시나리오는 정책대안이 채택되면 결과가 어떻게 나올 것인지, 집행과정상의 문제는 없는지 등 미래에 대한 스토리를 각본으로 작성하여 미래를 예측하는 기법이다. 일반적으로 시나리오분석이란, 조직이 처할 수 있는 유·불리한 상황을 설정하고, 각각의 상황하에서 투자안의 순현재가치와 기본적인 상황에서의 순현재가치를 비교하여 투자에 따른 위험을 추출하는 기법으로, 계량적이고 객관적인 예측기법이다. 또한 이론적 예측인 예견에 해당한다.

답 ③

11 ☐☐☐   2009년 국가직 7급

다음 중 델파이기법에 대한 설명으로 옳은 것을 모두 고르면?

> ㄱ. 문제해결의 아이디어를 제공하는 사람들 간에 서로 대면접촉을 하지 않는다.
> ㄴ. 익명성이 유지되는 사람들이 각각 독자적으로 형성한 판단을 조합·정리한다.
> ㄷ. 다른 사람의 아이디어에 자기 의견을 첨가해 새로운 아이디어를 도출한다.
> ㄹ. 익명성이 보장되도록 개인의 의견을 컴퓨터를 통하여 입력하고 각 개별 의견에 대하여 컴퓨터를 통하여 표결한다.
> ㅁ. 구성원 간의 성격마찰, 감정대립, 지배적 성향을 가진 사람의 독주, 다수의견의 횡포 등을 피할 수 있다.

① ㄱ, ㄴ, ㅁ
② ㄱ, ㄷ, ㄹ
③ ㄴ, ㄷ, ㄹ
④ ㄷ, ㄹ, ㅁ

12 ☐☐☐   2024년 군무원 9급

다음 중 델파이기법의 절차나 요소에 대한 설명으로 가장 적절하지 않은 것은?

① 전문가 집단에게 예측하고자 하는 문제나 관련된 분야에 대하여 설문지를 배부한다.
② 설문지의 응답 내용을 통계 처리한 뒤에 결과물을 다시 동일 전문가에게 발송하여 처음의 의견을 수정할 것인지를 물어서 결과를 회신하도록 한다.
③ 장래에 일어날 사건의 줄거리를 가상적 시나리오로 구성한다.
④ 문제나 이슈에 대한 전문가를 선정한다.

| 11 | 델파이기법 | 난이도 ●●○ |

ㄱ, ㄴ, ㅁ. 델파이기법에 대한 옳은 설명이다.

선지분석
ㄷ. 다른 사람의 아이디어에 자기 의견을 첨가해 새로운 아이디어를 도출하는 것은 브레인스토밍(Brain Storming)에 해당한다.
ㄹ. 익명성이 보장되도록 개인의 의견을 컴퓨터를 통하여 입력하고 각 개별 의견에 대하여 컴퓨터를 통해 표결로 선택하는 것은 명목집단기법(Normal Group Technique)이다.

답 ①

| 12 | 델파이기법 | 난이도 ●○○ |

장래에 일어날 사건의 줄거리를 가상적 시나리오로 구성하는 것은 시나리오분석에 대한 설명이다. 시나리오분석은 미래에 대한 스토리를 각본으로 작성하여 미래를 예측하는 기법이다.

답 ③

13

2020년 국가직 7급

다음 설명을 특징으로 하는 정책분석기법의 기본 원칙이 아닌 것은?

> 그리스 현인들이 미래를 예견하던 아폴로 신전이 위치한 도시의 이름을 따서 붙여졌다. 1948년 미국 랜드(RAND) 연구소의 연구진에 의해 개발되어 공공부문이나 민간부문의 예측 활동에서 활용된다.

① 조건부확률과 교차영향행렬의 적용
② 익명성 보장과 반복
③ 통제된 환류와 응답의 통계처리
④ 전문가 합의

14

2024년 지방직 9급

다음 설명에 해당하는 정책분석기법은?

> 관련 사건이 일어났느냐 일어나지 않았느냐에 기초하여 미래에 어떤 사건이 일어날 확률에 대해서 식견 있는 판단(informed judgments)을 끌어내는 방법이다.

① 브레인스토밍
② 교차영향분석
③ 델파이기법
④ 선형경향추정

| 13 | 델파이기법의 기본원칙 | 난이도 ●○○ |

제시문은 델파이기법에 대한 설명이다. 델파이기법은 전문가들을 응답자로 선정하고, 익명의 격리된 상태에서 반복적 설문조사를 통하여 의견을 수렴하는 미래예측기법이다. 조건부확률과 교차영향행렬의 적용은 델파이기법이 아니라 교차영향분석의 특성에 해당한다.

답 ①

| 14 | 교차영향분석 | 난이도 ●○○ |

교차영향분석은 다른 관련된 사건의 발생을 촉진하거나 억제하는 사건을 식별하기 위해 사용되는 것으로서, 연관된 다른 사건이 일어났느냐 일어나지 않았느냐에 기초하여 미래의 어떤 사건이 일어날 확률에 대하여 식견 있는 판단을 이끌어내는 직관적인 기법이다. 델파이기법과 밀접하게 관련된 기법으로, 전통적 델파이기법을 보완하기 위하여 고안된 것이다.

선지분석
① 브레인스토밍은 즉흥적이고 자유분방하게 여러 가지 기발한 아이디어를 창안하는 활동이다.
③ 델파이기법은 원래 1948년 랜드(RAND) 연구소에서 개발되어 전문가들의 주관적 판단에 의한 미래예측을 위해서 주로 사용되어 오다가, 오늘날에는 조직의 목표설정 및 정책결정에 이르기까지 그 적용영역이 점차 확대되고 있다. 델파이는 전문가들의 의견을 종합하여 보다 합리적인 아이디어를 도출하려는 방법으로 원래 위원회, 기타 집단토의 등 회의 방식의 약점을 제거하기 위해 고안된 방법이다.
④ 선형경향추정은 추세연장기법의 예측기법 중 하나이다.

답 ②

15 ☐☐☐　　　2021년 군무원 7급

주관적 판단에 의한 정책대안의 결과를 예측하는 방법으로 가장 적절한 것은?

① 델파이
② 시나리오 분석
③ 회귀모형
④ 경로분석

16 ☐☐☐　　　2018년 국가직 7급

비용편익분석에 대한 내용으로 옳지 않은 것은?

① 재화에 대한 잠재가격(shadow price)의 측정과정에서 실제가치를 왜곡할 수 있다.
② 내부수익률(internal rate of return)은 순현재가치를 0(영)으로 만드는 할인율을 말한다.
③ 칼도-힉스 기준(Kaldor-Hicks criterion)은 재분배적 편익의 문제를 중시한다.
④ 정책대안이 가져오는 모든 비용과 편익을 측정하려고 하며, 화폐적 비용이나 편익으로 쉽게 측정할 수 없는 무형적인 것도 포함된다.

| 15 | 델파이기법 | 난이도 ●○○ |

델파이기법은 독자적으로 형성된 전문가들의 판단과 의견을 종합·정리하여 미래를 예측하는 주관적 예측기법이다.

선지분석
② 시나리오는 정책대안이 채택되면 결과가 어떻게 나올 것인지, 집행과정상의 문제는 없는지 등 미래에 대한 스토리를 각본으로 작성하여 미래를 예측하는 기법이다. 일반적으로 시나리오분석이란, 조직이 처할 수 있는 유·불리한 상황을 설정하고, 각각의 상황하에서 투자안의 순현재가치와 기본적인 상황에서의 순현재가치를 비교하여 투자에 따른 위험을 추출하는 기법으로, 계량적이고 객관적인 예측기법이다. 또한 이론적 예측인 예견에 해당한다.
③ 회귀모형이란 독립변수와 종속변수 간의 인과관계를 분석하려는 것으로, 독립변수의 값이 변할 때 종속변수의 미래 변화를 예측하는 통계적 기법이다.
④ 경로분석이란 인과관계가 발생한 경로를 분석하는 예측기법이다.

답 ①

| 16 | 비용편익분석 | 난이도 ●●● |

칼도-힉스 기준(Kaldor-Hicks criterion)은 파레토 기준과 더불어 능률성을 평가하는 기준으로, 사회총편익이 사회총비용보다 크다면 사업의 타당성을 인정하는 기준이다. 따라서 형평성이나 재분배적 편익의 문제를 다루지는 못한다.

선지분석
① 잠재가격은 시장가격이 존재하지 않거나 활용할 수 없을 때 분석가가 가치를 주관적으로 추정하는 것이므로 왜곡이 있을 수 있다.
② 내부수익률은 편익과 비용의 현재가치를 같게 만들어 주는 때의 할인율로서 순현재가치(B-C)를 0(영)으로, 편익비용비(B/C)를 1로 만들어주는 할인율을 말한다.
④ 비용편익분석은 모든 비용과 편익을 금전적 가치로 표현하되, 무형적인 것은 물론 실질적이고 총체적인 비용과 편익을 모두 포함시켜야 한다.

답 ③

17 ☐☐☐   2021년 국가직 9급

공공사업의 경제성분석에 대한 설명으로 옳은 것만을 모두 고르면?

> ㄱ. 할인율이 높을 때는 편익이 장기간에 실현되는 장기투자사업보다 단기간에 실현되는 단기투자사업이 유리하다.
> ㄴ. 직접적이고 유형적인 비용과 편익은 반영하고, 간접적이고 무형적인 비용과 편익은 포함하지 않는다.
> ㄷ. 순현재가치(NPV)는 비용의 총현재가치에서 편익의 총현재가치를 뺀 것이며 0보다 클 경우 사업의 타당성을 인정할 수 있다.
> ㄹ. 내부수익률은 할인율을 알지 못해도 사업평가가 가능하도록 하는 분석기법이다.

① ㄱ, ㄴ
② ㄱ, ㄹ
③ ㄴ, ㄷ
④ ㄱ, ㄷ, ㄹ

---

18 ☐☐☐   2017년 국가직 7급(10월 추가)

정책분석기법에 대한 설명으로 옳지 않은 것은?

① 교차영향분석(cross-impact analysis)은 불완전한 정보를 가지고 있는 모형 내의 파라미터의 변화에 따라 대안의 결과가 어떻게 반응하는지를 분석하는 기법이다.
② 칼도-힉스 기준(Kaldor-Hicks criterion)은 전통적인 비용편익분석(cost-benefit analysis)의 기초가 된다.
③ 추세연장에 의한 예측에서 가장 표준적인 방법은 선형 경향 추정(linear trend estimation)이다.
④ 의사결정나무(decision tree)를 활용한 분석모형에서는 상황의 불확실성을 고려한다.

| 17 | 경제성분석 | 난이도 ●●● |

ㄱ. 할인율이 낮을 경우 장기투자가, 높을 경우 단기투자가 유리하다.
ㄹ. 불확실성이 심하여 시장이나 사회적 할인율을 알지 못하는 경우에 사용하는 일종의 예상수익률이다.

(선지분석)
ㄴ. 내부수익률은 간접적이고 무형적인 비용과 편익까지도 모두 포함한다.
ㄷ. NPV = 편익의 현재가치 - 비용의 현재가치이며, 0보다 클 경우 사업의 타당성을 인정할 수 있다.

답 ②

| 18 | 정책분석기법 | 난이도 ●●○ |

교차영향분석이 아니라 민감도분석에 대한 설명이다. 교차영향분석은 다른 관련된 사건의 발생을 촉진하거나 억제하는 사건을 식별하기 위해 사용되는 것으로, 연관된 다른 사건의 발생 여부에 기초하여 미래의 어떤 사건이 일어날 확률에 대해 식견 있는 판단을 이끌어내는 직관적인 기법이다. 델파이기법과 밀접하게 관련된 기법으로, 전통적 델파이기법을 보완하기 위하여 고안된 것이다.

(선지분석)
② 칼도-힉스 기준(Kaldor-Hicks criterion)은 파레토 최적 기준의 약점을 보완하기 위한 기준으로, 어떤 정책의 집행의 결과 효용의 증가를 가져오는 사람들의 효용의 합계가 효용의 감소를 가져오는 사람들의 손실을 보상하고도 남을 때, 그러한 정책은 상황의 개선을 가져온다고 할 수 있다.
③ 추세연장의 가장 대표적인 방법은 추세선을 찾는 선형 경향 추정(linear trend estimation)이다.
④ 의사결정나무(Decision Tree)는 '어느 대안을 선택할 것인가(decision nodes)'와 불확실한 상황 중에서 '어떤 것이 실현될 것인가(chance nodes)'를 바탕으로, 여러 결과가 생기는 상황을 나뭇가지 모양으로 도식화하여 분석하는 기법이다.

답 ①

19
2025년 지방직 9급

정책분석 기준에 대한 설명으로 옳지 않은 것은?

① 효과성(effectiveness)이란 정책대안이 의도한 목표를 어느 정도 달성할 수 있는가를 판단하는 기준이다.
② 대응성(responsiveness)이란 정책대안이 수혜집단의 요구를 어느 정도 반영하였는가를 판단하는 기준이다.
③ 실현가능성(feasibility)이란 정책대안의 내용이 충실히 집행될 수 있는가를 판단하는 기준이다.
④ 능률성(efficiency)이란 정책대안에 따른 비용과 편익이 상이한 개인 및 집단에게 얼마나 고르게 배분될 수 있는가를 판단하는 기준이다.

20
2023년 국가직 7급

정책대안의 미래예측 방법인 추세연장(extrapolation) 예측기법에 대한 설명으로 옳지 않은 것은?

① 과거부터 현재까지의 자료를 토대로 미래 사회의 상태를 예상하는 방법이다.
② 추세연장의 주요 방법에는 이동평균법(moving average), 지수평활법(exponential smoothing), 교차영향행렬(crossimpact matrix) 분석이 있다.
③ 지속성(persistence), 규칙성(regularity), 자료의 신뢰성(reliability) 및 타당성(validity)의 가정이 충족되는 것을 전제로 한다.
④ 추세연장 예측 분석을 위해서는 시계열 자료가 주로 사용되며, 인구감소, 경제성장, 기관의 업무량 등을 예측하는 데 이용된다.

| 19 | 정책분석 기준 | 난이도 ●●○ |

비용과 편익이 상이한 개인 및 집단에게 얼마나 고르게 배분될 수 있는가를 판단하는 기준은 형평성에 해당한다.

(선지분석)
① 효과성은 목표달성도를 의미하는 효과성에 대한 옳은 지문이다.
② 대응성은 고객인 국민의 필요와 요청에 얼마나 신속하고 정확하게 반응을 보이는지의 여부를 말한다.
③ 실현가능성에 대한 옳은 지문이다.

답 ④

| 20 | 추세연장(extrapolation) 예측기법 | 난이도 ●●● |

이동평균법, 지수평활법은 추세연장적 예측방법, 교차영향행렬은 직관적(판단적) 예측기법이다.

(선지분석)
① 추세연장적 예측방법들은 과거, 현재의 자료를 토대로 미래 사회 상태를 예측하는 방법이다.
③ 추세연장적 예측은 다음의 세 가지 가정에 기초를 둔다.
   ⓐ 지속성: 과거에 관찰된 추세가 미래에도 지속될 것을 의미
   ⓑ 규칙성: 만약 과거에 관찰된 변동이 비지속적 패턴으로 발생했다면, 이는 미래에도 되풀이될 것을 의미
   ⓒ 신뢰성 및 타당성: 지속적 경향에 대한 측정과 비지속적 패턴의 측정이 신뢰할 수 있고, 제대로 측정한(타당한) 것을 의미

답 ②

21

2017년 국회직 9급

집단의사결정기법에 대한 설명으로 옳지 않은 것은?

① 델파이기법(delphi method)은 미래 예측을 위해 전문가 집단을 활용하는 방법이다.
② 전통적 델파이기법하에서는 참여자들의 익명성이 보장되는 것을 원칙으로 한다.
③ 브레인스토밍(brainstorming)은 여러 사람에게 하나의 주제에 대한 아이디어를 무작위로 제시하도록 하여 좋은 아이디어를 발굴하는 방법이다.
④ 교차영향분석은 한 사건의 발생 확률이 다른 사건에 종속적이라는 전제하에 조건 확률을 이용한다.
⑤ 명목집단기법(nominal group technique)은 관련자들이 의사결정에 참여하지 않은 채 서면으로 대안에 대한 아이디어를 제출하도록 하고, 모든 아이디어가 제시된 이후 최고 의사결정자가 단독으로 결정하는 기법이다.

22

2019년 지방직 9급

조직의 의사결정에 대한 설명으로 옳지 않은 것은?

① 전통적 델파이기법은 전문가들의 다양성을 고려해 의견 일치를 유도하지 않는다.
② 현실의 세계에서는 완벽한 합리성이 아닌 제한된 합리성의 상황에서 의사결정이 이루어진다.
③ 브레인스토밍 과정에서는 타인의 아이디어를 비판하거나 평가하지 말아야 한다.
④ 고도로 집권화된 구조나 기능을 중심으로 편제된 조직의 의사결정은 최고관리자 개인이 주도하는 경우가 많다.

---

21 집단의사결정기법 난이도 ●●○

명목집단기법(Normal group technique)은 집단적 문제해결에 참여하는 개인들이 개별적으로 해결방안에 대해 구상을 하고, 그에 대해 제한된 집단적 토론만을 한 다음 해결방안에 대해 표결을 하는 기법이다.

(선지분석)
① 델파이기법은 전문가들의 의견을 종합하여 보다 합리적인 아이디어를 도출하려는 방법으로, 원래 위원회·기타 집단토의 등 회의 방식의 약점을 제거하기 위해 고안된 방법이다.
② 전통적 델파이기법은 익명성, 반복과 환류, 합의를 특징으로 한다.
③ 브레인스토밍은 아이디어를 모으는 과정에서 평가를 하지 않는 것이 중요하며, 대안들의 평가·종합을 통해 실현가능성이 없는 대안들을 제거하는 과정으로 전개된다.
④ 교차영향분석은 다른 관련된 사건의 발생을 촉진하거나 억제하는 사건을 식별하기 위해 사용되는 것으로, 연관된 다른 사건의 발생 여부에 기초하여 미래의 어떤 사건이 일어날 확률에 대해 식견 있는 판단을 이끌어내는 직관적인 기법이다.

답 ⑤

---

22 조직의 의사결정 난이도 ●●○

전통적 델파이기법은 전문가의 합의를 중시한다.

(선지분석)
② 완전한 합리성을 가정한 합리모형은 비현실적이라는 비판을 받으며, 현실의 세계에서는 제한된 합리성의 상황에서 의사결정이 이루어진다.
③ 브레인스토밍은 구성원들이 자유롭게 토론하는 기법으로, 다양한 아이디어의 도출을 목적으로 하기 때문에 브레인스토밍 과정에서는 타인의 아이디어를 비판하거나 평가하지 말아야 한다.
④ 고도로 집권화된 구조나 기능을 중심으로 편재된 조직의 경우, 최고관리자 개인이 의사결정을 주도하는 경우가 많다.

답 ①

23 ☐☐☐
2023년 지방직 7급

정책대안의 탐색에 대한 설명으로 옳지 않은 것은?

① 과거 또는 현재의 정책을 참고로 하거나 외국 또는 다른 지방자치단체에서 활용한 정책들을 대안으로 고려하는 것은 점증주의적 접근에 해당한다.
② 다른 정부의 정책을 대안으로 고려할 때는 가급적 사회문화적 배경이 이질적인 지역을 선택하는 것이 바람직하다.
③ 주관적·직관적 판단을 이용하는 방법으로 브레인스토밍과 델파이가 있으며 이들은 대안의 개발뿐만 아닌 대안의 결과예측에서도 활용된다.
④ 브레인스토밍은 기발하고 다양한 아이디어를 자유분방하게 제안하도록 함으로써 많은 아이디어를 얻기 위한 활동이다.

| 23 | 정책대안 | 난이도 ●○○ |

다른 정부의 정책을 대안으로 고려할 때는 가급적 사회문화적 배경이 유사한 지역을 선택하는 것이 바람직하다.

선지분석
① 점증주의적 접근 기존의 정책이나 외국 또는 다른 지방자치단체의 정책들을 대안으로 고려한다.
③ 브레인스토밍과 델파이기법 등은 대안의 개발뿐만 아닌 대안의 결과예측단계에서도 활용된다.
④ 브레인스토밍은 자유로운 분위기에서 아이디어를 도출하기 때문에 아이디어에 대한 비판을 금지한다. 아울러 직관적 예측인 아이디어의 양(개수)을 중시하기 때문에 무임승차(편승기법)를 허용한다.

답 ②

KEYWORD 035 불확실성 대처방안

24 ☐☐☐
2019년 지방직 9급

정책환경의 불확실성을 극복하는 대처방안 중 소극적인 방법에 해당하는 것은?

① 상황에 대한 정보의 획득
② 정책실험의 수행
③ 협상이나 타협
④ 지연이나 회피

| 24 | 불확실성 대처방안 | 난이도 ●●○ |

불확실성을 대처하는 방안에는 크게 적극적 방법과 소극적 방법이 있다. 적극적 방법은 불확실한 것을 확실하게 하려는 것이며, 소극적 방법은 불확실성을 감안하여 정책을 결정하는 것이다. 지연이나 회피는 소극적 방법에 해당한다.

선지분석
① 상황에 대한 정보의 획득, ② 정책실험의 수행, ③ 협상이나 타협은 불확실성을 극복하기 위한 적극적인 방법에 해당한다.

답 ④

25   2010년 국가직 9급

미래에 대한 불확실성을 주어진 조건으로 보고 그 안에서 결과를 예측하는 방법으로, 미래에 발생할 수 있는 최악의 상황을 전제하고 정책대안의 결과를 예측하는 방법은?

① 중복적 또는 가외적 대비(redundancy)
② 민감도분석(sensitivity analysis)
③ 보수적 결정(conservative decision)
④ 분기점분석(break-even analysis)

| 25 | 보수적 결정 | 난이도 ●○○ |

모든 대안의 최악의 불확실성을 가정하고 대안을 모색하는 방식은 보수적 결정에 해당한다. 반면 악조건가중분석은 최선의 대안에서만 최악의 경우를 가정하고, 나머지 대안에서는 최선의 상태가 발생한다고 가정한다.

(선지분석)
① 가외성은 여분으로 하나를 더 가지고 있는 것으로, 불확실성에 대응한다.
② 민감도분석은 대안의 결과들이 모형상의 파라미터 변화에 얼마나 민감한지를 파악하는 방법이다.
④ 분기점분석이란 악조건가중분석 결과로 대안의 우선순위가 달라질 경우 사용하는 분석이다.

답 ③

26   2007년 국가직 7급

정책분석 과정에서 직면하게 되는 불확실성을 최소화하기 위해 적용되는 분석기법에 대하여 설명한 것 중 잘못 설명되고 있는 것은?

① 민감도분석(sensitivity analysis)은 정책 대안의 결과들이 모형상의 파라미터 변화에 얼마나 민감한지를 알아보려는 분석기법이다.
② 델파이 분석(delphi analysis)은 전문가 집단으로부터 반복된 설문지를 통하여 어떤 문제에 대한 개연성이 높은 것을 추정하여 불확실성을 극복하고자 하는 방법이다.
③ 분기점분석(break-even analysis)은 가장 두드러진 대안에 불리한 값을 대입하여 우선순위의 변화를 통해 종속변수의 불확실성을 해결하기 위한 것이다.
④ 상황분석(contingency analysis)은 정책 환경에 대한 불확실성을 최소화하기 위한 것으로 상이한 조건하에서의 우선순위 변화를 통해 분석한다.

| 26 | 불확실성의 대처방안 | 난이도 ●●○ |

가장 두드러진 대안에 불리한 값을 대입하여 우선순위의 변화를 통해 종속변수의 불확실성을 해결하기 위한 것은 분기점분석이 아니라 악조건가중분석에 해당한다. 분기점분석이란 악조건가중분석의 결과로 대안의 우선순위 결과가 달라질 경우, 대안들이 동등한 결과를 가져오기 위해서는 어떤 가정이 필요한지를 밝히는 분석이다.

불확실성의 대처방안

적극적 방안	불확실한 것을 확실하게 하려는 방법 • 정보획득 • 환경과 흥정 및 연합 등
소극적 방안	불확실성을 감안하여 정책을 결정하는 방법 • 보수적 방법 • 가외성 • 민감도분석 • 상황의존분석 • 악조건가중분석 • 분기점분석

답 ③

27 □□□   2021년 군무원 7급

정책결정과정의 민주화가 요청되는 이유로서 가장 적절하지 않은 것은?

① 정책문제의 인지상 왜곡을 시정하기 위해서
② 정책효과의 능률적 평가를 위해서
③ 소외된 계층의 이익 표출을 위해서
④ 정책집행단계에서의 정책순응과 협조를 원활히 하기 위해서

---

27 | 정책결정과정 | 난이도 ●●○

정책의 능률적 평가를 위해 민주화가 요청된다고 보기는 어렵다.

선지분석
① 정책결정이 소수에 의해 이루어질 경우 인지상 왜곡이 발생할 수 있으나, 민주화를 통해 이를 방지할 수 있다.
③ 다양한 계층이 의견 표출을 할 수 있게 되어 소외된 계층의 이익을 고려할 수 있다.
④ 다수의 합의를 거침으로써 집행단계에서는 순응과 협조를 쉽게 이끌어 낼 수 있다.

답 ②

KEYWORD 036 정책결정모형

28 □□□   2018년 지방직 9급

표준운영절차(SOP)에 대한 설명으로 옳은 것은?

① 업무 담당자가 바뀌게 되면 표준운영절차로 인해 업무처리의 연속성을 유지하는 것이 어렵게 된다.
② 표준운영절차는 업무처리의 공평성을 확보하는 데 기여한다.
③ 표준운영절차에 따른 업무처리는 정책집행 현장의 특수성을 반영하기에 용이하다.
④ 정책결정모형 중 앨리슨(Allison)모형의 Model I은 표준운영절차에 따른 의사결정을 가정한다.

---

28 | 표준운영절차(SOP) | 난이도 ●●○

표준운영절차(SOP; Standard Operation Process)란 업무처리 과정을 표준화·공식화하는 것으로, 업무처리의 객관성과 공평성이 확보된다.

선지분석
① 표준운영절차가 만들어지면 업무 담당자가 바뀌어도 정해진 절차에 따라 업무를 처리함으로써 업무처리의 연속성을 유지하는 것이 가능하게 된다.
③ 표준운영절차에 따른 정형적인 업무처리는 정책집행 현장의 특수성 반영을 곤란하게 한다.
④ 앨리슨(Allison)의 Model Ⅱ(조직과정모형)가 표준운영절차에 따른 의사결정을 가정한다.

답 ②

29

2017년 국가직 9급(4월 시행)

정책결정모형에 대한 설명으로 옳지 않은 것은?

① 점증모형 - 기존의 정책을 수정·보완해 약간 개선된 상태의 정책 대안이 선택된다.
② 최적모형 - 정책결정자의 직관적 판단은 정책결정의 중요한 요인으로 인정되지 않는다.
③ 혼합주사모형 - 거시적 맥락의 근본적 결정에 해당하는 부분에서는 합리모형의 의사결정 방식을 따른다.
④ 쓰레기통모형 - 조직화된 무질서 상태에서 어떠한 계기로 인해 우연히 정책이 결정된다.

30

2018년 국가직 7급

혼합주사모형(mixed-scanning model)에 대한 설명으로 옳은 것은?

① 정책결정과정을 이미 프로그램화되어 있는 특정한 상태를 유지하기 위한 것으로 파악한다.
② 정책의 결정을 근본적 결정과 세부적 결정으로 구분한다.
③ 갈등의 준해결, 문제 중심의 탐색, 불확실성의 회피, 조직의 학습, 표준운영절차(SOP)의 활용 등을 특징으로 한다.
④ 상황 변화에 따른 새로운 정보에 초점을 맞추는 것이 아니라 극히 제한된 투입 변수의 변동에 주의를 집중하여 의사결정을 한다.

| 29 | 정책결정모형 | 난이도 ●○○ |

최적모형은 불확실한 상황하에서 선례가 없는 복잡한 문제에 대해서는 직관·판단력·통찰력과 같은 초합리성이 중요하다는 것을 강조한다.

선지분석
① 점증모형은 현존 정책에 비하여 약간 향상된 정책에만 관심을 가지며, 비교적 한정된 수의 정책대안만 검토하고 각 대안에 대하여 한정된 수의 중요한 결과만 평가한다.
③ 혼합주사모형은 목표달성을 위한 대안을 거시적·포괄적으로 탐색(합리모형)하나, 대안결과는 중요한 것만 개괄적으로 예측한다(합리모형의 완화).
④ 쓰레기통모형은 조직화된 무질서 상태에서 ⓐ 문제(problem), ⓑ 해결책(solution), ⓒ 참여자(participant), ⓓ 의사결정의 기회(chance)가 구비되어야 하는데, 이 네 가지 요소들이 아무 관계없이 독자적으로 움직이다가 어떤 계기로 우연히 만나게 될 때 의사결정이 이루어진다고 본다.

답 ②

| 30 | 혼합주사모형 | 난이도 ●○○ |

혼합주사모형은 정책을 근본적 결정과 세부적 결정으로 나누어 근본적 결정은 합리모형, 세부적 결정은 점증모형에 의하여 결정한다.

선지분석
①, ④ 사이버네틱스모형의 특징에 해당한다. 사이버네틱스모형은 환류 채널을 통해 들어오는 몇 가지 정보에 따라 시행착오적인 적응을 하는 것으로, 그것이 사전에 설정된 범위를 벗어났는가, 아닌가의 여부만을 판단하여 그에 상응한 행동을 반응 목록에서 찾아낸 후, 해당 정보에 대응하는 조치를 프로그램대로 취하게 된다.
③ 회사모형에 해당한다.

답 ②

31

2020년 국가직 9급

다음 설명에 해당하는 정책결정모형은?

> 지난 30년간 자료를 중심으로 전국의 자연재난 발생현황을 개략적으로 파악한 다음, 홍수와 지진 등 두 가지 이상의 재난이 한 해에 동시에 발생한 지역을 중심으로 다시 면밀하게 관찰하며 정책을 결정한다.

① 만족모형
② 점증모형
③ 최적모형
④ 혼합탐사모형

32

2022년 군무원 9급

정책결정모형에 대한 설명으로 가장 옳지 않은 것은?

① 합리모형은 합리적인 경제인을 가정하며 정책과정의 역동성을 고려하지 않는다.
② 만족모형은 조직 차원의 합리성과 정책결정자 개인 차원의 합리성 사이에 존재하는 괴리를 인정한다.
③ 점증모형은 정책을 이해관계자들 사이에 이루어지는 타협과 조정의 산물로 본다.
④ 최적모형은 합리모형의 한계를 극복하기 위해 만족모형과 점증모형의 강점을 취하고자 한다.

| 31 | 혼합탐사모형 | 난이도 ●●● |

제시문은 의사결정모형 중 합리모형과 점증모형을 결합한 혼합탐사모형을 설명하고 있다.

답 ④

| 32 | 정책결정모형 | 난이도 ●○○ |

최적모형은 양적 모형과 질적 모형을 결합시킨 모형이다.

(선지분석)
① 합리모형은 이성과 고도의 합리성에 따라 결정하는 합리적 경제인을 가정하고, 모든 수단과 목표·환경이 명확하고 고정되어 있다는 가정하에 목표달성 극대화를 추구하는 이상적 규범적 모형이지만, 정책과정의 역동성·변화가능성을 고려하지 못한다는 한계가 있다.
② 만족모형의 제한된 합리성은 개인적·심리적 차원의 모형으로, 지나치게 주관적이며 이로 인해 조직 차원의 합리성으로 설명하기 곤란하다는 한계가 있다.
③ 점증모형은 정치적 합리성을 추구하며, 다양한 이해관계를 적절히 조정·타협하며 정책을 결정하는 다원주의적 과정을 강조한다.

답 ④

33

2018년 국가직 9급

사이버네틱스(cybernetics) 의사결정모형에 대한 설명으로 옳지 않은 것은?

① 주요 변수가 시스템에 의하여 일정한 상태로 유지되는 적응적 의사결정을 강조한다.
② 문제를 해결하고 목표를 달성하기 위해 정보와 대안의 광범위한 탐색을 강조한다.
③ 자동온도조절장치와 같이 사전에 프로그램된 메커니즘에 따라 의사결정이 이루어진다.
④ 한정된 범위의 변수에만 관심을 집중함으로써 불확실성을 통제하려는 모형이다.

34

2023년 지방직 9급

정책결정모형에 대한 설명으로 옳은 것은?

① 혼합주사모형(mixed scanning approach)은 1960년대 미국의 쿠바 미사일 위기사건을 설명하기 위해 연구된 모형이다.
② 사이버네틱스모형을 설명하는 예시로 자동온도조절장치를 들 수 있다.
③ 쓰레기통모형은 갈등의 준해결, 문제 중심의 탐색, 불확실성 회피, 표준운영절차의 활용을 설명하는 모형이다.
④ 합리모형은 만족할 만한 수준에서 의사결정이 이루어진다고 설명하는 모형이다.

| 33 | 사이버네틱스 의사결정모형 | 난이도 ●●○ |

모든 정보와 대안을 광범위하게 탐색하려는 합리모형과 달리 사이버네틱스모형은 환류 채널을 통해 들어오는 몇 가지 정보에 따라 시행착오적인 적응적 결정을 한다.

(선지분석)

①, ③ 고차원의 목표가 반드시 사전에 존재하는 것으로 전제하지 않으며, 일정한 중요변수의 유지를 위한 끊임없는 적응에 초점을 둔다(자동온도조절장치 등).
④ 환류 채널을 통해 들어오는 몇 가지 정보에 따라 시행착오적인 적응을 하는 것으로, 그것이 사전에 설정된 범위를 벗어났는가, 아닌가의 여부만을 판단하여 그에 상응한 행동을 반응 목록에서 찾아낸 후, 해당 정보에 대응하는 조치를 프로그램대로 취하게 된다.

답 ②

| 34 | 정책결정모형 | 난이도 ●○○ |

사이버네틱스모형은 고차원의 목표가 반드시 사전에 존재하는 것으로 전제하지 않으며, 일정한 중요변수의 유지를 위한 끊임없는 적응에 초점을 둔다. 대표적인 예로 자동온도조절장치를 들 수 있다.

(선지분석)

① 앨리슨(Allison)의 의사결정모형이다.
③ 회사모형의 주요 특징이다.
④ 사이먼(Simon)의 만족모형에 해당한다.

답 ②

35 ◻◻◻   2016년 국가직 7급

다음 중 조직의 의사결정과정에서 나타나는 특성에 대한 개념을 옳게 연결한 것은?

A. 시간과 능력의 제약 때문에 정책결정자들은 모든 상황을 고려하기보다 특별히 관심을 끄는 부분에 대해서 고려한다.
B. 정책결정에서는 관련 집단들의 요구가 모두 성취되기보다는 서로 나쁘지 않을 정도의 수준에서 타협점을 찾는 경향이 있다.
C. 반복적인 의사결정의 경험이 전수되며 시간의 흐름에 따라 결정 수준이 개선되고 목표달성도가 높아지게 된다.
D. 정책결정자들의 경험이 축적됨에 따라 가장 효율적이라고 판단되는 정책결정 절차와 방식을 마련하게 되고 이를 활용한 정책결정이 증가한다.

ㄱ. 조직의 학습
ㄴ. 표준운영절차 수립
ㄷ. 갈등의 준해결
ㄹ. 문제 중심의 탐색

	A	B	C	D
①	ㄱ	ㄴ	ㄷ	ㄹ
②	ㄱ	ㄷ	ㄹ	ㄴ
③	ㄹ	ㄴ	ㄷ	ㄱ
④	ㄹ	ㄷ	ㄱ	ㄴ

---

35 조직의 의사결정과정   난이도 ●●○

A - ㄹ. 문제 중심의 탐색: 문제가 발생하면 비로소 대안탐색을 시작하는 것으로, 결정자들은 시간과 능력의 제약 때문에 모든 상황을 다 고려하기보다는 특별한 관심을 끄는 부분에 대해서만 고려한다.
B - ㄷ. 갈등의 준해결: 흥정의 과정에서 서로 나쁘지 않은 수준의 타협점을 찾는 경향을 말한다.
C - ㄱ. 조직의 학습: 결정 작업이 반복되는 과정에서 결정자들은 점차 많은 경험을 쌓게 되며, 이를 조직의 학습이라고 한다.
D - ㄴ. 표준운영절차의 수립: 경험이 축적되어 감에 따라, 가장 효율적이라고 생각되는 결정 절차를 마련해 두고 이를 활용하여 결정하는 것이다.

답 ④

36 ◻◻◻   2016년 지방직 7급

의사결정모형 중 쓰레기통모형의 내용이 아닌 것은?

① 진빼기 결정
② 의사결정을 구성하는 네 가지의 흐름
③ 조직화된 무정부 상태
④ 갈등의 준해결

---

36 쓰레기통모형   난이도 ●○○

쓰레기통모형은 조직화된 무질서 상태가 전제조건이며, 갈등의 준해결은 조직모형, 회사모형, 연합모형의 주요 특징에 해당한다.

선지분석
① 쓰레기통모형은 자원의 여유가 없는 경우, 진빼기 결정(choice by flight)을 한다. 여기서 진빼기 결정이란 해결해야 할 문제와 이와 관련된 문제가 함께 있을 때, 관련된 문제들이 스스로 다른 의사결정 기회를 찾아 떠날 때까지 기다려서 결정하는 방법이다.
② 의사결정이 이루어지려면 네 가지의 요소, 즉 ⓐ 문제(problem), ⓑ 해결책(solution), ⓒ 참여자(participant), ⓓ 의사결정의 기회(chance)가 구비되어야 하는데, 이 네 가지 요소들이 아무 관계없이 독자적으로 움직이다가 어떤 계기로 우연히 만나게 될 때 의사결정이 이루어진다고 본다.
③ 쓰레기통모형은 조직화된 무질서 상태에서 응집성이 매우 약한 조직이 어떤 의사결정행태를 나타내는가에 분석초점을 둔 코헨(Cohen), 마치(March), 올슨(Olsen) 등이 제시한 모형이다.

답 ④

37

2021년 국가직 7급

쓰레기통모형에 대한 설명으로 옳은 것은?

① 조직구성원의 응집성이 아주 강한 혼란상태에 있는 조직에서 의사결정이 어떻게 이루어지는가를 기술하고 설명한다.
② 불명확한 기술(unclear technology)은 조직에서 의사결정 참여자의 범위와 그들이 투입하는 에너지가 유동적임을 의미한다.
③ 쓰레기통모형의 의사결정 방식에는 끼워넣기(by oversight)와 미뤄두기(by flight)가 포함된다.
④ 문제성 있는 선호(problematic preferences)는 목표와 수단 사이의 인과관계가 명확하지 않음을 의미한다.

38

2016년 국회직 8급

점증주의적 정책결정에 대한 설명으로 옳지 않은 것은?

① 점증주의는 현실에서 이루어지는 정책결정의 실상을 비교적 정확하게 기술하고 있다.
② 인간의 제한된 합리성과 다원주의의 정치적 정당성을 정교하게 결합시켰다.
③ 정치적 갈등을 줄이고 실현 가능성을 확보하여 정책결정과 집행을 용이하게 한다.
④ 상황이 복잡하여 정책 대안의 결과가 극히 불확실할 때, 지속적인 수정과 보완을 통해 불확실성을 극복할 수 있다.
⑤ 비가분적(indivisible) 정책의 결정에 적용하기 용이한 모형이다.

---

37 쓰레기통모형 | 난이도 ●●○

쓰레기통모형에서는 진빼기 결정(choice by flight)과 날치기 통과(choice by oversight) 의사결정이 이루어진다.

선지분석
① 쓰레기통모형은 응집성이 약한 혼란상태에서의 의사결정을 설명한다.
② 조직에서 의사결정 참여자의 범위와 그들이 투입하는 에너지가 유동적임을 의미하는 것은 일시적·유동적 참여자이다.
④ 목표와 수단 사이의 인과관계가 명확하지 않음을 의미하는 것은 불명확한 기술이다.

답 ③

38 점증주의적 정책결정 | 난이도 ●●●

비가분적 정책이란 분할할 수 없는 비분할적 정책으로, 점증모형보다는 합리모형이 적합하다. 점증모형은 정책을 요소별로 분할하여 가지치기하는 지분법(branch approach)을 적용한다.

선지분석
① 점증주의는 현실적이고 실증적인 모형이다.
② 점증주의는 제한된 합리성을 수용하면서 정치적 합리성을 결합시킨 것이다.
③ 한정된 대안과 결과만 검토하므로 갈등을 줄이고 결정을 간소화한다.
④ 점증주의는 정책상황이 불확실하여 예측이 곤란할 때 사용하는 모형이다.

답 ⑤

39　　　　　　　　　　　　　　2015년 사회복지직 9급

쓰레기통모형에 대한 설명으로 옳지 않은 것은?

① 명확하지 않은 인과관계를 토대로 해결책이 제시되는 경우가 많다.
② 이해관계자들의 지속적인 의사결정 참여가 어렵다.
③ 목표나 평가 기준이 명확하지 않은 경우가 많다.
④ 현실 적합성이 낮아 이론적으로만 설명이 가능한 모형이다.

| 39 | 쓰레기통모형 | 난이도 ●●● |

현실 적합성이 낮아 이론적으로만 설명이 가능한 것은 합리모형의 한계이다. 쓰레기통모형은 불확실하고 무질서한 현실적 제약조건하에서 흔히 일어나는 의사결정과정을 현실성 있게 설명한다.

선지분석
① 불명확한 기술로 인하여 인과관계를 정확히 모른다.
② 시간적 제약으로 인한 일시적(부분적) 참여이다.
③ 선호와 목표가 불분명하다.

쓰레기통모형의 조직화된 무질서 상태의 특징

문제성 있는 선호	어떤 선택이 바람직한가에 대한 합의가 없고, 참여자 자신이 무엇을 좋아하는지 모르면서 의사결정에 참여함
불명확한 기술	대안과 결과 간의 인과관계에 관한 지식과 기술이 불분명하다. 또한, 목표를 달성하기 위한 수단을 알지 못함
유동적 참여자의 속성	문제에 따라 참여자가 다르고, 참여도 간헐적·일시적임

답 ④

40　　　　　　　　　　　　　　2021년 군무원 7급

쓰레기통모형의 기본적인 전제와 가장 관련이 없는 것은?

① 갈등의 준해결: 정책결정과정에서 집단 간에 요구가 모두 수용되지 않고 타협하는 수준에서 대안을 찾는다.
② 문제있는 선호: 정책결정에 참여하는 자들 간에 무엇을 선택하는 것이 바람직한지에 대해서 합의가 없다.
③ 불명확한 기술: 목표와 수단 사이에 존재하는 인과관계가 명확하지 않아 조직은 시행착오를 거침으로써 이를 파악한다.
④ 수시적 참여자: 동일한 개인이 시간이 변함에 따라 어떤 경우에는 결정에 참여했다가 어떤 경우에는 참여하지 않는다.

| 40 | 쓰레기통모형 | 난이도 ●●○ |

갈등의 준해결은 쓰레기통모형이 아니라 회사모형의 특징이다.

선지분석
②, ③, ④ 조직화된 무질서 상태를 설명하는 쓰레기통모형의 전제조건에 해당한다.

답 ①

41

2019년 서울시 7급(3월 추가)

〈보기〉는 정책결정에 관한 어떤 모형을 설명하고 있다. 이 모형을 제안한 학자는?

〈보기〉
이 모형은 조직화된 혼란상태에서의 의사결정을 다루고 있다. 이 모형은 합리모형이 전제하고 있는 것처럼 모든 대안을 비교, 평가해 최선의 대안을 선택할 수 없다고 전제하고 문제의 선호, 불분명한 기술, 유동적 참여의 세 가지 요인이 의사결정 기회를 찾아 끊임없이 움직이며 이들의 흐름이 교차하는 시점에서 의사결정이 이루어진다고 설명한다.

① 드로(Y. Dror)
② 스미스와 메이(Smith & May)
③ 코헨, 마치와 올슨(Cohen, March & Olsen)
④ 에치오니(A. W. Etzioni)

42

2015년 사회복지직 9급

다음 설명에 해당하는 정책결정모형은?

- 정책결정은 부분적, 순차적으로 이루어진다.
- 집단의 합의를 중시하는 특징이 있다.
- 정책을 축소하거나 종결하기 어렵다.

① 합리모형
② 최적모형
③ 점증모형
④ 만족모형

---

41 쓰레기통모형 · 난이도 ●○○

제시문은 코헨, 마치와 올슨(Cohen, March & Olsen)이 주장한 쓰레기통모형에 대한 설명으로, 그들은 조직화된 무질서 상태에서 응집성이 매우 약한 조직이 어떤 의사결정행태를 나타내는가에 분석초점을 두었다. 쓰레기통모형은 상하관계가 분명하지 않은 대학이나 다당제로 이루어진 의회 또는 여러 부처가 관련되는 정책의 결정 등에 적용하기 용이하였으며, 조직화된 무정부 상태의 체계적 분석과 결정이론의 일반화에 기여하였다.

답 ③

42 정책결정모형 · 난이도 ●○○

점증모형은 다양한 이해관계의 상호조정에 의한 의사결정이 기존 정책에서 약간의 변화를 추구하므로, 기존 정책이 잘못된 경우 악순환이 초래되고 정책의 축소·종결이 어렵다.

선지분석
① 합리모형은 현실적으로 목표의 합의가 곤란하고 모든 대안의 총체적 탐색이 불가능하다.
② 최적모형은 이전에 선례가 없는 문제나 제한된 자원, 불확실한 상황, 지식 및 정보의 결여 등으로 인한 비정형적 정책결정의 경우 직관·판단력·창의력 등에 의한 초합리적 결정을 강조한다.
④ 만족모형은 인지능력에 의한 제한된 합리성에 따라 만족스러운 대안이 선택된다고 본다.

답 ③

43 ☐☐☐   2019년 국가직 7급

정책결정모형에 대한 설명으로 옳은 것은?

① 쓰레기통모형은 의사결정을 위해서는 문제, 해결책, 참여자의 세 가지 요소가 필요하다고 본다.
② 만족모형은 의사결정자들이 만족할 만하고 괜찮은 해결책을 얻기 위해 몇 개의 대안만을 병렬적으로 탐색한다고 본다.
③ 앨리슨(Allison)모형 Ⅱ는 긴밀하게 연결된 하위 조직체들이 표준운영절차를 통해 상호의존적인 의사결정을 한다고 본다.
④ 최적모형에 따르면 정책결정과 관련해 위험최소화전략 대신 혁신전략을 취하는 것은 상위정책결정(meta-policy making)에 해당한다.

44 ☐☐☐   2015년 국가직 9급

정책결정모형 중에서 회사모형에 대한 설명으로 옳지 않은 것은?

① 회사조직이 서로 다른 목표를 지닌 구성원들의 연합체(coalition)라고 가정한다.
② 연합모형 또는 조직모형이라고 불리기도 한다.
③ 조직이 환경에 대해 장기적으로 대응하고 환경 변화에 수동적으로 적응한다고 한다.
④ 문제를 여러 하위문제로 분해하고 이들을 하위조직에게 분담시킨다고 가정한다.

| 43 | 정책결정모형 | 난이도 ●●○ |

최적모형에서 정책결정전략의 결정은 초결정단계인 상위정책결정(meta-policy making)에 해당한다. 정책결정과 관련하여 위험최소화 전략 대신 혁신전략을 취하는 것은 상위정책결정에 해당한다.

(선지분석)
① 쓰레기통모형은 의사결정을 위해서는 문제, 해결책, 참여자, 의사결정기회 4가지 요소가 필요하다고 본다.
② 만족모형은 모든 대안을 탐색하지 않고 몇 개의 대안만을 탐색하는데, 대안 탐색은 순차적으로 이루어지는 것이며 병렬적으로 하지 않는다.
③ 앨리슨(Allison)모형 Ⅱ는 조직에서 의사결정자는 조직 내에서 느슨하게 묶여진 하위 조직들의 집합체이며, 긴밀하게 연결된 하위 조직체가 아니다.

답 ④

| 44 | 회사모형 | 난이도 ●●○ |

회사모형은 조직을 하부조직의 연합체로 보고 표준운영절차(SOP)를 활용하는 의사결정모형으로, 조직은 환경에 대해 단기적 반응과 단기적 피드백을 중시한다. 환경의 불확실성으로 인하여 장기적 대응은 부정확하기 때문이다.

(선지분석)
①, ② 회사조직은 조직을 하위조직의 연합으로 본다. 따라서 이를 연합모형 또는 조직모형이라고도 한다.
④ 하위조직의 연합을 조직으로 보기 때문에 문제를 여러 하위조직에 분담시킨다.

> 📄 **회사모형**
> 회사조직의 목표, 기대, 선택이라는 세 가지 변수는 갈등의 준해결, 문제 중심의 탐색, 불확실성의 회피, 조직의 학습, 그리고 표준운영절차(SOP)라는 연결요소와 결합되어 회사조직의 독특한 의사결정 양식을 보여준다.

답 ③

45

2015년 서울시 9급

정책결정모형과 그 내용의 연결이 옳지 않은 것은?

① 쓰레기통모형 - 문제, 해결책, 수혜자, 선택기회의 흐름
② 만족모형 - 행정인(administrative man)
③ 조직과정모형 - SOP와 프로그램 목록
④ 최적모형 - 초합리성 강조

45	정책결정모형	난이도 ●○○

쓰레기통모형에서 필요한 의사결정의 4가지 요소는 문제의 흐름, 해결책의 흐름, 참여자의 흐름, 선택기회의 흐름이다. 수혜자는 포함되지 아니한다.

(선지분석)
② 만족모형은 만족화를 추구하는 행정인을 가정한다.
③ 조직모형은 표준운영절차(SOP)에서 정책대안을 찾는다.
④ 드로(Dror)의 최적모형은 직관·영감 등 초합리성을 강조한다.

답 ①

46

2015년 국가직 7급

앨리슨(Allison)은 쿠바 미사일 위기에 대한 분석을 통해 합리적 행위자모형, 조직과정모형, 관료정치모형이라는 3가지 정책결정모형을 제시하였다. 다음 중 조직과정모형의 가정은?

① 정책산출물은 주로 관행과 표준적 절차에 따라 만들어진다.
② 의사결정자는 완벽한 정보를 가지고 주어진 목표의 극대화를 추구하는 합리적 존재이다.
③ 정책은 정치적 경쟁, 협상, 타협의 산물이다.
④ 정책결정의 행위 주체는 독자성이 강한 다수 행위자들의 집합이다.

46	조직과정모형	난이도 ●●○

앨리슨(Allison)의 조직과정모형이란 조직을 느슨하게 연결된 하부조직의 연합체로 보고, 관행과 표준적 절차(SOP)에 의하여 의사결정이 이루어진다고 보는 모형이다.

(선지분석)
② 모형 Ⅰ(합리적 행위자모형)에 대한 내용이다.
③, ④ 모형 Ⅲ(관료정치모형)에 대한 내용이다.

앨리슨(Allison)모형

구분	합리모형	조직모형	(관료)정치모형
조직관	조정과 통제가 잘 된 유기체	느슨하게 연결된 하위조직들의 연합체	독립적인 개인적 행위자들의 집합체
권력의 소재	조직의 두뇌와 같은 최고지도자가 보유	반독립적인 하위조직들이 분산소유	개인적 행위자들의 정치적 자원에 의존
행위자의 목표	조직 전체의 목표	조직 전체의 목표 + 하위 조직들의 목표	조직 전체의 목표 + 하위 조직들의 목표 + 개별 행위자들의 목표
목표의 공유도	매우 강함	약함	매우 약함
정책결정의 양태	최고지도자가 조직의 두뇌와 같이 명령하고 지시	SOP에 대한 프로그램 목록에서 대안 추출	정치적 게임의 규칙에 따라 타협, 흥정, 지배 (정치적 표결이 아님에 주의)
정책결정의 일관성	매우 강함 (항상 일관성 유지)	약함 (자주 바뀜)	매우 약함 (거의 일치하지 않음)
적용계층	일정조건하에 있는 모든 계층	하위계층	상위계층

답 ①

47

2021년 지방직 9급

앨리슨(Allison)모형 중 다음 내용에 초점을 두고 정책결정을 설명하는 것은?

> 1960년대 쿠바 미사일 사태에서 미국은 해안봉쇄로 위기를 극복하였다. 정부의 각 부처를 대표하는 사람들은 위기 상황에서 각자가 선호하는 대안을 제시하였다. 대표자들은 여러 대안에 대하여 갈등과 타협의 과정을 거쳤고, 결국 해안봉쇄 결정이 내려졌다. 이는 대통령이 사태 초기에 선호했던 국지적 공습과는 다른 결정이었다. 물론 해안봉쇄가 위기를 해소하는 최선의 대안이라는 보장은 없었고, 부처에 따라서는 불만을 가진 대표자도 있었다.

① 합리적 행위자모형
② 쓰레기통모형
③ 조직과정모형
④ 관료정치모형

48

2023년 국가직 9급

앨리슨(Allison)의 관료정치모형(모형 Ⅲ)에 대한 설명으로 옳은 것은?

① 정책결정은 준해결(quasi-resolution)적 상태에 머무르는 경우가 많다.
② 정책결정자들은 국가 전체의 이익이나 전략적 목표를 극대화하기 위한 결정을 한다.
③ 정책결정에 참여하는 구성원들 간의 목표 공유 정도와 정책결정의 일관성이 모두 매우 낮다.
④ 정부는 단일한 결정주체가 아니며 반독립적(semi-autonomous) 하위조직들이 느슨하게 연결된 집합체이다.

---

47 앨리슨(Allison)모형   난이도 ●●○

제시문은 앨리슨(Allison)모형 중 모형 Ⅲ 관료정치모형의 특징에 해당한다. 관료정치모형은 정부의 의사결정을 참여자 간의 타협·흥정으로 이루어지는 정치활동으로 보고, 참여자의 서로 다른 인지구조, 문제에 대한 상이한 인식·해석, 옹호할 목표 내지 대안의 차이 존재를 전제하며, 각자의 고유한 신념체계와 자기소속 부처의 이익이 의사결정에 작용한다고 본다. 즉, 정책결정 주체는 다원화된 참여자들 개인이다.

답 ④

48 앨리슨(Allison)모형   난이도 ●●○

앨리슨(Allison)의 관료정치모형은 집단구성원의 응집성이 매우 낮고 재량권이 많은 조직상위계층에 적용될 수 있는 모형이다.

선지분석
① 갈등의 준해결 상태는 조직과정모형(모형Ⅱ)에 해당한다.
② 합리적 행위자모형(모형Ⅰ)에 해당한다.
④ 조직과정모형(모형Ⅱ)에서 정부는 느슨하게 연결된 준독립적인 하위조직의 집합체로 간주된다.

답 ③

49

2019년 국가직 9급

앨리슨(Allison)모형에 대한 설명으로 옳은 것은?

① 합리적 행위자모형에서는 국가전체의 이익과 국가목표 추구를 위해서 개인의 이익을 고려하지 않는 것을 경계하며 국가가 단일적인 결정자임을 부정한다.
② 조직과정모형에서 조직은 불확실성을 회피하기 위하여 정책결정을 할 때 표준운영절차(SOP)나 프로그램 목록(program repertory)에 의존하지 않는다.
③ 관료정치모형은 여러 다양한 문제에 관심을 갖는 다수의 행위자를 상정하며 이들의 목표는 일관되지 않는다.
④ 외교·안보문제 분석에 있어서 설명력을 높이기 위한 대안적 모형으로 조직과정모형을 고려하지는 않는다.

50

2024년 군무원 7급

다음 중 앨리슨(G. T. Allison)이 의사결정의 본질에 대해 주장한 내용으로 가장 적절하지 않은 것은?

① 정부정책을 예측하고 설명하기 위한 합리모형은 심리적, 정치적 변수를 고려하지 않은 약점이 있다고 지적한다.
② 합리모형의 대안으로 조직과정모형과 관료정치모형을 제시한다.
③ 소련에 대한 미국의 쿠바 해안 봉쇄 대응사례를 통해 정책결정과정을 설명한다.
④ 분석가는 동일한 사건이나 현상에 대해 동일한 이론모형을 적용해야 한다고 주장한다.

| 49 | 앨리슨(Allison)모형 | 난이도 ●●○ |

앨리슨(Allison)의 관료정치모형(모형 Ⅲ)은 조직을 여러 다양한 문제에 관심을 갖는 다수의 행위자들의 집합체로 상정한다. 따라서 이들 목표 간에는 일관성이나 공유감, 응집력이 없다.

선지분석
① 합리적 행위자모형에서는 국가전체의 이익과 국가목표 추구를 위해서 개인의 이익을 고려하지 않는 것을 전제하며, 국가가 단일적인 결정자임을 인정한다.
② 조직과정모형(모형 Ⅱ)은 회사모형과 전제조건이 유사하며, 조직은 불확실성을 회피하기 위하여 정책결정을 할 때 표준운영절차(SOP)나 프로그램 목록에 의존한다.
④ 앨리슨(Allison)은 외교·안보문제 분석에 있어서 설명력을 높이기 위한 대안적 모형으로 조직과정모형을 고려하였다.

답 ③

| 50 | 앨리슨(Allison)의 정책모형 | 난이도 ●●● |

앨리슨(Allison)은 실제 정책결정에 대한 종합적 시각(세 가지 모형 모두 적용)을 제시한다.

선지분석
① 합리모형은 엄밀한 통계적 분석에 치중하는 결정방식으로 심리적, 정치적 변수를 고려하지 않은 약점이 있다고 지적한다.
② 앨리슨(Allison)은 합리모형의 대안으로 조직과정모형과 관료정치모형을 제시한다.
③ 쿠바 미사일 사건과 관련된 외교정책과정의 분석을 통하여 미국이 왜 해상봉쇄라는 대안을 채택했는지를 설명하면서, 현실의 정책과정을 설명하기 위해 종합적 접근을 시도하였다.

답 ④

51　　2023년 국가직 9급

재니스(Janis)의 집단사고(groupthink)의 특성에 해당하지 않는 것은?

① 토론을 바탕으로 한 집단지성의 활용
② 침묵을 합의로 간주하는 만장일치의 환상
③ 집단적 합의에 대한 이의 제기에 대한 자기 검열
④ 집단에 대한 과대평가로 집단이 실패할 리 없다는 환상

52　　2015년 국가직 7급

정책결정모형 중 점증모형에 대한 설명으로 옳지 않은 것은?

① 정치적 현상유지를 옹호하므로 보수적이라는 비판을 받고 있다.
② 가장 합리적인 대안을 선택하기 위해 모든 대안을 검토해야 한다.
③ 정책결정과정에서 참여집단의 합의를 중시한다.
④ 목표와 수단이 뚜렷하게 구분되지 않기 때문에 목표-수단에 대한 분석은 부적절하다.

| 51 | 집단사고 | 난이도 ●●○ |

집단사고(group-thinking)는 개인들이 집단 응집성과 합의에 대한 압력으로 비판적인 사고가 억제되어 각자의 의견을 발현하지 못하고 획일적인 방향으로 의사결정하는 현상(만장일치에 대한 도덕적 환상, 집단동조의식 등)이다. 따라서 반대의견 표출이 억압되는 상황에서는 토론을 바탕으로 한 집단지성이 형성되기 힘들다.

선지분석

②, ③, ④ 집단사고의 특성에 대한 설명으로 모두 옳은 지문들이다.

답 ①

| 52 | 점증모형 | 난이도 ●○○ |

가장 합리적인 대안을 선택하기 위해 모든 대안을 검토하는 것은 합리모형에 해당한다.

선지분석

① 기득권과 기존의 정책을 인정하므로 보수적이라는 비판이 있다.
③ 점증모형은 타협과 조정을 통한 정치적 합의를 중시하는 모형이다.
④ 합리모형처럼 목표가 주어진 것이 아니므로 목표와 수단을 구분하여 분석하지 않는다.

📄 점증모형과 합리모형의 비교

구분	점증모형	합리모형
대안의 범위	수는 한정, 현상과의 괴리 적음	수는 무한정, 현상과의 괴리 큼
목표와 수단의 상호작용	목표는 수단에 합치되도록 수정(뚜렷한 목표의식 없이 최선의 대안을 선택하는 경우의 기준은 정책에 대한 동의)	수단은 목표에 합치되도록 선택(목표의 명확한 정의)
분석·평가 과정	계속적	단발적
정책의 평가기준	바람직하지 않은 상황 수정(정치적 합리성)	목표의 달성도(경제적 합리성)
분석·평가 주체	다양한 이해관계집단	의사결정자
분석·평가의 성격	비분석적·비통일적	분석적·통일적·포괄적
변화·쇄신 추구 여부	변화·쇄신 추구 곤란	변화·쇄신 추구 가능
분석의 범위	부분적·분산적 의사결정	부분적·분산적 의사결정의 통일(포괄적 분석)

답 ②

53

2022년 지방직 7급

정책결정모형 중 점증모형에 대한 설명으로 옳지 않은 것은?

① 정책대안을 모두 분석하기보다 한정된 정책대안에 주목한다.
② 시행착오를 반복하면서도 문제를 해결하려는 특성이 있다.
③ 인간의 인지적 한계를 인정하므로 급격한 개혁과 새로운 환경을 반영하는 혁신적 정책결정을 설명하기가 용이하다.
④ 정책결정에서 집단 참여의 합의 과정이 중시되고 목표와 수단이 탄력적으로 상호 조정된다.

54

2023년 군무원 9급

다음 중 점증모형의 논리적 근거로 가장 거리가 먼 것은?

① 매몰 비용
② 실현가능성
③ 제한적 합리성
④ 정보접근성

53	점증모형	난이도 ●●○

점증모형은 보수적 성격이 강하므로 혁신성이 결여된다.

(선지분석)
① 점증모형은 현존 정책에 비하여 약간 향상된 정책에만 관심을 가지며, 비교적 한정된 수의 정책대안만 검토하고 각 대안에 대하여 한정된 수의 중요한 결과만 평가한다.
② 점증모형은 상황 변화를 고려해서 여러 차례 결정을 수행해 나간다.
④ 점증모형은 타협과 조정을 통해 합의를 중시하는 정치적 합리성을 중시한다. 목표는 수단에 합치되도록 수정된다고 본다.

답 ③

54	점증모형	난이도 ●●●

완전한 정보접근성을 전제로 하는 것은 합리모형이다.

(선지분석)
① 매몰비용의 문제는 점증모형을 선호하는 이유이다.
② 선례의 존중 또는 강요당하는 경우 정치적 실현가능성 확보가 용이한 게 점증모형이다.
③ 점증모형은 인간의 지적 능력의 한계와 정책결정 수단의 기술적 제약을 인정하고 정책결정 과정에 있어서의 대안의 선택이 종래의 정책이나 결정의 점진적·순차적 수정 내지 약간의 향상으로 이루어지며, 정책수립과정을 '그럭저럭 헤쳐나가는(muddling through)' 과정으로 이해한다.

답 ④

55 | 2014년 국가직 7급

다음 중 정책결정모형에 대한 설명으로 옳은 것만을 모두 고른 것은?

> ㄱ. 점증모형은 기존 정책을 토대로 하여 그보다 약간 개선된 정책을 추구하는 방식으로 결정하는 것이다.
> ㄴ. 만족모형은 모든 대안을 탐색한 후 만족할 만한 결과를 도출하는 것이다.
> ㄷ. 사이버네틱스모형은 설정된 목표달성을 위해 정보제어와 환류 과정을 통해 자신의 행동을 스스로 조정해 나간다고 가정하는 것이다.
> ㄹ. 앨리슨(Allison)모형은 정책문제, 해결책, 선택기회, 참여자의 네 요소가 독자적으로 흘러 다니다가 어떤 계기로 교차하여 만나게 될 때 의사결정이 이루어진다고 보는 것이다.

① ㄱ, ㄴ
② ㄱ, ㄷ
③ ㄴ, ㄹ
④ ㄷ, ㄹ

56 | 2014년 서울시 9급

사이어트(R. Cyert)와 마치(J. March)가 주장한 회사모형(Firm model)의 내용이 아닌 것은?

① 조직의 전체적 목표 달성의 극대화를 위하여 장기적 비전과 전략을 수립·집행한다.
② 조직 내 갈등의 완전한 해결은 불가능하며, 타협적 준해결에 불과하다.
③ 정책결정 능력의 한계로 인하여 관심이 가는 문제 중심으로 대안을 탐색한다.
④ 조직은 반복적인 의사결정의 경험을 통하여 결정의 수준이 개선되고 목표달성도가 높아진다.
⑤ 표준운영절차(SOP: Standard Operation Procedure)를 적극적으로 활용한다.

---

55 정책결정모형   난이도 ●●○

ㄱ. 점증모형은 현상을 유지하고 약간씩 가감하는 모형(base + a)이다.
ㄷ. 사이버네틱스모형은 자동적·지속적인 정보제어와 환류를 통해 목표를 달성해나가는 자기조절적·점진적 적응시스템이다.

(선지분석)
ㄴ. 만족모형은 모든 대안이 아니라 분석이 가능하고 중요하다고 생각되는 한정된 대안만을 순차적으로 검토한 뒤 만족할 만한 대안을 선택하는 것이다.
ㄹ. 정책문제, 해결책, 선택기회, 참여자의 네 요소가 독자적으로 흘러 다니다가 어떤 계기로 교차하여 만나게 될 때 의사결정이 이루어진다고 보는 것은 앨리슨(Allison)모형이 아니라 쓰레기통모형에 해당한다.

답 ②

56 회사모형   난이도 ●○○

조직의 전체적 목표달성의 극대화를 위해서 장기적 비전과 전략을 수립·집행하는 것은 합리모형의 특성이다. 회사모형은 환경의 불확실성으로 인하여 장기적인 전략을 수립하기 보다는 표준운영절차(SOP)에 의한 단기적 대응과 단기적 피드백(환류)을 중시한다.

(선지분석)
② 갈등은 준해결 상태에 머문다.
③ 최선이 아닌 만족스러운 대안 선택에 그친다.
④ 관습에 의한 의사결정규칙과 경험을 중시한다.
⑤ 표준운영절차(SOP)의 발견과 그 활용이 회사모형의 궁극적 목표이다.

답 ①

57

2022년 국가직 9급

의사결정모형에 대한 설명으로 옳지 않은 것은?

① '최적모형'은 정책결정자의 합리성뿐 아니라 직관·판단·통찰 등과 같은 초합리성을 아울러 고려한다.
② '쓰레기통모형'은 대학조직과 같이 조직구성원 사이의 응집력이 아주 약한 상태, 즉 조직화된 무정부상태(organized anarchy)에서 의사결정이 이루어지는 과정을 설명하려고 시도한다.
③ '점증모형'은 실제 정책의 결정이 점증적인 방식으로 이루어질 뿐 아니라 정책을 점증적으로 결정하는 것이 바람직하다는 입장을 견지한다.
④ '회사모형'은 조직의 불확실한 환경을 회피하고 조직 내 갈등을 극복하기 위하여 장기적인 전략과 기획의 중요성을 강조한다.

| 57 | 의사결정모형 | 난이도 ●○○ |

회사모형은 불확실한 환경을 회피·통제하고 조직 내의 갈등을 극복하기 위하여 장기적인 전략보다는 단기 전략(단기 SOP)을 중요시한다.

선지분석
① 최적모형은 불확실한 상황하에서 선례가 없는 복잡한 문제에 대해서는 직관·판단력·통찰력과 같은 초합리성이 중요하다는 것을 강조한다.
② 쓰레기통모형은 조직화된 무질서 상태에서 응집성이 매우 약한 조직이 어떤 의사결정행태를 나타내는가에 분석초점을 둔 코헨(Cohen), 마치(March), 올슨(Olsen) 등이 제시한 모형으로, 대학을 그 예로 들고 있다.
③ 점증모형은 인간의 지적 능력의 한계와 정책결정 수단의 기술적 제약을 인정하고 정책결정 과정에 있어서의 대안의 선택이 종래의 정책이나 결정의 점진적·순차적 수정 내지 약간의 향상으로 이루어지며, 정책수립과정을 '그럭저럭 헤쳐 나가는(muddling through)' 과정으로 이해한다. 따라서 현실적으로 대폭 변화되기는 힘들고 점진적으로 이루어질 수밖에 없을 뿐 아니라 대폭적인 변화는 바람직하지도 않다는 입장을 취한다.

답 ④

58

2019년 지방직 9급

정책결정모형에 대한 설명으로 옳지 않은 것은?

① 린드블롬(Lindblom)같은 점증주의자들은 합리모형이 불가능한 일을 정책결정자에게 강요함으로써 바람직한 정책결정에 도움을 주지 못한다고 주장한다.
② 사이먼(Simon)의 만족모형은 합리모형에 대한 심각한 도전이자, 인간의 인지능력이라는 기본적인 요소에서 출발했기에 이론적 영향이 컸다.
③ 에치오니(Etzioni)는 합리모형과 점증모형의 단점을 극복하기 위하여 최적모형을 주장하였다.
④ 스타인부르너(Steinbruner)는 시스템 공학의 사이버네틱스 개념을 응용하여 관료제에서 이루어지는 정책결정을 단순하게 묘사하고자 노력하였다.

| 58 | 정책결정모형 | 난이도 ●●○ |

에치오니(Etzioni)는 합리모형과 점증모형의 단점을 극복하기 위하여 혼합주사모형을 주장하였다.

선지분석
① 점증주의자들은 합리모형의 완전한 합리성을 가정하기 때문에, 현실적으로 불가능한 일을 정책결정자에게 강요함으로써 바람직한 정책결정에 도움을 주지 못한다고 주장한다.
② 사이먼(Simon)은 합리모형이 강조한 경제인을 부정하며 의사결정자의 인지능력상 한계를 강조하였다.
④ 스타인부르너(Steinbruner)는 시스템 공학의 사이버네틱스 개념을 응용하여 관료제에서 이루어지는 정책결정을 단순하게 묘사하고자 노력하였다.

답 ③

59 2020년 지방직 9급

정책결정모형에 대한 설명으로 옳은 것만을 모두 고르면?

> ㄱ. 만족모형에서는 정책결정을 근본적 결정과 세부적 결정으로 구분한다.
> ㄴ. 점증주의모형은 현상유지를 옹호하므로 보수적이라는 비판을 받고 있다.
> ㄷ. 쓰레기통모형에서 의사결정의 4가지 요소는 문제, 해결책, 선택기회, 참여자이다.
> ㄹ. 갈등의 준해결과 표준운영절차(SOP)의 활용은 최적모형의 특징이다.

① ㄱ, ㄴ
② ㄱ, ㄹ
③ ㄴ, ㄷ
④ ㄷ, ㄹ

60 2023년 국가직 7급

만족모형에 대한 비판으로 옳은 것만을 모두 고르면?

> ㄱ. 책임회피의식과 보수적 사고가 지배적인 상황에서 혁신을 이끄는 데 한계가 있다.
> ㄴ. 만족에 대한 기대수준을 지나치게 명확히 규정하여 획일적인 의사결정구조가 나타난다.
> ㄷ. 조직 내 상하관계 등에서 나타나는 권력적 측면이 의사결정에 미치는 영향을 간과한다.
> ㄹ. 일반적이고 가벼운 의사결정과 달리 중대한 의사결정에 적용하기 어려울 수 있다.

① ㄱ, ㄴ
② ㄱ, ㄹ
③ ㄴ, ㄷ
④ ㄷ, ㄹ

59	정책결정모형	난이도 ●○○

ㄴ. 점증모형은 현재보다 약간씩 개선된 대안을 추구하므로 현상유지적이고 보수적이라는 비판을 받는다.
ㄷ. 쓰레기통모형의 4가지 요소는 문제, 해결책, 선택기회, 참여자이다.

(선지분석)
ㄱ. 만족모형이 아니라 혼합주사모형에 대한 설명이다.
ㄹ. 최적모형이 아니라 회사모형의 전제조건이다.

답 ③

60	만족모형	난이도 ●●●

ㄱ. 만족할 만한 수준에서 대안 탐색을 중단하기 때문에 중요한 대안이 무시될 수 있고 현상유지적·보수적이며, 쇄신적·창조적 대안이나 최선의 대안 발굴을 포기해 버리기 쉽다.
ㄹ. 만족할 만한 수준에서 대안 탐색을 중단하기 때문에 중요한 대안이 무시될 수 있으므로 중대한 의사결정에 적용하기 어려울 수 있다.

(선지분석)
ㄴ. 만족화의 기준이 지나치게 주관적이다.
ㄷ. 민주적·분권적 조직관에 근거하고 있으므로 권위주의적 조직에 적용하기에는 한계를 지니는 것은 회사모형이다.

답 ②

61　　　　　　　　　　　　　　　　2025년 지방직 9급

정책결정 모형에 대한 설명으로 옳지 않은 것은?

① 킹던(Kingdon)의 정책흐름모형은 문제의 흐름, 해결책의 흐름, 참여자의 흐름, 선택기회의 흐름을 제시한다.
② 혼합탐사모형은 정책결정을 근본적 결정과 세부적 결정으로 구분하고 지속적인 교호작용이 이루어진다고 본다.
③ 최적모형은 정책결정에 경제적 합리성과 함께 직관, 통찰력과 같은 초합리적 요소들도 고려해야 한다고 주장한다.
④ 앨리슨모형 중 조직과정모형(Model II)에 따르면 정부는 하위 조직들의 집합체이며, 하위조직의 표준운영절차(SOP)에 의해 정책이 결정된다.

62　　　　　　　　　　　　　　　　2024년 군무원 9급

증거기반 정책결정에 대한 설명으로 가장 적절하지 않은 것은?

① 정책이 이념, 신념, 의견 등에 기반하거나 과학적 사실이 부족한 담론 등에 의한 정책결정을 지양하는 것이다.
② 증거기반 정책결정이 성공하기 위해서는 상당한 수준의 정보를 활용할 수 있는 정보 기반이 갖추어져야 한다.
③ 증거기반 정책결정은 보건정책 분야, 사회복지정책 분야, 교육정책 분야, 형사정책 분야 등에서 상대적으로 용이하게 적용할 수 있다.
④ 증거기반 정책결정을 주장하는 학자들은 정치적 결정과정을 증거기반 정책결정으로 대체할 수 있다고 주장한다.

| 61 | 정책결정 모형 | 난이도 ●○○ |

쓰레기통모형의 구성요소에 해당한다. 킹던(Kingdon)의 창모형은 문제의 흐름, 정치의 흐름, 정책의 흐름들이 상호 독립적인 경로를 따라 진행되다가 어떤 계기로 서로 교차될 때 정책의 창이 열리고 정책변동이 이루어진다.

(선지분석)
① 혼합주사모형에 대한 옳은 지문이다.
③ 최적모형에 대한 옳은 지문이다.
④ 엘리슨(Allison)의 조직과정모형(모형2)에 대한 옳은 지문이다.

답 ②

| 62 | 증거기반 정책결정 | 난이도 ●●● |

정책결정 현장에서는 이상적이고 엄밀하나 과학적 분석에 기반하여 정책이 결정되기보다는 정책결정자들이 이해관계의 조정이나 정책수용성 등 정치적 결정과정을 거치는 경우가 많다는 것인데, 증거기반이론은 정치적 정책결정 현실을 충분히 반영하지 못하고 있다는 비판을 받는다.

(선지분석)
① 증거기반 정책결정은 문자 그대로 '정책결정과정에서 관련 증거에 기반하여 정책대안을 선택하거나 관련 사항을 결정하는 것'으로 정의된다. 이는 정책이 이념, 신념, 의견 등에 기반하거나 과학적 사실이 부족한 담론 등에 의한 정책결정을 지양한다는 의미를 담고 있다.
② 정보기반이 갖추어졌을 때 증거기반정책결정의 성공가능성은 커진다.
③ 증거기반 정책결정의 적용이 상대적으로 용이한 분야는 보건정책 분야, 사회복지정책 분야, 교육정책 분야, 형사정책 분야 등을 들 수 있다.

답 ④

63 □□□
2025년 지방직 9급

데이터기반행정에 대한 설명으로 옳지 않은 것은?

① 우리나라는 2020년 「데이터기반행정 활성화에 관한 법률」을 제정하였다.
② 데이터기반행정이란 공공기관이 생성하거나 취득하여 관리하고 있는 데이터를 수집하고 분석하여 정책 수립 및 결정에 활용하는 행정을 의미한다.
③ 데이터 분석뿐만 아니라 정책결정자의 경험에 근거한 의사결정을 지향하여 객관적이고 과학적인 행정을 구현하고자 한다.
④ 행정안전부장관은 데이터기반행정을 체계적으로 추진하기 위하여 데이터기반행정 활성화를 위한 기본계획을 3년마다 수립하여야 한다.

64 □□□
2025년 국가직 7급

데이터 간 융합과 활용 촉진의 제도적 기반 마련을 위해서 2020년 개정된 '데이터 3법'에 속하지 않는 것은?

① 개인정보 보호법
② 신용정보의 이용 및 보호에 관한 법률
③ 데이터 산업진흥 및 이용촉진에 관한 기본법
④ 정보통신망 이용촉진 및 정보보호 등에 관한 법률

| 63 | 데이터기반행정 | 난이도 ●●● |

데이터기반행정이란 정책이 이념, 신념, 의견 등에 기반하거나 과학적 사실이 부족한 담론, 주관적인 경험에 의한 정책결정을 지양하는 것이다.

(선지분석)
① 2020년 「데이터기반행정 활성화에 관한 법률」이 제정되었다.
② 동법 제2조에 규정된 데이터기반행정의 개념으로 옳은 설명이다.
④ 행정안전부장관은 3년 마다 기본계획을 수립하여야 한다.

답 ③

| 64 | 데이터 3법 | 난이도 ●●● |

데이터관련 3대법으로 ① 「개인정보 보호법」 ② 「신용정보의 이용 및 보호에 관한 법률」 및 ④ 「정보통신망 이용촉진 및 정보보호 등에 관한 법률」을 의미한다.

답 ③

65　　　　　　　　　　　　　　　2024년 군무원 7급

다음 중 정책결정모형에 대한 설명으로 가장 적절하지 않은 것은?

① 혼합주사모형은 집단적 차원의 정책결정 모형이다.
② 점증모형은 수단에 의해서 목표가 수정될 수 있다고 본다.
③ 만족모형은 공무원의 보수주의와 책임회피를 심화시킬 수 있다.
④ 최적모형은 지속적 환류를 통하여 정책결정능력의 계속적 고양을 시도한다.

66　　　　　　　　　　　　　　　2025년 국가직 7급

정책결정 모형과 그 특징이 바르게 짝지어진 것은?

(가) 각 대안으로부터 나타나는 모든 비용과 편익이 계산된다.
(나) 정책결정을 크게 근본적 결정과 세부적 결정으로 나눈다.
(다) 완전한 합리성보다는 제한된 합리성의 기준에 입각한다.
(라) 추구하는 가치와 목적들은 중요도에 따라 분류되고 서열화된다.

① 최적모형 - (가), (나)
② 합리모형 - (가), (라)
③ 만족모형 - (나), (다)
④ 회사모형 - (다), (라)

65	정책결정모형	난이도 ●●○

에치오니(Etzioni)의 혼합모형은 집단적 차원이 아닌 개인차원의 모형으로 분류된다.

(선지분석)
② 점증모형에서는 타협과 조정의 과정에서 수단에 따라 목표가 바뀔 수도 있다.
③ 만족모형은 만족할 만한 수준에서 대안 탐색을 중단하기 때문에 중요한 대안이 무시될 수 있고 현상유지적·보수적이며, 쇄신적·창조적 대안이나 최선의 대안 발굴을 포기해 버리기 쉽다.
④ 최적모형에서는 집행과정이나 그 이후의 정보교류와 환류를 전개하여 환류 차원의 결정을 통해서 정책결정자의 결정 능력을 최적수준까지 향상시켜야 한다고 강조하고 있다.

📋 **정책결정모형의 분류**

개인적 차원	합리모형, 만족모형, 점증모형, 혼합주사모형, 최적모형
조직적 차원	공공선택모형, 쓰레기통모형, 앨리슨(Allison)모형, 회사·조직모형, 사이버네틱스(cybernetics)모형

답 ①

66	정책결정 모형	난이도 ●●○

(가) 각 대안으로부터 나타나는 모든 비용과 편익이 분석되고 계산된다고 가정하는 것은 합리모형이다.
(라) 절대적 합리성을 추구하는 합리모형이 추구하는 가치와 목적들은 중요도에 따라 분류되고 서열화된다고 본다.

(선지분석)
(나) 정책결정을 근본적 결정에는 합리모형을, 세부적 결정에는 점증모형을 적용하는 것은 혼합주사모형이다.
(다) 인간의 인지능력상 한계로 제한된 합리성의 기준에 입각한 의사결정을 한다는 것은 만족모형이다.

답 ②

KEYWORD 037 정책분석

67 □□□
2017년 서울시 7급

정부의 예산분석에 활용되는 비용편익분석에 대한 설명으로 가장 옳지 않은 것은?

① 예산편성 과정에서 사업의 타당성과 우선순위를 식별하는 분석도구로 사용된다.
② 완전경쟁적인 가격으로 조정된 시장가격을 잠재가격(shadow price)이라 한다.
③ 전체 이자를 계산하는 데 사용되는 일반적인 방법은 복리접근방법이다.
④ 높은 할인율을 적용하면 장기간에 걸쳐 편익이 발생하는 장기 투자에 유리하다.

68 □□□
2022년 지방직 7급

비용효과(cost-effectiveness)분석에 대한 설명으로 옳은 것은?

① 정책대안의 비용과 효과는 모두 화폐단위로 측정된다.
② 분석결과는 사회적 후생의 문제와 쉽게 연계시킬 수 있다.
③ 시장가격의 메커니즘에 전적으로 의존한다.
④ 국방, 치안, 보건 등의 영역에 적용할 수 있다.

---

67 비용편익분석   난이도 ●●○

할인율이 높을 경우 단기적인 비용과 편익을 높게 보고, 장기적인 비용과 편익을 낮게 본다. 따라서 할인율이 낮을수록 장기 투자에 유리하다.

선지분석
① 비용편익분석은 경제적 타당성과 우선순위를 정하는 기법이다.
② 공공부문의 비용편익분석에서는 시장가격을 사용할 수 없기 때문에 조정된 시장가격, 즉 잠재가격을 사용한다.
③ 이자계산법은 일반적으로 복리에 의한다.

답 ④

68 비용효과분석   난이도 ●●●

비용효과분석은 목표달성 정도를 화폐가치로 표현할 수 없는 사업에 자원을 어떻게 가장 능률적으로 투입할 것인가의 문제에 적용하기 좋은 사업으로서 특히, 국방, 경찰행정, 운수, 보건 영역에서 사용되고 있다.

선지분석
① 비용효과분석은 비용과 편익을 화폐가치로 측정할 수 없는 정책대안들에 대한 경제적 평가를 위한 기법이다.
② 비용효과분석의 단점은 비용과 효과가 서로 다른 단위로 측정되므로, 총효과가 총비용을 초과하는지 여부에 대한 직접적인 근거를 제시할 수 없다.
③ 비용효과분석은 목표달성 정도를 화폐가치로 표현할 수 없는 사업에 적용되기 때문에 시장가격의 메커니즘에 전적으로 의존한다는 옳지 않은 지문이다.

답 ④

69

2020년 지방직 9급

비용편익분석에 대한 설명으로 옳지 않은 것은?

① 분야가 다른 정책이나 프로그램은 비교할 수 없다.
② 정책대안의 비용과 편익을 모두 가시적인 화폐가치로 바꾸어 측정한다.
③ 미래의 비용과 편익의 가치를 현재가치로 환산하는데 할인율(discount rate)을 적용한다.
④ 편익의 현재가치가 비용의 현재가치를 초과하면 순현재가치(NPV)는 0보다 크다.

70

2023년 국회직 8급

비용편익분석에 대한 설명으로 옳지 않은 것은?

① 총체적 예산결정시 대안 탐색에 사용된다.
② 내부수익률은 편익 – 비용비율을 1로 만드는 할인율이다.
③ 공공사업의 분배적 효과를 감안한 타당성 평가를 하기 위해 소득계층별로 다른 분배가중치(distributional weight)를 적용해 계층별 순편익을 조정할 수 있다.
④ 사업의 기간이 길어질수록 현재가치는 커진다.
⑤ 현실에서는 비용편익분석을 하는 과정에서 의도적인 왜곡평가를 하려는 유인이 강하게 존재하기 때문에 객관적으로 타당한 결과를 얻기 어려울 수 있다.

| 69 | 비용편익분석 | 난이도 ●●○ |

비용과 편익이 단일척도인 화폐가치로 비교되므로 정책 간의 경계를 넘어 다양한 정책이나 사업 간의 우선순위를 비교할 수 있다.

선지분석
② 비용편익분석은 비용과 편익을 모두 금전적 가치로 표시하여 비교한다.
③ 비용편익분석은 할인율을 적용하여 비용과 편익을 현재가치로 환산하여 비교·평가한다.
④ 비용편익분석의 평가기준 중 순현재가치에 대한 옳은 설명이다.

답 ①

| 70 | 비용편익분석 | 난이도 ●●● |

사업의 기간이 길어질수록 현재가치는 작아진다.

선지분석
① 비용편익분석은 총체적 예산결정(합리주의) 시 유용한 대안탐색 기법으로 사용된다.
② 내부수익률은 편익 – 비용비율을 1로, 순현재가치(편익 – 비용)를 0으로 만드는 할인율을 말한다.
③ 사회적 비용편익분석(social cost benefit analysis)은 재분배 정책의 경우 소득계층별로 다른 분배가중치(distributional weight)를 적용해 계층별 순편익을 조정·결정할 수 있다.
⑤ 현실에서는 비용편익분석을 하는 과정에서 시장가격 대신 잠재가격을 사용해야 하므로 사업의 유리함이나 불리함을 부각시키기 위하여 의도적으로 잠재가격 등을 왜곡하려는 유인이 강하게 존재할 수 있다.

답 ④

71

2014년 지방직 7급

비용편익분석에 대한 설명으로 옳지 않은 것은?

① 바람직한 대안을 선택하는 것뿐만 아니라, 단일 정책의 비용과 편익의 비교에도 이용된다.
② 적용되는 할인율이 낮을수록 미래 금액의 현재 가치는 높아지게 된다.
③ 비용편익비(B/C ratio)가 1보다 큰 사업은 경제적으로 타당성이 있다고 볼 수 있다.
④ 내부수익률(IRR)은 순현재가치(NPV)를 1로 만드는 할인율을 의미한다.

71 비용편익분석 난이도 ●●○

내부수익률(IRR)이란 비용과 편익의 현재가치를 같게 만들어주는 할인율을 말한다. 따라서 내부수익률은 순현재가치(B−C)를 0(영)으로 만들어주거나, 편익비용비율(B/C)을 1로 만들어주는 할인율을 말한다.

선지분석
① 단일정책의 경우에도 비용 대비 편익이 큰 대안이 경제적 타당성이 높다.
② 할인율이 낮을수록 현재가치는 높아진다(미래에 발생한 것을 현재화한 것이 현재가치이다).
③ B/C > 1인 사업이 B > C을 의미하므로, 경제적 타당성이 있는 사업이다.

답 ④

72

2014년 경찰간부

정책분석(PA: Policy Analysis)과 체제분석(SA: System Analysis)의 차이점에 관한 설명 중 가장 적절하지 않은 것은?

① 정책분석은 비용과 효과의 사회적 배분을 중시하지만 체제분석은 자원배분의 효율성을 중시한다.
② 정책분석은 대안의 평가 기준에서 정치적 합리성을 강조하지만 체제분석은 경제적 합리성에 주안점을 둔다.
③ 정책분석은 비용편익분석의 양적 분석에 치중하지만 체제분석은 질적 분석을 중요시한다.
④ 정책분석에 활용되는 기본과학은 정치학, 행정학, 사회학 등이지만 체제분석에서는 경제학과 응용과학 등이다.

72 정책분석과 체제분석의 차이점 난이도 ●●○

정책분석은 비용편익분석의 정치적 · 사회적 · 질적 분석에 치중하지만, 체제분석은 경제적 · 양적 분석을 중요시한다.

체제분석과 정책분석 비교

체제분석	정책분석
• 사실문제 중시, 가치선택 문제는 고려하지 않음 • 정책결정 자체에 관심	• 정책이 함축하는 가치문제(기본가치 · 목적가치) 중시 • 정책결정 이후의 집행 · 관리의 측면에도 관심
자원배분의 효율성, 비용 · 편익의 비교 · 평가	비용 · 편익의 사회적 배분을 고려한 거시적 통합
경제적 합리성(경제적 실현가능성, 능률성, 효과성)	경제적 합리성 + 정치적 요인 (정치적 합리성 · 실현가능성, 공평성, 공익도 고려)
부분적 최적화(optimization): 대안의 객관적 최적화 추구	정책의 선호화(preferization) 추구
• 계량적 분석(BC 분석) 위주 • 복잡한 정치적 문제의 해결에는 역효과	• 계량적 분석 + 질적 분석 • 비합리적 요소, 인간의 경험적 지식(인지 · 직관) 고려 • 복잡한 정치문제, 장기적 안목에서 보다 나은 결정

답 ③

73

2014년 서울시 9급

A사업을 집행하기 위하여 소요된 총비용은 80억 원이고, 1년 후의 예상총편익은 120억 원일 경우에, 내부수익률은 얼마인가?

① 67%
② 50%
③ 40%
④ 25%
⑤ 20%

74

2010년 국가직 9급

정책대안의 비교평가 기준 중 내부수익률(IRR)에 대한 설명으로 옳지 않은 것은?

① 여러가지 정책 대안들을 비교할 때, 내부수익률이 낮은 대안일수록 좋은 대안이다.
② 정책 대안의 순현재가치를 0(영)으로 만드는 할인율을 의미한다.
③ 사업이 종료된 후 또다시 투자비가 소요되는 변이된 사업유형에서는 복수의 내부수익률이 존재할 수 있다.
④ 내부수익률에 의한 사업의 우선순위는 사회적 할인율을 적용한 순현재가치에 의한 사업의 우선순위와 다를 수 있다.

---

73 내부수익률   난이도 ●●○

내부수익률이란 투입된 비용과 예상되는 편익의 현재가치를 같도록 만들어주는 할인율을 말한다. 따라서 비용 80억 원과 편익 120억 원의 현재가치를 같게 만들어주는 할인율을 구하면 0.5(50%)가 된다.

계산의 논리구조

㉠ B = C를 일치시키는 주관적 수익률이 내부수익율이다. 따라서 C = 80억이므로 B = 80억이다.
㉡ 1년 후 총편익이 120억이다.
㉢ 현재 80억에서 몇 %의 수익이 발생하면 1년 후 120억이 될까?
㉣ 40억의 수익이 나면 1년 후 120억이다.
㉤ 따라서 40억은 80억의 50%이므로, 정답은 50%이다.

답 ②

74 내부수익률   난이도 ●●○

내부수익률(IRR: Internal Rate of Return)이란 편익(B)의 현재가치와 비용(C)의 현재가치를 같도록 해주는 할인율이며, 내부수익률이 클수록 우수한 사업이다.

선지분석

② 내부수익률은 현재가치화된 B와 C를 일치시키는 할인율이므로, NPV(= B - C)를 0(영)으로 만드는 할인율이다.
③ 연속적인 사업의 경우, 복수의 내부수익율이 존재한다.
④ 주관적인 내부수익율에 의한 우선순위는 객관적인 사회적 할인율이 적용된 우선순위와 다를 수 있다.

답 ①

75 □□□ 2025년 군무원 9급

정책대안의 비교평가기준 중 내부수익률(IRR)에 대한 설명으로 가장 적절하지 않은 것은?

① 여러 가지 정책대안들을 비교할 때, 내부수익률이 낮은 대안일수록 좋은 대안이다.
② 정책대안의 순현재가치를 0으로 만드는 할인율을 의미한다.
③ 내부수익률에 의한 사업의 우선순위는 사회적 할인율을 적용한 순현재가치에 의한 사업의 우선순위와 다를 수 있다.
④ 사업이 종료된 후 또 다시 투자비가 소요되는 변이된 사업유형에서는 복수의 내부수익률이 존재할 수 있다.

| 75 | 내부수익률 | 난이도 ●○○ |

내부수익률이 높은 대안일수록 좋은 대안이다.

(선지분석)
② 내부수익률은 현재가치화된 B와 C를 일치시키는 할인율이므로, NPV(= B - C)를 0(영)으로 만드는 할인율이다.
③ 주관적인 내부수익률에 의한 우선순위는 객관적인 사회적 할인율이 적용된 우선순위와 다를 수 있다.
④ 연속적인 사업의 경우, 복수의 내부수익률이 존재한다.

답 ①

정책집행론

KEYWORD 038 정책집행의 의의

01 □□□ 2015년 국가직 7급
정책집행 연구에 대한 설명으로 옳지 않은 것은?

① 마즈마니언(Mazmanian)과 사바티어(Sabatier)는 하향식 접근방법의 발전에 기여하였다.
② 상향식 접근방법은 정책결정과 정책집행 간의 엄밀한 구분에 의문을 제기한다.
③ 상향식 접근론자들은 정책집행을 이해하기 위해서는 일선관료의 행태를 고찰하여야 한다고 본다.
④ 하향식 접근방법은 공식적 정책목표를 중요한 변수로 취급하지 않는다.

02 □□□ 2014년 지방직 7급
다음 중 정책집행과 그 연구방법에 대한 설명으로 옳은 것만을 모두 고른 것은?

ㄱ. 정책을 성공적으로 설계하기 위해서는 적절한 인과모형이 필요하다.
ㄴ. 프레스만(J. Pressman)과 윌다브스키(A. Wildavsky)는 정책집행 연구의 초기 학자들로서 집행을 정책결정과 분리하지 않고 연속적인 과정으로 정의한다.
ㄷ. 정책대상집단 중 수혜집단의 조직화가 강할수록 정책집행이 용이하다.
ㄹ. 립스키(M. Lipsky)는 상향적 접근방법을 주장한 학자로서 분명한 정책목표의 가능성을 부인하고 집행문제 해결에 초점을 맞춘다.

① ㄱ, ㄴ, ㄷ
② ㄱ, ㄷ, ㄹ
③ ㄴ, ㄷ, ㄹ
④ ㄱ, ㄴ, ㄷ, ㄹ

---

01 정책집행 연구 난이도 ●●●

정책집행의 하향식 접근방법은 공식적 정책목표를 중요한 변수로 취급하며, 공식 목표의 달성 여부를 정책평가의 판단기준으로 본다.

(선지분석)
① 마즈마니언(Mazmanian)과 사바티어(Sabatier)는 하향식 접근방법을 주장한다. 정책지지연합모형에서는 상향식 접근방법을 기본으로 하고, 하향식 접근방법을 가미한 통합모형을 주장하였다.
② 상향식은 결정과 집행 간의 엄밀한 구분에 의문을 제기하며, 집행 단계에서도 정책이 수정될 수 있다고 주장한다.
③ 상향식은 정책을 집행하는 일선관료들의 행태에 관심을 둔다.

답 ④

02 정책집행과 연구방법 난이도 ●●●

ㄱ. 사바티어(Sabatier)에 따르면 성공적 정책설계(정책수단의 조합)를 위해서는 타당한 인과모형이 필요하다.
ㄴ. 프레스만과 윌다브스키(Pressman & Wildavsky)는 현대적 집행론(『정책집행론』, 1973)의 창시자로서 정책결정과 집행은 분리·독립된 과정이 아니라고 본다.
ㄷ. 수혜집단의 조직화가 강하면 집행이 용이하고, 피해집단의 조직화가 강하면 집행이 어려워진다.
ㄹ. 립스키(Lipsky)는 일선관료제론에서 일선관료가 실질적으로 공공정책을 결정한다는 상향적 접근방법을 주장하였다.

답 ④

03　　　　　　　　　　　　　　　　　2005년 군무원 9급

프레스만(L. Pressman)과 윌다브스키(A. Wildavsky)가 지적한 정책집행의 실패요인과 가장 거리가 먼 것은?

① 적절한 집행수단이 결여되었다.
② 집행 과정에서 참여자가 너무 적었다.
③ 집행담당기관의 선택이 부적절하였다.
④ 집행담당자의 교체가 너무 잦았다.

04　　　　　　　　　　　　　　　　　2020년 국가직 7급

정책집행의 접근방법에 대한 설명으로 옳은 것은?

① 하향식 접근방법에서는 정책목표의 신축적 조정이 효과적인 정책집행을 가져온다고 하였다.
② 사바티어(Sabatier)와 매즈매니언(Mazmanian)은 상향식 접근방법의 대표적인 모형을 제시하였다.
③ 엘모어(Elmore)가 제안한 전방향적 연구(forward mapping)는 상향식 접근방법과 유사하다.
④ 고긴(Goggin)은 통계적 연구설계의 바탕 위에서 이론의 검증을 시도하는 제3세대 집행 연구를 주장하였다.

---

03 정책집행의 실패요인　　　난이도 ●○○

프레스만(Pressman)과 윌다브스키(Wildavsky)는 그들의 저서 『집행론』을 통해 미국에서 시범적으로 실시한 오클랜드(Okland) 사업의 실패요인을 분석하였다. 그에 따르면, 참여자가 너무 많아 거부점으로써 역할을 하여 정책집행이 실패했다고 본다.

📄 **오클랜드(Okland)사업에 대한 실패요인 분석**

㉠ 집행과정에 참여기관 및 참여자의 수가 너무 많아 거부점(veto point)의 역할
㉡ 정책추진집단의 빈번한 교체로 인한 정책집행에 대한 기존의 협조·지지 상실
㉢ 정책결정 시 집행수단에 대한 고려 미흡
㉣ 적절하지 않은 기관(EDA)이 집행을 담당

답 ②

04 정책집행의 접근방법　　　난이도 ●●○

정책집행 연구는 3단계로 이루어졌는데 고긴(Goggin)과 오툴(O'Toole)은 이론의 검증을 시도하는(= 과학성을 추구하는) 제3세대 집행 연구를 주장하였다.

선지분석

① 하향식 접근방법에서는 정책목표의 안정성과 일관성이 효과적인 정책집행을 가져온다고 본다. 정책목표의 신축적 조정이 효과적인 정책집행을 가져온다고 보는 것은 상향적 집행론에서 주장한다.
② 마즈마니언(Mazmanian)과 사바티어(Sabatier)는 하향식 접근방법을 주장하였다. 정책지지연합모형에서는 상향식 접근방법을 기본으로 하고, 하향식 접근방법을 가미한 통합모형을 주장하였다.
③ 엘모어(Elmore)가 제안한 전방향적 연구(forward mapping)는 상향식이 아니라 하향식 접근방법과 유사하다.

답 ④

05 ☐☐☐   2018년 국회직 9급

하향식 접근방식의 정책집행연구가 주장하는 성공적인 정책집행의 조건으로 가장 적절하지 않은 것은?

① 한 번 정해진 정책의 우선순위가 바뀌지 않도록 일관성을 유지해야 한다.
② 인과관계를 복잡하게 만드는 변수를 통제해야 한다.
③ 집행에 참여하는 사람들이 수행해야 할 업무의 내용과 지침을 상세하게 제시해야 한다.
④ 정책목표와 정책결정자의 의도를 명확하게 제시해야 한다.
⑤ 집행현장의 일선공무원에게 적절한 재량과 자율이 주어져야 한다.

06 ☐☐☐   2022년 지방직 9급

정책집행 연구 중 상향적 접근방법(bottom-up approach)으로 옳은 것만을 모두 고르면?

ㄱ. 엘모어(Elmore)의 후방향적 집행연구
ㄴ. 사바티어(Sabatier)와 매즈매니언(Mazmanian)의 집행과정모형
ㄷ. 립스키(Lipsky)의 일선관료제
ㄹ. 반 미터(Van Meter)와 반 호른(Van Horn)의 집행연구

① ㄱ, ㄷ
② ㄱ, ㄹ
③ ㄴ, ㄷ
④ ㄴ, ㄹ

---

05   하향식 접근방법의 성공적인 정책집행 조건   난이도 ●●○

집행현장의 일선공무원에게 적절한 재량과 자율이 주어져야 한다는 것은 상향식 접근방법에서 주장하는 성공적인 정책집행의 조건이다.

📄 **정책집행의 접근방법**

구분	하향식 접근방법	상향식 접근방법
연구 방향	전방향적 연구	후방향적 연구
연구목적	거시적 사회관리 (능률성)	참여민주주의 확보
연구의 초점	정책의도의 구현	집행 현장에서의 적응
집행 전략	중앙통제적	현지 적응적
정책관련집단의 참여	참여 축소	참여 확대
일선관료의 재량	재량 통제(순응 강조)	재량 필요
적용상황	구조화된 상황	동태적 상황
버만(Berman)의 견해 적용	정형적 집행	적응적 집행
엘모어(Elmore)의 견해 적용	전향적 집행	후향적 집행
나카무라와 스몰우드(Nakamura & Smallwood)의 견해	고전적 기술자형, 지시적 위임가형	재량적 실험가형, 관료적 기업가형

답 ⑤

06   상향적 접근방법   난이도 ●●●

ㄱ. 엘모어(Elmore)의 후방향적 집행연구는 상향적 접근방법이다.
ㄷ. 립스키(Lipsky)의 일선관료제론은 고객과 접촉하는 일선관료가 실질적으로, 공공정책을 결정한다는 상향적 정책집행 접근법을 중시한다.

(선지분석)

ㄴ. 사바티어(Sabatier)와 매즈매니언(Mazmanian)의 정책집행 과정모형은 정책이 결정자의 의도대로 하향적으로 집행되어야 한다는 단계모형을 의미한다. 매즈매니언(Mazmanian)과 사바티어(Sabatier)는 초기에 하향식 접근방법을 주장하였으나 이후 정책지연합모형에서는 상향식 접근방법을 기본으로 하고, 하향식 접근방법을 가미한 통합모형을 주장하였다.
ㄹ. 반 미터(Van Meter)와 반 호른(Van Horn)의 집행모형은 대표적인 하향적 집행론에 해당한다.

답 ①

07　2024년 지방직 9급

다음의 연구에 해당하는 것은?

> 이 연구에서는 정책과 성과를 연결하는 모형에 정책 기준과 목표, 집행에 필요한 자원, 조직 간 의사소통과 집행 활동(enforcement activities), 집행기관의 특성, 경제·사회·정치적 조건, 정책집행자의 성향(disposition)이라는 변수를 제시하였다.

① 립스키(Lipsky)의 일선관료제 연구
② 오스트롬(Ostrom)의 제도분석 연구
③ 사바티어와 마즈마니언(Sabatier & Mazmanian)의 집행과정 연구
④ 반 미터와 반 혼(Van Meter & Van Horn)의 정책집행과정 연구

07　정책집행과정 연구　난이도 ●●●

반 미터(Van Meter)와 반 호른(Van Horn)의 집행모형은 대표적인 하향적 집행론에 해당한다. 제시문은 정책집행을 정책과 성과를 연결해주는 매개변수로 보고 있는 반 미터와 반 혼(Van Meter & Van Horn)의 정책집행과정 연구에 해당한다.

답 ④

08　2023년 국가직 7급

정책집행을 주어진 정책목표의 달성을 위한 수단적 행위로 파악하는 접근방법에 대한 설명으로 옳지 않은 것은?

① 타당한 인과이론에 바탕을 둔 정책결정의 내용은 이러한 접근에서 제시하는 규범적 처방이 된다.
② 효과적인 정책집행을 위해서는 정책내용으로서 명확한 법령과 구체적인 정책지침을 갖고 있어야 한다.
③ 정부 및 민간 프로그램에서의 의도하지 않은 효과까지도 분석할 수 있다는 장점이 있다.
④ 정책에 반대하는 정책행위자들의 입장이나 전략적 행동을 쉽게 파악할 수 없다는 단점이 있다.

08　정책집행　난이도 ●●○

정책집행을 주어진 정책목표의 달성을 위한 수단적 행위로 파악하는 접근방법은 하향적 집행론이다. 정부 및 민간 프로그램에서의 의도하지 않은 효과까지도 분석할 수 있는 것은 상향적 접근방법이다.

답 ③

09

2017년 지방직 9급(6월 시행)

정책집행의 성공 가능성에 대한 설명으로 옳지 않은 것은?

① 정책집행연구의 하향론자들은 복잡한 조직구조가 정책의 성공적 집행을 도와준다고 주장한다.
② 정책목표와 정책수단이 구체적일수록 정책집행의 성공 가능성이 커진다는 주장이 있다.
③ 불특정 다수인이 혜택을 보는 경우보다 특정한 집단이 배타적으로 혜택을 보는 경우에 강력한 지지를 얻을 수도 있다.
④ 배분정책은 규제정책이나 재분배정책에 비하여 표준운영절차(SOP)에 따라 원만한 집행이 이루어질 가능성이 더 크다.

10

2022년 국가직 7급

다음은 정책순응을 확보하기 위한 수단과 그 특징에 대한 설명이다. (가)~(다)에 들어갈 말을 바르게 연결한 것은?

- (가): 일선 집행관료는 큰 저항을 하지 않으나 정책에 의해 피해를 입는 대상집단은 의도적으로 불응의 핑계를 찾으려 한다.
- (나): 도덕적 자각이나 이타주의적 고려에 의해 자발적으로 순응하는 사람들의 명예나 체면을 손상시키고 사람의 타락을 유발할 수 있다.
- (다): 불응의 형태를 정확하게 점검 및 파악하기 어려운 경우가 많다는 약점이 있다.

	(가)	(나)	(다)
①	도덕적 설득	유인	처벌
②	도덕적 설득	처벌	유인
③	유인	도덕적 설득	처벌
④	처벌	유인	도덕적 설득

| 09 | 정책집행의 성공 가능성 | 난이도 ●●○ |

정책집행연구의 하향론자들은 복잡한 조직구조보다 계층적 통합성이 높은 조직구조가 정책의 성공적 집행을 도와준다고 본다. 집행기관 간 계층적 통합성(계층적 질서)이 약화되면 집행과 관련된 많은 독립기관 간의 갈등으로 인하여 조정·집행을 방해하게 된다. 오늘날 관료제적 계층성의 약화가 정책집행을 곤란하게 하는 경향이 있다.

(선지분석)
② 정책목표와 정책수단이 구체적일 경우 명확하여 쉽게 이해되므로 집행이 용이하다.
③ 불특정 다수인이 혜택을 보는 경우에는 집단행동의 딜레마가 발생하여 지지가 힘들다.
④ 표준운영절차(SOP)는 갈등과 저항이 적은 배분정책에 적용하기 용이하다.

답 ①

| 10 | 정책순응의 확보수단과 그 특징 | 난이도 ●●● |

(가) 도덕적 설득: 순응주체에게 특정한 정책에 순응하는 것이 올바르다고 설득하는 것을 의미한다(일선집행관료는 집행을 하는 사람이기에 도덕적 설득은 큰 저항이 없으며, 정책대상집단은 피해를 받는 정책의 경우 의도적으로 불응의 핑계를 찾으려 함).
(나) 유인: 순응 시 혜택을 제공함으로써 순응자의 순응을 유도하는 방법이다(경제적 유인은 도덕적인 자각이나 이타주의적 고려에 의하여 자발적으로 순응하는 사람들의 명예나 체면을 고려하지 않고 인간을 타락시킬 가능성이 있음).
(다) 처벌: 순응하지 않는 행위에 대하여 처벌하거나 처벌하겠다고 위협하여 순응을 확보하는 방법이다[처벌을 위해서는 불응의 행태를 정확하게 점검·파악할 수 있어야 하는데, 이것이 어려운 경우가 많음(유통기한이 지난 음식을 파는 행위, 자동차 제한속도를 위반하는 행위 등)].

답 ①

11

2020년 지방직 9급

정책집행의 하향식 접근(top-down approach)에 대한 설명으로 옳은 것만을 모두 고르면?

> ㄱ. 집행이 일어나는 현장에 초점을 맞춘다.
> ㄴ. 일선공무원의 전문지식과 문제해결능력을 중시한다.
> ㄷ. 하위직보다는 고위직이 주도한다.
> ㄹ. 정책결정자는 정책집행에 영향을 미치는 정치적·조직적·기술적 과정을 충분히 통제할 수 있다.

① ㄱ, ㄴ
② ㄱ, ㄷ
③ ㄴ, ㄹ
④ ㄷ, ㄹ

12

2017년 국가직 9급(4월 시행)

정책집행의 상향적 접근방법에 대한 설명으로 옳은 것은?

① 대표적인 모형은 사바티어(Sabatier)의 정책지지연합모형(Advocacy Coalition Framework)이다.
② 정책결정과 정책집행은 뚜렷하게 구분된다고 본다.
③ 집행 현장에서 일선관료의 재량과 자율을 강조한다.
④ 안정되고 구조화된 정책상황을 전제로 한다.

---

11 정책집행의 하향식 접근 | 난이도 ●●○

ㄱ, ㄴ은 정책집행의 상향식 접근에 대한 설명이고 ㄷ, ㄹ은 하향식 접근에 해당하는 설명이다.
ㄷ. 하향식 접근은 정책을 집행하는 일선하위직보다는 정책을 결정하는 고위직이 정책과정을 주도한다.
ㄹ. 하향식 접근은 정책결정자가 정책의 모든 과정을 전반적으로 장악하고 충분히 통제할 수 있다고 가정한다.

(선지분석)
ㄱ. 집행현장에 초점을 맞추는 것은 상향식 접근에 해당한다.
ㄴ. 일선공무원의 전문지식과 문제해결능력을 중시하는 것은 상향식 접근에 해당한다.

답 ④

12 정책집행의 상향적 접근방법 | 난이도 ●○○

고객과 접촉하는 일선관료가 자율과 재량을 가지고 실질적으로 공공정책을 결정한다는 것이 상향적 정책집행 접근방법의 주요 특징이다.

(선지분석)
① 정책지지연합모형은 통합모형에 해당한다.
② 정책결정과 집행이 뚜렷하게 구분된다고 보는 것은 하향식 접근방법이다.
④ 안정되고 구조화된 정책상황을 전제로 하는 것은 하향식 접근방법이다.

답 ③

13

2025년 지방직 9급

정책집행의 하향적 접근법과 상향적 접근법에 대한 설명으로 옳지 않은 것은?

① 하향적 접근법은 정책결정자의 의도와 정책목표를 중시한다.
② 상향적 접근법은 집행과정을 이해하기 위해 일선집행 관료의 행태에 주목한다.
③ 하향적 접근법은 정책목표와 정책수단 간 긴밀한 인과관계를 강조한다.
④ 상향적 접근법은 정책결정과 집행의 엄격한 분리를 강조한다.

14

2025년 군무원 9급

상향적 접근방법의 장점에 대한 설명으로 가장 적절하지 않은 것은?

① 공공부문과 민간부문의 조직 등 다양한 집행 조직의 상대적 문제해결능력을 파악하는 것이 가능하다.
② 정책결정자가 설계한 정책을 중심으로 정책집행의 전체적인 틀을 체계적으로 파악할 수 있다.
③ 정책수혜자의 의견수렴이 적극적으로 가능하다.
④ 정책집행과정을 상세히 기술하여 집행과정의 인과관계 파악이 가능하다.

| 13 | 하향적 접근법과 상향적 접근법 | 난이도 ●●○ |

하향적 접근법은 정책결정과 집행은 분리되어 결정과 집행의 순차성·단일방향성이 강조된다. 반면 상향적 접근법은 결정과 집행의 연속성과 순환성을 강조한다.

선지분석
① 하향적 접근법은 결정자의 의도의 구현인 정책목표를 중시한다.
② 상향적 접근법은 집행현장의 일선관료들의 행태에 주목한다.
③ 하향적 접근법은 정책목표와 정책수단 간 명확하고도 긴밀한 인과관계를 강조한다.

답 ④

| 14 | 상향적 접근법 | 난이도 ●●○ |

정책결정자가 설계한 정책을 중심으로 정책집행의 전체적인 틀을 체계적으로 파악할 수 있는 접근법은 하향적 접근법이다. 상향적 접근법은 집행현장에서 적응을 중시하기 때문에 정책집행의 전체적인 틀을 체계적으로 파악할 수 없다

선지분석
①, ③ 상향적 집행론은 집행현장에서 적응이 이루어지기 때문에 다양한 집행조직의 현장에서 문제해결능력 파악이 가능하고, 집행현장에서 정책수혜자의 의견수렴이 적극적으로 가능하다.
④ 상향적 집행론은 집행현장에 연구의 초점을 두기 때문에 집행과정의 인과관계 파악이 가능하다.

답 ②

15 □□□
2022년 국가직 7급

다음 설명에 해당하는 정책집행모형을 제시한 학자는?

- 효과적인 정책집행을 위해 갖추어야 할 조건으로서 정책결정의 내용은 타당한 인과이론에 바탕을 두어야 하며 정책내용으로서 법령은 명확한 정책지침을 가지고 있어야 한다.
- 집행과정에서 발생할 수 있는 변수들을 미리 예견할 수 있도록 해 주는 체크리스트로서의 기능을 한다는 장점이 있다.
- 정책집행 현장의 일선관료들이나 대상집단의 전략 등을 과소평가하거나 쉽게 파악할 수 없다는 단점이 있다.

① 사바티어(Sabatier)와 마즈매니언(Mazmanian)
② 린드블룸(Lindblom)
③ 프레스만(Pressman)과 윌다브스키(Wildavsky)
④ 레인(Rein)과 라비노비츠(Rabinovitz)

| 15 | 정책집행모형 | 난이도 ●●● |

제시문은 하향적 집행론에 대한 설명이다. 하향적 접근방법의 대표적 학자는 사바티어(Sabatier)와 마즈매니언(Mazmanian)이다.

(선지분석)
② 린드블룸(Lindblom)은 점증주의를 주장한 학자이다.
③ 프레스만과 윌다브스키(Pressman & Wildavsky)는 정책집행은 정책의 내용을 구체화시키는 의사결정이며, 정치적 성격을 지니고 있다고 본다.
④ 레인(Rein)과 라비노비츠(Rabinovitz)는 정책집행 과정을 기존의 단일방향적인 정책집행관으로부터 탈피해 순환의 원칙이 지배하는 과정으로 보고 있다.

답 ①

16 □□□
2018년 국가직 9급

립스키(M. Lipsky)의 일선관료제(street-level Bureaucracy) 이론에 대한 설명으로 옳은 것은?

① 일선관료는 고객에 대한 고정관념(stereotype)을 타파함으로써 복잡한 문제와 불확실한 상황에 대처한다.
② 일선관료가 업무를 수행하는 기관에 대한 고객들의 목표기대는 서로 일치하고 명확하다.
③ 일선관료는 집행에 필요한 자원이 부족할 경우 대체로 부분적이고 간헐적으로 정책을 집행한다.
④ 일선관료는 계층제의 하위에 위치하기 때문에, 직무의 자율성이 거의 없고 의사결정에 있어서 재량권의 범위가 좁다.

| 16 | 일선관료제이론 | 난이도 ●●○ |

일선관료는 자원이 부족할 정책을 부분적·간헐적으로 집행하는 경향이 있다. 이러한 경향은 곧 행정의 단순화·정형화로 이어진다.

(선지분석)
① 일선관료는 고객에 대한 고정관념으로 인해 복잡한 문제와 불확실한 상황에 제대로 대처하지 못한다.
② 일선관료에 대한 고객들의 목표와 기대는 모호하고 대립된다.
④ 일선관료는 많은 재량권을 가지고 있지만 자원이 부족하다.

답 ③

17

2013년 지방직 7급

립스키(M. Lipsky)의 일선관료제이론에 대한 설명으로 옳지 않은 것은?

① 일선관료(street-level bureaucrats)는 시민들과 직접 대면하면서 정책을 집행하는 사람들이다.
② 일선관료들은 일반적으로 과중한 업무 부담을 가진다.
③ 일선관료들은 모호하고 대립적인 기대들이 존재하는 업무환경 때문에 정책목표를 달성할 수 없는 경우가 많다.
④ 일선관료들의 재량권이 부족하여 업무가 지연된다.

18

2022년 국가직 9급

립스키(Lipsky)의 '일선관료제'에서 일선관료들이 처하는 업무환경의 특징으로 옳지 않은 것은?

① 자원의 부족
② 일선관료 권위에 대한 도전
③ 모호하고 대립되는 기대
④ 단순하고 정형화된 정책대상집단

---

17 일선관료제이론 난이도 ●○○

일선관료제하에서 일선관료들은 상당부분 재량권을 가지고 있지만 인적·물적 자원 및 시간이 부족하여 업무가 지연된다.

(선지분석)
① 서면처리를 하는 일반관료에 비해 일선관료들은 사람을 대면한다.
② 일선관료들은 과도한 업무량과 부족한 자원의 어려움에 봉착하고 있다.
③ 일선관료의 집행성과에 대한 기대는 모호하고 대립되며, 비현실적인 경우가 많다.

답 ④

18 일선관료제 난이도 ●○○

고객들은 대체로 비자발적이지만 단순하고 정형화된 서비스를 원하는 집단은 아니다.

📋 **일선관료의 3대 업무환경의 특성**
㉠ 자원의 부족
㉡ 권위에 대한 도전
㉢ 모호하고 대립되는 기대

답 ④

19 ☐☐☐ 2023년 국가직 7급

립스키(Lipsky)의 일선관료제(street level bureaucracy)에 대한 설명으로 옳지 않은 것은?

① 일선관료에 대한 재량권 강화는 집행현장의 특수성 및 예상치 못한 사태에 대비하게 할 수 있다.
② 일선관료는 만성적으로 부족한 자원, 모호한 역할 기대, 그들의 권위에 대한 위협과 도전이라는 업무환경에 처해 있다.
③ 일선관료는 일반시민을 분류하지 않고, 모든 계층을 공평하게 대우한다.
④ 일선관료는 정부를 대신하여 시민에게 정책을 직접 전달하는 존재로, 특히 사회경제적 취약계층의 삶에 큰 영향력을 미친다.

20 ☐☐☐ 2012년 지방직 9급

정책집행에 영향을 미치는 요인에 대한 설명으로 옳은 것은?

① 사바티어(Sabatier)는 정책대상 집단의 행태 변화의 정도가 크면 정책집행의 성공은 어렵다고 본다.
② 집행주체의 집행 역량은 집행구조나 조직의 분위기에 영향을 받지 않는다.
③ 정책집행과정에서 의사결정점(decision point)이 많을수록 신속하게 집행된다.
④ 정책수혜 집단의 규모가 크고 조직화 정도가 강한 경우 집행이 어렵다.

| 19 | 일선관료제 | 난이도 ●●○ |

일선관료들은 과다한 업무량과 직무의 복잡성에 대처하기 위해 업무의 단순화, 정형화, 관례화를 꾀한다. 립스키(Lipsky)의 일선관료제에서 일선관료들은 일반시민들을 구분하여 인식하고(segmenting the population), 특정 계층에 관심을 쏟는다.

선지분석
① 일선관료들은 대상 집단에 대한 제재나 혜택의 제공 과정에서 그 성격·양·질 등을 결정하는 데 많은 재량권을 행사한다.
② 일선관료의 업무환경은 자원의 부족, 권위에 대한 도전, 모호하고 대립되는 기대로 대표된다.
④ 일선관료는 고객과 직접 접촉하는 접점(서민층일수록 일선관료들의 공공 복지행정의 중요성이 증대)이다.

답 ③

| 20 | 정책집행에 영향을 미치는 요인 | 난이도 ●○○ |

정책대상 집단의 행태 변화의 정도가 적어야 성공한다.

선지분석
② 집행주체의 집행 역량은 집행구조나 조직의 분위기에 영향을 받게 된다.
③ 의사결정점이 많을수록 거부점이 많기 때문에 집행이 어렵다.
④ 수혜자 집단이 규모가 크고, 조직화 정도가 강한 경우에는 지지가 강하기 때문에 집행이 용이하다.

답 ①

21 □□□ 2019년 서울시 7급(10월 추가)

사바티어(Sabatier)의 통합모형에 대한 설명으로 가장 옳지 않은 것은?

① 정책변화 이해에 가장 유효한 분석 단위는 정책하위시스템이다.
② 정책하위시스템에는 서로 다른 목표를 가진 지지연합이 있다.
③ 정책하위시스템 참여자의 활동에 영향을 미치는 요소는 상향식 접근방법으로 도출하였다.
④ 정책집행을 한 번의 과정이 아니라 연속적인 정책변동으로 보았다.

22 □□□ 2021년 지방직 9급

정책옹호연합모형(advocacy coalition framework)에 대한 설명으로 옳지 않은 것은?

① 외적인 환경변수를 정책 과정과 연계함으로써 정책변동을 설명한다.
② 정책학습을 통해 행위자들의 기저핵심신념(deep core beliefs)을 쉽게 변화시킬 수 있다.
③ 옹호연합 사이에서 정치적 갈등 발생 시 정책중개자가 이를 조정할 수 있다.
④ 옹호연합은 그들의 신념 체계가 정부 정책에 관철되도록 여론, 정보, 인적자원 등을 동원한다.

21	사바티어(Sabatier)의 통합모형	난이도 ●●○

사바티어(Sabatier)의 통합모형은 상향적 접근방법 측면에서 정책하위시스템의 지지연합 간 갈등 및 타협과정과 하향적 측면에서 정책하위시스템 참여자들의 활동에 영향을 미치는 요소들을 결합하였다. 그에 따라 정책은 '정책결정 → 집행 → 재결정 → 재집행'이라는 정책변동차원에서 정책집행을 이해하고자 하였다.

선지분석
① 정책변화를 이해하기 위한 분석단위로 정책하위체제에 중점을 둔다.
② 정책하위시스템 내의 서로 다른 목표를 가진 경쟁적인 정책지지연합 간 갈등과 타협과정에 있다고 본다.
④ 정책변화과정은 점진적 정책변동으로 연속적인 정책변동이나 정책학습 과정으로 보았다.

답 ③

22	정책옹호연합모형	난이도 ●●○

정책옹호연합모형은 행위자들의 기저핵심신념(deep core beliefs)은 쉽게 변화되지 않는다고 본다.

선지분석
① 외부 환경변수를 집행과정과 연계하여 정책변동을 설명하였다.
③ 옹호연합 간 갈등 발생 시 정책중재자가 이를 조정하는 중요한 역할을 한다.
④ 정책옹호연합은 자신들의 신념체계를 관철시키기 위하여 여론, 정보, 인적자원 등을 동원한다.

답 ②

23 2024년 지방직 9급

옹호연합모형(advocacy coalition framework)에 대한 설명으로 옳은 것만을 모두 고르면?

> ㄱ. 정책하위체제에 초점을 두어 정책변화를 이해한다.
> ㄴ. 정책지향학습은 옹호연합 내부만 아닌 옹호연합 사이에서도 발생한다.
> ㄷ. 행정규칙, 예산배분, 규정의 해석에 대한 결정은 정책핵심 신념과 관련된다.
> ㄹ. 신념체계 구조에서 규범적 핵심 신념은 관심 있는 특정 정책규범에 적용되며, 이차적 측면(secondary aspects)보다 변화 가능성이 작다.

① ㄱ, ㄴ
② ㄱ, ㄹ
③ ㄴ, ㄷ
④ ㄷ, ㄹ

24 2024년 지방직 7급

사바티어(Sabatier)의 옹호연합모형(Advocacy Coalition Framework)에 대한 설명으로 옳지 않은 것은?

① 정책 변화를 이해하기 위한 분석 단위로서 정책하위체제(policy subsystem)에 중점을 두고 있다.
② 정책 변화과정을 이해하기 위해 1년 이내 단기간에 초점을 둔다.
③ 옹호연합들 간의 대립과 갈등을 정책 중재자(policy broker)가 중재한다.
④ 정책하위체제에 영향을 미치는 외생변수는 안정적 변수와 역동적 변수로 구분된다.

---

23 옹호연합모형 | 난이도 ●●●

ㄱ. 정책변화를 이해하기 위한 분석단위로 정책하위체제에 중점을 둔다. 정책하위시스템 내의 서로 다른 목표를 가진 경쟁적인 정책지지연합 간 갈등과 타협과정에 있다고 본다.
ㄴ. 정책하위시스템 내의 서로 다른 목표를 가진 경쟁적인 정책지지연합 간 갈등과 타협과정에 있다고 본다. 정책지향학습은 옹호연합 내부만 아닌 옹호연합 사이에서도 발생한다.

선지분석
ㄷ. 행정규칙, 예산배분, 규정의 해석에 대한 결정은 부차적 측면과 관련된다.
ㄹ. 규범적 핵심 신념은 특정 정책규범과 관련된 이차적(부차적) 측면이 아닌 모든 정책에 적용되는 근본 가치로서 쉽게 변동되지 않는 기본적이고 거시적인 측면의 신념이다.

정책지지연합에서의 신념체계

규범적 핵심	모든 정책에 적용되는 근본 가치로서 쉽게 변동되지 않음
정책핵심	규범적 핵심을 달성하기 위한 기본전략
부차적 측면	행정규칙, 예산배분, 규정해석 등으로 쉽게 변동됨

답 ①

24 사바티어의 옹호연합모형 | 난이도 ●●●

사바티어(Sabatier)는 정책옹호연합모형에서 정책의 변화를 이해하기 위해서는 장기간에(10년 이상) 걸친 관찰이 필요하다고 주장하였다.

선지분석
① 정책지지연합(= 옹호)모형은 정책집행을 기본적으로 정책하위체계에 중점을 두고, 정책(집행)을 변화와 학습 과정으로 이해하는 모형이다.
③ 정책옹호연합들간의 갈등과 대립을 중재하여 합의를 이끌어내는 정책중재자(policy broker)의 역할이 중요하다고 보았다.
④ 정책하위체제에 영향을 미치는 문제영역의 속성 같은 안정적 변수와 사회경제여건의 변화 같은 역동적 변수 등이 있다고 주장하였다.

답 ②

KEYWORD 039 정책집행유형

25 □□□
2015년 서울시 9급

정책집행에 대한 설명 중 옳지 않은 것은?

① 프레스만과 월다브스키(Pressman & Wildavsky)는 집행과정상의 공동행위의 복잡성을 강조하였다.
② 버만(Berman)은 집행 현장에서 집행조직과 정책사업 사이의 상호적응의 중요성을 강조하였다.
③ 나카무라와 스몰우드(Nakamura & Smallwood)의 정책집행자 유형 중 관료적 기업가형은 정책의 대략적인 방향을 정책결정자가 정하고, 정책집행자들은 이 목표의 구체적 집행에 필요한 폭넓은 재량권을 위임받아 정책을 집행하는 유형이다.
④ 사바티어(Sabatier)는 정책집행의 하향식 접근법과 상향식 접근법의 통합모형을 제시했다.

26 □□□
2018년 지방직 9급

버만(Berman)의 '적응적 집행'에 대한 설명으로 옳은 것은?

① 미시집행 국면에서 발생하는 정책과 집행조직 사이의 상호적응이 이루어질 때 성공적으로 집행된다.
② 거시적 집행구조는 동원, 전달자의 집행, 제도화의 세 단계로 구분된다.
③ '행정'은 행정을 통해 구체화된 정부프로그램이 집행을 담당하는 지방정부의 사업으로 받아 들여지는 것을 의미한다.
④ '채택'은 지방정부가 채택한 사업을 실행사업으로 변화시키는 것을 의미한다.

| 25 | 정책집행 | 난이도 ●●○ |

정책결정자가 정책의 대략적인 방향을 정하고, 정책집행자들은 이 목표의 구체적 집행에 필요한 폭넓은 재량권을 위임받아 정책을 집행하는 것은 관료적 기업가형이 아니라 재량적 실험가형에 해당한다.

선지분석
① 프레스만과 월다브스키(Pressman & Wildavsky)는 집행현장의 복잡성으로 인한 정책의 수정 가능성을 중시한다.
② 상황론적 집행모형의 대표적 학자인 버만(Berman)은 집행현장에서의 상호적응성을 강조한다.
④ 사바티어(Sabatier)는 상향식 접근법을 중심으로 하향식 접근법을 가미한 통합모형을 제시한다.

답 ③

| 26 | 버만(Berman)의 적응적 집행 | 난이도 ●●○ |

버만(Berman)은 정책집행을 거시적 집행과 미시적 집행으로 구분하였고, 이 중 미시적 집행은 채택한 사업을 실행하는 것을 의미한다. 미시적 집행구조에 따라 동일한 정책이라 할지라도 그 결과는 달라진다고 보므로, 정책과 집행조직 사이의 상호적응이 이루어질 때 성공적으로 집행된다고 본다.

선지분석
② 거시적 집행구조의 통로는 행정(administration), 채택(adoption), 미시적 집행(micro-implementation), 기술적 타당성(technical validity) 네 가지로 구성된다.
③ 행정이 아니라 채택에 해당하는 개념이다.
④ 채택이 아니라 미시적 집행에 해당하는 개념이다.

버만(Berman)의 거시적 집행통로

행정	정책결정을 구체적인 정부프로그램으로 전환하는 것
채택	행정을 통해 구체화된 정부프로그램이 집행을 담당하는 지방정부 사업으로 받아들여지는 것
미시적 집행	지방정부가 채택한 사업을 실행사업으로 변화시키는 것
기술적 타당성	정책성과가 산출되기 위한 마지막 통로로서 정책목표와 정책수단 간의 인과관계

답 ①

27
2020년 군무원 9급

윈터(S. Winter)가 제시하는 정책집행성과를 좌우하는 주요 변수로 옳지 않은 것은?

① 정책형성과정의 특성
② 일선관료의 행태
③ 조직 상호 간의 집행행태
④ 정책결정자의 행태

28
2025년 국가직 7급

정책집행 과정에서 맥러린(M. Mclaughlin)이 제시한 정책결정자와 정책집행자 간 상호작용 유형에 해당하지 않는 것은?

① 상호적응(mutual adaptation)
② 적응적 흡수(co-optation)
③ 부집행(non-implementation)
④ 거부와 순응(defiance and compliance)

---

27 윈터(S. Winter)의 정책집행성과의 주요변수 난이도 ●●●

윈터(S. Winter)가 제시하는 정책집행성과를 좌우하는 주요변수는 정책형성과정의 특성, 일선관료의 행태, 조직 상호 간의 집행행태이다.

📄 **윈터(S. Winter)의 통합모형**
㉠ 정책결정과 집행의 연계성을 강조한 이론으로, 집행의 실패요인은 정책집행뿐만 아니라 정책의 결정과정에서도 나타나고 있음을 파악하였다.
㉡ 윈터(S. Winter)는 정책집행에 영향을 주는 요인으로 정책형성 국면·조직과 조직 간 집행 국면·일선관료의 행태변수·대상집단의 행태 및 사회경제적 변수를 들고 있다.

답 ④

28 맥러린이 제시한 정책결정자와 집행자 간 상호작용 유형 난이도 ●●●

거부와 순응(defiance and compliance)은 해당되지 않는다. 맥러린(M. Mclaughlin)은 정책결정자와 정책집행자 간 상호작용 유형을 상호적응(mutual adaptation), 적응적 흡수(co-optation), 부집행(non-implementation)의 3가지로 구분하였다.

선지분석
① 상호적응(mutual adaptation): 결정자의 project와 집행자의 SOP가 서로에게 적응(가장 이상적인 모형)
② 적응적 흡수(co-optation): 결정자의 project가 집행자의 SOP에 일방적으로 적응
③ 부집행(non-implementation): 결정자의 project와 집행자의 SOP 간 상호적응 실패

답 ④

29

2011년 지방직 9급

나카무라(R. Nakamura)와 스몰우드(F. Smallwood)가 정책대안의 소망스러움(desirability)을 평가하는 기준으로 제시하지 않은 것은?

① 노력
② 능률성
③ 효과성
④ 실현가능성

| 29 | 정책대안의 소망스러움 | 난이도 ●○○ |

나카무라와 스몰우드(Nakamura & Smallwood)는 정책대안의 평가 기준으로 소망성과 실현가능성을 제시했으며, 소망성 기준에는 ⓐ 노력, ⓑ 능률성, ⓒ 효과성, ⓓ 형평성, ⓔ 대응성, ⓕ 적합성, ⓖ 적정성(충족성)이 있다.

📄 정책대안의 평가기준(소망성과 실현가능성)

소망성	의의	대안의 예측되는 결과가 얼마나 바람직스러운가 하는 정도
	기준	효과성, 능률성, 공평성, 대응성, 노력, 체제유지, 합리성, 적합성, 적정성 등
실현가능성	의의	정책대안이 채택되어 그 내용이 충실히 집행될 가능성
	기준	기술적 실행가능성, 경제적 실행가능성, 행정적 실행가능성, 법적·윤리적 실행가능성, 정치적 실행(생존)가능성

답 ④

30

2020년 경찰승진

나카무라와 스몰우드(Nakamura & Smallwood)가 분류한 정책집행의 유형 중 '협상형'에 대한 설명으로 가장 옳은 것은?

① 정책결정과 정책집행은 엄격하게 분리되며 정책집행자는 정책결정자가 결정한 정책을 충실히 집행한다.
② 정책집행자는 자신의 정책목표달성에 필요한 능력을 보유하고 있으며 자신의 정책목표달성에 필요한 수단들을 확보하기 위해 정책결정자와 협상한다.
③ 정책결정자는 명백한 목표를 설정하고, 정책집행자는 이러한 목표에 대해 동의한다.
④ 정책결정자와 정책집행자는 정책목표나 수단에 대하여 반드시 의견이 일치하지는 않는다.

| 30 | 정책집행유형 | 난이도 ●○○ |

나카무라와 스몰우드(Nakamura & Smallwood)는 정책결정자와 정책집행자의 관계를 중심으로 정책집행의 유형을 설명한다. 협상형에서는 정책결정자와 정책집행자의 의견은 반드시 일치하지는 않으며, 정책목표와 수단에 대해 협상을 벌인다.

(선지분석)
① 고전적 기술자형에 대한 설명이다.
② 관료적 기업가형에 대한 설명이다.
③ 지시적 위임자형에 대한 설명이다.

📄 나카무라와 스몰우드(Nakamura & Smallwood)의 분류

구분	정책결정자의 역할	정책집행자의 역할
고전적 기술자형	• 구체적인 목표 설정 • 정책집행자에게 기술적인 권한 위임	• 정책결정자의 목표를지지 • 목표달성을 위한 기술적 수단을 강구
지시적 위임자형	• 구체적인 목표 설정 • 정책집행자에게 행정적 권한 위임	• 정책결정자의 목표를지지 • 목표달성을 위해 집행자 상호 간에 행정적 수단에 관하여 교섭을 벌임
협상자형	• 목표를 설정 • 집행자와 목표 또는 목표달성을 위한 수단에 관하여 협상	목표달성에 필요한 수단에 관하여 정책결정자와 협상을 벌임
재량적 실험가형	• 추상적 목표를 지지 • 집행자가 목표달성수단을 구체화시킬 수 있도록 광범위한 재량권 위임	정책결정자를 위해 목표와 수단을 명백히 함
관료적 기업가형	집행자가 설정한 목표와 목표달성수단을 지지	• 목표와 그 목표달성을 위한 수단을 형성 • 정책결정자 설득

답 ④

31 ☐☐☐
2018년 국회직 9급

다음 〈보기〉는 1980년대 초 한국 정부가 정보화 정책을 추진한 과정에 대한 설명이다. 이 과정을 가장 적절하게 설명한 정책결정자와 집행자의 관계 유형은?

〈보기〉
정보화 정책을 담당하는 관료들이 정부의 최고위 정책결정자들을 설득하였고, 정책내용의 수립에서부터 필요한 자원의 확보에 이르기까지 모든 과정을 주도하였다. 관료들이 시대의 흐름에 맞는 정책을 선도적으로 인식하여 추진하였던 것이다. 이와 같이, 정보화 정책은 헌신적인 관료들이 전문지식을 동원하여 정책결정자를 설득하고 새로운 정책을 도입한 전형적인 사례라고 할 수 있다.

① 관료적 기업가형
② 지시적 위임형
③ 협상형
④ 재량적 실험가형
⑤ 고전적 기술관료형

32 ☐☐☐
2019년 국가직 9급

나카무라(Nakamura)와 스몰우드(Smallwood)의 정책결정자와 정책집행자의 관계 유형 중 다음 설명에 해당하는 것은?

- 정책집행자는 공식적 정책결정자로 하여금 자신이 결정한 정책목표를 받아들이도록 설득 또는 강제할 수 있다.
- 정책집행자는 목표를 달성하기 위한 수단을 획득하기 위해 정책결정자와 협상한다.
- 미국 FBI의 국장직을 수행했던 후버(Hoover) 국장이 대표적인 예이다.

① 지시적 위임형
② 협상형
③ 재량적 실험가형
④ 관료적 기업가형

| 31 | 정책집행유형 | 난이도 ●●○ |

〈보기〉의 내용을 통해 실제 정책을 집행하는 정책집행자들이 정책결정자들을 설득하였고, 그들이 정책의 모든 과정을 주도하였다는 점을 확인할 수 있다. 이와 같은 유형은 나카무라와 스몰우드(Nakamura & Smallwood)의 정책결정자와 정책집행자의 유형 중 관료적 기업가형에 해당한다. 관료적 기업가형은 정책집행자가 정책결정자의 결정권을 장악하고 정책과정 전반을 완전히 통제하는 유형이다.

답 ①

| 32 | 정책결정자와 정책집행자의 관계 유형 | 난이도 ●○○ |

제시문은 관료적 기업가형에 해당한다. 관료적 기업가형에서는 정책집행자가 정책목표를 설정하고 공식적인 정책결정자를 설득 또는 강제하여 이 정책목표를 받아들이도록 한다. 반면, 정책집행자는 정책목표 달성에 필요한 정책수단을 확보하기 위해서 정책결정자와 협상·흥정을 하며, 자신들의 정책목표를 성실하게 성취하려고 노력한다.

답 ④

33 □□□
2022년 국가직 9급

나카무라(Nakamura)와 스몰우드(Smallwood)의 정책결정자와 정책집행자의 관계에 따른 정책집행의 유형에 대한 설명으로 옳지 않은 것은?

① '고전적 기술자형'은 정책결정자가 구체적인 목표를 설정하면, 정책집행자는 그 목표를 지지하고 목표달성을 위한 기술적인 수단을 강구하는 역할을 담당한다고 본다.
② '재량적 실험형'은 정책결정자가 추상적인 목표를 설정하면, 정책집행자는 정책결정자를 위해 목표와 수단을 명확하게 하는 역할을 담당한다고 본다.
③ '관료적 기업가형'은 정책집행자가 목표와 수단을 강구한 다음 정책결정자를 설득하고, 정책결정자는 정책집행자가 수립한 목표와 수단을 기술하는 역할을 담당한다고 본다.
④ '지시적 위임형'은 정책결정자가 구체적인 목표와 수단을 설정하면, 정책집행자는 정책결정자의 지시와 위임을 받아 정책대상집단과 협상하는 역할을 담당한다고 본다.

34 □□□
2023년 군무원 9급

나카무라와 스몰우드(R. T. Nakamura & F. Smallwood)는 정책결정자와 정책집행자 간의 관계에 착안하여 정책집행자 유형을 5가지로 나누었다. 다음 중 고전적 기술자형의 특징으로 가장 적절한 것은?

① 정책결정자가 추상적인 목표를 지지하지만 구체적인 정책목표를 결정할 수 없기에 정책결정자가 집행자에게 광범위한 재량권을 위임하게 되는 유형이다.
② 집행자가 많은 권한을 위임받아 정책을 집행하는 경우로서 많은 재량권을 갖게 되는 유형이다.
③ 정책결정자가 집행과정에 대해서 엄격하게 통제를 하는 것을 의미하며, 정책집행자는 약간의 정책적 재량만을 갖는 유형이다.
④ 정책결정자가 목표를 수립하고, 집행자들은 정책결정자와 목표나 목표달성을 위한 수단에 관하여 협상한다.

33	정책결정자와 정책집행자의 관계에 따른 정책집행유형 난이도 ●●●

지시적 위임가형은 고전적 기술관료형과 마찬가지로 정책결정자는 명백한 목표를 설정한다. 집행자는 수단과 관련된 행정적 권한을 가진다. 따라서 '정책결정자가 구체적인 목표와 수단을 설정'한다는 부분은 옳지 않다. 아울러 지시적 위임자형에서 협상은 주로 집행자 상호 간의 협상을 말한다.

(선지분석)
① 고전적 기술자형은 정책결정자는 정책목표를 명확히 결정하여 구체적으로 설정하고, 집행자들은 이 목표를 지지한다. 정책결정자는 구체적인 정책목표와 세부 정책내용까지 결정한다. 정책결정자는 계층제적인 지휘명령체계를 구축하고 집행자를 통제하며, 정책집행자들에게 정책목표의 달성을 위해서 필요한 조치(정책수단의 마련 등)를 강구할 수 있는 기술적 권한(technical authority)을 위임한다.
② 재량적 실험가형은 정책결정자가 불확실성·정보의 부족 등으로 인하여 일반적이고 추상적인 목표의식은 가지고 있지만 목표를 명확하게 표명하지는 못한다. 정책결정자는 집행자에게 광범위한 재량권을 주어 그들로 하여금 목표를 명확하게 하고 성취수단을 재량적으로 개발·활용하게 한다.
③ 관료적 기업가형은 정책집행자가 정책목표를 설정하고 공식적인 정책결정자를 설득 또는 강제하여 이 정책목표를 받아들이도록 한다.

답 ④

34	정책결정자와 정책집행자의 관계에 따른 정책집행유형 난이도 ●○○

고전적 기술자모형은 정책결정자는 계층제적인 지휘명령체계를 구축하고 집행자를 통제하며, 정책집행자들에게 정책목표의 달성을 위해서 필요한 조치(정책수단의 마련 등)를 강구할 수 있는 기술적 권한(technical authority)을 위임한다.

(선지분석)
① 재량적 실헌가형에 해당한다.
② 고전적 기술자형은 집행자의 재량권이 가장 낮다.
④ 협상자형에 해당한다.

답 ③

35

2025년 국회직 8급

정책집행론에 대한 설명으로 옳지 않은 것은?

① 정책집행과정에서 정책대상집단의 불응 정도는 정책 유형에 따라 달라진다.
② 하향식 접근방법(Top-down Approach)은 정책설계자가 정책집행자의 능력과 현실에 대해 충분한 지식을 가지고 있다고 가정한다.
③ 상향식 접근방법(Bottom-up Approach)은 공식적 정책목표 달성에 초점을 맞추지 않고 집행현장을 있는 그대로 파악하기 때문에 정책의 의도하지 않은 효과까지도 분석할 수 있다.
④ 나카무라와 스몰우드(Nakamura & Smallwood)의 정책집행 유형 중 지시적 위임형은 정책전달자가 목표 달성에 관한 행정적 협상능력보다는 기술적 역량을 가지고 있는 유형이다.
⑤ 매즈매니언과 사바티어(Mazmanian & Sabatier)는 효과적인 정책집행을 위해서 정책목표가 분명하고 일관성을 가져야 한다고 설명한다.

| 35 | 정책집행론 | 난이도 ●●● |

나카무라와 스몰우드(Nakamura & Smallwood)의 정책집행 유형 중 지시적 위임형은 정책전달자(정책집행자)가 목표 달성에 관한 기술적 역량은 물론, 행정적 협상능력도 가지고 있는 유형이다.

선지분석
① 분배정책 → 경쟁적 규제정책 → 보호적 규제정책 → 재분배정책으로 갈수록 저항의 정도가 커진다.
② 하향식 접근방법은 정책설계자가 정책집행자의 능력과 현실에 대해 충분한 지식을 가지고 있고 통제가 가능하다고 가정한다.
③ 상향적 접근방법은 정책집행현장을 연구하면서 의도하지 않은 효과를 분석할 수 있다
⑤ 마즈매니언과 사바티어는 정책집행 성공요인으로 정책목표의 명확성과 일관성을 핵심 요건으로 제시하였다.

답 ④

정책평가론과 기획론

KEYWORD 040 정책평가의 의의

01 □□□   2018년 서울시 9급

정책평가에 대한 설명으로 가장 옳지 않은 것은?

① 총괄평가(summative evaluation)는 정책이 종료된 후에 그 정책이 당초 의도했던 효과를 가져왔는지의 여부를 판단하는 활동이다.
② 메타평가(meta evaluation)는 평가자체를 대상으로 하며, 평가활동과 평가체제를 평가해 정책평가의 질을 높이고 결과활용을 증진하기 위한 목적으로 활용한다.
③ 평가성 사정(evaluability assessment)은 영향평가 또는 총괄평가를 실시한 후에 평가의 유용성, 평가의 성과증진 효과 등을 평가하는 활동이다.
④ 형성평가(formative evaluation)란 프로그램이 집행 과정에 있으며 여전히 유동적일 때 프로그램의 개선을 위해서 실시하는 평가이다.

02 □□□   2014년 경찰간부

정책평가의 기준에 대한 설명으로 가장 적절한 것은?

① 능률성은 비용과 관련시켜 목표달성도를 평가하는 기준이다.
② 효율성과 효과성은 서로 대치되는 평가 기준이다.
③ 대응성은 조직 내부집단의 만족도와 관련된 효과성을 평가하는 기준이다.
④ 적절성은 설정된 목표에 따라 달라질 수 있는 상대적인 측정이다.

| 01 | 정책평가 | 난이도 ●●○ |

평가성 사정(evaluability assessment)은 예비평가로, 영향평가 또는 총괄평가를 실시하기 전에 평가의 유용성과 가능성, 평가의 성과증진효과 등을 미리 평가하는 활동이다.

📋 정책평가의 유형

평가성 사정	평가의 가능성·소망성 검토, 평가를 위한 사전평가
협의의 형성평가 (집행분석)	프로그램 이론 개발 및 프로그램 감시 ⇨ 프로그램의 문제점 발견·시정하여 효율적인 집행 전략 수립
협의의 과정평가 (인과경로평가)	프로그램의 인과경로상 잘못 발견·시정
총괄평가	정책의 영향·효과 평가
메타평가	평가에 대한 평가

답 ③

| 02 | 정책평가의 기준 | 난이도 ●○○ |

정책목표가 사회문제의 해결에 기여할 수 있는 정도가 적절성이므로, 목표를 어느 수준으로 설정하느냐에 따라 달라진다.

(선지분석)
① 능률성은 산출/투입이며, 목표달성도는 효과성이다.
② 효율성과 효과성은 반드시 일치하지는 않지만 대체로 병행된다고 본다.
③ 대응성은 조직 외부 수익자 집단의 만족도와 관련된 효과성을 평가하는 기준이다.

답 ④

03 □□□
2014년 국가직 7급

정책평가에 대한 설명으로 옳은 것은?

① 정책평가를 통해 최선의 정책대안을 선택한다.
② 정책평가의 양적 기법으로는 참여관찰법, 심층면접법 등을 들 수 있다.
③ 정책평가의 목적은 정책결정과 집행에 필요한 정보제공 및 정책과정의 책임성 확보에 있다.
④ 정책평가 연구에서는 현실적 제약으로 인해 준실험적 방법보다는 진실험적 방법이 많이 사용된다.

04 □□□
2023년 국가직 7급

정책평가의 유형에 대한 설명으로 옳지 않은 것은?

① 평가성 사정(evaluability assessment)은 평가의 실행가능성을 검토하는 일종의 예비평가이다.
② 정책영향평가는 사후평가이며 동시에 효과성 평가로 볼 수 있다.
③ 모니터링은 과정평가에 속하지만 집행의 능률성과 효과성을 확보하기 위한 평가이다.
④ 형성평가는 집행이 종료된 후 정책이 의도했던 목적을 달성했는지에 초점을 맞춘다.

| 03 | 정책평가 | 난이도 ●●○ |

정책평가는 보다 종합적·체계적인 정책분석을 통하여 합리적 정책결정·집행에 도움이 되는 지식과 정보를 제공하며, 정책에 대한 법적·국민적 책임성을 확보하는 과정이다. 그 외에도 정책수단과 결과에 대한 학문적 인과성을 확보하며, 행정인의 관리상의 능률향상과 행정활동 방법을 개선하는 등의 목적이 있다. 정책평가는 양적 평가와 질적 평가로 나눌 수 있다.

(선지분석)
① 최선의 정책대안을 선택하는 것은 정책평가가 아니라 정책분석에 해당한다.
② 참여관찰법, 심층면접법 등은 정책평가의 양적 기법이 아니라 질적 기법이다.
④ 현실적인 제약으로 진실험보다 준실험이 더 많이 사용된다.

📋 양적평가와 질적평가의 비교

양적 평가	• 계량적인 자료분석을 통해 사실적 가치에 초점을 둔 과학적인 접근법을 사용함 • 양적 방법에는 총괄평가에서 많이 사용하는 실험접근법이 있음
질적 평가	• 현상학적 입장에서 대상자들의 요구에 더 많은 관심을 두는 가치지향적인 평가 방법 • 과정 평가에서 주로 사용하며 비실험적인 접근법이 주로 사용됨

답 ③

| 04 | 정책평가의 유형 | 난이도 ●○○ |

형성평가는 정책 프로그램 집행 도중에 과정의 적정성과 수단 목표 간 인과성 등을 평가한다. 정책집행이 끝난 후 정책이 원래 의도한 목적을 달성했는지를 평가하는 것은 총괄평가다.

(선지분석)
① 평가성 사정(evaluability assessment)은 평가를 위한 평가로서 일종의 예비평가이다.
② 영향평가는 정책집행의 결과 또는 영향을 평가하는 것으로 사후평가이며 효과성평가라 할 수 있다.
③ 과정평가의 일종인 모니터링은 평가(점검, 모니터링)의 중점을 어디에 두느냐에 따라 프로그램 모니터링과 성과 모니터링으로 구분한다. 모니터링은 집행의 능률성과 효과성을 확보하기 위한 평가이다.

답 ④

05 2025년 국가직 9급

정책평가 유형에 대한 설명으로 옳지 않은 것은?

① 총괄평가는 정책 집행이 완료된 후 정책의 효과성과 효율성을 종합적으로 판단하는 평가이다.
② 형성평가는 일종의 예비평가로 공식 영향평가의 실행 가능성과 유용성을 검토하기 위하여 실시된다.
③ 과정평가는 정책이 의도한 대로 집행되고 있는지, 정책집행과정의 문제점을 파악하고 개선하는 데 초점을 맞춘 평가이다.
④ 집행 모니터링은 프로그램 투입 또는 활동을 측정하고 이를 사전에 결정되거나 기대하였던 기준값과 비교하여, 프로그램이 설계에 명시된 대로 수행되고 있는지를 판단한다.

06 2016년 국가직 7급

정책평가의 유형에 대한 설명으로 옳지 않은 것은?

① 총괄평가는 정책집행이 종료된 후에 그 성과나 효과를 평가하는 것이다.
② 형성평가는 정책집행 도중에 과정의 적정성과 수단-목표 간 인과성 등을 평가하는 것이다.
③ 총괄평가는 주로 내부 평가자에 의해 수행되며, 평가 결과를 환류하여 최종안을 개선하는 것이 목적이다.
④ 형성평가는 주로 내부 평가자 및 외부 평가자의 자문에 의해 평가를 진행하며, 정책집행 단계에서 정책 담당자 등을 돕기 위한 것이다.

---

05 정책평가의 유형 난이도 ●○○

공식영향평가의 실행가능성이나 유용성, 소망성 등을 사전에 타진하는 일종의 예비평가는 평가성사정(평가성검토)에 해당한다.

선지분석
① 총괄평가에 대한 옳은 설명이다.
③ 과정평가에 대한 옳은 설명이다.
④ 모니터링은 집행의 모니터링과 성과의 모니터링으로 구분된다. 집행 모니터링은 프로그램 투입 또는 활동을 측정하고 이들을 사전에 결정되거나 기대하였던 기준값과 비교한다. 그 목적은 프로그램이 구체적으로 지정된 대상집단이나 지역에 도달되고 있는지, 프로그램 활동은 명시된 그대로 수행되고 있는지 판단하는 데 있다. 성과 모니터링의 초점은 산출물들을 측정하고, 프로그램 성과들을 사전에 설정되었거나 기대되었던 기준과 비교하는 것이다.

답 ②

06 정책평가의 유형 난이도 ●●○

총괄평가는 정책 프로그램의 최종적 성과를 확인하기 위해 주로 외부 평가자에 의해 이루어지며, 평가 결과는 정책 프로그램의 지속·중단·확대 등에 대한 정책적 판단에 활용된다.

선지분석
① 총괄평가는 정책이 집행된 후에 정책이 당초 의도했던 목적을 달성했는지의 여부를 판단하는 정책효과성 평가이다.
② 형성평가는 정책이 집행되는 도중에 수행되는 평가로, 정책이 의도한 대로 집행되고 있는지를 평가한다.
④ 형성평가는 주로 정책집행 과정에서 바람직한 집행전략·방법을 모색하기 위해 행해지는 평가이다.

답 ③

07

2017년 국가직 7급(10월 추가)

정책평가의 종류에 대한 설명으로 옳지 않은 것은?

① 형성평가는 집행 도중에 이루어지는 평가로서, 집행 관리와 전략의 수정 및 보완을 위한 것이다.
② 정책비용의 측면을 고려하는 능률성 평가는 총괄평가에서 검토될 수 없다.
③ 평가주체에 따른 분류에서 시민단체에 의한 평가는 외부적 평가이다.
④ 평가성 사정은 본격적인 평가기능 여부와 평가결과의 프로그램 개선가능성 등을 진단하는 일종의 예비적 평가이다.

08

2009년 선관위 9급

정책평가의 방법에 대한 설명으로 옳지 않은 것은?

① 착수직전분석(front-end-analysis)은 주로 새로운 프로그램 평가를 기획하기 위하여 평가를 착수하기 직전에 수행되는 평가작업이다.
② 평가성 사정(evaluation assessment)은 여러가지 가능한 평가로부터 얻을 수 있는 정보수요를 사정하고, 실행 가능하고 유용한 평가설계를 선택하도록 함으로써 평가의 공급과 수요를 합치시키도록 도와준다.
③ 집행에 있어 과정평가(process evaluation)는 정책집행 및 활동을 분석하여 이를 근거로 보다 효율적인 집행전략을 수립하거나 정책내용을 수정·변경하는 데 도움을 준다.
④ 총괄평가(summative evaluation)는 정책이 집행되고 난 후에 인과관계의 경로를 검증·확인하고, 정책이 사회에 미친 영향(impact)을 추정하는 판단활동이다.

| 07 | 정책평가의 종류 및 특징 | 난이도 ●●○ |

총괄평가는 정책이 집행되고 난 후에 의도한 목적이 달성했는지의 여부를 판단하는 것으로, 평가기준에 따라 능률성·효과성 평가 등을 내용으로 하는 평가이다.

선지분석
① 형성평가는 과정평가로서 집행 도중에 이루어지며, 집행전략의 수정·보완을 위해 진행된다.
③ 정부 외부의 시민단체에 의한 평가는 외부평가에 해당한다.
④ 평가성 사정은 평가를 위한 평가로, 예비평가에 해당한다.

답 ②

| 08 | 정책평가의 방법 | 난이도 ●●○ |

정책평가를 그 대상에 따라 분류한다면 총괄평가(사후평가), 과정평가(협의의 과정평가, 집행과정평가), 평가성 검토(평가성 사정), 평가종합, 착수직전분석(평가기획, 사전분석, 사전적 총괄평가)으로 나눌 수 있다. 인과관계의 경로를 검증·확인하는 것은 정책의 인과경로를 평가하는 것으로, 협의의 과정평가(인과관계의 경로평가)에 해당한다. 총괄평가는 정책이 집행된 후에 당초 의도했던 목적을 달성했는지의 여부를 판단하는 효과성 평가로, 효과성 평가·능률성 평가·공정성 평가 등이 있다.

답 ④

09 효과성 성과감사를 위한 질문과 가장 거리가 먼 것은?

2019년 서울시 7급(3월 추가)

① 부처 간 공통목적 달성을 위해 잘 협조하고 있는가?
② 사업의 대상 집단은 정확히 정의되었는가?
③ 사람들은 제공된 사업내용이나 수단에 만족하는가?
④ 선택된 수단들은 추구하는 목적 달성에 어느 정도로 기여하는가?

10 메타평가의 유용성으로 옳지 않은 것은?

2005년 대구 9급

① 공공부문에서의 서비스가 갖는 다면적 특성을 반영할 수 있다는 장점이 있다.
② 정책 엘리트 중심의 평가 방법으로서 비민주적이라는 비판을 받는다.
③ 메타평가의 구체적인 지표구성은 타당성과 신뢰성을 균형 있게 확보해야 한다.
④ 평가 대상의 특성을 표준화시켜 지표를 구성하는 기존의 측정 방식에 대한 보완적 방법이다.

| 09 | 효과성 성과감사 | 난이도 ●●○ |

부처 간 공통목적 달성을 위하여 협조가 잘 이루어지고 있는가는 성과감사가 아니라 집행모니터링에 해당한다.

(선지분석)
②, ③, ④ 효과성 성과감사를 위한 성과모니터링 항목에 해당한다.

답 ①

| 10 | 메타평가의 유용성 | 난이도 ●○○ |

메타평가(meta evaluation)란 평가종합, 평가에 대한 평가 또는 평가결산이라 불리며, 기존의 평가자가 아닌 제3의 기관(상급기관·독립기관·외부전문기관 등)에 의해 기존의 평가에서 발견했던 사실을 다양한 관점에서 재분석하는 것을 말한다. 일종의 정책 엘리트 중심의 평가가 아니라, 정책에 관계하지 않은 외부인에 의한 다면평가를 의미한다.

(선지분석)
① 기존 평가를 다양한 관점에서 재분석함으로써 다면적 특성을 반영할 수 있는 장점이 있다.
④ 평가 대상이 아닌 평가 자체를 재평가하기 때문에 기존 방식에 대한 보완적 방법이다.

답 ②

11

2021년 국가직 7급

정책평가의 일반적인 절차를 순서대로 바르게 나열한 것은?

> ㄱ. 정책평가 대상 확정
> ㄴ. 평가 결과 제시
> ㄷ. 인과모형 설정
> ㄹ. 자료 수집 및 분석
> ㅁ. 정책목표 확인

① ㄱ → ㅁ → ㄷ → ㄹ → ㄴ
② ㅁ → ㄱ → ㄷ → ㄴ → ㄹ
③ ㅁ → ㄱ → ㄷ → ㄹ → ㄴ
④ ㅁ → ㄷ → ㄱ → ㄹ → ㄴ

KEYWORD 041 정책평가의 타당성

12

2020년 지방직 9급

정책평가의 논리에서 수단과 목표 간의 인과관계에 대한 설명으로 옳은 것만을 모두 고르면?

> ㄱ. 정책목표의 달성이 정책수단의 실현에 선행해서 존재해야 한다.
> ㄴ. 특정 정책수단 실현과 정책목표 달성 간 관계를 설명하는 다른 요인이 배제되어야 한다.
> ㄷ. 정책수단의 변화 정도에 따라 정책목표의 달성 정도도 변해야 한다.

① ㄱ
② ㄷ
③ ㄱ, ㄴ
④ ㄴ, ㄷ

11	정책평가의 절차	난이도 ●●○

정책평가의 일반적인 절차는 '정책목표의 식별확인(ㅁ) → 평가 대상 확정(ㄱ) → 인과모형 설정(ㄷ) → 연구설계 → 자료수집 및 분석(ㄹ) → 평가 결과의 제시·활용·환류(ㄴ)' 순이다.

답 ③

12	정책평가의 인과관계	난이도 ●○○

ㄴ, ㄷ은 옳은 설명이다.

(선지분석)

ㄱ. 인과관계의 3대 요건 중 시간적 선행성을 반대로 설명하고 있다. 원인변수인 정책수단의 실현이 결과 변수인 정책목표의 달성에 선행해야 한다.

인과관계의 조건

시간적 선행성	독립변수(정책)는 종속변수(목표 달성)보다 시간적으로 선행해야 함
공동 변화	독립변수와 종속변수는 같이 변화해야 함
비허위적 관계	정책 이외의 다른 경쟁적 요인이 종속변수에 영향을 미치지 않음을 입증해야 함

답 ④

13

2020년 국가직 9급

정책평가를 위한 측정도구의 타당성과 신뢰성에 대한 설명으로 옳지 않은 것은?

① 타당성은 없지만 신뢰성이 높은 측정도구가 있을 수 있다.
② 신뢰성이 없지만 타당성이 높은 측정도구는 있을 수 없다.
③ 신뢰성은 측정도구의 타당성을 담보할 수 있는 충분조건이다.
④ 타당성이 없는 측정도구는 제1종 오류를 범하는 원인이 될 수 있다.

14

2018년 국가직 7급

정책평가의 내적 타당성과 외적 타당성에 대한 설명으로 옳은 것은?

① 역사요인, 성숙요인, 회귀요인은 모두 외적 타당성 저해요인이다.
② 준실험이 갖는 약점은 주로 외적 타당성보다는 내적 타당성에 관한 것이다.
③ 실험대상자들이 실험의 대상으로 자신들이 관찰되고 있다는 사실을 알게 되어 평소와는 다른 행동을 함으로써 발생하는 효과는 내적 타당성의 저해요인이다.
④ 정책집행과 정책효과 사이의 인과관계를 정확히 파악할 수 있는 평가는 외적 타당성을 갖추었다고 볼 수 있다.

13	타당성과 신뢰성	난이도 ●○○

신뢰성은 타당성의 필요조건이지만 충분조건은 아니다. 즉, 신뢰성은 타당성이 있기 위한 하나의 필요조건일 뿐이다.

(선지분석)
①, ② 신뢰성은 타당성의 필요조건일 뿐 충분조건은 아니므로, 신뢰성이 높더라도 타당성은 높지 않을 수 있다.
④ 타당성이 없는 측정도구는 인과관계를 정확하게 측정할 수 없게 되므로, 정책효과가 없는 대안을 효과가 있다고 판단하는 1종 오류의 원인이 될 수 있다.

답 ③

14	정책평가의 타당성	난이도 ●○○

실험집단과 통제집단의 동질성을 확보하는 진실험에 비하여 준실험은 실험집단과 통제집단 간에 동질성을 확보하지 못한 실험으로, 진실험에 비하여 외적 타당성은 높지만 내적 타당성은 상대적으로 낮다.

(선지분석)
① 역사요인, 성숙요인, 회귀요인 모두 내적 타당성 저해요인이다.
③ 호손효과(실험직전 반응효과)에 대한 설명으로, 이는 외적 타당성 저해요인이다.
④ 인과관계추론의 정확성은 내적 타당성에 대한 설명이다.

답 ②

15 ☐☐☐ 2016년 국가직 7급

다음 중 내적 타당성의 위험요인에 대한 설명을 바르게 연결한 것은?

> ㄱ. 실험효과　　ㄴ. 회귀효과
> ㄷ. 성숙효과　　ㄹ. 역사효과

A. 순전히 시간의 경과 때문에 발생하는 조사대상 집단의 특성 변화가 나타나는 경우
B. 정책 및 프로그램의 실시 전후 유사한 검사를 반복하는 경우에 시험에 친숙도가 높아져 측정값에 영향을 미치는 경우
C. 특정 프로그램 처리가 집행된 즈음에 발생한 다른 어떤 외부적 사건 때문에 나타난 효과
D. 극단적인 점수를 얻은 실험 대상들이 시간이 흐름에 따라 보다 덜 극단적인 상태로 표류하게 되는 경향

	ㄱ	ㄴ	ㄷ	ㄹ
①	B	A	D	C
②	B	D	A	C
③	D	C	B	A
④	D	C	A	B

16 ☐☐☐ 2017년 서울시 7급

정책평가의 타당성 검토에 대한 설명으로 가장 옳지 않은 것은?

① '청렴'이라는 이론적 구성요소에 대한 측정 지표가 성공적으로 조작화되어 있는가를 살펴본다.
② '까마귀 날자 배 떨어진다'는 속담에서처럼 정책의 효과가 우연히 나타난 것은 아닌지, 다시 말해서 오직 정책에 기인한 것인지를 살펴본다.
③ 서울특별시를 대상으로 시범실시하여 효과적으로 나타난 A사업을 전국 광역시를 대상으로 확대 실시한 경우에도 효과적인지를 검토한다.
④ 정책의 대상집단과 내용 등이 동질적이나 정책평가 시기를 달리하는 경우 각 시기별 정책결과 측정값의 상관관계를 분석한다.

---

15 내적 타당성의 위험 요인　　난이도 ●○○

ㄱ. 실험효과(측정요소)란 측정 그 자체가 실험에 영향을 주는 것으로, 사례와 같이 실시 전후 유사한 검사를 반복하는 경우에 사후에는 시험의 점수가 높게 나타날 수 있다(B).
ㄴ. 회귀효과는 프로그램 집행 전의 1회 측정에서 극단적인 점수를 얻은 것을 기초로 개인들을 선발하게 되면, 다음의 측정에서 그들의 점수가 덜 극단적인 방향으로 이동하게 되는 현상이다(D).
ㄷ. 성숙효과란 시간 경과에 따라 실험집단 특성이 자연스럽게 성장하여 실험에 영향을 미치는 것이다(A).
ㄹ. 역사효과란 실험기간 동안에 일어난 비의도적인 사건 발생이 실험에 영향을 미치는 것을 말한다(C).

답 ②

16 정책평가의 타당성 검토　　난이도 ●●○

정책의 대상집단과 내용 등이 동질적이나 정책평가 시기를 달리하는 경우, 각 시기별 정책결과 측정값의 상관관계를 분석하는 것은 타당성이 아니라 신뢰성에 해당하는 개념이다.

선지분석
① 이론적 구성요소에 대한 측정 지표가 성공적으로 조작화되어 있는가는 구성적 타당성에 해당하는 개념이다.
② 정책의 효과가 우연히 나타난 것은 아닌지, 즉 오직 정책에 기인한 것인지는 내적 타당성이다.
③ 특정상황에서 내적 타당성을 확보한 정책평가가 다른 상황에서도 적용될(일반화) 가능성, 즉 외적 타당성에 해당하는 개념이다.

답 ④

17

2016년 국가직 9급

다음 내용에서 정책평가의 내적 타당성을 위협하는 요인은?

> 정부는 혼잡통행료 제도의 효과를 측정하기 위해 혼잡통행료 실시 이전과 실시 이후의 도심의 교통 흐름도를 측정·비교하였다. 그런데 두 측정 시점 사이에 유류가격이 급등하는 상황이 발생하였다.

① 상실요인(mortality)
② 회귀요인(regression)
③ 역사요인(history)
④ 검사요인(testing)

17	정책평가의 내적 타당성	난이도 ●○○

혼잡통행료라는 정책과 그 정책의 효과 간의 인과관계를 측정하려는 것으로, 정책과 효과발생 사이에 유류가격 급등이라는 역사적 사건이 발생한 것이므로 역사요인에 해당한다. 역사요인이란 실험기간 동안에 실험자의 의도와는 관계없이 일어난 역사적 사건들로, 역사요인이 작용할 경우 정책이나 실험의 정확한 효과 추정이 어려워진다.

답 ③

18

2016년 지방직 9급

다음 제시문의 ㄱ, ㄴ에 들어갈 용어가 바르게 연결된 것은?

> (ㄱ)는 독립변수인 정책수단과 함께 종속변수인 정책효과를 가져오는 요인으로 정책수단과 정책효과 사이의 인과관계를 과대 또는 과소평가하며, (ㄴ)는 독립변수인 정책수단의 효과가 전혀 없을 때 숨어서 정책효과를 가져오는 변수로, 정책수단과 정책효과 사이의 인과관계를 완전히 왜곡하는 요인이다.

① ㄱ. 허위변수(spurious variable)
  ㄴ. 매개변수(mediating variable)
② ㄱ. 혼란변수(confounding variable)
  ㄴ. 허위변수(spurious variable)
③ ㄱ. 혼란변수(confounding variable)
  ㄴ. 매개변수(mediating variable)
④ ㄱ. 허위변수(spurious variable)
  ㄴ. 혼란변수(confounding variable)

18	변수	난이도 ●○○

ㄱ. 혼란변수, ㄴ. 허위변수에 각각 해당한다.

정책평가의 타당성을 저해하는 변수(제3의 변수)

허위변수	두 변수 간에 전혀 관계가 없는데도 상관관계가 있는 것처럼 나타나도록 두 변수에 모두 영향을 미치는 변수
혼란변수	두 변수 간에 일부 상관관계가 있는 상태에서 두 변수 모두에 영향을 미치는 변수
매개변수	독립변수와 종속변수 사이에서 독립변수의 결과인 동시에 종속변수의 원인이 되는 변수
선행변수	인과관계에서 독립변수에 앞서면서 독립변수에 유효한 영향력을 행사하는 변수
억제변수	두 변수 간에 상관관계가 있는데도 없는 것으로 나타나게 하는 변수
왜곡변수	두 변수의 사실상의 관계를 정반대의 관계로 나타나게 하는 변수

답 ②

19

2020년 국가직 9급

정책변수에 대한 설명으로 옳은 것만을 모두 고르면?

> ㄱ. 매개변수 - 독립변수의 원인인 동시에 종속변수의 원인이 되는 제3의 변수
> ㄴ. 조절변수 - 독립변수와 종속변수 간에 상호작용효과를 나타나게 하는 제3의 변수
> ㄷ. 억제변수 - 독립변수와 종속변수 간에 상관관계가 없는데도 있는 것으로 나타나게 하는 제3의 변수
> ㄹ. 허위변수 - 독립변수와 종속변수 모두에게 영향을 미치며 이들 사이의 공동변화를 설명하는 제3의 변수

① ㄱ, ㄷ
② ㄱ, ㄹ
③ ㄴ, ㄷ
④ ㄴ, ㄹ

20

2014년 서울시 7급 변형

정책평가에 관한 설명 중 옳은 것은?

① 구성적 타당성은 정책결과의 측정을 위해 충분히 정밀한 연구설계가 이루어졌는지를 의미한다.
② 외적 타당성은 정책효과가 오직 정책에 기인한 것인지를 의미한다.
③ 질적 평가는 주로 연역적 방법을 활용한다.
④ 프로그램논리모형은 평가의 신뢰성을 제고한다.
⑤ 재정사업 자율평가의 대상은 예산·기금이 투입되는 모든 재정사업이 대상이 된다.

---

19 정책변수   난이도 ●○○

ㄴ. 조절변수란 독립변수와 종속변수 사이에서 두 변수 간 상호작용효과를 강화시키거나 약화시키는 제3의 변수를 말한다.
ㄹ. 허위변수는 독립변수와 종속변수 간에 상관관계가 없는데도 있는 것처럼 독립변수와 종속변수 모두에게 영향을 미치는 제3의 변수를 말한다.

(선지분석)
ㄱ. 매개변수란 독립변수의 결과인 동시에 종속변수의 원인이 되는 제3의 변수를 말한다.
ㄷ. 억제변수란 독립변수와 종속변수 간에 상관관계가 있는데도 없는 것처럼 효과를 억압하는 제3의 변수를 말한다.

답 ④

20 정책평가   난이도 ●●○

재정사업 자율평가는 사업 수행부처가 소관 재정사업을 자율적으로 평가하고, 평가 결과를 재정운용에 활용하는 평가제도로, 예산과 기금이 투입되는 모든 재정사업을 대상으로 한다.

(선지분석)
① 정책결과의 측정을 위해 충분히 정밀한 연구설계가 이루어졌는지는 구성적 타당성이 아니라 통계적 결론의 타당성에 해당한다.
② 정책효과가 오직 정책에 기인한 것인지는 외적 타당성이 아니라 내적 타당성에 해당한다.
③ 질적 평가는 귀납적 방법, 양적 평가는 주로 연역적 방법을 활용한다.
④ 프로그램논리모형이란 프로그램이론이라고도 하는데, 프로그램의 인과경로를 구축하여 프로그램의 핵심적 목표와 연계된 평가이슈·평가지표를 인식하고, 이론실패와 실행실패를 구분할 수 있게 함으로써 평가의 신뢰성이 아니라 타당성을 제고할 수 있게 해준다.

답 ⑤

21 2024년 국가직 9급

정책평가의 논리모형에 대한 설명으로 옳지 않은 것은?

① 정책프로그램의 요소들과 해결하려는 문제들 사이의 논리적 인과관계를 투입(input) - 활동(activity) - 산출(output) - 결과(outcome)로 도식화한다.
② 산출은 정책집행이 종료된 직후의 직접적인 결과물을 의미하며, 결과는 산출로 인해 나타나는 변화를 의미한다.
③ 과정평가이기 때문에 정책프로그램의 목표달성 여부를 보여주지는 못한다는 한계가 있다.
④ 정책프로그램과 관련된 다양한 이해관계자의 이해도를 높일 수 있다.

| 21 | 정책평가의 논리모형 | 난이도 ●●○ |

정책평가에 있어서 논리모형이란 프로그램의 인과경로를 구축하여 프로그램의 핵심적 목표와 연계된 평가이슈, 평가지표를 인식하고, 이론 실패와 실행 실패를 구분할 수 있게 함으로써 평가의 타당성을 제고시켜 주는 집행과정 평가모형이다. '목표달성 여부를 보여주지는 못한다는 한계'는 옳지 않은 설명이다.

선지분석
① 정책평가에서 논리모형은 정책을 구성하는 프로그램의 요소들과 해결되어야 할 문제들 간의 핵심적인 논리적 인과관계 등을 투입 - 활동 - 산출 - 결과의 단계로 표현한다.
② 산출은 집행이 종료된 후 나타난 직접적인 결과물이고, 결과는 산출로 인하여 정책대상자에게 나타난 변화를 의미한다.
④ 정책평가에서 논리모형은 다양한 이해관계자의 이해도를 높일 수 있다.

답 ③

22 2014년 지방직 9급

정책평가의 내적 타당성을 저해하는 요인들 중 외재적 요인은?

① 선발요인
② 역사요인
③ 측정요인
④ 도구요인

| 22 | 정책평가의 내적 타당성을 저해하는 요인 | 난이도 ●○○ |

내적 타당성을 저해하는 요인에는 외재적 요인과 내재적 요인이 있다. 외재적 요인이란 실험에 들어가기 전 집단을 구성할 때 발생하는 요인으로, 선발요인이 유일하다. 선발요인이란 실험집단과 통제집단을 구성할 때 두 집단에 서로 다른 개인들을 선발하여 할당함으로써 오게 될지도 모르는 편견을 말한다.

선지분석
② 역사요인은 실험기간 동안에 실험자의 의도와는 관계없이 일어난 역사적 사건을 말한다. 이러한 역사요인이 작용할 경우 정책이나 실험의 정확한 효과 추정이 어려워진다.
③ 측정요인은 측정 경험이 축적되어 처치 후의 동일한 측정에 영향을 주는 현상이다.
④ 도구요인은 측정수단(도구) 자체가 실험결과에 영향을 미치는 것으로써 프로그램이나 정책의 집행 전과 집행 후에 사용하는 측정절차나 측정도구가 변화됨으로써 나타나는 현상을 말한다.

답 ①

23 □□□ 2021년 지방직 9급

정책실험에서 내적 타당성을 위협하는 요인 중 다음 설명에 해당하는 것은?

> 사전측정을 경험한 실험 대상자들이 측정 내용에 대해 친숙해지거나 학습 효과를 얻음으로써 사후측정 때 실험집단의 측정값에 영향을 주는 효과이며, '눈에 띄지 않는 관찰' 방법 등으로 통제할 수 있다.

① 검사요인
② 선발요인
③ 상실요인
④ 역사요인

24 □□□ 2021년 국가직 9급

정책평가와 관련하여 실험결과의 외적 타당성을 저해하는 요인으로 옳지 않은 것은?

① 연구자의 측정기준이나 측정도구가 변화되는 경우
② 표본으로 선택된 집단의 대표성이 약할 경우
③ 실험집단 구성원 자신이 실험대상임을 인지하고 평소와 다른 특별한 반응을 보일 경우
④ 실험의 효과가 크게 나타날 것으로 예상되는 집단만을 의도적으로 실험집단에 배정하는 경우

| 23 | 내적 타당성을 위협하는 요인 | 난이도 ●○○ |

제시문은 내적 타당성 저해요인 중 검사요인(= 측정요인)에 해당한다.

답 ①

| 24 | 외적 타당성을 저해하는 요인 | 난이도 ●○○ |

측정도구요인으로, 외적 타당성이 아니라 내적 타당성을 저해하는 요인이다.

외적 타당성의 저해 요인

표본의 대표성 부족	실험집단과 통제집단 간에 동질성이 있더라도 그 구성원들이 사회적 대표성이 없을 경우 일반화가 곤란함
실험조작의 반응효과 (호손효과)	• 인위적인 실험환경에서 얻은 실험적 변수의 결과를 일반화하기 어려운 점이 있는데 이는 호손효과 때문임 • 호손효과(Hawthorne Effect)란, 실험집단의 구성원들이 실험의 대상이라는 사실을 인식하고 있는 경우, 심리적 긴장감으로 인하여 평소와는 다른 행동을 보이는 현상을 말함
다수적 처리에 의한 간섭	• 동일집단에 여러 번의 실험적 처리(treatment)를 실시하는 경우, 대상자들이 실험조작에 익숙해져서 측정값이 영향을 받을 수 있음 • 실험조작에 익숙해진 실험집단으로부터 얻은 결과를 그러한 처치를 전혀 받지 않은 일반적인 모집단에 일반화하기가 곤란한 경우가 생길 수 있음
실험조작과 측정의 상호작용	• 실험 전 측정(pretest)이 피조사자의 실험조작에 대한 감각에 영향을 줄 수 있음 • 이렇게 하여 얻은 결과를 일반적인 모집단에도 일반화할 수 있는가가 문제될 수 있음
크리밍 (Creaming) 효과	효과가 크게 나타날 대상만 실험집단에 배정하는 것을 말한다. 이러한 경우 그 결과를 일반화하기 어려운 점이 있음

답 ①

25

2020년 지방직 7급

다음 사례에서 제시된 '경쟁가설'과 관련한 정책평가의 내적 타당성 위협요인은?

> 정부는 ○○하천의 수질오염을 방지하기 위해 주변 모든 공장에 폐수정화시설을 의무적으로 갖추도록 하는 정책을 시행했다. 1년 후 정부는 정책평가를 통해 ○○하천의 오염 정도가 정책실시 이전보다 훨씬 낮게 나타났다는 결과를 발표했다. ○○하천의 수질개선은 정책의 효과라는 정부의 입장에 대해, A교수는 "○○하천이 깨끗해진 것은 정책 시행기간 중 불경기가 극심하여 많은 공장들이 문을 닫았고, 정책평가를 위한 오염수준 측정 직전에 갑자기 비가 많이 왔기 때문"이라는 경쟁가설을 제기했다.

① 역사요인
② 검사요인
③ 선발요인
④ 상실요인

26

2014년 서울시 9급

쿡(Cook)과 캠벨(Cambell)이 분류한 정책 타당도에 대한 설명으로 옳지 않은 것은?

① 내적 타당도는 정책수단과 정책효과 사이의 인과관계를 파악할 수 있게 한다.
② 외적 타당도는 정책이 다른 상황에서도 실험에서 발견된 효과들이 그대로 나타날 수 있는가이다.
③ 구성 타당도(개념적 타당도)란 처리, 결과, 상황 등에 대한 이론적 구성요소들이 성공적으로 조직화된 정도를 말한다.
④ 결론 타당도(통계적 타당도)란 정책실시와 영향의 관계에서 정확도를 의미한다.
⑤ 크리밍(creaming)효과, 호손(Hawthorne)효과는 내적 타당도를 저해하는 요인이다.

| 25 | 내적 타당성의 위협 요인 | 난이도 ●○○ |

제시문의 사례는 정책평가의 내적 타당성을 위협하는 역사요인에 해당한다. 역사요인은 실험기간 동안에 실험자의 의도와는 관계없이 일어난 역사적 사건을 말한다. 이러한 역사요인이 작용할 경우 정책이나 실험의 정확한 효과 추정이 어려워진다.

(선지분석)
② 측정(검사)요인은 측정 경험이 축적되어 처치 후의 동일한 측정에 영향을 주는 현상이다.
③ 선발효과는 실험집단과 통제집단을 구성할 때 두 집단에 서로 다른 개인들을 선발하여 할당함으로써 오게 될지도 모르는 편견을 말한다. 이를 외재적 요인이라고도 한다.
④ 상실요소는 정책의 수행 중에 대상집단의 일부가 탈락하는 경우를 말한다. 정책집행기간 중 대상집단의 일부가 탈락하여 남아 있는 대상이 처음과 달라지면 효과 추정이 어려워진다.

답 ①

| 26 | 정책 타당도 | 난이도 ●○○ |

크리밍(creaming)효과나 호손(Hawthorne)효과는 정책평가의 외적 타당도를 저하시키는 요인이다.

(선지분석)
② 외적 타당도는 실험 결과를 다른 상황에 일반화시킬 수 있는가의 정도를 의미하므로 옳은 지문이다.
④ 결론 타당도란 연구설계가 정밀하게 되어 올바른 결론을 도출하였는지의 정도이다.

답 ⑤

27

2023년 국가직 9급

정책분석 및 평가연구에 적용되는 기준 중 내적 타당성에 대한 설명으로 옳은 것은?

① 분석 및 평가 결과를 다른 상황에서도 적용할 수 있는 정도를 의미한다.
② 이론적 구성요소들의 추상적 개념을 성공적으로 조작화한 정도를 의미한다.
③ 집행된 정책내용과 발생한 정책효과 간의 관계에 대한 인과적 추론의 정확성 정도를 의미한다.
④ 반복해서 측정했을 때 일관성 있는 결과를 얻는 정도를 의미한다.

28

2025년 지방직 9급

정책평가의 타당성에 대한 설명으로 옳지 않은 것은?

① 외적 타당성(external validity)은 추정된 인과관계를 다른 상황에서도 일반화시킬 수 있는가를 의미한다.
② 구성적 타당성(construct validity)은 추상적 개념과 이를 측정하는 측정도구가 얼마나 일치하는가를 의미한다.
③ 통계적 결론의 타당성(statistical conclusion validity)은 표본자료의 통계적 검증에서 도출한 결론이 얼마나 정확한가를 의미한다.
④ 내적 타당성(internal validity)에 대한 논의는 우선 외적 타당성의 확보가 전제되어야 한다.

| 27 | 내적 타당성 | 난이도 ●○○ |

내적타당도란 정책처리와 발생한 정책효과 사이의 관계에 관한 인과적 추론의 정확성을 의미한다.

선지분석
① 평가결과가 다른 상황에서도 적용할 수 있는 정도, 즉 일반화의 정도는 외적타당성이다.
② 이론적 구성요소들의 추상적 개념을 성공적으로 조작화한 정도는 구성적 타당도이다.
④ 측정값의 일관성은 신뢰도이다.

답 ③

| 28 | 정책평가의 타당성 | 난이도 ●●○ |

내적 타당성은 처치(정책)와 결과(효과) 사이의 관찰된 결과로부터 도달하게된 인과적 결론의 적합성 정도를 말하는 것으로서, 외적 타당도에 앞서 1차적으로 확보되어야 할 타당도이다.

선지분석
① 외적 타당성(external validity)은 조작화된 구성요소들 가운데에서 관찰된 효과들이 당초의 연구가설에 구체화된 것 이외에 다른 이론적 구성요소들에까지도 일반화될 수 있는 정도를 의미한다.
② 구성적 타당성은 연구자가 측정하고자 하는 추상적 개념이 실제로 측정도구에 의해서 제대로 측정되었는지의 정도를 말하는 것으로서, 정책평가에 사용된 이론적 구성개념과 이를 측정하는 도구가 얼마나 일치되는지의 정도를 의미한다.
③ 통계적 결론의 타당성(statistical conclusion validity)은 정책의 결과가 존재하고 이것이 제대로 조작되었다고 할 때, 이에 대한 효과를 찾아낼 만큼 충분히 정밀하고 강력하게 연구 설계가 이루어진 정도를 말한다.

답 ④

KEYWORD 042 사회실험 및 정책학습

29 □□□ 2021년 지방직 7급

사회실험에 대한 설명으로 옳은 것만을 모두 고르면?

> ㄱ. 자연과학의 실험실 실험과는 달리 상황에 따라 통제집단(control group) 또는 비교집단(comparison group) 없이 진행할 수 있다.
> ㄴ. 진실험 방법을 활용하여 사회실험을 진행하면 호손효과(Hawthorne Effect)를 방지할 수 있다는 점이 가장 큰 장점이다.
> ㄷ. 아직 검증되지 않은 정책 프로그램에 대규모 투자를 하기 전에 그 결과를 미리 평가해 보는 것이 중요한 목적 중 하나이다.
> ㄹ. 실험집단과 비교집단을 무작위 배정(random assignment)할 수 없어 집단 간 동질성 확보가 불가능하면, 준실험(quasi-experiment) 방법을 채택하여 진행할 수 있다.

① ㄱ, ㄴ
② ㄱ, ㄹ
③ ㄴ, ㄷ
④ ㄷ, ㄹ

30 □□□ 2016년 지방직 7급

정책평가의 논리와 방법에 대한 설명으로 옳지 않은 것은?

① 내적 타당성이란 다른 요인들이 작용한 효과를 제외하고 오로지 정책 때문에 발생한 순수한 효과를 정확히 추출해 내는 것과 관련되는 개념이다.
② 내적 타당성을 위협하는 성숙요인이란 순전히 시간의 경과 때문에 발생하는 조사대상집단의 특성 변화를 말한다.
③ 진실험 설계의 주요 형태 중 하나인 단일집단 사전사후측정설계는 동일한 정책대상집단에 대한 사전측정과 사후측정을 통해 정책효과를 추정하는 방식이다.
④ 결과변수에 영향을 미친다고 생각되는 제3변수들을 식별하여 통계분석모형에 포함시킨 후 정책효과를 추정하는 것은 비실험적 설계의 한 예이다.

29	사회실험	난이도 ●●●

ㄷ. 사회실험이 평가론에 있다보니 항상 정책이 실시되고 그 결과를 보는 것으로 오해하기 쉽다. 실험을 한다는 것은 정책이 실시되기 전에 그 결과를 예측하기 위해 사용된다. 신약이 개발된 후 그 효과를 일반인에게 실시할 수는 없듯이, 일부 집단에게 검증한 후 그 타당성이 확보된 후 정책이 실시된다.
ㄹ. 무작위 배정(random assignment)에 의하여 실험집단과 비교집단을 동질적으로 구성할 수 없을 때에는 준실험(quasi-experiment) 방법을 채택하여 진행할 수 있다.

(선지분석)
ㄱ. 사회실험이 실험이 되기 위해서는 반드시 비교집단이 있어야 한다. 보통 진실험, 준실험, 비실험이 사회실험으로 설명되고 있어 비실험 역시 사회실험으로 오해하기 쉽다.
ㄴ. 진실험 경우 실험대상자들이 자신이 실험대상이라는 사실을 앎으로 인하여 호손효과(Hawthorne Effect)같은 외적 타당성 저해요인이 발생할 수 있다.

답 ④

30	정책평가의 논리와 방법	난이도 ●●●

통제집단 없이 단일집단에 대해서 사전측정과 사후측정결과를 비교하여 정책효과를 추정하는 방식은 진실험이 아니라 비실험 설계방법의 주요형태 중 하나이다.

(선지분석)
② 성숙요인이란 시간의 경과 때문에 조사대상 집단에 발생하는 자연스러운 성장효과를 의미한다.
④ 결과변수에 영향을 미친다고 생각되는 제3변수들을 식별하여 통계분석모형에 포함시킨 후 정책효과를 추정하는 것은 통계적 비실험 설계의 방법이다.

답 ③

31 □□□ 2020년 군무원 7급

슈나이더와 잉그램(Schneider & Ingram)의 사회구성주의(Social Constructión)에서 정책대상집단에 대한 설명으로 옳은 것을 모두 고르면?

> ㄱ. 수혜집단(Advantaged) - 과학자, 퇴역한 군인, 중산층이 대표적이다.
> ㄴ. 경쟁집단(Contender) - 권력은 상대적으로 많지만 이미지는 부정적이다.
> ㄷ. 의존집단(Dependents) - 권력은 상대적으로 적지만 이미지는 긍정적이다.
> ㄹ. 이탈집단(Deviants) - 강력한 제재가 허용되지만 제재에 대하여 강력히 저항한다.

① ㄱ, ㄴ
② ㄴ, ㄷ
③ ㄱ, ㄴ, ㄷ
④ ㄴ, ㄷ, ㄹ

31	슈나이더와 잉그램(Schneider & Ingram)의 사회구성주의	난이도 ●●●

슈나이더와 잉그램(Schneider & Ingram)의 대상집단의 사회적 형성이론은 공공정책의 결정자들이 대상집단을 긍정적으로 인식되는 집단과 부정적으로 인식되는 집단으로 구조화하고, 그러한 구조들을 영속시키고 반영하기 위해 정치적 권력이 강하여 긍정적으로 인식되는(즉, 투표에 있어서 강한 영향력을 행사할 수 있는) 집단(수혜집단)에는 정책목표 달성과 큰 연관이 없어도 혜택 위주의 정책을 부여하고, 정치적 권력이 약하고 부정적으로 인식되는(선거로 인한 보복의 위협이 적으며, 일반대중도 처벌에 대해 용인하는) 집단(이탈집단)에는 특별한 효과가 없더라도 부담 위주의 정책을 부여한다. 즉, 대상집단에 대한 사회적 형성이 정책선택을 정당화하는 근거를 제시할 뿐만 아니라, 정책의제와 정책도구의 선택에 영향을 미친다. 기존 정책이 수정되거나 새로운 정책이 만들어지면서 대상을 구체화하고 그들의 권력과 자격을 형성하는 과정은 역동적이며, 대상집단의 사회적 형성은 고정되어 있는 것이 아니라 계속 변한다.

📄 슈나이더와 잉그램(Schneider & Ingram)의 사회구성주의

사회적 형상 (Social Image) / 정치적 권력 (Political Power)	긍정적	부정적
높음	수혜집단 (Advantaged) 예 과학자, 퇴역군인, 노인층 등	주장집단 (Contenders) 예 부유층, 거대노동조합, 소수민족, 문화상류층 등
낮음	의존집단 (Dependents) 예 아동, 부녀자, 장애인 등	이탈집단 (Deviants) 예 범죄자, 약물중독자, 공산주의자, 테러리스트, 깡패집단 등

답 ③

32 □□□ 2014년 지방직 9급

정책평가방법에 대한 설명으로 옳지 않은 것은?

① 진실험 설계는 정책을 집행하는 실험집단과 집행하지 않는 통제집단을 구성하되, 두 집단이 동질적인 집단이 되도록 한다.
② 정책의 실험과정에서 실험대상자와 통제대상자들이 서로 접촉하는 경우에는 모방효과가 나타날 수 있다.
③ 준실험 설계는 짝짓기(matching)방법으로 실험집단과 통제집단을 구성하여 정책영향을 평가하거나, 시계열적인 방법으로 정책영향을 평가한다.
④ 준실험 설계는 자연과학 실험과 같이 대상자들을 격리시켜 실험하기 때문에 호손효과(Hawthorne effect)를 강화시킨다.

32	정책평가방법	난이도 ●●○

대상자들을 격리시켜 실험하기 때문에 호손효과를 강화시키는 것은 준실험이 아니라, 실험집단과 통제집단의 동질성을 강조하는 진실험의 한계이다. 진실험에서는 인위적인 통제에 의하여 실험이 진행되므로 호손효과가 발생하여 외적 타당성을 저하시킨다.

(선지분석)
① 진실험은 실험집단과 통제집단의 동질성 확보가 특징이다.
② 두 집단 구성원들이 접촉할 경우 정책효과의 누출이나 모방 등 오염효과가 발생하여 내적 타당성을 저하시킨다.
③ 짝짓기란 축조(construction)에 의한 설계(사전테스트 또는 사후테스트 비교집단설계)를 말하며, 시계열분석을 이용한 준실험 설계(단절적 시계열분석 등)는 재귀적 통제에 의한 설계에 해당하는 것으로 모두 준실험 설계에서 사용한다.

답 ④

33
2020년 국가직 7급

실험설계에 대한 설명으로 옳지 않은 것은?

① 특정 정책의 효과성 판단을 위한 인과관계 입증에 활용될 수 있다.
② 진실험(true experiment)과 준실험(quasi-experiment)의 차이는 실험집단과 통제집단의 무작위배정에 의한 동질성 확보 여부이다.
③ 회귀-불연속 설계나 단절적 시계열 설계는 과거지향적(retrospective)인 성격을 갖는 진실험설계(true experiment)에 해당된다.
④ 짝짓기(matching)를 통하여 제3의 요인에 관하여 실험집단과 통제집단을 동등화시킬 수 있다.

34
2020년 지방직 7급

정책평가를 위한 조사설계의 유형 중 진실험설계(true experimental design)에 해당하는 것은?

① 단절적 시계열설계(interrupted time-series design)
② 통제집단 사전사후측정설계(pretest-posttest control group design)
③ 비동질적 통제집단설계(non-equivalent control group design)
④ 단일집단 사전사후측정설계(one group pretest-posttest design)

---

33 실험설계 난이도 ●●○

회귀-불연속 설계나 단절적 시계열 설계는 진실험설계가 아니라 준실험설계방식이다.

선지분석
① 실험설계는 내적 타당성을 확보를 통하여 특정 정책의 효과성 판단을 위한 인과관계 입증에 활용된다.
② 진실험(true experiment)과 준실험(quasi-experiment)의 차이는 실험집단과 통제집단 간 동질성 확보여부로, 진실험은 무작위배정에 의하여 두 집단 간 동질성을 확보하지만, 준실험은 무작위배정을 하지 않기 때문에 비동질적인 통제집단을 둔다.
④ 짝짓기 또는 매칭이란 특정 정책이 실시되는 지역과 실시되지 않는 지역이 구분되어 무작위 배정을 하기 어려운 연구대상을 비슷한 대상끼리 둘씩 짝을 지어 배정하는 매칭(matching)에 의한 방법을 말한다. 비슷한 대상끼리 둘씩 짝을 지어 배정한다는 측면에서 제3의 요인에 관하여 실험집단과 통제집단을 비교적 동등화시킬 수 있게 된다.

답 ③

34 진실험설계 난이도 ●●●

진실험설계방식은 통제집단 사전사후측정설계방식이다. 통제집단 사전사후측정설계는 당연히 실험집단도 사전사후측정한다는 개념이 포함되어 있으며, 무작위배정으로 통제집단과 실험집단을 동질적으로 구성하는 실험방식이다.

선지분석
① 단절적 시계열설계는 준실험의 설계방법이다.
③ 비동질적 통제집단설계(non-equivalent control group design)는 준실험의 설계방법이다.
④ 단일집단에 대해 실험에 대한 처리는 통제집단이 없기 때문에 비실험설계이다. 단일집단이라는 개념은 실험집단만 있고 통제집단이 없다는 의미이다.

답 ②

35　　　　　　　　　　　　　　　　2023년 국가직 9급

정책평가를 위한 사회실험에 대한 설명으로 옳지 않은 것은?

① 통제집단 사전·사후 설계는 검사효과를 통제할 수 있다.
② 준실험은 진실험에 비해 실행 가능성이 높다는 장점이 있다.
③ 회귀불연속 설계는 구분점(구간)에서 회귀직선의 불연속적인 단절을 이용한다.
④ 솔로몬 4집단 설계는 통제집단 사전·사후 설계와 통제집단 사후 설계의 장점을 갖는다.

| 35 | 사회실험 | 난이도 ●●● |

통제집단 사전·사후설계는 진실험의 일종으로 실험집단과 통제집단을 나누어 정책을 실시하기 전과 후 상태를 측정하여 이를 비교하는 실험방법이다. 통제집단 사전·사후설계는 사전에 측정한 사실이 사후 측정값에 영향을 미칠 수 있다는 검사효과(Testing)를 통제할 수 없다는 단점이 있다. 이러한 문제점을 보완하고자 개발된 실험방법이 솔로몬 4집단 설계방식이다.

(선지분석)
② 준실험은 진실험에 비하여 실행가능성과 외적타당도가 높다는 장점이 있다.
③ 회귀불연속설계는 준실험의 한 방법으로 회귀분석결과 회귀직선의 불연속의 크기를 정책의 효과로 본다.
④ 솔로몬 4집단 설계는 통제집단 사전·사후 비교설계와 통제집단 사후 설계의 장점을 결합하기 위한 모형으로, 무작위 할당을 통해 실험집단과 통제집단을 구분하고, 사전검사를 한 실험집단과 통제집단, 하지 않은 실험집단과 통제집단, 4개의 집단을 비교하는 형태로 인과관계를 가장 정확하게 설명해 줄 수 있는 실험 설계방식이다.

답 ①

36　　　　　　　　　　　　　　　　2022년 국가직 7급

정책의 효과를 확인하기 위한 평가설계에 대한 설명으로 옳은 것만을 모두 고르면?

> ㄱ. 동일 정책대상집단에 대해 정책집행을 기준으로 여러 번의 사전, 사후측정을 하여 정책효과를 추정하는 '단절적 시계열설계'는 준실험설계 유형 중 하나이다.
> ㄴ. 내적 타당성을 위협하는 역사요인은 정책집행 기간이 상대적으로 길고 정책대상이 사람일 때 주로 나타나며 시간의 경과 때문에 발생하는 조사대상 집단의 특성변화가 정책의 효과에 혼재되어 나타나는 경우를 말한다.
> ㄷ. 정책실험을 할 수 없는 경우, 통계분석 기법을 이용해서 정책효과의 인과관계를 추론하는 것을 비실험적 정책평가설계라고 하며 회귀분석이나 경로분석 등이 있다.

① ㄱ
② ㄱ, ㄷ
③ ㄴ, ㄷ
④ ㄱ, ㄴ, ㄷ

| 36 | 평가설계 | 난이도 ●●● |

ㄱ. 단절적 시계열 분석에 의한 평가는 준실험 방법이다.
ㄷ. 인과적 추론을 위한 비실험적 방법에는 통계적 통제에 의한 방법(회귀분석·경로분석), 포괄적 통제에 의한 평가, 잠재적 통제에 의한 평가 등이 포함된다.

(선지분석)
ㄴ. 시간의 경과 때문에 발생하는 조사대상 집단의 특성변화가 정책의 효과에 혼재되어 나타나는 경우는 성숙효과이다.

답 ②

37　　　　　　　　　　　　　　　　2019년 지방직 9급

정책평가에서 내적 타당성에 대한 설명으로 옳지 않은 것은?

① 준실험설계보다 진실험설계를 사용할 때 내적 타당성의 저해요인이 다양하게 나타난다.
② 정책의 집행과 효과 사이에 존재하는 인과관계의 추론이 가능한 평가가 내적 타당성이 있는 평가이다.
③ 허위변수나 혼란변수를 배제할 수 있다면 내적 타당성을 높일 수 있다.
④ 선발요인이나 상실요인을 통제하기 위해서는 무작위배정이나 사전측정이 필요하다.

38　　　　　　　　　　　　　　　　2023년 지방직 7급

정책평가의 설계에 대한 설명으로 옳지 않은 것은?

① 사후적 비교집단 구성(비동질적집단 사후측정설계)은 선정효과로 인해 내적 타당성이 훼손될 수 있다.
② 진실험은 모방효과로 인해 내적 타당성이 훼손될 수 있다.
③ 비동질적 통제집단설계는 진실험과 같은 수준의 내적 타당성을 확보할 수 있다.
④ 진실험과 준실험을 비교하면 실행가능성 측면에서는 준실험이, 내적 타당성 측면에서는 진실험이 더 우수하다.

37　정책평가의 내적 타당성　　난이도 ●○○

준실험설계보다 진실험설계를 사용할 때 내적 타당성의 저해요인이 감소되어 내적 타당도가 높아질 수 있다.

(선지분석)
② 내적 타당성은 실험 내에서의 인과관계를 명확히 밝히는 것으로서, 정책(처치)과 결과 간의 관찰된 관계로부터 도달하게 된 인과적 결론의 적합성 정도를 의미한다.
③ 허위변수나 혼란변수는 정책효과에 영향을 미칠 수 있는 제3의 변수를 의미한다. 따라서 허위변수나 혼란변수의 영향을 통제(배제)할 수 있다면 내적 타당성을 높일 수 있다.
④ 선발요인이나 상실요인을 통제하기 위해서는 실험집단과 통제집단을 동질적으로 구성해야 하며, 이를 위해 무작위배정이 필요하다.

답 ①

38　정책평가의 설계　　난이도 ●●○

비동질적 통제집단설계는 준실험설계로서 진실험에 비해서 내적 타당성 확보가 어렵다.

(선지분석)
① 비동질적 사후측정설계 방법은 준실험 설계방식으로 실험집단과 통제집단 간 동질적 구성이 되지 않는 선정효과로 인하여 내적 타당성이 훼손될 수 있다.
② 실험집단과 통제집단을 동질적으로 구성하는 진실험의 경우에도 통제집단 구성원이 실험집단 구성원의 행동을 모방하여 내적 타당성이 훼손될 수 있다.
④ 진실험과 준실험을 비교할 때 실행가능성 측면에서는 준실험이, 내적 타당성 측면에서는 진실험이 더 우수하다고 할 수 있다.

답 ③

39
2022년 군무원 9급

정책을 평가하기 위한 양적 평가방법에 대한 설명으로 가장 옳지 않은 것은?

① 계량적 기법을 응용하여 수치화된 지표를 통해 정책의 결과를 측정한다.
② 정량평가라고도 하며 실험적 방법과 비실험적 방법 등이 해당한다.
③ 정책대안과 정책산출 및 영향 간에 어떠한 인과관계가 있는지를 분석한다.
④ 대부분 데이터 수집을 심층면담 및 참여관찰 등의 방법에 의존한다.

KEYWORD 043 사회지표 및 정책변동

40
2014년 서울시 9급

성과의 측정은 투입(input)지표, 산출(output)지표, 성과(outcome)지표, 영향(impact)지표 등을 통하여 이루어진다. 다음의 사례에서 성과지표에 해당하는 것은?

> 고용노동부에서는 2013년도에 10억 원의 예산을 투입하여 강사 50명을 채용하고, 200명의 교육생에게 연 300시간의 직업교육을 실시하였다. 교육 이수 후 200명 중에서 50명이 취업하였으며, 이를 통하여 국가경쟁력이 3% 제고되었다.

① 10억 원의 예산
② 200명의 교육생
③ 연 300시간의 교육
④ 50명의 취업
⑤ 3%의 국가경쟁력 제고

---

39 양적 평가방법 난이도 ●●●

심층면담 및 참여관찰의 자료수집은 질적 자료수집방법이다. 양적 자료수집방법의 대표적인 예는 질문지법이다.

(선지분석)
① 정량평가는 계량적 기법을 응용하여 이를 통해 정책의 결과를 측정한다.
② 양적 평가는 정량평가라고도 하며 주로 실험적 방법을 사용하고, 실험적 방법을 사용하기 곤란할 경우에는 비실험적방법을 사용한다.
③ 정량평가는 주로 정책대안과 정책산출 및 영향 간에 어떠한 인과관계가 있는지를 분석하는 총괄평가에서 사용된다.

답 ④

40 성과지표 난이도 ●●○

50명 취업이 성과(outcome)지표에 해당한다. 성과 또는 결과란 정책산출이 정책대상자에게 가져온 최종적이고 직접적인 변화를 말한다.

(선지분석)
① 10억 원의 예산은 투입(input)지표에 해당한다. 투입은 생산과정에서 사용된 것들의 명세(재원, 인력, 장비 등)를 지칭하는 것이다.
② 200명의 교육생은 산출(output)지표에 해당한다. 산출은 수행된 활동 자체보다는 생산 과정과 활동에서 창출된 직접적인 생산물을 의미한다.
③ 연 300시간의 교육은 산출이다.
⑤ 3%의 국가경쟁력 제고는 영향(impact)지표에 해당한다.

답 ④

41

2009년 군무원 9급

다음 중 공공서비스의 성과지표와 예시가 옳게 연결된 것은?

> ㄱ. 지역사회 안정성
> ㄴ. 범인 체포 건수
> ㄷ. 조사활동에 참여한 경찰의 규모
> ㄹ. 범죄율 감소

	ㄱ	ㄴ	ㄷ	ㄹ
①	영향	산출	투입	결과
②	결과	영향	투입	산출
③	결과	투입	영향	산출
④	영향	투입	산출	결과

---

41 공공서비스의 성과지표와 예시   난이도 ●●○

ㄱ. 지역사회 안정성은 영향, ㄴ. 범인 체포 건수는 산출, ㄷ. 조사활동에 참여한 경찰의 규모는 투입, ㄹ. 범죄율 감소는 결과에 해당한다.

답 ①

42

2016년 지방직 9급

홀(Hall)에 의해 제시된 정책변동모형으로 정책목표, 정책수단, 정책환경의 세 가지 변수 중 정책목표와 정책수단에 급격한 변화가 발생하는 정책변동모형은?

① 쓰레기통모형
② 단절균형모형(punctuated equilibrium)
③ 정책지지연합모형(advocacy coalition framework)
④ 정책패러다임변동모형

---

42 정책변동모형   난이도 ●○○

제시문은 홀(Hall)에 의해 제시된 정책패러다임변동모형으로, 정책목표·정책수단·정책환경의 세 가지 변수 중 정책목표와 정책 수단에 급격한 변화가 발생하는 정책변동을 '정책패러다임변동'으로 개념화한 이론이다. 여기에서 정책패러다임이란 정책결정자들이 정책문제의 본질을 파악하고 정책목표와 정책수단을 구체화하는 데 있어서 적용하는 일정한 사고와 기준의 틀을 의미한다.

선지분석
① 쓰레기통모형은 조직화된 무질서 상태에서 응집성이 매우 약한 조직이 어떤 의사결정행태를 나타내는가에 초점을 둔다.
② 단절균형모형은 역사적 신제도주의의 제도변화이론이다. 역사적 신제도주의는 제도의 정체 상태를 강조하며, 정책변동은 사회경제적 위기나 군사적 갈등과 같은 강력한 외부적 충격에 의해 단절적으로 급격하게 발생한다고 본다.
③ 정책지지연합모형은 정책지향적 학습이 정책변동의 중요한 요소임을 강조하며, 장기간에 걸쳐 신념체계에 기초한 지지연합 간의 상호작용과 정책학습 및 정치체제의 변화와 사회경제적 환경변화로 인해 정책이 변동한다고 본다.

답 ④

43　2019년 지방직 9급

다음 특징을 가진 정책변동모형은?

- 분석단위로서 정책하위체제(policy sub-system)에 초점을 두고 정책변화를 이해한다.
- 신념체계, 정책학습 등의 요인은 정책변동에 영향을 준다.
- 정책변동 과정에서 정책중재자(policy mediator)가 중요한 역할을 한다.

① 정책흐름(policy stream)모형
② 단절적 균형(punctuated equilibrium)모형
③ 정책지지연합(advocacy coalition framework)모형
④ 정책패러다임변동(paradigm shift)모형

43　정책변동모형　난이도 ●○○

사바티어와 마즈매니언(Sabatier & Mazmanian)의 정책지지연합모형의 특징에 해당한다. 정책지지연합모형은 정책집행과정을 정책하위시스템 내에서 신념을 공유하는 여러 정책지지연합들 간 경쟁의 산물로 묘사한다.

선지분석
① 정책흐름(policy stream)모형은 문제의 흐름, 정치의 흐름, 정책의 흐름들이 상호 독립적인 경로를 따라 진행되다가 어떤 계기로 서로 교차될 때 정책의 창이 열리고 정책변동이 이루어진다고 설명한다.
② 단절적 균형(punctuated equilibrium)모형은 역사적 신제도주의의 제도변화이론으로써, 정책변동(제도변화)은 사회경제적 위기나 군사적 갈등과 같은 강력한 외부적 충격(중요한 분기점)에 의해 단절적으로 급격하게 발생한다고 본다.
④ 정책패러다임변동(paradigm shift)모형은 정책 목표, 정책 수단, 정책 환경의 세 가지 변수 중 정책 목표와 정책 수단에 급격한 변화가 발생하는 정책변동을 개념화한 이론이다.

답 ③

44　2017년 국가직 7급(10월 추가)

다음과 같은 내용을 모두 포괄하는 정책변동의 유형은?

- 정책수단의 기본 골격이 달라지지 않으며, 주로 정책산출 부분이 변한다.
- 정책대상 집단의 범위가 변동된다거나 정책의 수혜수준이 달라지는 경우와 관련이 있다.
- 저소득층 자녀에 대한 교육비 보조를 그 바로 위 계층의 자녀에게 확대하는 사례에 해당한다.

① 정책 통합(policy consolidation)
② 정책 분할(policy splitting)
③ 선형적 승계(linear succession)
④ 정책 유지(policy maintenance)

44　정책변동의 유형　난이도 ●●●

정책수단의 기본골격이 달라지지 않으면서 정책투입, 대상집단의 범위 또는 정책산출에 있어서 일부 변화가 초래되는 것은 정책 유지에 해당한다.

선지분석
① 정책 통합은 둘 이상의 정책이 하나로 통합되는 것이다.
② 정책 분할은 하나의 정책이 둘 이상의 정책으로 분할되는 것이다.
③ 정책 승계란 정책목표는 변동이 되지 않으면서 정책의 근본적 성격이 바뀌거나 새로운 정책으로 대체되는 것이다. 정책 승계에는 선형적 승계와 비선형적 승계가 있는데 선형적 승계는 정책목표를 변경시키지 않는 범위 내에서 정책내용을 완전히 새로운 내용으로 바꾸는 것이고, 비선형적 정책 승계는 정책유지, 선형적 승계, 정책종결, 정책추가 등이 복합적으로 나타나는 정책 승계를 말한다.

답 ④

45　　　　　　　　　　　　　　　　2024년 군무원 7급

다음 중 정책변동의 유형 가운데 '정책유지'에 대한 설명으로 가장 적절한 것은?

① 기존의 정책목표는 그대로 이어받으면서 주요 정책 수단을 일부 수정하는 것이다.
② 사업 내용의 일부를 수정하고 예산의 조정이나 집행 절차를 조금만 변형시킨다.
③ 정책의 성격을 거의 전면적으로 대체하거나 부분적으로 종결시킨다.
④ 기존에 정부가 개입하지 않던 분야나 영역에 대해 새로운 정책을 추진하는 것이다.

46　　　　　　　　　　　　　　　2018년 서울시 7급(6월 시행)

정책승계 유형에 대한 설명으로 가장 옳지 않은 것은?

① 선형 승계: 새로운 정책이 과거의 정책을 대체하여 양자의 관계가 명확하게 나타나는 가장 단순한 형태의 정책승계
② 부분적 종결: 하나의 정책이 다수의 새로운 정책으로 분할되는 형태의 정책승계
③ 정책 통합: 같은 분야의 정책이 합하여짐으로써 새로운 정책이 나타나는 형태의 정책승계
④ 우발적 승계: 타 분야의 정책변동에 연계하여 우발적인 변화가 나타나는 형태의 정책승계

45　정책유지　　　난이도 ●●●

정책유지는 본래의 정책목표를 달성하기 위해 정책의 기본적 특징을 그대로 유지하면서 상황의 변화에 능동적으로 적응하는 것을 말한다.

선지분석
① 기존 정책의 목표는 변경시키지 않고 내용의 일부 또는 전부를 변경시키는 것은 정책승계이다.
③ 정책대체와 부분종결에 대한 설명이 혼재되어 있다.
④ 정책혁신에 대한 설명이다.

답 ②

46　정책승계의 유형　　　난이도 ●●○

하나의 정책이 다수의 새로운 정책으로 분할되는 형태의 정책승계는 부분적 종결이 아니라 정책 분할에 해당한다.

정책승계의 유형

정책 대체 (선형 승계)	정책목표를 변경하지 않는 범위 내에서 정책내용을 완전히 새로운 것으로 바꾸는 것
부분종결	일부의 정책을 유지하면서 일부는 완전히 폐지하는 것(정책유지 + 정책종결)
복합적 정책승계	정책유지, 정책대체, 정책종결 또는 정책추가 등 3가지 이상의 정책승계가 복합적으로 나타나는 것
우발적 정책승계	타 분야의 정책변동에 연계하여 우발적인 변화가 나타나는 형태의 정책승계
정책 통합	유사한 목표를 가진 2개의 정책이 하나의 정책으로 통합되는 것
정책 분할	정책담당기관의 분리 등으로 하나의 정책이 두 개 이상으로 분리되는 것

답 ②

47　　　　　　　　　　　　　　　2018년 국가직 7급

호그우드(Hogwood)와 피터스(Peters)의 정책변동에 대한 설명으로 옳지 않은 것은?

① 정책 혁신은 기존의 조직과 예산을 활용하여 이전에 관여한 적이 없는 새로운 정책분야에 개입하는 것이다.
② 정책 종결은 현존하는 정책을 완전히 소멸시키는 것으로 정책수단이 되는 사업과 지원 예산을 중단하고 이들을 대체할 다른 수단을 결정하지 않은 경우이다.
③ 과속차량 단속이라는 목표를 변경하지 않고 기존에 경찰관이 현장에서 직접 단속하는 수단을 무인 감시카메라 설치를 통한 단속으로 대체하는 것은 정책승계 중 선형적(linear) 승계에 해당한다.
④ 정책 유지는 현재의 정책을 기본적으로 유지하면서 정책수단의 부분적인 변화만 이루어지는 경우를 말한다.

48　　　　　　　　　　　　　　　2022년 지방직 9급

호그우드(Hogwood)와 피터스(Peters)가 제시한 정책변동의 유형에 대한 설명으로 옳지 않은 것은?

① 정책혁신은 기존의 조직이나 예산을 기반으로 새로운 형태의 개입을 결정하는 것이다.
② 정책승계는 정책의 기본 목표는 유지하되, 정책을 대체 혹은 수정하거나 일부 종결하는 것이다.
③ 정책유지는 기존 정책의 기본 골격을 유지하면서 정책수단의 부분적인 변화만 이루어지는 것이다.
④ 정책종결은 다른 정책으로의 대체 없이 기존 정책을 완전히 중단하는 것이다.

47　정책변동　　　　　　　　　　　　난이도 ●●○

정책 혁신이란 정부가 과거에 관여하지 않았던 분야에 개입하기 위해 새로운 정책을 결정하는 것을 말한다. 따라서 기존의 조직과 예산을 활용한다는 표현 때문에 옳지 않은 지문이다.

(선지분석)
② 정책종결은 정책을 비롯하여 정책관련조직과 예산이 소멸되고 다른 정책으로 대체되지 않는 것을 의미하며, 정책당국의 개입은 전면적으로 중단된다.
③ 정책목표는 변동되지 않는 상태에서 정책수단을 대체하는 것은 선형적 승계로, 정책승계의 가장 전형적인 형태이다.
④ 정책 유지는 현재 정책을 기본적으로 유지하지만 정책수단에 있어서는 부분적인 변화가 있을 수 있다.

답 ①

48　정책변동의 유형　　　　　　　　난이도 ●○○

정책혁신은 정부가 과거에 관여하지 않았던 분야에 개입하고자 새로운 정책을 결정하는 것이다. 즉, 무에서 유를 창조하는 정책이다.

(선지분석)
② 정책승계는 기존 정책의 목표는 변경시키지 않고 내용의 일부 또는 전부를 변경시키는 것이며, 정책변동 중에서 가장 중요한 유형이다.
③ 정책유지는 본래의 정책목표를 달성하기 위해 정책의 기본적 특징을 그대로 유지하면서 상황의 변화에 능동적으로 적응하는 것을 말한다.
④ 정책종결은 정책을 비롯하여 정책관련조직과 예산이 소멸되고 다른 정책으로 대체되지 않는 것을 의미하며, 정책당국의 개입은 전면적으로 중단된다.

답 ①

49

2025년 국가직 9급

호그우드(Hogwood)와 피터스(Peters)가 제시한 다음의 정책변동 유형에 해당하는 것은?

> 동일한 정책문제와 관련되는 영역에서 기존 정책목표는 유지되지만, 이전의 프로그램과 조직이 새로운 것으로 대체되는 것을 의미한다. 세부적으로는 정책통합, 정책분할 등이 있다.

① 정책승계(policy succession)
② 정책쇄신(policy innovation)
③ 정책유지(policy maintenance)
④ 정책종결(policy termination)

50

2016년 국가직 9급

정책변동모형 중에서 정책과정 참여자의 신념체계를 가장 강조하는 모형은?

① 단절균형(punctuated equilibrium)모형
② 정책패러다임변동(paradigm shift)모형
③ 정책지지연합(advocacy coalition)모형
④ 제도의 협착(lock-in)모형

49	정책변동의 유형	난이도 ●○○

제시문은 정책승계에 해당한다.

선지분석
② 정책쇄신(정책혁신)은 정부가 과거에 관여하지 않았던 분야에 개입하고자 새로운 정책을 결정하는 것이다.
③ 정책유지는 본래의 정책목표를 달성하기 위해 정책의 기본적 특징을 그대로 유지하면서 상황의 변화에 능동적으로 적응하는 것을 말한다.
④ 정책종결은 정책을 비롯하여 정책관련조직과 예산이 소멸되고 다른 정책으로 대체되지 않는 것을 의미하며, 정책당국의 개입은 전면적으로 중단된다.

답 ①

50	정책변동모형	난이도 ●○○

정책변동모형 중에서 정책과정 참여자의 신념체계를 가장 강조하는 모형은 사바티어와 마즈마니언(Sabatier & Mazmanian)이 제시한 정책지지연합모형이다. 정책지지연합모형이란 정책변동모형으로 정책하위시스템 내에서 신념체계를 공유하는 대상자들이 상향적 접근방법 측면에서는 정책하위시스템의 지지연합 간의 갈등 및 타협과정과 하향적 측면에서의 정책하위시스템 참여자들의 활동에 영향을 미치는 요소들을 결합하여 정책은 정책결정 → 집행 → 재결정 → 재집행이라는 정책변동 차원에서 정책집행을 이해하고자 하였다.

답 ③

51

2020년 국가직 9급

정책변동에 대한 설명으로 옳지 않은 것은?

① 킹던(Kingdon)의 정책흐름이론에 따르면 정책변동은 정책문제의 흐름, 정치의 흐름, 정책대안의 흐름이 결합하여 이루어진다.
② 무치아로니(Mucciaroni)의 이익집단 위상변동모형에서 이슈맥락은 환경적 요인과 같이 정책의 유지 혹은 변동에 영향을 미치는 정책요인을 말한다.
③ 실질적인 정책내용이 변하더라도 정책목표가 변하지 않는다면 이를 정책 유지라 한다.
④ 정책목표를 달성하기 위한 전반적인 정책수단을 소멸시키고 이를 대처할 다른 정책을 마련하지 않는 것을 정책 종결이라 한다.

KEYWORD 044 정부업무평가 기본법

52

2018년 지방직 9급

정부에서 실시하고 있는 분석 및 평가제도에 대한 설명으로 옳은 것만을 모두 고르면?

> ㄱ. 규제영향분석 – 「행정규제기본법」상 규제를 신설·강화할 때 규제를 받는 집단과 국민이 부담해야 할 비용과 편익도 비교·분석해야 한다.
> ㄴ. 지방공기업평가 – 「지방공기업법」에 근거를 두고 있으며 원칙적으로 지방자치단체장이 실시하되 필요 시 행정안전부장관이 실시할 수 있다.
> ㄷ. 정부업무평가 – 「정부업무평가 기본법」상 국무총리는 중앙행정기관의 자체평가 결과에 대해 필요 시 정부업무평가위원회의 심의·의결을 거쳐 재평가를 할 수 있다.
> ㄹ. 환경영향평가 – 2003년 「환경영향평가법」에 처음으로 근거가 명시된 후 발전해 온 평가제도이다.

① ㄱ, ㄷ
② ㄱ, ㄹ
③ ㄴ, ㄷ
④ ㄴ, ㄹ

| 51 | 정책변동 | 난이도 ●●○ |

정책의 승계는 기존 정책의 목표는 변경시키지 않고 내용의 일부 또는 전부를 변경시키는 것으로, 정책변동 중 가장 중요한 유형이다. 정책 유지는 본래의 정책목표를 달성하기 위해 정책의 기본적 특징을 그대로 유지하면서 상황의 변화에 능동적으로 적응하는 것을 말한다.

(선지분석)
① 킹던(Kingdon)이 주장한 정책의 창모형에 따르면 정책변동은 문제의 흐름, 정치의 흐름, 정책의 흐름이 결합되어 이루어진다. 정책대안의 흐름은 정책흐름을 의미한다.
② 이슈맥락은 정책의 유지 또는 변동에 영향을 미치는 정책요인을 말한다. 이는 이념·경험·환경적 요인을 망라한 것으로, 이슈맥락에서의 정책 정당성에 따라 정책의 유지 또는 변동에 영향을 미친다는 정책이슈 측면에서의 분석이다.
④ 정책 종결은 정책을 비롯하여 정책 관련 조직과 예산이 소멸되고 다른 정책으로 대체되지 않으며, 정책당국의 개입은 전면적으로 중단되는 것을 의미한다.

답 ③

| 52 | 정부의 분석 및 평가제도 | 난이도 ●●○ |

ㄱ. 「행정규제기본법」상 규제영향분석은 규제를 신설·강화할 때 규제를 받는 집단과 국민이 부담해야 할 비용과 편익을 비교·분석하는 것이다.
ㄷ. 「정부업무평가기본법」 제17조에 근거한 옳은 지문으로, '할 수 있다'는 임의 사항이다.

(선지분석)
ㄴ. 행정안전부장관은 지방공기업의 경영 기본원칙을 고려하여 지방공기업에 대한 경영평가를 하고, 그 결과에 따라 필요한 조치를 하여야 한다. 다만, 행정안전부장관이 필요하다고 인정하는 경우에는 지방자치단체의 장으로 하여금 경영평가를 하게 할 수 있다(「지방공기업법」 제78조).
ㄹ. 환경영향평가제도는 「환경·교통·재해 등에 관한 영향평가법」에 의하여 2001년 1월부터 시행되어온 평가제도이다.

답 ①

53

2017년 지방직 9급(12월 추가)

「정부업무평가 기본법」상 정부업무평가제도에 대한 설명으로 옳은 것은?

① 정부업무평가의 평가대상기관에 지방자치단체의 소속기관은 포함되지 않는다.
② 자체평가는 국무총리가 중앙행정기관을 대상으로 국정을 통합적으로 관리하기 위하여 필요한 정책 등을 평가하는 것이다.
③ 정부업무평가의 실시와 평가기반의 구축을 체계적·효율적으로 추진하기 위하여 국무총리 소속하에 정부업무평가위원회를 둔다.
④ 특정평가는 중앙행정기관 또는 지방자치단체가 소관 정책 등을 스스로 평가하는 것이다.

54

2017년 지방직 9급(6월 시행)

「정부업무평가 기본법」상 정부업무평가의 종류가 아닌 것은?

① 지방자치단체의 자체평가
② 환경영향평가
③ 공공기관에 대한 평가
④ 중앙행정기관의 자체평가

---

53 정부업무평가제도 난이도 ●○○

국무총리 소속하에 정부업무평가위원회를 둔다. 위원회는 위원장 2인(국무총리와 민간위원 중에서 대통령이 지명하는 자)을 포함한 15인 이내의 위원으로 구성하는데, 민간위원의 임기는 2년으로 하되 1차에 한하여 연임할 수 있다.

(선지분석)
① 자치단체의 소속기관도 평가대상에 포함된다.
② 자체평가가 아니라 특정평가에 대한 설명이다.
④ 특정평가가 아니라 자체평가에 대한 설명이다.

답 ③

54 정부업무평가의 종류 난이도 ●○○

환경영향평가는 「정부업무평가 기본법」상 정부업무평가에 해당하지 아니한다.

📋 **정부업무평가의 대상기관**

㉠ 중앙행정기관
㉡ 지방자치단체
㉢ 중앙행정기관 또는 지방자치단체의 소속기관
㉣ 공공기관

답 ②

55

2017년 국가직 9급(4월 시행)

「정부업무평가 기본법」에 의한 정부업무평가제도에 대한 설명으로 옳지 않은 것은?

① 김포시와 도로교통공단은 평가 대상에 포함된다.
② 관세청장은 자체평가위원회를 운영한다.
③ 행정안전부장관은 지방자치단체합동평가위원회의 당연직 위원장이다.
④ 기획재정부장관은 정부업무평가위원회의 위원이다.

| 55 | 정부업무평가제도 | 난이도 ●●○ |

지방자치단체합동평가위원회의 위원장은 민간위원 중에서 행정안전부장관이 지명한다.

선지분석
① 김포시는 지방정부이고, 도로교통공단은 공공기관이다. 따라서 「정부업무평가 기본법」의 적용대상이다.
② 중앙행정기관의 장인 관세청장은 자체평가위원회를 운영한다.
④ 정부업무평가위원회의 위원은 행정안전부장관 · 기획재정부장관 · 국무조정실장 이외에 대통령이 위촉하는 민간위원들로 구성된다.

답 ③

56

2016년 서울시 9급

정부업무평가제도에 대한 설명으로 가장 옳지 않은 것은?

① 「정부업무평가 기본법」에 의한 정부업무평가대상은 중앙행정기관과 지방자치단체를 포함하며, 공공기관은 제외된다.
② 지방자치단체합동평가위원회는 행정안전부 소속위원회로 「정부업무평가 기본법」에 설치근거를 둔다.
③ 정부업무평가 중 특정평가는 국무총리가 중앙행정기관을 대상으로 정책을 평가하는 것을 의미한다.
④ 중앙행정기관의 장은 그 소속기관의 정책 등을 포함하여 자체평가를 실시하여야 한다.

| 56 | 정부업무평가제도 | 난이도 ●○○ |

정부업무평가대상은 중앙행정기관, 지방자치단체, 중앙행정기관 또는 지방자치단체의 소속기관, 공공기관을 포함한다.

선지분석
② 지방자치단체합동평가위원회는 행정안전부 소속으로 설치되어 있다.
③ 국무총리는 2 이상의 중앙행정기관 관련 시책, 주요 현안시책, 혁신관리 및 대통령령이 정하는 대상 부문에 대하여 특정평가를 실시한다.
④ 중앙행정기관의 장은 그 소속기관의 정책 등을 포함하여 자체평가를 실시하여야 한다.

답 ①

57
2015년 사회복지직 9급

「정부업무평가 기본법」상 정부업무평가제도에 대한 설명으로 옳지 않은 것은?

① 중앙행정기관의 장은 그 소속기관의 정책 등을 포함하여 자체평가를 실시하여야 한다.
② 지방자치단체의 자체평가위원회는 공정성과 객관성을 담보하기 위하여 2분의 1 이상의 민간위원으로 구성되어야 한다.
③ 지방자치단체가 위임받은 국가사무에 대해 행정안전부장관이 관계중앙행정기관의 장과 합동평가를 실시할 수 있다.
④ 공공기관의 경우 기관의 특수성과 전문성을 고려하고 평가의 객관성 및 공정성을 확보하기 위하여 공공기관 외부의 기관이 평가하여야 한다.

58
2013년 국회직 8급

「정부업무평가 기본법」에서 규정하고 있는 내용으로 옳은 것은?

① 국무총리는 정부업무평가기본계획에 대해 최소한 2년마다 그 계획의 타당성을 검토하여 수정·보완 등의 조치를 하여야 한다.
② 중앙행정기관의 장은 자체평가조직 및 자체평가위원회를 구성·운영하여야 하며, 이 경우 평가의 공정성과 객관성을 확보하기 위하여 자체평가위원의 2분의 1 이상은 민간위원으로 하여야 한다.
③ 정부업무평가의 실시와 평가기반의 구축을 체계적·효율적으로 추진하기 위하여 국무총리 소속하에 정부업무평가위원회를 두며, 위원회는 위원장 2인을 포함한 15인 이내의 위원으로 구성한다.
④ 국무총리는 중앙행정기관의 자체평가 결과를 확인·점검 후 평가의 객관성·신뢰성에 문제가 있어 다시 평가할 필요가 있다고 판단되는 때에는 정부업무평가위원회의 심의·의결을 거쳐 재평가를 실시하여야 한다.
⑤ 국무총리는 지방자치단체에 대한 합동평가를 효율적으로 추진하기 위하여 국무총리 소속하에 지방자치단체합동평가위원회를 설치·운영할 수 있다.

| 57 | 정부업무평가제도 | 난이도 ●○○ |

지방자치단체의 자체평가위원회는 평가의 공정성과 객관성을 확보하기 위하여 자체평가위원의 3분의 2 이상은 민간위원으로 하여야 한다.

(선지분석)
① 중앙행정기관의 장은 그 소속기관의 정책 등을 포함하여 자체평가를 실시하여야 한다.
③ 지방자치단체 또는 그 장이 위임받아 처리하는 국가사무, 국고보조사업 그 밖에 대통령령이 정하는 국가의 주요 시책 등에 대하여 국정의 효율적인 수행을 위하여 평가가 필요한 경우에는 행정안전부장관이 관계중앙행정기관의 장과 합동으로 평가를 실시할 수 있다.
④ 공공기관에 대한 평가는 공공기관의 특수성·전문성을 고려하고 평가의 객관성 및 공정성을 확보하기 위하여 공공기관 외부의 기관이 실시하여야 한다.

답 ②

| 58 | 정부업무평가 기본법 | 난이도 ●○○ |

국무총리 소속하에 정부업무평가위원회를 두며, 위원회는 위원장 2인을 포함한 15인 이내의 위원으로 구성된다.

(선지분석)
① 국무총리는 정부업무평가기본계획에 대해 최소한 2년이 아니라 3년마다 그 계획의 타당성을 검토하여 수정·보완 등의 조치를 하여야 한다.
② 중앙행정기관의 장은 자체평가조직 및 자체평가위원회를 구성·운영하여야 하며, 이 경우 평가의 공정성과 객관성을 확보하기 위하여 자체평가위원의 2분의 1이 아니라 3분의 2 이상은 민간위원으로 하여야 한다.
④ 국무총리의 재평가는 임의사항이지 의무사항은 아니다. 즉, '실시하여야 한다'가 아니라 '실시할 수 있다'가 옳은 지문이다.
⑤ 지방자치단체합동평가위원회는 행정안전부장관 소속하에 설치된다.

답 ③

59　　　　　　　　　　　　　　　　2019년 국가직 7급

「정부업무평가 기본법」상 정부업무평가제도에 대한 설명으로 옳지 않은 것은?

① 공공기관도 정부업무평가의 대상에 포함된다.
② 중앙행정기관뿐만 아니라 지방자치단체도 자체평가를 실시하여야 한다.
③ 재평가는 이미 실시된 평가의 결과, 방법 및 절차에 관하여 그 평가를 실시한 기관 외의 기관이 다시 평가하는 것이다.
④ 국가위임사무에 대하여 평가가 필요한 경우에는 행정안전부 장관이 중앙행정기관의 장과 함께 특정평가를 실시할 수 있다.

60　　　　　　　　　　　　　　　　2019년 국가직 9급

「정부업무평가 기본법」상 정책평가에 대한 설명으로 옳지 않은 것은?

① 지방자치단체의 장은 정부업무평가시행계획에 기초하여 자체평가계획을 매년 수립하여야 한다.
② 국무총리는 2 이상의 중앙행정기관 관련 시책·주요 현안시책·혁신관리 및 대통령령이 정하는 대상부문에 대하여 특정평가를 실시하고, 그 결과를 공개하여야 한다.
③ 중앙행정기관 또는 지방자치단체의 소속기관이 행하는 정책은 정부업무평가의 대상에 포함된다.
④ 정부업무평가위원회는 위원장 1인과 14인 이내의 위원으로 구성한다.

59	정부업무평가제도	난이도 ●○○

국가위임사무에 대하여 행정안전부 장관이 중앙행정기관의 장과 함께 실시할 수 있는 것은 합동평가이다. 특정평가는 국무총리가 중앙행정기관을 대상으로 국정을 통합적으로 관리하기 위하여 필요한 정책 등을 평가하는 것을 말한다.

선지분석
① 「정부업무평가 기본법」의 평가대상기관에는 공공기관이 포함된다.
② 중앙행정기관의 장과 지방자치단체장은 그 소속 기관의 정책 등을 포함하여 자체평가를 실시하여야 한다.
③ 국무총리는 중앙행정기관의 자체평가의 결과를 확인·점검한 후 평가의 객관성·신뢰성에 문제가 있어 다시 평가할 필요가 있다고 판단되는 때에는 정부업무평가위원회의 심의·의결을 거쳐 재평가를 실시할 수 있다.

답 ④

60	정책평가	난이도 ●○○

정부업무평가위원회는 위원장 2인을 포함한 15인 이내의 위원으로 구성한다.

선지분석
① 지방자치단체의 장은 정부업무평가시행계획에 기초하여 소관 정책 등의 성과를 높일 수 있도록 자체평가계획을 매년 수립하여야 한다(「정부업무평가 기본법」 제18조 제3항).
② 국무총리는 2 이상의 중앙행정기관 관련 시책·주요 현안시책·혁신관리 및 대통령령이 정하는 대상부문에 대하여 특정평가를 실시하고, 그 결과를 공개하여야 한다(「정부업무평가 기본법」 제20조 제1항).
③ 중앙행정기관의 장은 그 소속기관의 정책 등을 포함하여 자체평가를 실시하여야 한다(「정부업무평가 기본법」 제14조 제1항).

답 ④

61   2022년 국가직 9급

「정부업무평가 기본법」상 우리나라 정부업무평가제도에 대한 설명으로 옳지 않은 것은?

① 특정평가는 국무총리가 중앙행정기관과 공공기관을 대상으로 국정을 통합적으로 관리하기 위한 목적을 갖는다.
② 국무총리 소속하에 심의·의결기구로서 정부업무평가위원회를 둔다.
③ 지방자치단체의 자체평가에 있어서 행정안전부장관은 평가 관련 사항에 대하여 지방자치단체를 지원할 수 있다.
④ 자체평가는 중앙행정기관 또는 지방자치단체가 소관 정책 등을 스스로 평가하는 것을 말한다.

62   2023년 지방직 7급

「정부업무평가 기본법」상 정부업무평가제도에 대한 설명으로 옳은 것은?

① 기획재정부장관은 중앙행정기관의 자체평가결과를 확인·점검 후 평가의 객관성과 신뢰성에 문제가 있어 다시 평가가 필요하다고 판단되는 경우, 위원회의 심의·의결을 거쳐 재평가를 실시할 수 있다.
② 중앙행정기관의 장은 자체평가조직 및 자체평가위원회를 구성·운영하여야 하며, 이 경우 평가의 공정성과 객관성을 확보하기 위하여 자체평가위원의 3분의 2 이상은 민간위원으로 하여야 한다.
③ 행정안전부장관은 둘 이상의 중앙행정기관 관련 시책, 주요 현안 시책, 혁신관리 및 대통령령이 정하는 부문에 대하여 특정평가를 실시하고 그 결과를 공개하여야 한다.
④ 지방자치단체 또는 그 장이 위임받아 처리하는 국가사무, 국고보조사업 그리고 국가의 주요 시책사업 등에 대해 국무총리는 관계 중앙행정기관의 장과 합동으로 평가를 실시할 수 있다.

| 61 | 우리나라 정부업무평가제도 | 난이도 ●●○ |

국무총리는 2 이상의 중앙행정기관 관련 시책·주요 현안시책·혁신관리 및 대통령령이 정하는 대상부문에 대하여 특정평가를 실시하고, 그 결과를 공개하여야 한다. 공공기관은 특정평가의 대상이 아니다.

(선지분석)
② 정부업무평가의 실시와 평가기반의 구축을 체계적·효율적으로 추진하기 위해 국무총리 소속하에 정부업무평가위원회를 둔다.
③ 행정안전부장관은 평가의 객관성 및 공정성을 높이기 위해 평가지표, 평가방법, 평가기반의 구축 등에 관하여 지방자치단체를 지원할 수 있다.
④ 자체평가에 대한 옳은 설명이다.

답 ①

| 62 | 정부업무평가제도 | 난이도 ●○○ |

중앙행정기관장은 자체평가를 하고자 할 경우 자체평가위원회를 구성하여야 하고 이 경우 평가의 공정성과 객관성을 확보하기 위하여 자체평가위원의 2/3 이상은 민간위원으로 구성하여야 한다.

(선지분석)
① 국무총리는 중앙행정기관의 자체평가결과를 확인·점검 후 평가의 객관성·신뢰성에 문제가 있어 다시 평가할 필요가 있다고 판단되는 때에는 위원회의 심의·의결을 거쳐 재평가를 실시할 수 있다(「정부업무평가 기본법」제17조).
③ 국무총리는 2 이상의 중앙행정기관 관련 시책, 주요 현안시책, 혁신관리 및 대통령령이 정하는 대상부문에 대하여 특정평가를 실시하고, 그 결과를 공개하여야 한다(「정부업무평가 기본법」제20조).
④ 지방자치단체 또는 그 장이 위임받아 처리하는 국가사무, 국고보조사업 그 밖에 대통령령이 정하는 국가의 주요시책 등에 대해 행정안전부장관이 관계중앙행정기관의 장과 합동으로 평가를 실시할 수 있다(「정부업무평가 기본법」제21조).

답 ②

63　　　　　2024년 군무원 7급

다음 중 정부업무평가에 대한 설명으로 가장 적절하지 않은 것은?

① 정부업무평가위원회는 위원장 2명을 포함한 15인 이내의 위원으로 구성되며, 민간위원의 임기는 2년이다.
② 정부업무평가위원회의 회의는 재적의원 2/3 출석으로 개의하고 출석위원 과반수의 찬성으로 의결한다.
③ 중앙행정기관과 지방자치단체의 장은 그 소속 기관의 정책 등을 포함하여 자체평가를 실시하여야 한다.
④ 기획재정부장관은 평가 결과를 중앙행정기관의 다음 연도 예산편성 시에 반영하여야 한다.

KEYWORD 045　기획론

64　　　　　2012년 서울시 9급

기획이 시장질서를 교란시키고 국민의 자유권을 침해하며 자유민주주의에 위배된다고 주장한 학자는?

① 하이에크(F. A. Hayek)
② 파이너(H. Finer)
③ 오스트롬(V. Ostrom)
④ 사이먼(H. Simon)
⑤ 테일러(F. Taylor)

63　정부업무평가　　난이도 ●●●

위원회의 회의는 재적위원 과반수의 출석으로 개의하고 출석위원 과반수의 찬성으로 의결한다(「정부업무평가 기본법」 제10조 제6항).

선지분석
① 정부업무평가위원회는 위원장 2명을 포함한 15인 이내의 위원으로 구성되며, 민간위원의 임기는 2년이다(「정부업무평가 기본법」 제10조 제1항).
③ 중앙행정기관과 지방자치단체의 장은 그 소속 기관의 정책 등을 포함하여 자체평가를 실시하여야 한다(「정부업무평가 기본법」 제14조 및 제18조).
④ 기획재정부장관은 평가 결과를 중앙행정기관의 다음 연도 예산편성 시에 반영하여야 한다(「정부업무평가 기본법」 제28조 제3항).

답 ②

64　하이에크(Hayek)　　난이도 ●○○

자유주의자인 하이에크(Hayek)는 1944년에 발간된 그의 저서 『노예로의 길(The Road to Serfdom)』에서 국가기획과 개인의 자유는 양립불가능하고, 국가기획은 국민을 노예로의 길에 접어들게 할 것이라고 하면서 국가기획을 반대하였다.

선지분석
② 파이너(Finer)는 1945년 발간된 저서 『반동으로의 길(The Road to Reaction)』에서 하이에크(Hayek)의 이론을 사실·역사·이론 등으로 나누어 조목조목 비판하면서, 기본적으로 자유와 기획은 양립할 수 있다는 주장을 하며 국가기획에 찬성하였다.

답 ①

65

2004년 서울시 9급

연동계획에 관한 설명으로 타당하지 못한 것은?

① 계획의 이상과 현실을 조화시키려는 것이다.
② 장기계획과 단기계획을 결합시키는 데 이점이 있다.
③ 집권당의 선거공약을 제시하는 데 효과적이다.
④ 방대한 인적 자원과 물적 자원이 요구된다.
⑤ 점증주의 전략에 입각하고 있다.

| 65 | 연동계획 | 난이도 ●○○ |

연동계획은 호소력이 없기 때문에 선거공약으로는 매력이 없다.

📄 연동계획의 장단점

장점	단점
• 기획과 예산의 유기적 통합 • 계획을 계속적으로 수정함으로써 변동대응성과 현실적합성 제고 • 실현가능성과 타당성 제고 가능	• 목적성취 및 종료에 대한 기대가 없으므로 국민이나 정치가들에게 호소력이 없음 • 매년 계획의 목표가 달라지기 때문에 계획의 의미 경시 • 매년 중장기 계획을 수립·수정하므로 방대한 물적·인적 자원을 소모

답 ③

66

2004년 국회직 8급

허드슨(Hudson)이 분류한 다섯 가지 기획 중 창도적 기획(advocacy planning)의 특징에 해당되는 것은?

① 계속적인 조정과 적응 추구
② 개인 상호 간의 대화 중시
③ 법적 피해구제절차 중시
④ 인간의 존엄성 중시
⑤ 단기간에 성과를 가져올 수 있는 급진적 개혁

| 66 | 창도적 기획의 특징 | 난이도 ●●○ |

허드슨(Hudson)에 의하면 ① 계속적인 조정과 적응 추구는 점진적 기획, ② 개인 상호 간의 대화 중시와 ④ 인간의 존엄성 중시는 교류적 기획, ③ 법적 피해구제절차 중시는 창도적 기획, ⑤ 단기간에 성과를 가져올 수 있는 급진적 개혁은 급진적 기획이다.

📄 허드슨(B. Hudson)의 분류(SITAR)

총괄적 접근방법	합리적·종합적 접근으로 문제를 체제접근의 관점에서 관련 변수들을 단순화시켜 모형을 구성하고 계량적 분석을 활용
점진적 접근방법	계속적인 조정과 적응을 추구하는 전략적·단편적 접근방법
교류적 접근방법	어떤 결정에 의해 영향을 받는 사람들과 대면접촉을 통하여 계획을 수립하며, 개인 및 조직의 발전과정에 초점을 둠
창도적 접근방법	지역사회 주민집단의 이익을 대변하는 성격을 가짐
급진적 접근방법	자발적 행동주의에 기초하여 단기간 내에 구체적인 성과를 가져올 수 있는 집단행동을 실현시키려는 접근방법

답 ③

67 □□□
2021년 군무원 7급

기획의 효용에 관한 설명으로 가장 적절하지 않은 것은?

① 목표달성이 핵심이 되는 전략적 요인에 관심을 집중시켜 목표를 더욱 명확히 한다.
② 기획은 한정된 자원을 최대한 효율적으로 이용하여 행정수요를 충족시킨다.
③ 여러 대안 중에서 최적 대안을 선택함으로써 경비를 절약할 수 있다.
④ 기획은 장래의 상태를 정확하게 예측하여 확실한 가정하에서 계획을 작성할 수 있다.

68 □□□
2022년 군무원 9급

전략기획(strategic planning)에 대한 설명으로 가장 옳지 않은 것은?

① 불확실한 미래에 체계적이고 능동적으로 대응하기 위한 전략을 만드는 과정이다.
② 상대적으로 정치 및 경제 등이 불안정한 환경 속에서 유용성이 높다.
③ 정책결정에 비해 외부환경에 개방되지 않고 전문가의 역할이 강조되는 편이다.
④ 환경에 대한 체계적인 분석과 조직진단을 통해 실현가능한 설계에 초점을 맞춘다.

| 67 | 기획의 효용 | 난이도 ●●● |

기획은 미래의 예측과정으로 불확실성이 상존한다.

(선지분석)
① 기획은 설정된 목표를 명확화, 구체화하는 과정이다.
②, ③ 기획은 목표를 달성하기 위한 최선의 대안을 선택함으로써 한정된 자원을 효율적으로 사용할 수 있게 하여 경비를 절감할 수 있게 한다.

답 ④

| 68 | 전략기획 | 난이도 ●●● |

전략기획은 상대적으로 안정된 환경 속에서 유용성이 높다.

(선지분석)
① 전략기획은 불확실한 미래에 체계적이고 능동적으로 대응하기 위한 전략을 만드는 과정이다.
③ 조직의 핵심적인 대응전략이므로 외부에 공개하는 대상이 아니며, 수립 시 전문적인 분석·판단을 요구한다.
④ 불확실한 미래에 대응하여 실제 적용될 수 있어야 하므로 환경분석, 조직진단, 실현가능성이 중시된다.

답 ②

PART 3

행정조직론

CHAPTER 1 / 조직이론의 기초 및 조직과 환경
CHAPTER 2 / 조직의 구조
CHAPTER 3 / 조직관리
CHAPTER 4 / 조직혁신

CHAPTER 1 조직이론의 기초 및 조직과 환경

KEYWORD 046 조직이론의 의의

01 ☐☐☐   2018년 서울시 9급

조직이론의 유형들을 발달 순으로 옳게 나열한 것은?

> ㄱ. 체제이론
> ㄴ. 과학적 관리론
> ㄷ. 인간관계론
> ㄹ. 신제도이론

① ㄱ → ㄴ → ㄹ → ㄷ
② ㄴ → ㄷ → ㄱ → ㄹ
③ ㄴ → ㄱ → ㄷ → ㄹ
④ ㄷ → ㄴ → ㄹ → ㄱ

| 01 | 조직이론의 발달 순서 | 난이도 ●○○ |

조직이론은 ㄴ. 과학적 관리론 → ㄷ. 인간관계론 → ㄱ. 체제이론 → ㄹ. 신제도이론 순으로 발달하였다.
ㄱ. 체제이론: 1950~60년대
ㄴ. 과학적 관리론: 1880~1910년대
ㄷ. 인간관계론: 1930년대
ㄹ. 신제도이론: 1980~90년대

답 ②

---

02 ☐☐☐   2020년 군무원 9급

에치오니(A. Etzioni)의 조직목표유형으로 옳지 않은 것은?

① 질서 목표
② 문화적 목표
③ 경제적 목표
④ 사회적 목표

| 02 | 에치오니(A. Etzioni)의 조직유형 | 난이도 ●○○ |

에치오니(A. Etzioni)는 권력과 관여의 정도를 기준으로 조직의 유형을 강제 조직, 규범적 조직, 공리적 조직으로 분류하였다. 각 조직의 목표는 모두 다르며, 강제 조직은 질서 목표, 규범적 조직은 문화적 목표, 공리적 조직은 경제적 목표를 추구한다.

답 ④

03

2025년 국가직 9급

블라우(Blau)와 스콧(Scott)의 조직유형에 대한 설명으로 옳지 않은 것은?

① '호혜적 조직(mutual-benefit associations)'은 고객이 주요 수익자가 되는 조직이다.
② '사업조직(business concerns)'은 조직의 소유자나 관리자가 주요 수익자가 된다.
③ '서비스조직(service organizations)'의 대표적인 예는 법률상담소, 학교, 사회사업기관 등이다.
④ '공익조직(commonweal organizations)'의 대표적인 예는 일반행정기관, 경찰서, 소방서 등이다.

04

2021년 국가직 9급

조직목표의 기능에 대한 설명으로 옳지 않은 것은?

① 조직구성원들이 목표로 인해 일체감을 느끼기 때문에 구성원들의 동기를 유발해준다.
② 조직의 구조와 과정을 설계하는 준거를 제공하고 성과를 평가하는 기준이 되기도 한다.
③ 미래의 바람직한 상태를 밝혀 조직활동의 방향을 제시한다.
④ 조직이 존재하는 정당성의 근거가 될 수는 없다.

| 03 | 블라우와 스콧의 조직유형 | 난이도 ●○○ |

호혜적 조직은 고객이 아니라 구성원 모두가 수혜자가 되는 조직을 말한다.

답 ①

| 04 | 조직목표의 기능 | 난이도 ●○○ |

조직목표란 조직이 나아가야 할 바람직한 방향을 의미하므로, 조직목표는 조직이 존재하는 정당성의 근거가 된다.

답 ④

05

2020년 군무원 9급

파슨스(T. Parsons)의 조직유형 중 조직체제의 목표달성기능과 관련된 유형으로 옳은 것은?

① 경제적 생산조직
② 정치조직
③ 통합조직
④ 형상유지조직

06

2017년 지방직 9급(6월 시행)

조직의 배태성(embeddedness)과 제도적 동형화(isomorphism)에 대한 설명으로 옳지 않은 것은?

① 제도적으로 조직이 동형화될 경우 조직이 교란되는 것을 막을 수 있다.
② 제도적 동형화에는 강압적 동형화, 모방적 동형화, 규범적 동형화 등이 있다.
③ 조직의 제도적 동형화는 특정 조직이 환경에 있는 다른 조직을 닮는 것을 말한다.
④ 조직 배태성의 특징은 조직 구성원들이 정당성보다 경제적 이익을 추구하는 행위를 하려는 것이다.

---

05 파슨스(T. Parsons)의 조직유형   난이도 ●○○

파슨스(T. Parsons)의 조직유형 중 조직체제의 목표달성기능과 관련된 유형은 정치조직이다.

파슨스(Parsons)의 조직 분류

경제조직	적응기능(Adaptation)
정치조직	목표달성기능(Goal Attainment)
통합조직	통합기능(Integration)
유지조직	형상유지기능(Latent Pattern Maintenance)

답 ②

06 조직의 배태성과 제도적 동형화   난이도 ●●○

배태성이란 구성원들이 자신의 개인적 선호나 경제적 이익의 추구보다는 사회적 정당성에 따라 행동하려는 것을 의미한다.

(선지분석)
①, ③ 동형화는 조직이 사회적으로 정당하다고 인정되는 것으로 닮아가는 것, 즉 유사성을 가지게 되는 것을 의미하므로 조직이 교란되는 것을 막을 수 있다.
② 동형화의 유형에는 강압적 동형화, 모방적 동형화, 규범적 동형화 등이 있다.

답 ④

07

2014년 지방직 7급

보조기관과 보좌기관에 대한 설명으로 옳지 않은 것은?

① 보조기관은 위임·전결권의 범위 내에서 의사결정과 집행의 권한을 가진다.
② 보좌기관은 정책에 대한 최종적인 책임을 지지 않는 경우가 많으며 보조기관과 갈등을 유발할 수도 있다.
③ 보좌기관이 보조기관보다는 더 현실적이고 보수적인 속성을 가질 가능성이 높다.
④ 보좌기관은 목표달성 및 정책수행에 간접적으로 기여한다.

08

2024년 군무원 7급

다음 중 보조기관과 보좌기관에 대한 설명으로 가장 적절하지 않은 것은?

① 보조기관은 조직의 규모가 커질 경우, 조직의 장에게 업무가 과중될 수 있다.
② 보좌기관은 계선의 통솔범위를 확대시킬 수 있다.
③ 보좌기관은 부문 간 조정이 용이하여 조직 운영의 효율성을 극대화할 수 있다.
④ 보좌기관은 전문지식을 통한 합리적 결정을 지원한다.

---

07 보조기관과 보좌기관   난이도 ●●○

보조기관은 계선의 하부조직(차관 – 실장 – 국장 – 과장 등)을 말하고, 보좌기관은 계선기관을 지원하는 참모조직(차관보, 담당관 등)을 일컫는다. 보조기관(계선)은 현실적·보수적이지만, 보좌기관(참모)은 개혁적·이상적이다.

선지분석

① 보조기관(계선)은 명령통일의 원칙에 입각하여 조직의 목적을 직접적으로 수행하므로, 결정과 집행의 권한을 행사한다.
②, ④ 보조기관(참모)은 목표달성에 간접적으로 기여함으로써 최종적 책임을 지지는 않는다. 그러므로 보조기관과 대립·충돌의 가능성이 있다.

답 ③

08 보조기관과 보좌기관   난이도 ●●○

보조기관은 권한과 책임의 한계가 명확하여 상황변화에 대한 신축성 결여된다.

선지분석

① 보조기관은 명령통일의 원칙하에서 조직이 추구하는 전체적인 목적을 직접 수행하기 위해 지휘 및 명령에 관한 권한을 독점하면서 이를 계서적으로 행사하는 집행기관을 말한다.
조직의 규모가 커질 경우, 조직의 장에게 업무가 과중될 수 있다.
②, ④ 보좌기관은 전문지식으로 계선기관의 기능을 보완하고 계선의 통솔범위 확대에 기여한다.

답 ③

09 2018년 국가직 9급

행정기관에 대하여 관계법령에 규정된 내용으로 옳은 것은?

① 부속기관이란 행정권의 직접적인 행사를 임무로 하는 기관에 부속하여 그 기관을 지원하는 행정기관을 말한다.
② 보조기관이란 행정기관이 그 기능을 원활하게 수행할 수 있도록 그 기관장을 보좌함으로써 행정기관의 목적달성에 공헌하는 기관을 말한다.
③ 하부기관이란 중앙행정기관에 소속된 기관으로, 특별지방행정기관과 부속기관을 말한다.
④ 방송미디어통신위원회, 공정거래위원회, 소청심사위원회 등은 행정기관의 소관 사무에 관하여 자문에 응하거나 조정, 협의, 심의 또는 의결 등을 하기 위해 복수의 구성원으로 이루어진 합의제 기관으로, 행정기관이 아니다.

10 2018년 국가직 9급

프렌치(J. R. P. French, Jr.)와 레이븐(B. H. Raven)의 권력유형 분류에서 권력의 원천이 아닌 것은?

① 준거(reference)
② 전문성(expertness)
③ 강제력(coercion)
④ 상징(symbol)

| 09 | 행정기관 관련법령 | 난이도 ●●● |

부속기관은 행정권의 직접적인 행사를 임무로 하는 기관에 부속하여 그 기관을 지원하는 행정기관을 말한다(예 교육기관, 연구기관 등).

선지분석
② 보조기관이 아닌 보좌기관에 대한 설명이다. 보조기관이란 자치단체장이 당해 지방자치단체의 목적을 실현하기 위해 의사결정하고 표시할 때, 이를 보조하는 권한을 갖는 내부적인 행정기관을 의미한다.
③ 하부기관이 아닌 소속기관에 대한 설명이다. 하부기관에는 보조기관과 보좌기관이 있다.
④ 방송미디어통신위원회, 공정거래위원회, 소청심사위원회 등은 자문위원회가 아니라 행정위원회이므로, 행정기관에 해당한다.

답 ①

| 10 | 권력의 원천 | 난이도 ●●○ |

프렌치(J. R. P. French, Jr.)와 레이븐(B. H. Raven)은 권력의 5가지 원천에 따라 권력을 유형화하였다. 5가지 원천은 준거, 전문성, 강제력, 보상, 정통성이며, ④ 상징은 해당하지 않는다.

프렌치(French)와 레이븐(Raven)의 권력유형

합법적 권력	조직이나 계층상의 위계에 의하여 행사되는 권력
강제적 권력	공포에 기반을 두고 권력으로서 처벌할 수 있는 능력에 의하여 야기되는 권력
보상적 권력	복종의 대가로서 승진이나 봉급의 인상 등 보상을 제공할 수 있는 능력에 기반을 둔 권력
전문적 권력	전문적 지식이나 기술에 의하여 전개되는 권력
준거적 권력	어떤 사람의 능력이나 매력에 존경과 호감을 느낌으로써 그를 자기의 역할모델로 삼으며 일체감과 신뢰를 바탕으로 하는 권력

답 ④

11

2020년 국가직 9급

프렌치와 레이븐(French & Raven)이 주장하는 권력의 원천에 대한 설명으로 옳지 않은 것은?

① 합법적 권력은 권한과 유사하며 상사가 보유한 직위에 기반한다.
② 강압적 권력은 카리스마 개념과 유사하며 인간의 공포에 기반한다.
③ 전문적 권력은 조직 내 공식적 직위와 항상 일치하는 것은 아니다.
④ 준거적 권력은 자신보다 뛰어나다고 생각하는 사람을 닮고자 할 때 발생한다.

12

2018년 국가직 7급 변형

중앙행정기관의 소속기관으로만 묶은 것은?

ㄱ. 지방자치인재개발원
ㄴ. 공정거래위원회
ㄷ. 지식재산처
ㄹ. 국가기록원
ㅁ. 국립중앙박물관
ㅂ. 국가유산청

① ㄱ, ㅂ
② ㄴ, ㄹ
③ ㄷ, ㅁ
④ ㄹ, ㅁ

---

11 권력의 원천

프렌치와 레이븐(French & Raven)은 권력의 원천에 따라 권력을 5가지로 구분하였다. 강압적 권력은 인간의 공포심에 근거를 두고 있는 권력이지만, 카리스마적 권력과는 전혀 다른 것이다. 카리스마적 권력은 초인적인 자질과 능력 등에 기반한 권력을 말한다.

(선지분석)
① 합법적 권력은 공식적인 직위에 기반을 둔 정당한 권한(Authority)과 유사하다.
③ 전문적 권력은 구성원이 가지는 전문 지식과 정보에 기반을 둔 권력으로 공식적인 직위와는 관계 없는 권력이다.
④ 준거적 권력은 자신보다 뛰어나다고 생각하는 사람을 닮고자 하는 동일시의 권위, 역할모델에 의한 권위를 말한다.

답 ②

12 중앙행정기관의 소속기관

중앙행정기관의 소속기관에 해당하는 것은 ㄱ. 지방자치인재개발원, ㄹ. 국가기록원, ㅁ. 국립중앙박물관이다.
ㄱ. 지방자치인재개발원은 지방공무원에 대한 교육훈련을 담당하는 기관으로 행정안전부 산하 소속기관이다.
ㄹ. 국가기록원은 국가기록물을 관리·보존하는 기관으로 행정안전부 소속기관이다.
ㅁ. 국립중앙박물관은 문화체육관광부 소속기관이다.

(선지분석)
ㄴ. 공정거래위원회는 소속기관이 아니라 국무총리 소속의 중앙행정기관이다.
ㄷ. 지식재산처는 국무총리소속의 중앙행정기관이다.
ㅂ. 국가유산청은 문화체육관광부 소속중앙행정기관이다.

답 ④

13
2015년 지방직 9급

신고전 조직이론에 대한 설명으로 옳지 않은 것은?

① 메이요(Mayo) 등에 의한 호손(Hawthorne)공장 실험에서 시작되었다.
② 공식조직에 있는 자생적·비공식적 집단을 인정하고 수용한다.
③ 인간의 사회적 욕구와 사회적 동기유발 요인에 초점을 맞춘다.
④ 조직이란 거래비용을 감소하기 위한 장치로 기능한다고 본다.

14
2022년 국가직 7급

신고전 조직이론에 대한 설명으로 옳은 것은?

① 조직군생태론, 자원의존이론 등이 대표적이다.
② 인간을 복잡한 내면구조를 가진 복잡인으로 간주한다.
③ 환경과 상호작용하는 개방적·동태적·유기적 조직을 강조한다.
④ 조직 내 사회적 능률을 강조하고, 조직의 비공식적 구조나 요인에 초점을 둔다.

| 13 | 신고전 조직이론 | 난이도 ●○○ |

조직이 거래비용을 감소하기 위한 장치로 기능한다고 보는 것은 거래비용경제학에 해당하는 설명이며, 거래비용경제학 등 거시적 조직이론은 현대적 조직이론에 해당한다.

📄 신고전적 조직이론(인간관계론)의 특징

- ㉠ 조직 내 사회적 능률 강조
- ㉡ 사회적 인간관에 근거
- ㉢ 조직의 비공식적 구조나 요인에 초점
- ㉣ 폐쇄체제

답 ④

| 14 | 신고전 조직이론 | 난이도 ●○○ |

신고전적 조직이론(인간관계론)은 사회적 능률성을 강조하고, 비공식적 구조에 초점을 둔다.

선지분석
① 조직군생태론, 자원의존이론은 조직과 환경과의 관계를 다루는 개방이론으로, 현대적 조직이론이다. 신고전 조직이론은 폐쇄이론에 해당한다.
② 신고전적 조직이론의 인간관은 사회적 인간이다.
③ 현대적 조직이론에 대한 설명이다.

답 ④

15 □□□　　　　　　　　　　　　2024년 국가직 9급

신고전적 조직이론인 인간관계론이 강조한 내용으로 옳은 것은?

① 기계적 능률성
② 공식적 조직구조
③ 합리적·경제적 인간관
④ 인간의 사회·심리적 요인

16 □□□　　　　　　　　　　　　2014년 국가직 9급

조직이론에 대한 설명 중 옳지 않은 것은?

① 고전적 조직이론에서는 조직 내부의 효율성과 합리성이 중요한 논의 대상이었다.
② 신고전적 조직이론은 인간에 대한 관심을 불러 일으켰고 조직행태론 연구의 출발점이 되었다.
③ 신고전적 조직이론은 인간의 조직 내 사회적 관계와 더불어 조직과 환경의 관계를 중점적으로 다루었다.
④ 현대적 조직이론은 동태적이고 유기체적인 조직을 상정하며, 조직발전(OD)을 중시해 왔다.

| 15 | 신고전적 조직이론 | 난이도 ●○○ |

신고전적 조직이론은 인간의 사회적·심리적·비공식적 요인을 중시하는 인간관계론과 관련된다.

선지분석
①, ②, ③ 고전적 조직이론의 특징에 해당한다.

답 ④

| 16 | 조직이론 | 난이도 ●○○ |

신고전적 조직이론은 조직 내 사회적 관계에 대해서는 관심이 높았으나, 조직과 환경의 관계를 중점적으로 다루지는 못하였다. 즉, 여전히 폐쇄조직이론에 속한다.

선지분석
① 고전적 조직이론은 기계적 능률과 합리성 등 경제적 목표를 중시한다.
② 인간관계론 등의 인간에 대한 관심은 행태론의 성립에 간접적으로 공헌하였다.
④ 현대조직이론은 대외적으로 개방체제적이고, 대내적으로는 민주적·참여적인 관리(조직발전 등)로 구성원의 자아실현 등을 중시한다.

답 ③

17　　　　　　　　　　　　　　　　2021년 군무원 7급

현대의 행정조직에 관한 설명으로 가장 적절하지 않은 것은?

① 행정에는 신속 정확한 결정과 조치가 필요하므로 행정조직은 원칙적으로 단독제를 취하고 있다.
② 합의제의 채택은 행정조직의 기본원리인 단독제와는 모순되지만 행정의 민주화의 요청이 양자를 공존시키고 있다.
③ 행정조직은 사회적·경제적 조건의 변동과는 직접적인 관계가 없다.
④ 행정조직은 행정수요의 변동에 적응하는 탄력성을 가져야 한다.

KEYWORD 047　조직과 환경

18　　　　　　　　　　　　　　　　2018년 국가직 9급

상황적응적 접근방법(contingency approach)에 대한 설명으로 옳지 않은 것은?

① 체제이론의 거시적 관점에 따라 모든 상황에 적합한 유일 최선의 관리방법을 모색한다.
② 체제이론에서와 같이 조직은 일정한 경계를 가지고 환경과 구분되는 체제의 하나로 본다.
③ 조직을 구성하고 운영하는 방법의 효율성은 그것이 처한 상황에 의존한다고 가정한다.
④ 연구대상이 될 변수를 한정하고 복잡한 상황적 조건들을 유형화함으로써 거대이론보다 분석의 틀을 단순화한다.

17　현대의 행정조직　난이도 ●○○

행정조직은 사회적·경제적 조건의 변동에 따라 달라질 수밖에 없다. 예컨대 안정된 환경에서는 기계적 구조가, 불확실한 환경에서는 유기적 구조가 적합하다.

선지분석
① 단독제 조직은 위원회 조직에 비해 신속하고 책임한계가 명확하다.
② 합의제 조직인 위원회 조직과 단독제 조직이 공존하고 있다.
④ 행정조직은 급변하는 환경에 적응하는 탄력성을 가져야 한다.

답 ③

18　상황적응적 접근방법　난이도 ●●○

상황이론은 개별조직을 연구대상으로 하고, 유일최선의 문제해결방법(The best one way)은 없으며, 다양한 상황변수에 따라 조직구조 및 조직의 효과성이 달라진다고 본다.

선지분석
② 개방체제이론에 기반을 두고 상황과 조직구조 간의 적합성 여부가 조직성과를 좌우한다고 보는 이론이다.
③ 상황론은 개별조직이 놓여있는 상황에 따라 조직의 구조와 전략이 달라져야 한다는 이론이다[로렌스와 로쉬(Lawrence & Lorsch)].
④ 실증적 분석과 자료수집을 중시하므로 자료의 수집과 연구가 용이하도록 중범위이론을 추구한다. 고찰변수를 한정하고 제한된 범위 내에서 개별조직을 연구대상으로 하여 개인의 행위나 동기가 아닌 조직의 구조적 특성을 연구한다.

답 ①

19 | 2020년 국가직 7급

조직이론에 관한 설명으로 옳지 않은 것은?

① 전략적 선택론은 조직 설계의 문제를 단순히 상황적응의 차원이 아니라 설계자의 자유재량에 의한 의사결정 산물로 파악한다.
② 번스(Burns)와 스토커(Stalker)는 조직을 둘러싼 환경의 성격 및 특성이 조직구조와 어떻게 관련되는지를 설명한다.
③ 조직군생태학은 조직을 외부환경의 선택에 영향을 받을 뿐만 아니라 적극적으로 영향을 끼치는 능동적인 존재로 이해한다.
④ 버나드(Barnard)는 조직 내 인간적·사회적 측면을 강조한다.

20 | 2016년 서울시 9급

거시적 조직이론에 대한 설명으로 가장 옳지 않은 것은?

① 전략적 선택이론은 임의론이다.
② 조직군생태론은 자연선택론을 취한다.
③ 조직군생태론은 결정론적이다.
④ 전략적 선택이론의 분석단위는 조직군이다.

---

19 | 조직이론 | 난이도 ●●○

거시조직이론 중 조직군생태학은 조직구조는 외부환경의 선택에 의해 좌우된다고 보며 환경의 절대성을 강조한다. 즉, 조직이 환경에 적응하는 것이 아니라 환경이 조직을 선택한다는 극단적인 환경결정론이다.

선지분석
① 전략적 선택론은 조직의 구조와 특성은 단순히 상황적응적 차원이 아니라 관리자의 전략적 선택에 의해서 결정된다.
② 로렌스와 로쉬(Lawrence & Lorsch), 번스와 스토커(Burns & stalker)의 구조론적 상황론은 개별조직이 놓여있는 상황에 따라 조직의 구조와 전략이 달라져야 한다는 이론이다.
④ 버나드(Barnard)는 사이먼과 함께 대표적인 행태론자로서 조직 내 인간적·사회적 측면을 강조하였다.

답 ③

20 | 거시적 조직이론 | 난이도 ●●○

전략적 선택이론의 분석단위는 개별조직이며, 임의론이다.

거시조직이론의 체계

구분		환경인식	
		결정론 (deterministic, 수동적)	임의론 (voluntaristic, 능동적)
분석 수준	개별 조직	체제구조적 관점 구조적 상황론(상황적응론)	전략적 선택관점 • 전략적 선택이론 • 자원의존이론
	조직군	자연적 선택관점 • 조직군생태학이론 (환경적소에 의한 선택) • 조직경제학 (경제적 환경에 적응) • 제도화이론 (사회문화적 환경에 적응)	집단적 행동관점 공동체생태학이론

답 ④

21 ㅁㅁㅁ　　　　　　　　　　　　　　　2019년 서울시 7급

거시조직이론에 대한 설명으로 가장 옳은 것은?

① 공동체생태학이론은 조직의 내적 논리를 강조한다.
② 자원의존이론은 환경에 피동적인 조직의 특성을 강조한다.
③ 구조적 상황이론은 환경에 적응하는 조직의 구조 설계를 강조한다.
④ 조직군생태학이론은 조직의 주도적 선택을 강조한다.

| 21 | 거시조직이론 | 난이도 ●●○ |

구조적 상황이론은 환경에의 적합성이 조직 생존의 관건이고 유일 최선의 조직구조(The best one way)는 존재하지 않는다고 보며, 환경에 적합한 조직의 구조 설계를 강조한다.

답 ③

22 ㅁㅁㅁ　　　　　　　　　　　　　　　2023년 국가직 9급

조직이론과 그 내용에 대한 설명으로 옳지 않은 것은?

① 구조적 상황이론 - 불안정한 환경 속에 있는 조직은 유기적인 조직구조를 선택하는 것이 효과적이다.
② 전략적 선택이론 - 동일한 환경에 처한 조직도 환경에 대한 관리자의 지각 차이로 상이한 선택을 할 수 있다.
③ 거래비용이론 - 시장에서의 거래비용이 조직의 내부 거래비용보다 클 경우 내부 조직화를 선택한다.
④ 조직군 생태학이론 - 조직군의 변화를 이끄는 변이는 우연적 변화(돌연변이)로 한정되며, 계획적이고 의도적인 변화는 배제된다.

| 22 | 조직이론 | 난이도 ●●● |

조직군생태론은 조직군의 변화를 유발하는 변이는 조직마다 동일하지 않고 조금씩 차이가 있다. 환경이 특정 조직유형을 선택하기 위해서는 조직유형에 있어서 어떤 변이가 있어야 하는데 변이에는 계획적 변화 또는 우연적 변화에 의한 변이가 포함된다.

선지분석
① 구조론적 상황론은 개별조직이 놓여있는 상황에 따라 조직의 구조와 전략이 달라져야 한다는 이론이다. 안정된 환경 속에 있는 조직은 기계적 구조가 효과적이고 불안정한 환경 속에 있는 조직은 유기적 조직구조를 선택하는 것이 효과적이다.
② 전략적 선택이론은 조직의 구조와 특성은 관리자의 전략적 선택에 의해서 결정된다고 보며, 동일한 환경이라도 관리자의 인지적 기초와 가치관의 차이에 따라 인식하는 환경이 각기 다르다.
③ 거래비용이 관리비용보다 클 경우 수직적 통합(vertical integration), 즉, 계층제적 조직이 형성된다고 보았다.

답 ④

23　　2020년 지방직 7급

대리인이론에서 주인-대리인 관계의 효율성을 제약하는 요인이 아닌 것은?

① 인간의 인지적 한계와 정보 부족 등으로 인한 합리성 제약
② 정보 비대칭성 혹은 정보 불균형
③ 대리인의 기회주의적 행동 성향
④ 대리인 관계를 설정할 수 있는 다수의 잠재적 당사자(대리인) 존재

24　　2018년 지방직 9급

조직이론에 대한 설명으로 옳지 않은 것은?

① 구조적 상황이론 – 상황과 조직특성 간의 적합 여부가 조직의 효과성을 결정한다.
② 전략적 선택이론 – 상황이 구조를 결정하기보다는 관리자의 상황 판단과 전략이 구조를 결정한다.
③ 자원의존이론 – 조직의 안정과 생존을 위해서 조직의 주도적·능동적 행동을 중시한다.
④ 대리인이론 – 주인·대리인의 정보 비대칭 문제를 해결하기 위해 대리인에게 대폭 권한을 위임한다.

23	대리인이론	난이도 ●●○

다수의 잠재적 당사자(대리인)가 존재한다면, 그 중에서 유능하고 적합한 대리인을 선임할 수 있는 가능성이 높아지므로 오히려 대리비용을 줄이는 방안이 된다.

선지분석
① 합리성이 제한 받을수록, 남을 속이거나 계약을 위반하는 기회주의적 행태가 나올 가능성이 클수록 대리비용이 증가한다.
② 정보격차가 클수록 대리비용이 증가한다.
③ 대리인의 이기주의적 행동은 대리비용을 증가시킨다.

답 ④

24	조직이론	난이도 ●●○

대리인이론은 주인과 대리인 간의 정보 비대칭 문제를 해결하기 위하여 대리인에게 권한을 위임하는 것이 아니라, 정보공개 등을 통하여 정보를 대등하게 하여 주인이 대리인에 대한 통제를 강화해야 된다는 이론이다.

대리인이론(Agency Theory)

의의	본인(위임자)과 대리인 간의 비대칭적인 정보와 상충적인 이해관계로 발생하는 대리손실을 최소화할 수 있는 방법을 모색하는 이론
기본가정	• 본인과 대리인 간에는 근본적인 이해관계의 상충으로 '대리손실(Agency loss)'이 발생 • 대리손실은 대리인에 대한 정보부족으로 주인이 대리인을 효율적으로 통제·감시하지 못한 것에서 기인함
유형	• 역선택 현상 • 도덕적 해이(Moral Hazard) • 사회적 비용의 발생
극소화 방안	• 정보의 균형화 • 성과 중심의 대리인 통제 • 인센티브의 제공

답 ④

25
2015년 서울시 9급

상황론적 조직이론과 자원의존이론에 대한 설명 중 가장 옳지 않은 것은?

① 자원의존이론은 어떤 조직도 필요로 하는 자원을 모두 획득할 수는 없다는 것을 전제로 삼는다.
② 상황론적 조직이론은 모든 상황에 적합한 최선의 조직화 방법은 존재하지 않는다고 전제한다.
③ 자원의존이론은 조직이 생존과 발전에 필요한 자원을 환경에 의존하기 때문에 조직을 환경과의 관계에서 피동적 존재로 본다.
④ 상황론적 조직이론은 효과적인 조직설계와 관리방법은 조직환경에 달려있다고 주장한다.

26
2024년 군무원 7급

상황론적 조직이론에 대한 설명으로 가장 적절하지 않은 것은?

① 상황요인으로 조직의 규모, 기술, 환경, 전략을 중시하며 이들 상황요인과 조직구조 변수의 관계를 설명하고 특정 상황에 적합한 조직구조를 처방하고자 노력한다.
② 기존의 조직이론에서 제기된 보편·일반 원리적인 이론을 긍정하면서 조직설계와 관리 방식의 융통성을 꾀한다.
③ 기존의 X이론이나 Y이론과 같은 극단을 피하고, 어떤 조직이든 각각의 상황에 따라 서로 다른 관리 방식을 취해야 한다는 입장을 취한다.
④ 독립변수를 한정하고 상황적 조건들을 유형화하여 중범위라는 제한된 수준 내의 일반성과 규칙성을 발견하고 문제에 대한 처방을 추구한다.

25 　 상황론적 조직이론과 자원의존이론　　난이도 ●○○

자원의존이론은 전략적 선택이론의 일종으로 관리자가 필요한 자원을 환경에 의존하지만, 어느 정도는 환경과의 관계에서 조직을 능동적으로 관리해 나갈 능력이 있다고 보는 전략적 선택의 관점이다.

(선지분석)
① 자원의 희소성은 자원의존이론이 전제하는 제약조건이다.
② 상황이론은 조직설계에 있어서 모든 상황에 적용될 수 있는 유일한 최선의 방법은 존재하지 않는다고 본다.
④ 상황이론은 상황에 따른 효과적인 방법을 추구한다.

답 ③

26 　 상황론적 조직이론　　난이도 ●●○

상황론적 조직이론은 유일최선의 문제해결 방법(the best one way)은 없으며, 다양한 상황변수에 따라 조직구조 및 조직의 효과성이 달라진다고 본다.

(선지분석)
①, ③ 유일한 최선의 방법은 존재하지 않는다고 보고, 상황에 따른 효과적인 방법(차선)을 추구한다.
④ 상황론적 조직이론은 실증적 분석과 자료수집을 중시하므로 자료의 수집과 연구가 용이하도록 중범위 이론을 추구한다. 고찰변수를 한정하고 제한된 범위 내에서 개별조직을 연구대상으로 하여 개인의 행위나 동기가 아닌 조직의 구조적 특성을 연구한다.

답 ②

27

2014년 서울시 7급

현대조직이론의 하나인 거래비용이론에 대한 설명으로 옳은 것은?

① 거래비용의 최소화를 위해서는 거래를 외부화(outsourcing)하는 것이 효율적이다.
② 생산보다는 비용에 관심을 가지며 조직을 거래비용 감소를 위한 장치로 파악한다.
③ 조직통합이나 내부 조직화는 조정비용이 거래비용보다 클 때 효과적이다.
④ 거래비용에는 거래 상대방의 기회주의적 행동에 대한 탐색비용은 포함되지 않는다.
⑤ 거래비용이론은 민간조직보다는 공공조직에서 적용 가능성이 높다.

28

2020년 국가직 7급

다음 상황과 관련 있는 이론은?

- A 보험회사는 보험 가입 대상자의 건강 상태 및 사고확률에 대한 특수정보를 가지고 있지 않다.
- A 보험회사는 질병 확률 및 사고 확률이 높은 B를 보험에 가입시켜 회사의 보험재정이 악화되었다.

① 카오스이론
② 상황조건적합이론
③ 자원의존이론
④ 대리인이론

---

27 거래비용이론   난이도 ●●○

거래비용이론은 경제학의 조직이론에 도입한 이론으로, 거래비용을 줄이기 위해 조직이 설립되고 효율적인 조직구조가 형성된다는 이론이다.

선지분석
① 거래비용의 최소화를 위해서는 거래의 내부화가 필요하다.
③ 내부조정비용이 거래비용보다 적을 때 조직통폐합이나 내부 조직화가 효과적이다.
④ 상대방의 기회주의적 행동에 대비한 탐색비용 등이 모두 거래비용에 포함된다.
⑤ 거래비용경제학은 원래 시장실패를 설명하기 위한 모형이었으므로, 공공조직보다 민간조직에 적용가능성이 높다.

답 ②

28 대리인이론   난이도 ●○○

제시문은 주인과 대리인 사이의 정보격차로 인한 대리손실 현상을 설명하고 있다. 보험사가 보험가입자에 대한 정보가 부족하여 결국 부적격자를 보험에 가입시킨 것에 대한 설명이다.

대리손실의 유형

역선택 현상 (Adverse Selection)	• 보험관계에서 사고발생위험이 높은 상대방과 계약을 맺는 현상 • 대리인에 대한 정보부족으로 부적격자나 무능력자를 대리인으로 선임하게 되는 현상으로 설명되기도 하며, 이는 사전적 손실에 해당
도덕적 해이 (Moral Hazard)	• 보험가입 후에 사고예방노력을 게을리 하는 현상 • 정보의 격차로 인한 감시의 결여를 이용하여 대리인이 권력을 남용하고 주인의 이익보다는 자신의 이익을 추구하거나 게으름을 피우는 현상으로, 사후적 손실에 해당

답 ④

29　　　　　　　　　　　　　　2021년 군무원 7급

대리인이론에서 합리적 선택을 제약하는 요인에 대한 설명으로 가장 적절하지 않은 것은?

① 인간의 인지적 한계와 정보부족 등 상황적 제약때문에 합리성은 제약되며 따라서 불확실성을 통제하기 어렵다.
② 대리인이 자기 자질이나 업무수행에 관한 정보를 위임자보다 더 많이 가지고 있다는 정보불균형 때문에 위임자는 대리인의 재량에 의존할 수밖에 없다.
③ 이기적인 대리인이 노력을 최소화하고 이익을 극대화하려는 기회주의적 행동을 하는 경우 위임자의 불리한 선택이 발생할 수 있다.
④ 조직이 투자한 자산이 유동적이어서 자산특정성이 낮으면, 조직 내의 여러 관계나 외부공급자들과의 관계가 고착되어 대리인 관계가 비효율적이더라도 이를 바꾸기 어렵다.

30　　　　　　　　　　　　　　2021년 국가직 7급

거래비용이론에 대한 설명으로 옳지 않은 것은?

① 기회주의적 행동을 제어하는 데에는 시장이 계층제보다 효율적인 수단이다.
② 거래비용은 탐색비용, 거래의 이행 및 감시비용 등을 포함한다.
③ 시장의 자발적 교환행위에서 발생하는 거래비용이 계층제의 조정비용보다 크면 내부화하는 것이 효율적이다.
④ 거래비용이론은 조직이 생겨나고 일정한 구조를 가지는 이유를 조직경제학적으로 설명하는 접근방법이다.

29	대리인이론	난이도 ●●●

거래대상의 자산을 다른 거래로 전용할 수 없을수록(특정성이 높을수록) 거래비용이 증가한다. 자산의 특정성(asset specificity)이란 어떤 자산이 특정한 거래관계에 고착된 정도를 의미한다.

(선지분석)
① 합리성이 제한 받을수록, 남을 속이거나 계약을 위반하는 기회주의적 행태가 나올 가능성이 클수록 거래비용이 증가한다.
② 정보격차가 클수록 거래비용이 증가한다.
③ 대리인의 기회주의적 행동으로 인해 역선택과 도덕적 해이 문제가 발생할 수 있다.

답 ④

30	거래비용이론	난이도 ●○○

기회주의적인 행동에 의한 거래비용은 계층제적 조직보다는 시장에서 증가한다. 기회주의적인 행동을 제어하는 데에는 시장보다 계층제가 더 효율적인 수단이다.

(선지분석)
② 거래비용에는 탐색비용 등의 사전적 거래비용과, 분쟁조정비용 등의 사후적 거래비용이 포함된다.
③ 거래비용이 조정비용보다 크면 거래를 내부화하는 것이 효율적이며, 내부화하는 것이 계층제 조직이다.
④ 조직경제학(organizational economics)은 경제학의 관점을 조직이론에 도입한 이론으로, 내·외부의 경제적 환경으로부터 발생하는 거래비용을 줄이기 위하여 조직이 설립되고 효율적인 조직구조가 형성된다는 이론이다.

답 ①

31

2022년 지방직 7급

현대조직이론에 대한 설명으로 옳은 것은?

① 조직군생태론은 단일조직을 기본 분석단위로 하며, 환경에 대한 조직 적합도에 초점을 둔다.
② 거래비용이론은 자원의존이론의 한 접근법으로, 조직 간 거래비용보다는 조직 내 거래비용에 더 많은 관심을 둔다.
③ 상황론적 조직이론은 독립변수를 한정하고 상황적 조건들을 유형화해 중범위라는 제한된 수준 내의 일반성과 규칙성을 발견하려고 한다.
④ 대리인이론에 따르면 정보의 대칭성과 자산 불특정성이 합리적 선택을 제약하며, 주인 – 대리인 관계는 조직 내에서 나타나지 않는다.

32

2023년 지방직 7급

현대조직이론에 대한 설명으로 옳지 않은 것은?

① 자원의존이론은 조직을 환경적 결정에 피동적인 존재로 보지 않고 스스로의 이익을 위해 주도적·능동적으로 환경에 대처하며, 환경을 조직에 유리하도록 관리하려는 존재로 본다.
② 조직군생태론은 조직을 외부 환경의 선택에 따라 좌우되는 피동적인 존재로 보고, 조직의 발전이나 소멸의 원인을 환경에 대한 조직 적합도에서 찾는다.
③ 혼돈이론은 조직이라는 복잡한 체제의 총체적 이해를 도울 수 있다는 장점이 있으나, 복잡한 현상에 대한 통합적 연구를 지향 한다는 점에서 현실세계에 적용하기 어렵다는 한계를 보인다.
④ 상황론적 조직이론은 기술, 규모, 환경 등의 다양한 상황 요인에 대한 조직적합성을 발견함으로써, 모든 상황에 적합하고 유일한 최선의 조직설계와 관리방법을 찾을 수 있다고 본다.

---

31 현대조직이론 난이도 ●●●

상황론적 조직이론은 실증적 분석과 자료수집을 중시하므로 자료의 수집과 연구가 용이하도록 중범위이론을 추구한다. 고찰변수를 한정하고 제한된 범위 내에서 개별조직을 연구대상으로 하여 개인의 행위나 동기가 아닌 조직의 구조적 특성을 연구한다.

선지분석
① 조직군 생태론은 조직군을 기본 분석 단위로 한다.
② 거래비용이론은 조직경제학의 한 접근법이다. 시장을 통한 계약관계의 형성 및 집행에서 발생하는 거래비용과 계층제적 조직이 될 경우의 내부관리 비용을 비교하여 거래비용이 관리비용보다 클 경우 수직적 통합(vertical integration), 즉 계층제적 조직이 형성된다고 보았다. 다시 말해 거대조직이나 계서제적 조직구조의 출현 원인을 거래비용의 최소화에서 찾고 있다.
④ 대리인이론의 효율성 제약요인으로 정보의 비대칭성, 기회주의적 행동, 자산특정성 등을 들 수 있다. 주인 – 대리인 관계는 조직 내에서도 나타날 수 있다.

답 ③

32 현대조직이론 난이도 ●●○

상황론적 조직이론은 조직설계에 있어서 모든 상황에 적용될 수 있는 유일한 최선의 방법은 존재하지 않는다고 본다. 상황에 따른 효과적인 방법(차선)을 추구한다.

선지분석
① 자원의존이론은 조직이 환경적 요인을 피동적으로 받아들이지 않고 스스로의 이익을 위해 적극적으로 환경에 대처하기 위한 전략적 결정을 내린다는 이론이다.
② 조직군생태론은 조직구조는 외부환경의 선택에 의해 좌우된다고 보아 환경의 절대성을 강조한다. 즉, 조직이 환경에 적응하는 것이 아닌 환경이 조직을 선택한다는 극단적인 환경결정론이다.
③ 혼돈이론은 조직이라는 복잡한 체제의 총체적 이해를 도울 수 있다는 장점이 있으나, 복잡한 현상에 대한 통합적 연구를 지향한다는 점에서 현실세계에 구체적으로 적용하기 어렵다는 한계가 있다.

답 ④

33 □□□   2011년 지방직 9급

혼돈이론(Chaos Theory)에 대한 설명으로 옳지 않은 것은?

① 현실의 복잡성과 불확실성을 극복하기 위해 단순화·정형화를 추구한다.
② 비선형적·역동적 체제에서의 불규칙성을 중시한다.
③ 전통적 관료제 조직의 통제 중심적 성향을 타파하도록 처방한다.
④ 조직의 자생적 학습 능력과 자기조직화 능력을 전제한다.

| 33 | 혼돈이론 | 난이도 ●●○ |

혼돈이론은 복잡한 문제에 대한 통합적 접근을 시도하여 복잡한 관계를 단순화하지 않고, 있는 그대로 파악하는 것을 추구한다.

(선지분석)
② 혼돈이론은 불규칙성 속에서의 규칙성을 찾아 미래의 변동을 예측하고자 하는 이론이다.
③ 혼돈이론의 처방적 선호는 탈관료제적이다.
④ 조직의 자생적 학습능력과 자기조직화 능력을 전제한다. 혼돈의 긍정적 효용을 믿는 것은 바로 그러한 능력을 믿기 때문이다.

답 ①

CHAPTER 2 조직의 구조

KEYWORD 048 조직구조

01 □□□
2016년 서울시 7급

조직구조에 있어 기능구조와 사업구조의 장단점에 대한 설명으로 가장 옳지 않은 것은?

① 기능구조는 중복과 낭비를 예방하고, 기능 내에서 규모의 경제를 구현할 수 있다.
② 기능구조는 각 기능부서들 간의 조정과 협력이 요구되는 환경에 적응하기 곤란할 수 있다.
③ 사업구조는 의사결정의 상위 집중화로 최고관리층의 업무 부담이 증가될 수 있다.
④ 사업구조는 성과책임의 소재가 분명해 성과관리 체제에 유리하다.

| 01 | 기능구조와 사업구조의 장단점 | 난이도 ●○○ |

의사결정의 상위 집중화로 최고관리층의 업무 부담이 증가하는 것은 기능구조의 단점이다.

선지분석
① 기능구조는 조직의 전체 업무를 공동 기능별로 부서화한 것으로, 중복과 낭비를 막을 수 있으므로 기능 내에서 규모의 경제를 제고할 수 있다.
② 기능구조는 각 기능 부서들 간의 조정과 협력이 요구되는 환경변화에 둔감할 수 있다.
④ 사업구조는 성과책임의 소재가 분명해 성과관리 체제에 유리하다.

기능구조의 장단점

장점	단점
• 기능 내에서 규모의 경제를 추구 (중복과 낭비 예방) • 유사 기능을 수행하는 조직 구성원 간에 분업을 통해 전문기술을 발전시킴 • 부서 내 의사소통과 조정에 유리	• 부서들 간의 조정과 협력이 요구되는 환경 변화에 둔감 • 의사결정의 상위 집중화로 인한 고위관리자들의 업무 과부하 • 전문화의 심화에 따른 비효율

답 ③

02 □□□
2016년 경찰간부

유기적 구조와 기계적 구조의 차이점을 설명한 것 중 가장 옳지 않은 것은?

① 유기적 구조의 공식화 정도는 낮으나, 기계적 구조에서의 공식화는 높은 편이다.
② 유기적 구조에서는 분명한 책임관계, 기계적 구조에서는 모호한 책임관계를 특성으로 한다.
③ 유기적 구조에서는 비공식적·인간적 대면관계, 기계적 구조에서는 공식적·몰인간적 대면관계를 특성으로 한다.
④ 유기적 구조에서는 넓은 직무범위, 기계적 구조에서는 좁은 직무범위를 특성으로 한다.

| 02 | 유기적 구조와 기계적 구조의 차이점 | 난이도 ●○○ |

기계적 구조에서는 분명한 책임관계, 유기적 구조에서는 모호한 책임관계를 특성으로 한다.

기계적 구조와 유기적 구조의 비교

구분	기계적 구조	유기적 구조
주안점	예측 가능성	적응성
조직 특성	• 좁은 직무범위 • 표준운영절차 • 분명한 책임관계 • 계층제 • 공식적·몰인간적 대면관계	• 넓은 직무범위 • 적은 규칙과 절차 • 모호한 책임관계 • 채널의 분화 • 비공식적·인간적 대면관계
상황 조건	• 명확한 조직목표와 과제 • 분업적 과제 • 단순한 과제 • 성과측정이 가능 • 금전적 동기부여 • 권위의 정당성 확보	• 모호한 조직목표와 과제 • 분업이 어려운 과제 • 복합적 과제 • 성과측정이 어려움 • 복합적 동기부여 • 도전받는 권위

답 ②

03

2022년 국가직 7급

조직구조에 대한 설명으로 옳지 않은 것은?

① 일상적 기술을 가진 조직의 경우 높은 공식화 구조를 가진다.
② 조직구조의 형태를 기계적 구조와 유기적 구조로 구분할 수 있다.
③ 환경이 복잡하고 불안정한 경우 유기적 구조가 적합하다.
④ 조직구조는 조직 내 여러 부문 간 결합의 형태로 구성원 간 상호작용과는 관련성이 없다.

04

2015년 사회복지직 9급

조직구조 형태의 하나인 복합구조(matrix structure)가 유용하게 쓰일 수 있는 조건에 해당하지 않는 것은?

① 조직의 규모가 너무 크거나 너무 작지 않은 중간 정도의 크기일 것
② 기술적 전문성이 높고 산출의 변동도 빈번해야 한다는 이원적 요구가 강력할 것
③ 조직이 사용하는 기술이 일상적일 것
④ 사업부서들이 사람과 장비 등을 함께 사용해야 할 필요가 클 것

03	조직구조	난이도 ●○○

조직구조란 조직구성원의 유형화된 교호작용을 의미한다. 조직구성원들의 계속적인 교호작용 속에서 조직구성원들의 행위의 정형이나 유형이 형성된다.

(선지분석)
① 일상적 기술은 업무처리과정이 표준화되어 있고, 객관적으로 분석이 가능한 기술이다. 일상적인 기술일수록 공식성은 높다.
② 일반적으로 조직구조상의 특징을 기계적 조직구조와 유기적 조직구조로 구분할 수 있다.
③ 안정된 환경에서는 기계적 구조가, 변동이 심한 경우 유기적 구조가 적합하다.

답 ④

04	복합(매트릭스)구조의 조건	난이도 ●○○

복합구조(매트릭스조직)는 기능구조의 전문성과 사업구조의 대응성을 결합시킨 입체적 조직으로, 일상적 기술을 사용하는 단순조직보다는 조직이 비일상적인 기술을 사용하거나 다수의 복잡하고 상호의존적인 활동을 수행하고 있을 때 적합한 조직이다.

(선지분석)
① 복합조직이 유용할 수 있는 상황적 조건 중 하나가 조직의 규모가 너무 크거나 너무 작지 않은 중간 정도의 크기인 점이다.
② 기능구조의 기술적 전문성과 사업구조의 신속한 대응성을 결합시킨 이중구조이다.
④ 기능라인과 제품라인의 이중적 구조에 의한 인적·물적 자원의 효율적 활용이다.

답 ③

05

2014년 지방직 9급

매트릭스(matrix)조직구조의 특징으로 옳지 않은 것은?

① 잦은 대면과 회의를 통해 과업 조정이 이루어지기 때문에 신속한 결정이 가능하다.
② 구성원들은 다양한 경험을 통해 전문기술을 개발하면서, 넓은 시야와 목표관을 가질 수 있다.
③ 급변하는 환경변화에 탄력적으로 대응할 수 있다.
④ 경직화되어 가는 대규모 관료제 조직에 융통성을 부여해 줄 수 있다.

06

2013년 국회직 8급

매트릭스구조에 대한 다음 설명 중 옳지 않은 것은 모두 몇 개인가?

> ㄱ. 기능구조와 사업구조의 물리적 결합을 시도하는 조직 구조이다.
> ㄴ. 기능부서의 기술적 전문성이 요구되는 동시에 사업부서의 신속한 대응성의 필요가 증대되면서 등장하였다.
> ㄷ. 기능부서 통제권한의 계층은 수평적으로 흐르고, 사업부서 간 조정권한의 계층은 수직적으로 흐르게 된다.
> ㄹ. 일원적 권한 체계를 갖는 데 그 기본적 특성이 있다.

① 0개
② 1개
③ 2개
④ 3개
⑤ 4개

| 05 | 매트릭스조직구조의 특징 | 난이도 ●●○ |

매트릭스조직구조는 사업부제의 대응성을 접목한 조직이므로, 환경변화에 탄력적으로 대응할 수는 있으나, 이중적 명령구조 때문에 신속한 결정은 어렵다.

(선지분석)
② 구성원들은 다양한 부문의 기술과 경험을 습득하여 넓은 시야 확보와 자아실현이 가능하다.
③ 사업부제의 장점인 대응성이 가미되었다.
④ 경직된 대규모 관료제 조직에 융통성을 부여한 유기적 구조이다.

답 ①

| 06 | 매트릭스구조 | 난이도 ●○○ |

ㄱ, ㄷ, ㄹ은 매트릭스구조에 대한 옳지 않은 설명이다.
ㄱ. 매트릭스구조는 기능구조와 사업구조의 화학적 결합이다.
ㄷ. 기능부서의 통제권한은 수직적으로 흐르고, 사업구조의 조정권한은 수평적으로 흐른다.
ㄹ. 이원적 권한 체계로 명령계통의 이원화를 가져와 책임 한계가 불명확하다.

(선지분석)
ㄴ. 매트릭스구조는 신축성과 대응성이 요구되는 불안정하고 급변하는 조직환경에 효과적인 구조이다.

답 ④

07   2023년 국가직 9급

조직구조의 유형에 대한 설명으로 옳지 않은 것은?

① 사업(부)구조는 조직의 산출물에 기반을 둔 구조화 방식으로 사업(부) 간 기능 조정이 용이하다.
② 매트릭스구조는 수직적 기능구조에 수평적 사업구조를 결합시켜 조직운영상의 신축성을 확보한다.
③ 네트워크구조는 복수의 조직이 각자의 경계를 넘어 연결고리를 통해 결합 관계를 이루어 환경 변화에 대처한다.
④ 수평(팀제)구조는 핵심업무 과정 중심의 구조화 방식으로 부서 사이의 경계를 제거하여 의사소통을 원활하게 한다.

08   2024년 지방직 9급

팀제조직에 대한 설명으로 옳은 것만을 모두 고르면?

> ㄱ. 결정과 기획의 핵심 기능만 남기고 사업집행 기능은 전문업체에 위탁한다.
> ㄴ. 역동적 환경변화에 유연하게 적응하고 신속한 문제해결이 가능하다.
> ㄷ. 기술구조 부문이 중심이 되고 작업 과정의 표준화가 주요 조정수단이다.
> ㄹ. 관료제의 병리를 타파하고 업무수행에 새로운 의식과 행태의 변화 필요성으로 등장하였다.

① ㄱ, ㄴ
② ㄱ, ㄷ
③ ㄴ, ㄹ
④ ㄷ, ㄹ

---

07   조직구조의 유형   난이도 ●●○

사업구조는 사업부서 내에서의 기능 간 조정은 용이하나 사업부서 간 조정은 곤란하다.

(선지분석)
② 매트릭스구조(matrix structure)는 기능구조와 사업구조의 화학적 결합을 시도하는 조직구조이다. 매트릭스구조의 기본적 특성은 이원적 권한체제이다. 즉, 수직적으로는 기능부서 통제권한이 구성되고, 수평적으로는 사업부서 간 조정권한이 구성된다.
③ 네트워크구조는 조직의 자체기능은 핵심역량 위주로 합리화하고, 여타 기능은 외부기관들과 계약관계를 통해 수행하는 조직구조 방식이다.
④ 수평구조는 조직구성원을 핵심업무과정 중심으로 조직화하는 것으로, 팀제를 전반적으로 채택하여 수직적 계층과 부서 간 경계를 실질적으로 제거한 매우 유기적인 조직구조이다.

답 ①

08   팀제조직   난이도 ●○○

ㄴ. 팀제는 신속한 환경대응이 필요할 때 이용된다.
ㄹ. 관료제의 병리를 타파할 필요성으로 등장한 팀조직은 상호 보완적인 기능을 가진 소수의 사람들이 공동의 목표를 달성하기 위해 책임을 공유하고 공동의 접근방법을 사용하는 수평적 조직단위이다.

(선지분석)
ㄱ. 결정과 기획의 핵심기능만 남기고 사업집행기능은 전문업체에 위탁하는 조직은 네트워크조직이다.
ㄷ. 기술구조 부문이 중심이 되고 작업 과정의 표준화가 주요 조정수단인 조직은 기계적 관료제이다.

답 ③

09

2022년 군무원 7급

다음 중 매트릭스(matrix)구조에 대한 설명으로 가장 옳지 않은 것은?

① 개인들이 다양한 경험을 통해 전문기술의 개발과 넓은 안목을 갖출 수 있다.
② 기능부서 통제권한의 계층은 수평적으로 흐르고, 사업부서 간 조정권한의 계층은 수직적으로 흐르게 된다.
③ 구성원 간의 역할갈등, 역할모호성, 과업조정의 어려움 등이 발생할 우려가 있다.
④ 경직화되어 가는 대규모 관료제조직에 융통성을 부여해 줄 수 있다.

10

2024년 국가직 9급

다음 내용에 해당하는 조직유형에 대한 설명으로 옳지 않은 것은?

> A회사는 장기적인 제품개발 프로젝트 수행을 위해 각 부서에서 총 10명을 차출하여 팀을 운영하려고 한다. 이 팀에 소속된 팀원들은 원부서에서 주어진 고유 기능을 수행하면서 제품개발을 위한 별도 직무가 부여된다. 따라서 프로젝트 수행 기간 중 팀원들은 프로젝트팀장과 원소속 부서장의 지휘를 동시에 받게 된다.

① 기능구조와 사업구조를 결합한 혼합형 구조이다.
② 동태적 환경 및 부서 간 상호 의존성이 높은 상황에서 효과적이다.
③ 조직 내부의 갈등 가능성이 커질 우려가 있다.
④ 명령 계통의 다원화로 유연한 인적자원 활용이 어렵다.

---

09 매트릭스구조 난이도 ●○○

기능부서의 통제권한의 계층은 수직적으로 흐르고, 사업부서 간 조정권한의 계층은 수평적으로 흐른다.

선지분석
① 매트릭스조직은 기능부서와 사업부서의 화학적 결합을 통해 다양한 경험을 축적하고 안목을 넓힐 수 있다.
③ 매트릭스조직은 기능부서와 사업부서의 갈등으로 인한 역할갈등, 과업조정의 어려움 등의 문제가 발생할 수 있다.
④ 매트릭스조직은 기능구조의 대규모 관료조직에 사업부서를 결합하여 융통성과 대응성을 높일 수 있는 조직이다.

답 ②

10 매트릭스조직 난이도 ●●○

제시문은 기능구조와 사업구조를 화학적으로 결합한 매트릭스조직을 설명하는 것으로 매트릭스조직은 인적·물적자원을 공유하여 효율적으로 활용하고자 하는 탈관료제조직이다. 유연한 인적자원활용이 어렵다는 표현은 옳지 않다.

선지분석
① 매트릭스구조는 기능구조와 사업구조를 화학적으로 결합한 혼합형 조직이다.
② 탈관료제의 일유형으로 동태적 환경에 대한 대응성이 필요하고 부서 간 상호의존성이 높을 때 매트릭스조직은 효과적이다.
③ 명령계통이 이원화되어 이로 인한 내부 갈등가능성이 존재한다.

답 ④

11

2021년 군무원 9급

조직형태나 구조에 대한 설명으로 가장 옳지 않은 것은?

① 학습조직은 시스템적 사고에 의한 유기적·체제적 조직관을 바탕으로 한다.
② 네트워크조직에서는 서비스나 재화의 생산과 공급, 유통 등을 서로 다양한 조직에서 따로 수행한다.
③ 매트릭스구조는 기능구조와 계층구조를 결합시킨 이원적 형태이다.
④ 가상조직은 영구적이라기보다는 잠정적이고 임시적 조직으로 볼 수 있다.

| 11 | 조직형태 및 구조 | 난이도 ●○○ |

매트릭스구조는 기능구조와 사업구조를 결합시킨 이원적 형태이다.
답 ③

12

2013년 국가직 7급

조직관리에서 수직적 연결을 위한 조정기제가 아닌 것은?

① 계층제
② 규칙과 계획
③ 수직정보시스템
④ 임시작업단(task force)

| 12 | 수직적 연결을 위한 조정기제 | 난이도 ●○○ |

수직적 연결기제에는 계층제, 규칙과 계획, 계층직위의 추가, 수직정보시스템 등이 있다. 반면, 수평적 연결기제에는 정보시스템, 직접접촉, 임시작업단, 프로젝트 매니저, 프로젝트 팀 등이 있다. 임시작업단(TF: Task Force)은 특정 문제와 관련된 각 부서들의 대표로 구성된 임시위원회로서 일시적 문제에 대한 부서 간의 직접조정에 효과적이며, 일시적인 과제가 해결되면 임시작업단은 해산된다.

📄 수직적 조정과 수평적 조정의 비교

구분	수직적 조정 (수직적 연결기제)	수평적 조정 (수평적 연결기제)
의의	조직의 상·하 간의 활동을 조정하는 연결 장치	조직부서 간의 수평적인 조정과 의사소통의 양
연결기제	• 계층제 • 규칙과 계획 • 계층직위의 추가 • 수직정보시스템	• 정보시스템 • 직접접촉 • 임시작업단 • 프로젝트 매니저 • 프로젝트 팀

답 ④

13 ☐☐☐   2018년 국가직 9급

조직구조의 설계에 있어서 '조정의 원리'에 대한 설명으로 옳지 않은 것은?

① 수직적 연결은 상위계층의 관리자가 하위계층의 관리자를 통제하고 하위계층 간 활동을 조정하는 것을 목적으로 한다.
② 수직적 연결방법으로는 임시적으로 조직 내의 인적·물적 자원을 결합하는 프로젝트 팀(project team)의 설치 등이 있다.
③ 수평적 연결은 동일한 계층의 부서 간 조정과 의사소통을 목적으로 한다.
④ 수평적 연결방법으로는 다수 부서 간의 긴밀한 연결과 조정을 위한 태스크 포스(task force)의 설치 등이 있다.

14 ☐☐☐   2016년 국가직 9급

조직의 통합 및 조정 방법에 대한 설명으로 옳지 않은 것은?

① 민츠버그(Mintzberg)에 의하면 연락 역할 담당자는 상당한 공식적 권한을 부여받아 조직 내 부문 간 의사전달 문제를 처리한다.
② 태스크 포스는 여러 부서에서 차출된 직원으로 구성되며, 특정 과업이 해결된 후에는 해체된다.
③ 리커트(Likert)의 연결핀모형에 의하면 관리자는 연결핀으로서 자신이 관리하는 집단의 구성원인 동시에 상사에게 보고하는 관리자 집단의 구성원이다.
④ 차관회의는 조직 간 조정 방법 중 하나이다.

| 13 | 조정의 원리 | 난이도 ●○○ |

조직 내의 조정장치로서 프로젝트 팀, 태스크 포스 등은 수직적 연결기제가 아니라 수평적인 연결기제에 해당한다.

답 ②

| 14 | 조직의 통합 및 조정 방법 | 난이도 ●●○ |

민츠버그(Mintzberg)에 의하면 연락 담당자는 비공식적 권한을 부여받아 조직 내 부문 간 의사전달 문제를 처리한다.

선지분석
② 임시작업단(TF: Task Force)은 특정 문제에 관련된 각 부서들의 대표로 구성된 임시위원회로, 일시적 문제에 대한 부서 간의 직접조정에 효과적이다. 일시적인 과제가 해결되면 임시작업단은 해산된다.
③ 리커트(Likert)의 연결핀모형에 의하면 관리자는 자신이 관리하는 집단과 관리자 집단을 연결하는 연결핀 역할을 하게 된다.
④ 차관회의는 부처조직 간 수평적 조정 역할을 한다.

답 ①

15

2017년 국가직 7급(8월 시행)

조직구조에 대한 설명으로 옳은 것은?

① 공식화의 수준이 높을수록 조직 구성원들의 재량이 증가한다.
② 통솔범위가 넓은 조직은 일반적으로 고층구조를 갖는다.
③ 고객에 대한 신속한 서비스 제공 요구는 집권화를 촉진한다.
④ 복잡성은 '조직이 얼마나 나누어지고 흩어져 있는가'의 분화 정도를 말한다.

16

2017년 지방직 9급(6월 시행)

조직의 원리에 대한 설명으로 옳지 않은 것은?

① 계층제의 원리는 조직 내의 권한과 책임 및 의무의 정도가 상하의 계층에 따라 달라지도록 조직을 설계하는 것이다.
② 통솔범위란 한 사람의 상관 또는 감독자가 효과적으로 통솔할 수 있는 부하 또는 조직단위의 수를 말하며, 감독자의 능력, 업무의 난이도, 돌발 상황의 발생 가능성 등 다양한 요소를 고려하여 정해진다.
③ 분업의 원리에 따라 조직 전체의 업무를 종류와 성질별로 나누어 조직 구성원이 가급적 한 가지의 주된 업무만을 전담하게 하면 부서 간 의사소통과 조정의 필요성이 없어진다.
④ 부성화의 원리는 한 조직 내에서 유사한 업무를 묶어 여러 개의 하위기구를 만들 때 활용되는 것으로, 기능부서화, 사업부서화, 지역부서화, 혼합부서화 등의 방식이 있다.

15	조직구조	난이도 ●○○

조직구조의 기본변수인 복잡성(complexity)은 '조직이 얼마나 나누어지고 흩어져 있는가'의 분화 정도(degree of differentiation)를 말한다.

선지분석
① 공식화의 수준이 높을수록 조직 구성원들의 재량과 자율이 감소한다.
② 통솔범위와 계층의 수는 역의 관계이므로, 통솔범위가 넓은 조직은 유기적 구조로 일반적으로 저층구조를 갖는다.
③ 고객에 대한 신속한 서비스를 제공하려면 환경적응력이 높은 분권화된 유기적 구조가 필요하다.

답 ④

16	조직의 원리	난이도 ●●●

분업의 원리로 전문화가 고도화되면 자신의 분야만 잘 알고 다른 분야에 대해서는 시야가 좁아지는 전문화된 무능현상이 일어나 부서 간의 조정이 어려워진다.

선지분석
① 계층제(hierarchy)의 원리란 '조직 내의 권한과 책임 및 의무의 정도에 따라 조직 구성원들 간에 상하의 계층이나 등급을 설정하는 것'을 말한다.
② 통솔의 범위란 한 사람의 상관 또는 감독자가 혼자서 직접 효과적으로 통솔할 수 있는 부하의 수 또는 조직단위의 수를 말한다.
④ 부성화의 원리란 부처조직편성의 원리 혹은 기준을 밝히고자 하는 것으로, 기능부서화, 사업부서화, 지역부서화, 혼합부서화 등의 방식이 있다.

답 ③

17　2017년 지방직 9급(12월 추가)

조직의 원리에 대한 설명으로 옳지 않은 것은?

① 부성화(部省化)의 원리는 조정에 관한 원리에 해당한다.
② 통솔범위를 좁게 잡으면 계층의 수가 늘어난다.
③ 계선과 참모를 구분하는 것은 분업의 한 형태로 볼 수 있다.
④ 매트릭스조직은 명령통일의 원리를 위반한 것이다.

18　2016년 국가직 7급

귤릭(Gulick)의 조직설계의 고전적 원리에 대한 설명으로 옳지 않은 것은?

① 전문화의 원리란 전문화가 되면 될수록 행정능률은 올라간다는 것을 의미한다.
② 명령통일의 원리는 명령을 내리고 보고를 받는 사람이 한 사람이어야 한다는 것을 의미한다.
③ 통솔범위의 원리는 부하들을 효과적으로 통솔하기 위해 부하의 수가 한정되어야 한다는 것을 의미한다.
④ 부서편성의 원리는 조직편성의 기준을 제시하며 그 기준은 목적성과 자원 및 환경의 네 가지이다.

17　조직의 원리　난이도 ●○○

귤릭(Gulick)이 주장한 부성화의 원리는 부처를 어떤 기준에 의하여 편성할 것인지에 관한 분업의 원리의 일종으로, 조정의 원리와는 관계가 없다.

선지분석
② 통솔범위와 계층의 수는 역의 관계이다.
③ 계선은 결정과 집행, 참모는 결정자를 지원하는 일종의 분업구조이다.
④ 매트릭스조직은 기능별 구조와 사업별 구조를 화학적으로 결합시킨 이중적 구조로, 명령계통이 이원화되어 있다. 따라서 명령통일의 원리에 어긋나는 조직이다.

답 ①

18　귤릭(Gulick)의 조직설계의 고전적 원리　난이도 ●●○

부서편성의 원리(부성화의 원리)란 부처조직편성의 원리로, 목적 - 기능별, 과정 - 절차별, 대상 - 고객별, 지역 - 장소별이다.

선지분석
① 전문화의 원리(분업의 원리)란 업무를 세분할수록 능률적일 수 있다는 원리이다.
② 명령통일의 원리는 '조직체의 어떤 구성원이라 할지라도 오직 한 사람의 상관으로부터만 지시와 명령을 받고, 그 사람에게만 보고해야 한다는 것'을 말한다.
③ 통솔의 범위란 '한 사람의 상관 또는 감독자가 혼자서 직접 효과적으로 통솔할 수 있는 부하의 수 또는 조직단위의 수'이다.

📋 부처편성의 원리

구분	목적 - 기능별	과정 - 절차별	대상 - 고객별	지역 - 장소별
장점	사업목적 및 기능파악이 용이, 권한 및 책임한계 분명	행정의 전문화 가능, 최신기술의 활용	해당 부처와 정부와의 접촉과 교섭이 용이, 서비스의 증진	지역실정 반영 가능, 지역주민들의 의사반영
단점	할거주의 경향 초래	전문가석 능가 현상	부처권한의 대립, 압력단체에 의한 부당한 영향	전국적인 행정의 통일성 저해
비고	가장 일반적인 기준으로 거의 대부분의 중앙기관의 편성 기준	낮은 단계의 행정조직, 통계청, 감사원, 조달청, 예산실 등	국가보훈부, 보건복지부, 고용노동부, 여성가족부 등	지방자치단체, 외무부 하부 기구

답 ④

19

2020년 지방직 9급

조직구성의 원리에 대한 설명으로 옳지 않은 것은?

① 분업의 원리 - 일은 가능한 한 세분해야 한다.
② 통솔범위의 원리 - 한 명의 상관이 감독하는 부하의 수는 상관의 통제능력 범위 내로 한정해야 한다.
③ 명령통일의 원리 - 여러 상관이 지시한 명령이 서로 다를 경우 내용이 통일될 때까지 명령을 따르지 않아야 한다.
④ 조정의 원리 - 권한 배분의 구조를 통해 분화된 활동들을 통합해야 한다.

20

2017년 지방직 9급(12월 추가)

조직구조의 유형에 대한 설명으로 옳은 것은?

① 수평구조는 수직적 계층과 부서 간 경계를 제거하여 의사소통을 원활하게 만든 구조다.
② 기계적 조직에서는 효율적인 조직 운영을 위해 권한과 책임이 분산되어 있다.
③ 위원회 조직은 위원장에 의해 최종 의사결정이 이루어진다는 면에서 독임제로 운영되는 계층제와 유사성이 있다.
④ 애드호크라시는 변화에 신속하게 대응할 수 있다는 장점으로 인해 전통적인 관료제 구조를 대체하기에 이르렀다.

---

19 조직의 원리

명령통일의 원리란 한 사람의 상급자로부터만 명령·지시를 받고 한 사람의 상급자에게만 보고해야 한다는 명령일원화의 원칙을 말한다.

선지분석

① 분업(전문화)의 원리는 업무능률의 증진을 위해 조직 전체의 업무를 종류와 성질별로 나누어, 조직의 구성원이 가급적 한 가지의 주된 업무만을 전담하도록 하는 원리를 말한다.
② 통솔범위란 한 사람의 상관 또는 감독자가 혼자서 직접 효과적으로 통솔할 수 있는 부하의 수 또는 조직단위의 수를 말한다. 인간의 주의능력에는 한계가 있기 때문에 통솔범위는 일정한 한계를 지닌다.
④ 조정의 원리란 구성원들의 분화된 노력과 활동을 한 방향으로 조정·통합하여야 한다는 원리를 말한다.

답 ③

20 조직구조의 유형

수평구조는 수직적 계층과 부서 간의 경계가 제거된 팀제를 의미한다.

선지분석

② 기계적 조직은 엄격한 계층제에 의하여, 권한과 책임이 분산되어 있는 것이 아니라 상층부에 집중되어 있다.
③ 위원회 조직은 다수의 위원들 간 합의에 의하여 결정이 이루어진다는 점에서 독임제로 운영되는 계층제 조직과 대조적이다.
④ 애드호크라시(Adhocracy)는 전통적 관료제 구조를 대체하기보다는 보완 관계이다.

답 ①

21　　　　　　　　　　　　　　　　2016년 국가직 7급

조직구조에 대한 설명으로 옳지 않은 것은?

① 수평적 분화가 심할수록 전문성을 가진 부서 간 커뮤니케이션과 업무협조가 용이하다.
② 수직적 분화는 조직의 종적인 분화로서 책임과 권한의 계층적 분화를 말한다.
③ 공간적·장소적 분화는 조직의 구성원과 물리적인 시설이 지역적으로 분산되어 있는 정도를 말한다.
④ 조직구조의 복잡성은 조직이 얼마나 나누어지고 흩어져 있는가의 분화 정도를 말한다.

22　　　　　　　　　　　　　　　　2020년 국회직 8급

조직구조에 대한 설명으로 옳지 않은 것은?

① 일반적으로 단순하고 반복적 직무일수록, 조직의 규모가 클수록 그리고 안정적인 조직환경일수록 공식화가 높아진다.
② 조직구조의 구성요소 중 집권화란 조직 내에 존재하는 활동이 분화되어 있는 정도를 말한다.
③ 지나친 전문화는 조직구성원을 기계화하고 비인간화시키며, 조직구성원 간의 조정을 어렵게 하는 단점이 있다.
④ 공식화의 정도가 높을수록 조직 적응력은 떨어진다.
⑤ 유기적인 조직일수록 책임관계가 모호할 가능성이 크다.

| 21 | 조직구조 | 난이도 ●●○ |

수평적 분화란 조직이 수행하는 업무의 세분화를 의미하며, 세분화가 심하면 부서 간 커뮤니케이션과 업무협조가 어려워진다.

선지분석
② 수직적 분화는 조직 속에 몇 개의 수직적 계층을 만들고, 계층에 따라 다른 권한과 책임이 수직적으로 분화된 것을 의미한다.
③ 공간적 분산의 개념으로 옳은 지문이다.
④ 복잡성은 분화의 정도로, 수직적 분화와 수평적 분화, 공간적 분산이 있다.

답 ①

| 22 | 조직구조 | 난이도 ●○○ |

조직의 구조변수 중 집권화란 의사결정권이 상층부로 집중되어있는 현상을 말한다. 조직 내에 존재하는 활동(업무)이 분화되어있는 정도는 집권성이 아니라 복잡성을 말한다. 복잡성은 분화의 정도(degree of differentiation)를 의미하는 것으로, 조직이 수평적으로 얼마나 분화(분업)되어 있고, 수직적으로 얼마나 분화(계층화)되어 있으며, 장소(지역)적으로 얼마나 널리 흩어져 있는가를 의미한다.

선지분석
① 단순한 직무일수록, 조직의 규모가 클수록, 안정된 환경일수록 공식화가 높아진다.
③ 지나친 전문화(분업)는 구성원을 기계부품화 내지는 비인간화시키고 조정을 어렵게 만든다.
④ 공식화란 업무의 표준화정도를 말하는데, 공식화는 안정된 환경에서는 비용 절감 등에 유익하지만 불확실한 환경에서는 탄력적 대응성이 저하된다.
⑤ 유기적 구조는 기계적 구조에 비하여 엄격한 분업이나 계층화에 의존하지 않기 때문에 수평적·수직적으로 역할이나 책임관계가 명확하지 않다는 단점이 있다.

답 ②

23 ☐☐☐   2016년 지방직 9급

계층제에 대한 설명으로 옳지 않은 것은?

① 조직의 수직적 분화가 많이 이루어졌을 때 고층구조라 하고, 수직적 분화가 적을 때 저층구조라 한다.
② 조직 내의 권한과 책임 및 의무의 정도가 상하의 계층에 따라 달라지도록 조직을 설계하는 것을 말한다.
③ 조직에서 지휘명령 등 의사소통, 특히 상의하달의 통로가 확보되는 순기능이 있다.
④ 엄격한 명령계통에 따라 상명하복의 관계 유지를 위해서는 통솔범위를 넓게 설정한다.

24 ☐☐☐   2021년 국가직 7급

일반적인 조직구조 설계원리에 대한 설명으로 옳은 것만을 모두 고르면?

> ㄱ. 계선은 부하에게 업무를 지시하고, 참모는 정보제공, 자료분석, 기획 등의 전문지식을 제공한다.
> ㄴ. 부문화의 원리는 일정한 기준에 따라 서로 기능이 같거나 유사한 업무를 조직단위로 묶는 것을 의미한다.
> ㄷ. 통솔범위가 넓을수록 고도의 수직적 분화가 일어나 고층구조가 형성되고, 좁을수록 평면구조가 이뤄진다.
> ㄹ. 명령통일의 원리는 부하가 한 사람의 상관으로부터 명령을 받게 해야 함을 의미한다.

① ㄱ, ㄴ, ㄷ
② ㄱ, ㄴ, ㄹ
③ ㄱ, ㄷ, ㄹ
④ ㄴ, ㄷ, ㄹ

23	계층제	난이도 ●○○

계층제와 통솔범위는 역의 관계로, 통솔범위가 넓어지면 계층의 수는 적어지는 반면, 통솔범위가 좁아지면 계층의 수는 많아진다. 따라서 엄격한 명령계통에 따라 상명하복의 관계 유지를 위해서는 통솔범위를 좁게 설정해야 한다.

선지분석
① 계층제는 업무의 곤란도나 책임도를 기준으로 하는 수직적 분업의 일종이다. 따라서 수직적 분화가 많은 조직이 고층구조이고, 수직적 분화가 적은 조직이 저층구조이다.
② 계층제(hierarchy)의 원리란 '조직 내의 권한과 책임 및 의무의 정도에 따라 조직구성원들 간에 상하의 계층이나 등급을 설정하는 것'을 말한다.
③ 계층제(hierarchy)는 지휘, 명령 등 의사소통(특히 상의하달)의 통로이다.

답 ④

24	조직구조 설계원리	난이도 ●●○

ㄱ. 계선은 명령통일의 원리에 따라 직접 업무를 행하며, 참모는 정보제공·기획 등의 기능을 수행한다.
ㄴ. 부문화(departmentation)의 원리란 서로 기능이 같거나 유사한 업무를 조직단위로 묶는 것을 말한다.
ㄹ. 명령통일의 원리란 한 사람의 상급자로부터만 명령·지시를 받고 한 사람의 상급자에게만 보고해야 한다는 명령일원화의 원칙이다.

선지분석
ㄷ. 통솔범위가 넓을수록 저층구조가 형성되고, 반대로 통솔범위가 좁을수록 고층구조가 나타난다.

답 ②

25

2016년 서울시 7급

상황론적 조직이론(contingent theory)에 대한 설명 중 가장 옳은 것은?

① 우드워드(J. Woodward)는 제조업체의 생산기술에 따라 조직이 사용하는 기술의 유형을 구분하고, 대량생산기술에는 관료제와 같은 기계적 구조가 효과적이지 않다고 주장하였다.
② 톰슨(V. A. Thompson)은 업무처리 과정에서 일어나는 조직 간·개인 간 상호의존도를 기준으로 기술을 분류하고, 종합병원처럼 집약기술이 필요한 조직은 수직적 조정이 중요하다고 주장하였다.
③ 페로우(C. Perrow)는 조직원이 업무를 처리하는 과정에서 발생하는 예외적인 사건의 정도와 업무 처리가 표준화된 절차에 의해 수행되는 정도를 기준으로 조직의 기술을 장인기술, 비일상적 기술, 일상적 기술, 공학적 기술로 유형을 구분하였다.
④ 상황론적 조직이론에서는 정책결정자가 환경에 대해 충분한 정보를 갖지 못하므로 환경이 조직구조에 영향을 미치지 않는다고 본다.

| 25 | 상황론적 조직이론 | 난이도 ●●● |

페로우(C. Perrow)의 구분으로 옳은 설명이다.

(선지분석)
① 우드워드(J. Woodward)는 대량생산체제에는 기계적 구조가, 소량생산이나 연속공정 생산기술을 사용하는 조직에서는 유기적 구조가 더 높은 효과적이라고 본다.
② 톰슨(V. A. Thompson)은 종합병원처럼 집약적 기술이 필요한 조직은 수평적 의사전달 상호조정이 필요하다고 보았다.
④ 상황론적 조직이론은 상황변수에 의해 조직구조 및 조직의 효과성이 영향 받는다고 보는 이론이다.

페로우(Perrow)의 기술유형

구분	소수의 예외	다수의 예외
분석불가능한 (비일상적) 탐색	기능(craft; 장인기술) 예 고급 유리그릇을 생산하는 소규모 공장 등	• 비일상적(nonroutine) 기술 • 탈관료제가 사용하는 기술 예 항공산업, 원자력추진 장치 등
분석가능한 (일상적) 탐색	• 일상적(routine) 기술 • 관료제가 사용하는 기술 예 표준화된 제품의 대량생산 등	공학적 기술(engineering) 예 주문형 제품 등

답 ③

26

2019년 국가직 7급

페로우(C. Perrow)의 기술유형 중 과업의 다양성과 문제의 분석 가능성이 모두 높은 경우에 해당하는 기술은?

① 장인기술
② 비일상적 기술
③ 공학적 기술
④ 일상적 기술

| 26 | 페로우(Perrow)의 기술유형 | 난이도 ●○○ |

페로우(C. Perrow)의 기술의 유형 중 과업의 다양성과 문제의 분석 가능성이 모두 높은 경우에 해당하는 기술은 공학적 기술이다. 공학적 기술은 수행하는 과업이 다양하고 복잡하나, 수립된 공식과 절차 및 기법에 의해 용이하게 해결할 수 있는 기술로, 주문에 따른 전동기 생산·회계업무 등이 그 예에 해당한다.

(선지분석)
① 장인기술은 기예적 기술이라고도 하며, 수행하는 과업이 다양하지는 않으나 과업의 수행이 용이하지 않은 경우의 기술을 일컫는다.
② 비일상적 기술이란 과업의 다양성이 크고 문제의 분석 가능성이 낮은 기술이다.
④ 일상적 기술이란 정형화된 기술로, 과업의 다양성이 적고 표준화된 절차에 사용하기가 용이한 기술이다.

답 ③

27 ☐☐☐ 2014년 국가직 7급

조직구조 및 유형의 특성에 대한 설명으로 옳은 것은?

① 애드호크라시는 공식화 정도가 높고 분권화되어 있으며, 수직적 분화가 심한 특징을 보여주고 있다.
② 공식화는 자원배분을 포함한 의사결정 권한이 조직의 상하직위 간에 어떻게 분배되어 있는가를 의미한다.
③ 복잡성은 조직이 얼마나 나누어지고 흩어져 있는가의 분화 정도를 말하며, 수평적·수직적·공간적 분화 등으로 세분화할 수 있다.
④ 집권화는 업무수행 방식이나 절차가 표준화되어 있는 정도를 의미하며, 직무기술서, 내부규칙, 보고체계 등의 명문화 정도로 측정할 수 있다.

28 ☐☐☐ 2013년 서울시 7급

조직구조의 상황요인에 대한 설명 중 옳은 것은?

① 비일상적 기술일수록 공식화가 높아질 것이다.
② 환경의 불확실성이 높을수록 집권화가 높아질 것이다.
③ 비일상적 기술일수록 집권화가 높아질 것이다.
④ 환경의 불확실성이 높을수록 공식화가 높아질 것이다.
⑤ 조직의 규모가 커짐에 따라 공식화가 높아질 것이다.

| 27 | 조직구조 및 유형의 특성 | 난이도 ●○○ |

복잡성은 조직 내에 존재하는 분화의 정도를 의미하는 것으로, 분화의 정도가 높으면 조직의 복잡성이 높다.

(선지분석)
① 애드호크라시(Adhocracy)는 공식화 수준이 낮고 분권화되어 있으며, 수직적 분화(계층화)가 적게 이루어진 조직이다.
② 자원배분을 포함한 의사결정 권한이 조직의 상하직위 간에 어떻게 분배되어 있는가는 공식화가 아니라 집권화에 대한 설명이다.
④ 업무수행 방식이나 절차가 표준화되어 있는 정도는 집권화가 아니라 공식화에 대한 설명이다.

답 ③

| 28 | 조직구조의 상황요인 | 난이도 ●●○ |

공식화란 업무수행에 관한 규칙과 절차가 표준화·정형화되는 현상을 의미하며, 조직의 규모가 커질수록 공식화가 높아질 것이다.

(선지분석)
①, ③ 비일상적 기술일수록 복잡성은 높아지고, 공식성과 집권성은 낮아진다.
②, ④ 환경의 불확실성이 높을수록 복잡성, 공식성, 집권성 모두 낮아진다.

조직구조의 기본변수와 상황변수의 관계

상황변수 기본변수	규모		기술		환경	
	대규모	소규모	일상적	비일상적	확실 안정	불확실 불안정
복잡성	⇧	⇩	⇩	⇧	⇩	⇧
공식성	⇧	⇩	⇧	⇩	⇧	⇩
집권성	⇩	⇧	⇧	⇩	⇧	⇩

답 ⑤

29

2025년 군무원 9급

조직구조에 대한 설명으로 가장 적절한 것은?

① 명령체계는 조직 내 구성원을 수직적으로 연결하는 연속된 권한의 흐름으로 보고체계를 결정한다.
② 집권화의 수준이 높은 조직의 의사결정권한은 조직의 저층부에 집중된다.
③ 공식화의 수준이 높을수록 조직 구성원들의 재량이 증가한다.
④ 통솔범위가 넓은 조직은 일반적으로 고층 구조의 형태를 보인다.

30

2023년 국가직 7급

집권화와 분권화에 대한 설명으로 옳지 않은 것은?

① 집권화는 조직의 규모가 작고 신설 조직일 때 유리하다.
② 집권화의 장점으로는 전문적 기술의 활용가능성 향상과 경비절감을 들 수 있다.
③ 탄력적 업무수행은 분권화의 장점이다.
④ 분권화는 행정기능의 중복과 혼란을 회피할 수 있고 분열을 억제할 수 있다.

| 29 | 조직구조 | 난이도 ●●○ |

수직적 명령체계는 계층제의 원리로서 업무의 곤란도나 책임도를 기준으로 하는 수직적 분업의 일종으로 조직 내 구성원을 수직적으로 연결하는 연속된 권한의 흐름으로 보고체계를 결정한다.

선지분석
② 집권화의 수준이 높은 조직의 의사결정권한은 조직의 상층부에 집중된다.
③ 공식화의 수준이 높을수록 조직 구성원들의 재량이 감소한다.
④ 통솔범위가 넓은 조직은 일반적으로 저층 구조의 형태를 보인다. 계층의 수와 통솔범위는 역의 관계이다.

답 ①

| 30 | 집권화와 분권화 | 난이도 ●●○ |

분권화되면 업무 조정이 곤란해지고 업무의 중복을 초래할 수 있다. 중복과 혼란을 회피할 수 있고 분열을 억제할 수 있는 것은 집권화이다.

선지분석
① 소규모 조직이거나 신설조직은 집권화를 촉진시킨다.
② 특정한 활동의 전문화가 필요할 때, 규모의 경제를 통한 비용절감이 필요할 때는 집권화가 촉진된다.
③ 환경에 대한 탄력적 대응은 분권화를 촉진한다.

답 ④

31

2019년 서울시 9급

조직의 규모에 대한 설명으로 가장 옳은 것은?

① 조직의 규모가 클수록 공식화 수준이 낮아진다.
② 조직의 규모가 클수록 조직 내 구성원의 응집력이 강해진다.
③ 조직의 규모가 클수록 분권화되는 경향이 있다.
④ 조직의 규모가 클수록 복잡성이 낮아진다.

32

2022년 군무원 9급

조직구조에 대한 설명으로 가장 옳지 않은 것은?

① 기술(technology)과 집권화의 관계는 상관도가 높다.
② 우드워드(J. Woodward)는 대량 생산기술에는 관료제와 같은 기계적 구조가 효과적이라고 주장했다.
③ 톰슨(V. A. Thompson)은 업무 처리 과정에서 일어나는 조직 간·개인 간 상호의존도를 기준으로 기술을 분류했다.
④ 페로우(C. Perrow)는 과업의 다양성과 문제의 분석가능성을 기준으로 조직의 기술을 유형화했다.

| 31 | 조직의 규모 | 난이도 ●●○ |

조직의 규모란 일반적으로 조직을 구성하는 '조직구성원의 수'로 측정되지만 과업의 크기 및 조직책임의 범위 등으로 측정되기도 한다. 조직의 규모가 커질수록 구성원의 수와 업무량이 늘어나므로 권한을 하부조직으로 분산시키게 된다. 따라서 소규모 조직은 집권화되는 데 반하여 대규모 조직은 분권화가 된다.

(선지분석)
① 조직의 규모가 커질수록 조직의 행동은 더욱 공식화된다.
④ 조직의 규모가 커지면 복잡성은 어느 정도까지는 증대하다가 어느 수준부터는 감소한다.

답 ③

| 32 | 조직구조 | 난이도 ●●● |

기술(technology)과 집권화의 상관관계는 다른 변수(규모나 환경 등)들 간 관계에 비하여 상대적으로 상관성이 그리 높지 않다는 의견의 관점에서 출제된 문제이다.

(선지분석)
② 우드워드(J. Woodward)에 의하면 동일한 종류의 제품을 대량으로 생산하는 기술은 관료제적 조직구조이다.
③ 톰슨(V. A. Thompson)은 업무 처리 과정에서 일어나는 조직 간·개인 간 상호의존도를 기준으로 기술을 중개형 기술, 길게 연결된 기술, 집약형 기술로 구별하였다.
④ 페로우(C. Perrow)는 과업의 다양성과 문제의 분석가능성을 기준으로 조직의 기술을 장인기술, 일상적 기술, 비일상적 기술, 공학기술로 구별하였다.

답 ①

33 □□□ 2020년 지방직 9급

기술과 조직구조의 관계에 대한 페로우(Perrow)의 설명으로 옳지 않은 것은?

① 정형화된(routine) 기술은 공식성 및 집권성이 높은 조직구조와 부합한다.
② 비정형화된(non-routine) 기술은 부하들에 대한 상사의 통솔범위를 넓힐 수밖에 없을 것이다.
③ 공학적(engineering) 기술은 문제의 분석 가능성이 높다.
④ 기예적(craft) 기술은 대체로 유기적 조직구조와 부합한다.

34 □□□ 2015년 서울시 7급

조직구조의 유형 중에서 기능별 구조(functional structure)와 비교하여 사업별 구조(divisional structure)가 가지는 장점으로 보기 어려운 것은?

① 사업부서 내의 기능 간 조정이 용이하고 변화하는 환경에 신속하게 대응할 수 있다.
② 성과책임의 소재가 분명해 성과관리 체제에 유리하다.
③ 특정 산출물별로 운영되기 때문에 고객만족도를 제고할 수 있다.
④ 중복과 낭비를 예방하고 기능 내에서 규모의 경제를 구현할 수 있다.

| 33 | 페로우(Perrow)의 조직이론 | 난이도 ●●● |

페로우(Perrow)는 과제의 다양성과 문제의 분석 가능성을 기준으로 기술의 유형을 네 가지(정형화된 기술, 공학적 기술, 장인적 기술, 비정형화된 기술)로 구분하였다. 일상적 기술은 통솔 범위가 넓어지고, 비일상적 기술은 통솔 범위가 좁아진다.

(선지분석)
① 정형화된 기술(= 일상적 기술)은 과제의 다양성이 낮고 문제의 분석 가능성이 높은 일상적 기술로, 단순하고 반복적이므로 공식성 및 집권성이 높은 기계적 구조와 부합된다.
③ 공학적 기술은 과제의 다양성도 높고 문제의 분석 가능성 또한 높은 기술을 말한다.
④ 기예적 기술(= 장인기술)이란 과제의 다양성은 낮지만 문제의 분석 가능성 또한 낮아 문제 해결이 쉽지 않은 기술로, 대체로 분권화된 유기적 구조와 부합된다.

답 ②

| 34 | 사업별 구조의 장점 | 난이도 ●●○ |

사업별 구조는 각각의 사업부서 내에서 여러가지 기능을 중복적으로 수행하므로, 공통 관리비의 절감효과가 작아 중복과 낭비가 초래되고 규모의 경제를 구현할 수 없다. 중복과 낭비를 예방하고 기능 내에서 규모의 경제를 구현할 수 있는 것은 기능별 구조의 장점이다.

📄 사업별 구조의 장단점

장점	단점
• 부서 내의 기능 간 조정이 용이하고 환경변화에 신축적	• 산출물별 생산라인의 중복에 따른 규모의 불경제와 비효율
• 특정 산출물별로 운영되기 때문에 다양한 고객만족도 제고	• 기술적 전문지식 축적과 기술 발전에 불리
• 성과책임의 소재가 분명해져 성과관리체제에 유리	• 부서 간 조정이 곤란
• 조직 구성원들의 포괄적인 목표관 (기능구조 대비)	• 사업부서 간 경쟁이 심화될 경우 조직 전반적인 목표달성 곤란

답 ④

35
2015년 서울시 7급

민츠버그(Mintzberg)는 조직을 단순구조, 기계적 관료제, 전문적 관료제, 할거적 양태(사업부제), 임시체제 등으로 구분하였다. 이 중 전문적 관료제의 특징으로 가장 옳지 않은 것은?

① 높은 수평적 분화 수준
② 복잡하고 불안정적인 환경
③ 낮고 불명확한 공식화 수준
④ 높은 연결·연락 수준

36
2023년 지방직 9급

민츠버그(Mintzberg)가 제시한 조직유형이 아닌 것은?

① 기계적 관료제
② 애드호크라시(adhocracy)
③ 사업부제 구조
④ 홀라크라시(holacracy)

| 35 | 전문적 관료제의 특징 | 난이도 ●●○ |

전문적 관료제는 기술의 표준화를 추구하지만 공식화의 수준은 낮은 조직이다. 전문적 관료제가 처한 조직환경은 복잡하면서도 안정적인 환경이다.

선지분석

① 높은 수평적 분화 수준, ③ 낮고 불명확한 공식화 수준, ④ 높은 연결·연락 수준은 전문 관료제의 특징이다. 전문 관료제는 전문가들로 구성된 핵심운영층이 오랜 경험과 훈련으로 내면화된 표준 기술을 이용하여 자율권을 가지고 과업을 조정한다. 특징으로는 높은 수평적 분화, 낮은 공식화, 높은 분권화, 전문가 중심의 민주적 조직 등이다.

답 ②

| 36 | 민츠버그(Mintzberg)의 조직유형 | 난이도 ●○○ |

홀라크라시(holacracy)는 권한과 의사결정이 상위 계층에 속하지 않고 조직 전체에 걸쳐 분산되어 있는 새로운 조직구조로서 모든 구성원이 관리자 없이 동등한 위치에서 동일한 책임을 가지고 업무를 수행하는 조직이다.

선지분석

①, ②, ③ 민츠버그(Mintzberg)는 조직유형을 단순구조, 기계적 관료제, 전문관료제, 사업부제, 임시특별조직(adhocracy)로 구분하였다.

답 ④

37 2019년 서울시 7급(3월 추가)

민츠버그(H. Mintzberg)의 조직성장경로모형에 대한 설명으로 가장 옳지 않은 것은?

① 지원스태프 부문은 기본적인 과업흐름 내에서 발생하는 조직의 문제에 대해 지원하는 모든 전문가로 구성되어 있다.
② 조직은 핵심운영 부문, 전략 부문, 중간라인 부문, 기술구조 부문, 지원 스태프 부문으로 구성된다.
③ 전략 부문은 조직을 가장 포괄적인 관점에서 관리하는 최고관리층이 있는 곳으로 조직의 전략을 형성한다.
④ 핵심운영 부문은 조직의 제품이나 서비스를 생산해내는 기본적인 일들이 발생하는 곳이다.

38 2024년 군무원 9급

다음 중 민츠버그(Mintzberg)의 전문적 관료제구조에 대한 설명으로 가장 적절하지 않은 것은?

① 업무의 표준화가 어려워 개인의 전문성에 의존한다.
② 종합병원과 같이 높은 분화와 낮은 공식화의 특성을 가진다.
③ 환경변화에 적응하는 속도가 빠른 편이므로 복잡하고 불안전한 환경에 적절하다.
④ 핵심운영층에 해당하는 작업 계층의 역할이 강조된다.

---

37 조직성장경로모형 — 난이도 ●●●

민츠버그(H. Mintzberg)의 애드호크라시(adhocracy)의 핵심구성 부문인 지원스태프 부문은 기본적인 과업흐름 외에서 발생하는 조직의 문제에 대해 지원하는 전문가로 구성되어 있다.

민츠버그(H. Mintzberg)의 상황조건과 조직유형

구분	조정기제	구성 부분	상황요인	장단점
단순구조	직접통제	최고관리층이 가장 중요한 위치 차지	• 규모: 소규모 • 기술: 단순 • 환경: 단순·동태적 • 권력: 최고관리층 • 역사: 신생조직	• 장점: 신축성·적응성의 제고 • 단점: 장기적 전략결정 소홀
기계적관료제	작업과정의 표준화	기술구조가 가장 중요	• 규모: 대규모 • 기술: 비교적 단순 • 환경: 단순·안정적 • 권력: 기술관료 • 역사: 오래된 조직	• 장점: 효율성 제고 • 단점: 상하 간 갈등, 환경 부적응
전문적관료제	작업기술의 표준화	작업계층이 가장 중요	• 규모: 대규모 • 기술: 복잡 • 환경: 복잡·안정성 • 권력: 전문가 • 역사: 가변적	• 장점: 전문성 제고 • 단점: 환경 부적응
사업부제	산출물의 표준화	중간계층이 가장 중요	• 규모: 대규모 • 기술: 가변적 • 환경: 단순·안정적 • 권력: 중간층 • 역사: 오래된 조직	• 장점: 탄력적 적응 가능 • 단점: 권한 간 마찰 가능성
애드호크라시(Adhocracy)	구성원의 상호 조절	지원참모의 역할이 중요	• 규모: 가변적(소규모) • 기술: 매우 복잡 • 환경: 복잡·동태적 • 권력: 전문가 • 역사: 신생조직	• 장점: 창의성·융통성 높음, 성과관리 용이 • 단점: 책임 불분명, 갈등 유발

답 ①

38 전문관료제 — 난이도 ●●○

전문관료제는 복잡하고 안정적인 환경하에서 전문성이 높은 작업계층이 가장 중요하고 많은 조직이다.

(선지분석)

①, ④ 전문가들로 구성된 핵심운영층이 오랜 경험과 훈련으로 내면화된 표준적 기술을 이용하여 자율권을 가지고 과업을 조정한다. 작업기술의 표준화를 중시한다.
② 전문관료제는 높은 수평적 분화, 낮은 공식화, 높은 분권화, 전문가 중심의 조직이다.

답 ③

39

2012년 국가직 9급

다음 중 조직구조의 모형에 대한 설명으로 옳게 연결된 것은?

> ㄱ. 수평적 조정의 필요성이 낮을 때 효과적인 조직구조로서 규모의 경제를 제고할 수 있다.
> ㄴ. 자기완결적 기능을 단위로 기능 간 조정이 용이하여 환경변화에 대한 대응이 신축적이다.
> ㄷ. 조직 구성원을 핵심 업무과정 중심으로 조직화하는 방식이다.
> ㄹ. 조직 자체 기능은 핵심역량 위주로 하고, 여타 기능은 외부계약관계를 통해서 수행한다.

① ㄱ - 사업구조
② ㄴ - 매트릭스구조
③ ㄷ - 수직구조
④ ㄹ - 네트워크구조

40

2012년 국가직 7급

조직구조모형을 유기적인 성격이 약한 것에서부터 강한 것의 순서로 바르게 배열한 것은?

① 네트워크구조 < 매트릭스구조 < 수평구조 < 사업구조 < 기능구조
② 기능구조 < 사업구조 < 수평구조 < 매트릭스구조 < 네트워크구조
③ 기능구조 < 사업구조 < 매트릭스구조 < 수평구조 < 네트워크구조
④ 기능구조 < 매트릭스구조 < 사업구조 < 수평구조 < 네트워크구조

| 39 | 조직구조의 모형 | 난이도 ●○○ |

네트워크구조는 조직 자체 기능은 핵심역량 위주로 하고, 여타 기능은 외부계약관계를 통해서 수행한다.

선지분석
ㄱ. 수평적 조정의 필요성이 낮을 때 효과적인 조직구조로서 규모의 경제를 제고할 수 있는 것은 기능구조이다.
ㄴ. 자기완결적 기능을 단위로 기능 간 조정이 용이하여 환경변화에 대한 대응이 신축적인 조직은 사업구조이다.
ㄷ. 조직 구성원을 핵심 업무과정 중심으로 조직화하는 방식은 수평구조에 해당한다.

답 ④

| 40 | 조직구조모형의 유기적 성격 | 난이도 ●○○ |

조직구조의 모형은 크게 기능구조, 사업구조, 매트릭스구조, 수평구조, 네트워크구조로 구분되는데, 이들 모형은 배타적으로 기계적 또는 유기적 구조에 해당하는 것이 아니라 양자의 특징을 부분적으로 갖고 있다. 기계적 구조에서부터 유기적 구조 순서대로 나열하면, 기계적 구조 < 기능구조 < 사업구조 < 매트릭스구조 < 수평구조 < 네트워크구조 < 유기적 구조 순이다.

답 ③

KEYWORD 049 관료제와 탈관료제

41
2018년 서울시 7급(6월 시행)

막스 베버(Max Weber)가 말하는 관료제의 이념형(ideal type)에 대한 설명으로 가장 옳은 것은?

① 조직의 목표를 효율적으로 달성하기 위해서 순환근무를 강조한다.
② 법적·합리적 권위에 근거한 조직구조이다.
③ 도덕적 이상을 지닌 관료제의 형태를 말한다.
④ 문서화된 법규집보다 전문직업적 판단을 강조한다.

| 41 | 관료제의 이념형 | 난이도 ●○○ |

막스 베버(Max Weber)의 관료제 이념형(ideal type)은 법적·합리적 권위에 근거한 조직구조이다.

선지분석
① 관료제는 조직의 목표를 효율적으로 달성하기 위해서 순환근무보다는 한 가지 일만 반복적·전문적으로 수행하는 엄격한 분업의 원리를 중시한다.
③ 도덕적 이상보다는 법에 근거한 몰인간적인 행정을 중시한다.
④ 전문직업적 판단보다는 문서화된 법규정에 근거한 객관적 행정을 강조한다.

답 ②

42
2017년 국가직 7급(인사조직론)

베버(Weber)의 관료제론에 대한 설명으로 옳은 것은?

① 봉급은 서열과 근무기간이 아닌 업적에 의해서만 결정되며, 이는 현재 시행 중인 성과급제도와 유사성이 있다.
② 순수한 형태의 관료제에서는 관료가 선거에 의해 임명되며, 이를 통해 상관에 대한 계층제적 복종을 쉽게 확보할 수 있다.
③ 목표와 수단이 대치하는 현상은 조직의 지속적인 안정을 가능하게 하며, 관료제의 대표적인 순기능에 해당한다.
④ 관료는 법규가 정한 직위의 담당자로서 직위의 목표와 법규에 충성을 바친다.

| 42 | 베버(Weber)의 관료제론 | 난이도 ●○○ |

베버(Weber)의 관료제는 법규에 의한 합법적 지배를 특징으로 한다. 따라서 공식적인 법규나 직위·권한을 중시하며, 직위의 권한과 관할범위는 법규에 의하여 규정된다.

선지분석
① 베버(Weber)의 관료제는 실적이나 능력보다는 연공서열에 따라 보수를 결정하는 직업관료제를 특징으로 한다.
② 베버(Weber)가 이념형으로 제시한 관료제는 근대 관료제이며, 근대 관료제에서 관료는 시험 등에 의하여 공개채용된다.
③ 목표와 수단이 대치하는 현상은 수단에 지나치게 동조하여 목표와 수단의 전도나 창의력 결여 등과 같은 부작용을 초래하는 관료제의 병리현상에 해당한다.

답 ④

43 · 2022년 국가직 7급

관료제에 대한 설명으로 옳지 않은 것은?

① 계층제의 원리에 의해 체계가 확립된다.
② 업무에 대한 훈련을 받고 지식을 갖춘 전문적인 관료가 업무를 담당할 것을 요구한다.
③ 훈련된 무능은 관료가 제한된 분야에서 전문성은 있으나 새로운 상황에서 적응력과 업무능력이 떨어지는 현상이다.
④ 동조과잉은 적극적으로 새로운 과업을 찾아서 실행하기보다 현재의 주어진 업무만을 소극적으로 수행하는 것이다.

44 · 2023년 국가직 9급

베버(Weber)의 이념형(ideal type) 관료제에 대한 설명으로 옳지 않은 것은?

① 관료제 성립의 배경은 봉건적 지배체제의 확립이다.
② 법적·합리적 권위에 기초를 둔 조직구조와 형태이다.
③ 직위의 권한과 임무는 문서화된 법규로 규정된다.
④ 관료는 원칙적으로 상관이 임명한다.

| 43 | 관료제 | 난이도 ●●○ |

현재의 주어진 업무만을 소극적으로 수행하는 것은 무사안일이다. 동조과잉은 목표달성을 위해 마련된 규정이나 절차에 집착함으로써 결국 수단이 목표를 압도해버리는 현상이다.

선지분석
① 베버(Weber)의 이념형 관료제의 주요 특징으로 계서제적 구조이다.
② 베버(Weber)의 이념형 관료제의 주요 특징으로 관료의 전문화가 있다.
③ 훈련된 무능 현상은 한 가지의 지식 또는 기술에 관하여 훈련받고 기존 규칙을 준수하도록 길들여진 사람은 다른 대안을 생각하지 못하는 경직성을 보인다는 것이다.

답 ④

| 44 | 베버(Weber)의 이념형 관료제 | 난이도 ●●○ |

베버(Weber)는 근대화 과정에서 생성된 대규모 공공조직들에서 발견된 공통된 특징을 통해 합법적 지배에 근거한 합법적 관료제를 이상적인 이념형으로 제시하였다. 즉, 관료제 성립의 배경은 봉건적 지배체제가 아니라 합법적 지배가 정당화되는 근대적 지배체제의 확립이다.

선지분석
② 베버(Weber)의 이념형 관료제는 법적·합리적 권위에 기초를 둔 조직구조이다.
③ 모든 직위에 부여되는 권한과 관할 범위는 법규에 의해 규정된다. 권한이 사람에 부여되는 것이 아니다.
④ 관료제 내에서 관료는 계층제상의 상관이 임명하고 지휘·감독한다.

답 ①

45 □□□
2017년 국가직 9급(4월 시행)

관료제 병리현상에 대한 설명으로 옳지 않은 것은?

① 규칙이나 절차에 지나치게 집착하게 되면 목표와 수단의 대치현상이 발생한다.
② 모든 업무를 문서로 처리하는 문서주의는 번문욕례(繁文縟禮)를 초래한다.
③ 자신의 소속기관만을 중요시함에 따라 타기관과의 업무협조나 조정이 어렵게 되는 문제가 나타난다.
④ 법규와 절차 준수의 강조는 관료제 내 구성원들의 비정의성(非情誼性)을 저해한다.

46 □□□
2021년 군무원 9급

조직이론과 인간관에 대한 설명으로 가장 옳지 않은 것은?

① 조직이론의 시작은 테일러(Taylor)의 과학적 관리론에서 찾을 수 있으며, 1900년대 초까지 효율성과 구조중심의 사상을 담고 있었다.
② 기계적 조직으로서의 관료제는 합리적 경제인의 인간관을 반영하고 있는데, 테일러(Taylor)의 차등성과급제가 이러한 인간관에 기초한 보상시스템이다.
③ 계층구조는 피라미드 모양의 구조를 가지며 명령과 통제가 위로부터 아래로 전달되는 특성을 가진다.
④ 관료제하에서 구성원들은 인간으로서의 감정이나 충동을 멀리하는 정의적 행동(personal conduct)이 기대된다.

---

45 관료제 병리현상 난이도 ●○○

관료제 내의 구성원들의 비정의성(impersonality)은 병리현상이 아니라 특징이다. 관료제는 정적이고 개인적인 것을 고려하지 않는 비정의성을 특징으로 한다.

선지분석
① 관료는 목표달성을 위한 수단인 규칙·절차에 지나치게 영합·동조하는 경향을 보이고, 이는 목표전환현상을 초래할 수 있으며[머튼(Merton)], 부하를 통제하기 위한 규칙이 통제 위주의 관리를 가져올 수 있다[굴드너(Gouldner)].
② 책임의 한계를 명확히 하기 위한 문서에 의한 업무처리는 문서다작주의(Red Tape)·형식주의를 초래할 수 있다.
③ 할거주의(割據主義, 국지주의)에 대한 설명이다. 관료제는 관료들이 자기의 소속기관·소속부서에 대해서만 관심을 가짐으로써 횡적인 조정·협조가 곤란해질 수 있는[셀즈닉(Selznick)] 할거주의(割據主義, 국지주의)를 단점으로 가진다.

답 ④

46 조직이론과 인간관 난이도 ●○○

관료는 개인의 자의적인 행동 개입 없이 법규에 정해진 바에 따라 공정하게 업무를 처리해야 한다. 즉, 정의적 행동이 아닌 몰인간성과 비정의성(impersonalism)을 특징으로 한다.

답 ④

47 2016년 국가직 7급

관료제에 대한 설명으로 옳지 않은 것은?

① 관료제는 관료에 의하여 통치된다는 의미로서 왕정이나 민주정에 비해 관료가 국가정치와 행정의 중심 역할을 수행한다는 의미가 있다.
② 관료제는 소수의 상관과 다수의 부하로 구성되는 피라미드 형태를 취하며 과두제의 철칙이 나타날 수 있다.
③ 관료제의 병리현상으로 과잉동조에 따른 목표대치, 할거주의, 훈련된 무능력 등을 들 수 있다.
④ 베버(Weber)의 이념형 관료제는 성과급제도와 부합한다.

48 2018년 국회직 8급

다음 중 베버(Weber)가 제시한 이념형 관료제에 대한 설명으로 옳지 않은 것은?

① 관료의 충원 및 승진은 전문적인 자격과 능력을 기준으로 이루어진다.
② 조직 내의 모든 결정행위나 작동은 공식적으로 확립된 법규체제에 따른다.
③ 하급자는 상급자의 지시나 명령에 복종하는 계층제의 원리에 따라 조직이 운영된다.
④ 민원인의 만족 극대화를 위해 업무처리 시 관료와 민원인과의 긴밀한 감정교류가 중시된다.
⑤ 조직 내의 모든 업무는 문서로 처리하는 것이 원칙이다.

---

47 관료제 난이도 ●○○

베버(Weber)의 이념형 관료제에서 관료는 '성과급'이 아니라 연공서열식 보수체계이다.

(선지분석)
① 관료제를 구조적 개념으로 보는 것이 일반적 개념이지만, 지문의 내용처럼 보는 견해도 있다.
② 관료제의 역기능 중 하나로 소수 엘리트에 의한 지배, 즉 과두제의 철칙이 나타난다.
③ 과잉동조에 따른 목표대치, 할거주의, 훈련된 무능력 등은 관료제의 역기능의 예들로 옳은 지문이다.

답 ④

48 이념형 관료제 난이도 ●●○

베버(Weber)가 제시한 이념형 관료제에서 관료는 감정과 편견 등이 배제된 비정의적인 형식주의 정신에 입각하여 객관적 업무를 수행하고자 하였다.

(선지분석)
① 이념형 관료제는 실적과 능력에 따른 임용을 중시한다.
② 합법적으로 제정된 법규에 의한 지배를 추구한다.
③ 계층제에 의한 상명하복에 따라 조직을 운영한다.
⑤ 권한과 책임을 명확히 하기 위해 문서에 의한 행정을 중시한다.

답 ④

49

2016년 지방직 7급

관료제 병리현상에 대한 설명으로 옳은 것은?

① 동조과잉과 형식주의로 인해 '전문화로 인한 무능'현상이 발생한다.
② '피터의 원리(Peter Principle)'가 지적하듯이 무능력자가 승진하게 되는 경우가 생긴다.
③ 상관의 권위에 의존하면서 소극적으로 일을 처리하려는 할거주의가 나타난다.
④ 목표가 아닌 수단으로서의 규칙과 절차에 지나치게 집착하는 번문욕례(red tape)현상이 나타난다.

50

2025년 국가직 9급

관료제 비판 중 다음 설명에 해당하는 것은?

> 각 계층에서 유능한 자가 승진하고 나면 결국 무능한 자만 남게 되어 관료제의 대다수 계층이 무능력자로 채워진다.

① 번문욕례(red tape)
② 파킨슨 법칙(Parkinson's law)
③ 피터의 원리(Peter's principle)
④ 훈련된 무능(trained incapacity)

| 49 | 관료제 병리현상 | 난이도 ●●○ |

피터(Peter)의 원리는 관료제의 규모가 커지면 승진의 기회가 확대되고, 무능한 사람들이 높은 자리를 차지하게 되어 조직의 능률이 저하된다는 원리를 말한다.

선지분석
① 전문화로 인한 무능은 지나친 분업의 폐단이다.
③ 할거주의는 자기가 속한 소집단의 입장에만 집착하는 것을 의미한다.
④ 목표가 아닌 수단으로서의 규칙과 절차에 지나치게 집착하는 것은 동조과잉현상에 해당한다.

답 ②

| 50 | 관료제 병리현상 | 난이도 ●○○ |

제시문은 관료제의 병리현상 중 하나인 피터의 원리에 해당한다.

선지분석
① 번문욕례는 책임의 한계를 명확히 하기 위한 문서에 의한 업무처리는 문서다작주의(Red Tape)·형식주의를 초래할 수 있다.
② 파킨슨 법칙은 본질적인 업무량의 증가와 관계없이 공무원의 수가 지속적으로 팽창하는 현상이다.
④ 전문행정가는 이른바 훈련된 무능현상을 나타냄으로써 시야가 좁아져 포괄적인 통찰력이 부족하게 되고, 할거주의나 국지주의를 초래하기 쉽다.

답 ③

51
2015년 서울시 9급

관료제 병리에 관한 연구 내용과 학자 간 연결이 옳지 않은 것은?

① 굴드너(Gouldner) - 관료들이 규칙의 범위 내에서 소극적으로 행동하는 무사안일주의를 초래한다.
② 굿셀(Goodsell) - 계층제 조직의 구성원이 각자의 능력을 넘는 수준까지 승진하게 되는 병리현상이 나타난다.
③ 머튼(Merton) - 최고관리자의 관료에 대한 지나친 통제가 관료들의 경직성을 초래한다.
④ 셀즈닉(Selznick) - 권한의 위임과 전문화가 조직 하위체제 간 이해관계의 지나친 분극을 초래한다.

52
2015년 국가직 7급

베버(Weber)의 관료제모형에 대한 설명으로 옳지 않은 것은?

① 관료에게 지급되는 봉급은 업무수행 실적에 대한 평가에 따라 결정된다.
② 관료제모형은 계층제의 원리를 근간으로 한다.
③ 베버(Weber)는 정당성을 기준으로 권위의 유형을 전통적 권위, 카리스마적 권위, 법적·합리적 권위로 나누었는데 근대적 관료제는 법적·합리적 권위에 기초를 두고 있다고 주장한다.
④ 관료제모형은 '전문화로 인한 무능(trained incapacity)' 등 역기능을 초래할 수도 있다.

---

51 관료제 병리현상 | 난이도 ●●○

계층제 조직의 구성원이 각자의 능력을 넘는 수준까지 승진하게 되는 병리현상은 굿셀(Goodsell)이 아니라 피터(Peter)가 주장한 병리현상이다. 굿셀(Goodsell)은 1980년대 중반 관료제 옹호론에서 관료제를 지나치게 비판하는 것은 바람직하지 않다고 주장하면서, 관료제의 우월성에 대한 고전적 관점에 입각하여 아직도 관료제를 대체할 만한 대안은 없으며 관료제의 병폐에 대한 비판론자들의 주장이 현실과 다르다고 주장하였다.

답 ②

52 베버(Weber)의 관료제모형 | 난이도 ●○○

베버(Weber)의 관료제모형은 실적에 따른 성과급을 채택하지 않는다.

선지분석
②, ③ 베버(Weber)의 관료제의 특성이다.
④ 전문화로 인한 무능이란 지나친 분업에 의한 전문화로 시야가 좁아질 수 있다는 관료제의 병리현상이다.

베버(Weber)의 근대적 관료제유형

구분	지배의 정당성	특징(권한의 정당성)
가산적 관료제	전통적 지배	• 전통을 권력의 원천으로 봄 • 권한 행사의 자의성, 예측 불가능성, 미분화된 기능, 공사 구분의 결여, 전인격적인 지배, 관료의 특권성
카리스마적 관료제	카리스마적 지배	권력의 원천은 초월적 지도자의 비범함이나 선천적 자질
합법적 관료제	합법적 지배	• 이상적인 근대적 관료제 • 권력의 정당성이 법규에 있음

답 ①

53 □□□ 2014년 국가직 9급

관료제의 여러 병리현상 중 '과잉동조'에 대한 설명으로 옳은 것은?

① 목표 달성을 위해 마련된 규정이나 절차에 집착함으로써 결국 수단이 목표를 압도해버리는 현상
② 세분화된 특정 업무에서는 전문적인 능력이 있지만 그 밖의 업무에 대해서는 문외한이 되는 현상
③ 다양한 외부 환경의 변화에 둔감하고 조직목표의 혁신에 적극적으로 저항하는 현상
④ 자신이 소속된 기관이나 부서만을 생각하고 다른 기관이나 부서를 배려하지 않는 현상

| 53 | 관료제의 병리현상 | 난이도 ●○○ |

관료제의 병리현상 중 과잉동조란, 목표 달성을 위해 마련된 규정이나 절차에 집착함으로써 결국 수단이 목표를 압도해버리는 현상을 일컫는다.

(선지분석)
② 세분화된 특정 업무에서는 전문적인 능력이 있지만 그 밖의 업무에 대해서는 문외한이 되는 현상을 일컬어 '전문가적 무능'이라 한다.
③ 다양한 외부 환경의 변화에 둔감하고 조직목표의 혁신에 적극적으로 저항하는 현상을 '변화에 대한 저항'이라 한다.
④ 자신이 소속된 기관이나 부서만을 생각하고, 다른 기관이나 부서를 배려하지 않는 현상을 '할거주의', 즉 '국지주의'라고 한다.

답 ①

---

54 □□□ 2020년 국회직 8급

베버(Weber)가 주장했던 이념형 관료제의 특징으로 옳은 것만을 〈보기〉에서 모두 고르면?

〈보기〉
ㄱ. 지도자 개인의 카리스마가 아니라 성문화된 법령이 조직 내 권위의 원천이 된다.
ㄴ. 엄격한 계서제에 따라 상대방의 지위를 고려하여 법규를 적용한다.
ㄷ. 관료는 업무 수행에 대한 대가로 정기적으로 일정한 보수를 받는다.
ㄹ. 모든 직무수행과 의사전달은 구두가 아니라 문서로 이루어지는 것이 원칙이다.
ㅁ. 권한은 사람이 아니라 직위에 부여되는 것이다.

① ㄱ, ㄴ
② ㄴ, ㅁ
③ ㄱ, ㄷ, ㄹ
④ ㄱ, ㄷ, ㄹ, ㅁ
⑤ ㄴ, ㄷ, ㄹ, ㅁ

| 54 | 베버(Weber)의 관료제 | 난이도 ●●○ |

ㄱ. 베버(Weber)의 관료제는 개인의 카리스마가 아니라 합법적 권력을 그 원천으로 한다.
ㄷ. 규칙적으로 급료를 지불받는 직업관료제를 전제로 한다.
ㄹ. 권한과 책임한계를 분명히 하기 위해 문서위주의 행정을 원칙으로 한다.
ㅁ. 권한은 사람이 아니라 직위에 부여되는 것이다. 따라서 점직자(직위를 점한 사람)가 바뀌어도 그 직위에 부여된 권한은 변함이 없다.

(선지분석)
ㄴ. 상대방(민원인)의 지위나 신분, 여건 등을 무시하고 법규와 규정에 따라 업무를 객관적으로 처리하는 비개인화(impersonalism)를 특징으로 한다.

답 ④

55 ☐☐☐   2021년 군무원 9급

막스 베버(Max Weber)의 관료제에 대한 설명으로 가장 옳지 않은 것은?

① 관료제는 계층제 구조를 본질로 하고 있다.
② 관료제를 현대 사회의 보편적인 조직모형으로 보고 있다.
③ 신행정학에서는 탈(脫)관료제 모형으로서 수평적이고 임시적인 조직모형을 제안한다.
④ 행정조직 발전에 대한 패러다임(paradigm)의 관점에서 관료제 모형을 제시했다.

56 ☐☐☐   2021년 군무원 7급

베버(M. Weber)가 제시한 관료제의 특징과 가장 관련이 없는 것은?

① 관료 간의 관계는 계서제(hierarchy)적 원칙에 따라 규율되며, 하급자는 상급자의 엄격한 감독과 통제하에 임무를 수행한다.
② 모든 직위의 권한과 임무는 문서화된 규칙으로 규정된다.
③ 관료들은 고객과의 일체감을 중시하며, 구체적인 경우의 특별한 사정을 충분히 고려하여 임무를 수행한다.
④ 관료의 채용기준은 전문적 · 기술적 능력이며, 관료로서의 직업은 잠정적인 것이 아니라 일생 동안 종사하는 항구적인 생애의 직업이다.

55	관료제	난이도 ●●●

행정조직 발전에 대한 패러다임(paradigm)의 관점에서 제시한 것이 아니다. 베버(Weber)는 18세기 이후 서구의 근대적 자본주의를 합리적인 것으로 보고, 근대화 과정에서 생성된 대규모 조직들에서 발견된 공통된 특징을 통해 합법적 지배에 근거한 합법적 관료제를 이상적인 이념형으로 제시하였다.

(선지분석)
① 계층제적 조직구조로 조직단위 상호 간 내지 조직 내부의 직위 간에는 상위직이 하위직을 감독하고 관리하는 명확한 명령복종 관계가 확립되어 있다.
② 대규모의 조직이라면 관료제 구조가 보편적으로 존재한다고 본다.
③ 신행정학에서는 변화에 대한 동태적 적응성과 조직의 쇄신을 도모하기 위해 탈관료제 조직이 대두되게 된다.

답 ④

56	관료제의 특징	난이도 ●●○

관료들은 개인별 특별한 사정을 고려하지 않는 중립적이고 비정의적인 행정을 수행하여야 한다.

(선지분석)
① 관료제는 관료들 간의 관계는 엄격한 상명하복의 관계로 임무를 수행한다.
② 모든 직위의 권한과 임무는 문서화된 규칙으로 규정된다.
④ 관료의 채용기준은 전문적 능력이며, 신분은 평생동안 종사하는 항구적인 생애의 직업이다.

답 ③

57 ☐☐☐ 2021년 군무원 7급

관료제 조직의 폐단을 극복하기 위한 대안에 대한 설명으로 가장 적절하지 않은 것은?

① 업무의 명확한 구분에서 야기되는 문제점은 기계적 구조(mechanistic structure)로 처방한다.
② 집권화의 문제점은 참여관리와 조직민주주의로 처방한다.
③ 공식화의 문제점은 태스크 포스(taskforce) 구조로 처방한다.
④ 계층제 조직의 문제점을 극복하기 위해서는 위원회 조직을 고려한다.

58 ☐☐☐ 2022년 지방직 9급

관료제 병리현상과 그 특징을 짝지은 것으로 옳지 않은 것은?

① 할거주의 - 조정과 협조 곤란
② 형식주의 - 번거로운 문서 처리
③ 피터(Peter)의 원리 - 관료들의 세력 팽창 욕구로 인한 기구와 인력의 증대
④ 전문화로 인한 무능 - 한정된 분야의 전문성 강조로 타 분야에 대한 이해력 부족

| 57 | 관료제의 폐단 | 난이도 ●●○ |

업무의 명확한 구분, 즉 지나친 분업에서 야기되는 문제점은 분업보다 협업(팀워크)을 중시하는 유기적 구조(organic structure)로 처방해야 한다.

(선지분석)
② 집권화의 문제점은 분권화을 통한 참여관리와 조직민주주의로 처방한다.
③ 공식화로 인한 경직성의 문제점은 임시조직인 태스크 포스(task force) 구조로 처방할 수 있다.
④ 수직적인 계층제 조직의 문제점을 극복하기 위한 방법에는 계층제를 완화한 위원회 조직을 고려할 수 있다.

답 ①

| 58 | 관료제의 병리현상 | 난이도 ●○○ |

관료들의 세력 팽창 욕구로 인한 기구와 인력의 증대현상은 관료제국주의나 파킨슨의 법칙에 해당한다. 피터의 원리는 관료가 무능력 수준까지 승진한다는 관료제의 역기능 현상이다.

(선지분석)
①, ②, ④ 모두 관료제의 병리현상으로 옳은 지문이다.

답 ③

59
2022년 군무원 9급

베버(Max Weber)의 관료제에 대한 설명으로 가장 옳지 않은 것은?

① 합리성을 조직에 적용하여 목표달성을 위한 효과적인 수단으로 관료제를 간주한다.
② 실적을 인사행정의 기준으로 채택하는 실적주의를 바탕으로 한다.
③ 조직의 목표달성을 위해 절차나 방법을 문서화된 법규형태로 가진다.
④ 관료제의 구성원들은 조직 전반의 일반적인 업무에 대해 책임을 진다.

60
2025년 군무원 9급

베버(M. Weber)의 관료제 이론에 대한 비판으로 가장 적절하지 않은 것은?

① 조직의 비공식적 측면의 존재를 무시하였다.
② 발전론의 관점에서 분업이나 협업의 체계보다는 지배·복종관계로 보아야 한다.
③ 환경과의 관계를 무시한 폐쇄이론이다.
④ 합법성보다 효과성 또는 합목적성이 더 중요한 경우가 있다.

---

59 베버(Weber)의 관료제 난이도 ●●●

직위에 부여되는 권한과 관할 범위는 법규에 의해 규정되므로 법규에 의해서 부여된 업무에 대해서 책임을 진다. 조직 전반의 일반적인 업무에 대해 책임을 지는 것이 아니다.

(선지분석)
① 관료제는 효율적인 목표달성수단으로서의 기술적 우월성을 가진다.
② 관료제는 모든 직무는 전문지식과 기술을 지닌 관료가 담당하며, 이들은 시험 또는 자격심사 등을 통해 공개적으로 채용된다.
③ 모든 직위에 부여되는 권한과 관할 범위는 법규에 의해 규정된다.

답 ④

60 베버(M. Weber)의 관료제 난이도 ●●●

베버(M. Weber)의 관료제는 계층제에 의한 지위·명령에 의존하게 되어 문제해결에 적극적·쇄신적 태도를 갖지 못하고, 상급자의 권위나 선례에만 의존하려는 경향이 나타나기 쉽다는 비판을 받는다.

(선지분석)
① 조직의 공식적 측면을 강조하고 비공식적 측면의 존재를 경시했다는 비판을 받는다.
③ 폐쇄이론이라는 한계가 있다.
④ 합법성의 의한 지배는 목표대치현상을 유발한다. 이러한 이유로 관료제는 합법성보다 효과성 또는 합목적성이 더 중요한 경우에 대응이 힘들다는 비판을 받는다.

답 ②

61 □□□   2016년 국가직 7급

애드호크라시(Adhocracy)에 대한 설명으로 옳지 않은 것은?

① 구조적으로 복잡성·공식화·집권화의 정도가 낮은 수준이다.
② 고도의 창의성과 환경 적응성이 필요한 상황에서 유효한 임시조직이다.
③ 다양한 전문가들로 구성된 집합으로 조직화와 표준화가 신속하게 이뤄진다.
④ 업무처리 과정에서 갈등과 비협조가 일어나고 창의적 업무수행 과정에서 심적 스트레스를 많이 받는다.

62 □□□   2019년 국가직 7급

애드호크라시(adhocracy)에 대한 설명으로 옳지 않은 것은?

① 대표적인 예로는 네트워크조직, 매트릭스조직 등을 들 수 있다.
② 변화에 신속하게 대응할 수 있다는 장점으로 인해 최근에는 전통적 관료제 조직모형을 대체할 정도로 많이 활용되고 있다.
③ 구조적으로 수평적 분화는 높은 반면 수직적 분화는 낮고, 공식화 및 집권화의 수준이 낮다.
④ 과업의 표준화나 공식화 정도가 상대적으로 낮기 때문에 구성원 간 업무상 갈등이 일어날 우려가 있다.

---

61   애드호크라시(Adhocracy)   난이도 ●●○

애드호크라시(Adhocracy) 조직모형은 표준화를 특징으로 하는 기계적 구조와 반대로 조직의 잠정성, 변화적응성을 강조한다.

선지분석
① 복잡성·공식화·집권화 정도가 높은 것은 관료제이고, 애드호크라시(Adhocracy)는 그 정도가 낮은 수준이다.
② 애드호크라시(Adhocracy)는 환경 변화에 대한 적응력이 뛰어난 조직이다.
④ 애드호크라시(Adhocracy)는 계층제 형태를 띠지 않기 때문에 오히려 권한과 책임이 모호하여 조직 내 갈등 발생 가능성이 높고, 변화에 적응하는 창의적 업무를 수행할 경우 스트레스를 받을 수 있다.

답 ③

62   애드호크라시(adhocracy)   난이도 ●●○

애드호크라시(adhocracy)는 변화에 신속하게 대응할 수 있는 장점이 있지만, 관료제를 완전히 대체할 대안으로 보기는 힘들다.

선지분석
① 변화가 심하고 적응력이 강한 체제이다. 대표적인 조직유형으로 매트릭스조직, 학습조직, 네트워크조직 등이 있다.
③ 낮은 복잡성, 낮은 공식성, 낮은 집권성을 특징으로 한다.
④ 과업의 표준화와 공식화 정도가 상대적으로 낮기 때문에 책임한계가 모호하고, 이로 인해 조직 구성원 간 갈등이 발생할 가능성이 높다.

답 ②

63   2022년 군무원 9급

애드호크라시(adhocracy)에 대한 설명으로 가장 옳지 않은 것은?

① 탈관료화 현상의 하나로 등장했다.
② 구조적으로 높은 수준의 복잡성, 낮은 수준의 공식화, 낮은 수준의 집권화를 특징으로 한다.
③ 고도의 창의성과 환경적응성이 필요한 상황에서 유효한 조직이다.
④ 업무처리과정에서 갈등과 비협조가 일어나고, 창의적인 업무 수행 과정에서 직원들이 심적 스트레스를 많이 받는다는 단점이 있다.

| 63 | 애드호크라시(adhocracy) | 난이도 ●○○ |

애드호크라시(adhocracy)는 낮은 수준의 복잡성을 가진다. 애드호크라시(adhocracy)를 수평적 복잡성과 수직적 복잡성을 구별하여 수평적 복잡성은 높고 수직적 복잡성은 낮다고 출제되는 문제도 있지만, 일반적으로 애드호크라시(adhocracy)는 구조적 복잡성이 낮다고 본다.

답 ②

64   2022년 지방직 7급

애드호크라시(adhocracy)에 대한 설명으로 옳지 않은 것은?

① 업무가 비정형적일 때 유용하다.
② 변화에 신속하게 대응할 수 있는 장점이 있다.
③ 책임소재가 명확하여 갈등이 생길 가능성이 작다.
④ 조직 목표 달성을 위해 조직 내 전문 능력이 있는 구성원들을 연결하는 구조이다.

| 64 | 애드호크라시(adhocracy) | 난이도 ●●○ |

애드호크라시(adhocracy)는 권한과 책임의 명확한 구분이 없어 갈등발생이 불가피하다.

선지분석

①, ②, ④ 애드호크라시(adhocracy)에 대한 설명으로 옳은 지문이다.

답 ③

65 2015년 국가직 9급

외부환경의 불확실성에 대응하는 조직구조상의 특징에 따라 기계적 조직과 유기적 조직으로 구분하는 경우, 다음 중 유기적 조직의 특성에 해당하는 것만을 모두 고른 것은?

> ㄱ. 넓은 직무범위
> ㄴ. 분명한 책임관계
> ㄷ. 몰인간적 대면관계
> ㄹ. 다원화된 의사소통채널
> ㅁ. 높은 공식화 수준
> ㅂ. 모호한 책임관계

① ㄱ, ㄷ, ㅂ
② ㄱ, ㄹ, ㅂ
③ ㄴ, ㄷ, ㅁ
④ ㄴ, ㄹ, ㅁ

65	유기적 조직의 특성	난이도 ●●○

ㄱ. 넓은 직무범위, ㄹ. 다원화된 의사소통채널, ㅂ. 모호한 책임관계는 유기적 구조의 특징에 해당한다.

선지분석

ㄴ. 분명한 책임관계, ㄷ. 몰인간적 대면관계, ㅁ. 높은 공식화 수준은 기계적 구조의 특징이다.

기계적 구조와 유기적 구조의 특징

기계적 구조	유기적 구조
• 예측 가능성 추구	• 적응성 추구
• 좁은 직무 범위	• 넓은 직무 범위
• 표준운영절차	• 적은 규칙·절차
• 분명한 책임관계	• 모호한 책임 관계
• 계층제	• 분화된 채널
• 공식적·몰인간적 대면관계	• 비공식적·인간적 대면 관계
• 고층구조	• 저층구조
• 명확한 조직목표와 과제	• 모호한 조직목표와 과제
• 분업적 과제	• 분업이 어려운 과제
• 단순한 과제	• 복합적 과제
• 성과 측정이 가능	• 성과 측정이 어려움
• 금전적 동기부여	• 복합적 동기부여
• 권위의 정당성 확보	• 도전받는 권위

답 ②

66 2024년 군무원 9급

다음 중 기계적 조직구조에 대한 설명으로 가장 적절하지 않은 것은?

① 대규모 조직에서 높은 공식화와 표준화를 추구한다.
② 막스베버의 관료제모형과 같이 고전적이고 전형적인 관료제 조직구조이다.
③ 조직이 처해 있는 환경적 상황이 복잡하고 불안정하며, 동태적으로 불확실성이 높은 경우에 적합하다.
④ 직무를 분화하여 전문화함으로써 조직의 내적통제 및 조정, 효율화, 합리화에 유리하다.

66	기계적 조직구조	난이도 ●○○

조직이 처한 환경이 복잡 불안정하고 동태적일 경우에는 유기적 구조가 적합하다.

선지분석

① 기계적 구조는 표준화와 공식화 수준이 높다.
② 베버(Weber)의 관료제모형으로 대표되는 기계적 구조는 내적 통제에 따른 예측가능성의 장점이 있다.

답 ③

67
2015년 국가직 9급

다음 중 네트워크조직에 대한 설명으로 옳은 것만을 모두 고른 것은?

> ㄱ. 구조의 유연성이 강조된다.
> ㄴ. 조직 간 연계장치는 수직적인 협력관계에 바탕을 둔다.
> ㄷ. 개방적 의사전달과 참여보다는 타율적 관리가 강조된다.
> ㄹ. 조직의 경계는 유동적이며 모호하다.

① ㄱ, ㄴ
② ㄱ, ㄹ
③ ㄴ, ㄷ
④ ㄷ, ㄹ

68
2024년 군무원 9급

네트워크구조의 기본원리로 가장 적절하지 않은 것은?

① 네트워크 참여자의 독립성
② 구성원 간의 자발적 연결
③ 네트워크 참여자에게 있는 공통된 목표
④ 계층의 통합과 단일의 지도자

| 67 | 네트워크조직 | 난이도 ●○○ |

ㄱ, ㄹ은 네트워크조직에 대한 옳은 설명이다.

선지분석
ㄴ. 연계된 조직 간에는 수평적인 협력과 신뢰관계가 바탕이 되어야 한다.
ㄷ. 타율적 관리보다는 자발적 연결과 관리(과정적 자율성)가 중요하다.

> **네트워크조직의 특징**
> ㉠ 구성단위들이 공동의 목표를 추구하는 통합지향적 조직이다.
> ㉡ 조직의 물리적 차원이 축소되거나 없어지고, 조직의 규모는 인력이나 조직이 아니라 네트워크의 크기로 파악된다.
> ㉢ 조직 전체의 구조는 비계서적으로, 업무수행 과정에서 구성단위들의 자율성이 높다.
> ㉣ 정보기술의 의존도가 높다.
> ㉤ 스피드와 유연성을 확보하기 위한 조직이다.

답 ②

| 68 | 네트워크구조 | 난이도 ●○○ |

네트워크조직은 절대적인 권한을 가진 지도자는 없으나, 역량 있는 복수의 지도자가 존재한다.

답 ④

69. 2019년 서울시 9급

네트워크조직구조가 가지는 일반적인 장점에 대한 설명으로 가장 옳지 않은 것은?

① 조직의 유연성과 자율성 강화를 통해 창의력을 발휘할 수 있다.
② 통합과 학습을 통해 경쟁력을 제고할 수 있다.
③ 조직의 네트워크화를 통해 환경 변화에 따른 불확실성을 감소시킬 수 있다.
④ 조직의 정체성과 응집력을 강화시킬 수 있다.

69 네트워크조직구조 | 난이도 ●○○

네트워크조직은 경계가 애매하여 조직의 정체성이 약하고 응집력 있는 조직문화를 갖기가 어렵다는 단점이 있다.

네트워크조직의 장단점

장점	단점
• 조직의 유연성과 자율성의 강화를 통하여 환경적 변화에 신속히 대응하고 창의력을 발휘 • 조직의 네트워크화를 통한 환경에의 불확실성을 감소시킴 • 통합과 학습을 통해 경쟁력 제고 • 정보통신기술을 활용해 시간·공간적 제약 완화 • 핵심 업무 외에는 외부와 계약을 하기 때문에 투자 비용을 절감	• 계약관계에 있는 외부기관을 직접 통제하기 곤란 • 구성단위에 대한 조정과 감시비용이 증가(대리인 문제로 인한 기회주의 방지 조치 필요) • 제품 및 서비스의 안정적 공급과 품질관리 곤란 • 조직경계가 모호하여 정체성이 약하고 응집력 있는 조직문화를 갖기 어려움 • 네트워크의 폐쇄화: 네트워크가 구축되면 네트워크 외부의 조직에 대해 배타적으로 행동함

답 ④

70. 2015년 서울시 7급

애드호크라시(adhocracy)에 대한 설명으로 가장 옳지 않은 것은?

① 애드호크라시는 특정 업무를 수행하기 위해 다양한 분야의 전문가가 일시적으로 구성된 후 업무가 끝나면 해체되는 경우가 많다.
② 애드호크라시는 문제해결 지향적인 체계이다.
③ 애드호크라시는 변화가 심하고 적응력이 강한 임시적인 체계이다.
④ 애드호크라시는 수평적 조직형태를 갖추고 있기 때문에 권한과 책임을 둘러싼 갈등은 발생하지 않는다.

70 애드호크라시(Adhocracy) | 난이도 ●○○

애드호크라시(Adhocracy)는 계층제 형태를 띠지 않기 때문에 오히려 권한과 책임이 모호하여 조직 내 갈등이 발생할 가능성이 높다. 수평구조인 팀제의 경우 팀장의 조직장악력이 부족할 경우 계층이 없기 때문에 이로 인한 갈등이 생길 수 있고, 매트릭스조직도 기능적 구조와 사업구조가 결합되어 명령계통이 이원화된 관계로 역시 신속한 결정이 어렵고 갈등이 발생할 소지가 높다.

답 ④

71 2014년 국가직 7급

네트워크조직의 특성에 대한 설명으로 옳지 않은 것은?

① 응집력 있는 조직문화를 만드는 데 유리하다.
② 업무 처리의 신속성과 유연성을 확보하는 데 유리하다.
③ 네트워크 기관과 구성원들 간의 교류를 통한 신뢰관계 형성이 중요하다.
④ 각기 높은 독자성을 지닌 조직단위나 조직들 간에 협력적 연계장치로 구성된 조직이다.

72 2021년 국가직 9급

결정과 기획 같은 핵심기능만 수행하는 조직을 중심에 놓고 다수의 독립된 조직들을 협력 관계로 묶어 일을 수행하는 조직형태는?

① 태스크 포스
② 프로젝트 팀
③ 네트워크조직
④ 매트릭스조직

---

71 네트워크조직의 특성 난이도 ●○○

네트워크조직은 상하계층 구조로 연결된 긴밀한 조직이 아니라 계약에 의하여 느슨하게 연결된 조직이므로, 밀접한 감독이 어려우며 경계가 애매하여 정체성이 약하고 응집력 있는 문화를 가지기 어렵다.

선지분석
② 시공간적 제약 극복으로 환경변화에 유연하고 신속하게 대응한다.
③ 연계조직 간 협력 및 교류에 의한 신뢰관계가 토대가 된다.
④ 독자적 조직들 간에 계약으로 맺어져 느슨하게 연결된 연계체제이다.

답 ①

72 네트워크조직 난이도 ●○○

설문은 네트워크조직을 의미한다. 네트워크조직(network organization)은 전략·계획·통제 등 핵심기능 위주로 합리화하고, 여타의 생산기능은 아웃소싱을 통하여 다른 조직의 자원을 저렴한 비용으로 활용하는 '분권화된 공동(空洞)조직(hollow organization)'이다.

답 ③

73

2020년 국가직 7급

학습조직에 대한 설명으로 옳지 않은 것은?

① 개방체제와 자아실현적 인간관을 바탕으로 새로운 지식을 창출하고자 한다.
② 연결된 체계 간의 상호작용을 이해하고, 이를 효과적으로 활용하기 위한 체계적 사고(systems thinking)를 강조한다.
③ 조직구성원들의 비전 공유를 중시한다.
④ 조직구성원의 합이 조직이 된다는 점에서, 조직 내 구성원 각자의 개인적 학습을 강조한다.

| 73 | 학습조직 | 난이도 ●●○ |

학습조직은 개인의 학습을 강조하는 것이 아니라 조직적 학습을 강조한다.

선지분석
① 학습자의 주체성·자발성·참여성이 존중되는 조직으로서 자아실현적 인간관과 개방체제를 전제로 한다.
② 학습조직은 시스템 중심의 사고(systems thinking)로 체제를 구성하는 여러 연관요인들을 통합적인 이론체계 또는 실천체계로 융합시키는 능력을 키우는 통합적 훈련이다.
③ 공동의 비전(shared vision)을 통해 조직 구성원들이 공동으로 추구하는 목표와 원칙에 관한 공감대를 형성하는 것으로, 이를 위해 공유된 리더십과 참여를 추구한다.

답 ④

74

2014년 사회복지직 9급

전통적인 기계적 조직과 구별되는 학습조직의 특징에 대한 설명으로 옳지 않은 것은?

① 기능보다 업무 프로세스 중심으로 조직을 구조화한다.
② 위계적 통제보다 구성원 간의 수평적 협력을 중시한다.
③ 학습조직 활성화에 리더의 역할이 상대적으로 중요하지 않다.
④ 조직의 목표달성을 위하여 구성원의 권한 강화(empowerment)를 강조한다.

| 74 | 학습조직의 특징 | 난이도 ●○○ |

학습조직에서는 리더의 역할이 중요하며, 특히 비전을 제시하고 구성원들이 이를 공유하도록 유도하는 사려 깊은 리더십이 중요하다.

선지분석
① 학습조직은 기능 중심의 기능구조가 아니라 업무 프로세스 중심으로 조직을 구조화한다.
② 학습조직은 탈관료제 지향의 조직으로, 분권적·수평적 조직이다. 따라서 학습조직은 경쟁이 아닌 협력을 통한 학습을 강조한다.
④ 탈관료제 지향의 조직으로 분권화된 조직이다. 즉, 구성원에게 권한을 부여한 조직이다.

답 ③

75

2013년 지방직 7급

학습조직에 대한 설명으로 부적절한 것은?

① 관료제모형의 대안으로 등장하였다.
② 조직 능력보다는 개인 능력을 제고하는 데 초점을 맞춘다.
③ 능률성보다는 문제해결을 필수적 가치로 추구한다.
④ 성공하기 위해서는 사려 깊은 리더십이 필요하다.

76

2019년 서울시 7급(3월 추가)

커크하트(Larry Kirkhart)는 연합적 이념형이라고 하는 반관료제적 모형을 제시하였는데, 이 모형이 강조하는 조직구조 설계원리의 처방에 해당하지 않는 것은?

① 컴퓨터 활용
② 사회적 층화의 억제
③ 고용관계의 안정성·영속성
④ 권한체제의 상황적응성

75	학습조직	난이도 ●○○

학습조직은 개인 능력보다는 조직학습을 통한 조직 능력의 제고에 초점을 맞춘다.

선지분석
① 관료제모형의 대안으로 제시된 탈관료제 지향의 조직이다.
③ 학습조직은 효율성을 핵심적 가치로 하는 전통적 조직과 달리 문제해결을 핵심가치로 한다.
④ 비전을 구성원들이 공유하도록 유도하는 사려 깊은 리더십을 추구한다.

📄 학습조직의 특징
- ㉠ 학습한 내용이 많은 조직일수록 학습의 필요성이 더욱 커진다(양성적 피드백).
- ㉡ 학습과정은 지속적이고 순환적인 과정이다.
- ㉢ 일단 학습이 끝나면 그 효과는 지속적이고, 다른 조직에서 단기간에 모방하기 어렵다.
- ㉣ 학습이 강제적으로 이루어지지 않고 주체적·자발적으로 이루어진다.
- ㉤ 조직구축 과정으로서의 학습행위와 결과로서의 학습조직은 분리되지 않는다.
- ㉥ 탈관료제 지향의 조직으로서 분권적·신축적·인간적·수평적·유기체적 조직이다.
- ㉦ 학습자의 주체성·자발성·참여성이 존중되며, 자아실현적 인간관과 개방체제를 전제로 한다.
- ㉧ 공식화·표준화(규칙·절차)를 거부한다.
- ㉨ 환류를 통한 의사소통, 부분보다는 전체를 중시하는 문화를 강조한다.
- ㉩ 개인별 성과급이 아닌 학습에 대한 보상과 사려깊은 리더십을 중시한다.

답 ②

76	연합적 이념형	난이도 ●●○

커크하트(Larry Kirkhart)의 연합적 이념형은 탈관료제적 모형의 일종으로, 고용관계도 안정적이지 않고 잠정적이다. 이는 베니스(Bennis)의 적응적·유기적 구조를 기초로 이를 보완하기 위해 조직 간의 자유로운 인력 이동, 변화에 대한 대응, 고객의 참여 등의 다양한 요소를 강조한 모형이다.

답 ③

77

2025년 지방직 9급

조직구조에 대한 설명으로 옳지 않은 것은?

① 이음매 없는(seamless) 조직은 내부적 필요에 의해 조직단위와 기능을 분산적으로 설계한다.
② 네트워크 조직은 수직적 계층의 수가 최소화되고 유기적 구조로 환경적 변화에 적응성이 높다.
③ 매트릭스 조직은 기능적 조직의 역할과 프로젝트팀의 구조적 역할을 동시에 수행하는 이중구조의 성격을 갖는다.
④ 팀제는 수평적 구조와 자율적 권한부여로 구성원의 지식과 아이디어를 모아 창의적 문제해결에 유리하다.

78

2020년 지방직 7급

조직유형에 대한 설명으로 옳지 않은 것은?

① 매트릭스조직은 기능 중심의 수직적 계층구조에 수평적 조직구조를 결합한 조직으로 명령통일의 원리에 부합한다.
② 태스크 포스는 특수한 과업 완수를 목표로 기존의 다른 부서나 외부업체 등에서 사람들을 선발하여 구성한 조직이며, 본래 목적을 달성하면 해체되는 임시조직이다.
③ 프로젝트 팀은 전략적으로 중요하거나 창의성이 요구되는 프로젝트를 진행하기 위해 여러 부서에서 프로젝트 목적에 적합한 사람들을 선발해 구성한 조직이다.
④ 네트워크조직은 각기 높은 독자성을 지닌 조직 단위나 조직들 간에 협력적 연계를 통해 구성된 조직이며, 환경변화에 신속하게 적응할 수 있다.

---

77 조직구조 난이도 ●●○

이음매 없는 조직이란 조직단위와 기능을 분산적으로 설계하는 것이 아니라 업무 절차의 최소화, 통제와 확인의 최소화, 분업의 최소화(분업의 부정), 서류전달점(handover point)의 축소를 실현하여 이음매 없는 조직(프로세스 조직)을 구현한다.

(선지분석)
② 네트워크조직은 수직적 계층의 수가 적고 환경변화에 적응력이 큰 유기적 구조이다.
③ 매트릭스조직은 기능구조와 사업구조를 결합시킨 이중구조이다.
④ 팀제는 수평구조로서 신속한 문제해결과 창의적 문제해결에 유리하다.

답 ①

78 조직유형 난이도 ●○○

매트릭스구조(matrix structure)는 기능구조와 사업구조의 화학적 결합을 시도하는 조직구조이다. 매트릭스구조의 기본적 특성은 이원적 권한체제이다.

(선지분석)
② 태스크 포스에 대한 옳은 설명이다.
③ 프로젝트 팀에 대한 옳은 설명이다.
④ 네트워크조직에 대한 옳은 설명이다.

답 ①

79 ○○○ 2023년 군무원 9급

애드호크라시(Adhocracy)에 속하는 조직유형에 대한 설명으로 가장 적절하지 않은 것은?

① 테스크포스는 특수한 과업 완수를 목표로 기존의 서로 다른 부서에서 선발하여 구성한 팀으로, 목적을 달성하면 해체되는 임시조직이다.
② 프로젝트 팀은 테스크포스와 마찬가지로 한시적이고 횡적으로 연결된 조직유형이지만 테스크포스에 비해 참여자의 전문성과 팀에 대한 소속감이 강하다는 특성을 가지고 있다.
③ 매트릭스 조직은 기능 중심의 수직적 분화가 되어있는 기존의 지시 라인에 횡적으로 연결된 또 하나의 지시 라인을 인정하는 이원적 권위계통을 가진다.
④ 네트워크조직은 전체 기능을 포괄하는 조직을 중심에 놓고 다수의 협력체를 묶어 일을 수행하는 조직형태이다.

80 ○○○ 2023년 군무원 9급

조직개혁에 있어서 임파워먼트(empowerment)에 대한 설명으로 가장 적절하지 않은 것은?

① 갈등을 줄이기 위해 일단 변화의 장애가 되는 요소는 그대로 두지만 구성원들이 변화의 비전과 전략을 직접 행동으로 옮길 수 있도록 힘을 실어주고 실행에 옮기는 것이다.
② 구성원들이 새로운 아이디어를 내고 그것을 실험하는 등 새로운 태도와 행동을 받아들일 수 있는 여건을 만드는 것이 중요하다.
③ 통제중심의 관료제구조, 연공서열 중심의 평가 및 보상 시스템 등을 바꾸는 작업이 필요하다.
④ 변화관리에 관한 기법들이 구성원들에게 체계적으로 전달되어 추진팀이 해체되더라도 자율적이고 지속적인 변화가 가능하도록 만들어야 한다.

| 79 | 애드호크라시(Adhocracy) | 난이도 ●●● |

네트워크조직(network organization)은 전략·계획·통제 등 핵심기능 위주로 합리화하고, 여타의 생산기능은 아웃소싱을 통하여 다른 조직의 자원을 저렴한 비용으로 활용하는 '분권화된 공동(空洞) 조직(hollow organization)'이다. 즉, 중심에 놓은 조직은 핵심기능을 수행하는 것이지, 전체 기능을 포괄하는 것이 아니다.

선지분석
① 테스크포스는 조직의 각 직능 부문에서 필요한 전문가를 선정하고, 이들을 한 사람의 책임자 아래 입체적으로 편성하는 임시적 조직으로 목적을 달성하면 해체한다.
② 프로젝트 팀은 특정 사업(project)을 추진하거나 과제를 해결하기 위해서 임시적으로 조직 내의 인적·물적 자원을 결합하여 창설되는 동태적 조직이다. 특정 사업(project)을 추진하거나 과제를 해결하기 때문에 상대적으로 테스크포스에 비해 참여자의 전문성과 팀에 대한 소속감이 강하다.
③ 행렬(Matrix)조직이란 인사·예산·회계 등과 같은 전통적인 계서적 특성을 갖는 기능구조에 수평적 특성을 갖는 사업구조(project structure)를 결합시켜 조직의 신축성을 확보하도록 한 일종의 혼합적·이원적 구조의 상설조직이다.

답 ④

| 80 | 임파워먼트(empowerment) | 난이도 ●●● |

조직개혁에 있어서 임파워먼트(empowerment)는 업무 담당자들에게 필요한 권력과 업무 추진 수단들을 부여함으로써 그들의 창의적이고 효율적인 업무 수행을 촉진하는 과정이다. 오스번과 게블러의 정부재창조론 중에서는 서비스를 직접 제공해 주는 게 아니라 할 수 있도록 권한을 부여하는 것으로 사용되고 있다. 창의적인 업무로 변화에 대응할 수 있게 하는 것이므로 "변화의 장애가 되는 요소는 그대로 두지만" 부분이 틀린 지문에 해당한다.

답 ①

KEYWORD 050 위원회 조직

81 □□□
2015년 지방직 9급

우리나라 행정기관 소속위원회에 대한 설명으로 옳지 않은 것은?

① 행정위원회와 자문위원회 등으로 크게 구분할 수 있다.
② 방송미디어통신위원회, 금융위원회, 국민권익위원회는 행정위원회에 해당된다.
③ 관련분야 전문지식이 있는 외부전문가만으로 구성하여야 한다.
④ 자문위원회의 의사결정은 일반적으로 구속력을 갖지 않는다.

82 □□□
2013년 국가직 7급

위원회의 유형과 우리나라 정부조직을 바르게 연결한 것은?

① 자문위원회 − 공정거래위원회
② 조정위원회 − 중앙선거관리위원회
③ 행정위원회 − 소청심사위원회
④ 독립규제위원회 − 경제관계장관회의

81	행정기관 소속위원회	난이도 ●○○

위원회는 각계각층의 다양한 의견을 필요로 하므로 외부전문가도 참여하지만 정부 내부 공무원들도 참여하는 경우가 많다.

선지분석
② 방송미디어통신위원회, 금융위원회, 국민권익위원회는 관청적 성격이 있는 행정위원회에 해당되는 위원회 조직이다. 행정위원회는 결정에 대한 법적 구속력이 있으며, 준입법권과 준사법권을 가진다.
④ 자문위원회의 결정은 법적 구속력이 없는 자문적 성격이다. 따라서 참모기관의 성격을 띠고 관청적 성격은 없다.

답 ③

82	위원회의 유형과 우리나라 정부조직	난이도 ●○○

소청심사위원회는 행정위원회이다.

선지분석
① 행정위원회 − 공정거래위원회
② 독립규제위원회 − 중앙선거관리위원회
④ 조정위원회 − 경제관계장관회의

답 ③

83

2012년 지방직 9급

위원회(committee) 조직의 장점으로 보기 어려운 것은?

① 집단결정을 통해 행정의 안정성과 지속성을 확보할 수 있다.
② 조직 각 부문 간의 조정을 촉진한다.
③ 경험과 지식을 지닌 전문가를 활용할 수 있다.
④ 의사결정 과정이 신속하고 합의가 용이하다.

83 위원회 조직의 장점 난이도 ●○○

위원회 조직이란 복수의 구성원으로 구성된 합의제 행정기관이기 때문에 의사결정 과정이 신속하지 못하고 합의의 도출도 용이하지 못하다는 단점이 있다.

위원회 조직의 장단점

장점	단점
• 결정의 신중성·공정성	• 기밀누설 우려
• 행정의 안정성·계속성	• 경비·시간·노력의 낭비
• 합리적·창의적인 결정	• 책임의 분산

답 ④

84

2019년 국가직 9급

정부의 위원회 조직에 대한 설명으로 옳지 않은 것은?

① 결정에 대한 책임의 공유와 분산이 특징이다.
② 복수인으로 구성된 합의형 조직의 한 형태다.
③ 국민권익위원회는 의사결정의 권한이 없는 자문위원회에 해당된다.
④ 소청심사위원회는 행정관청적 성격을 지닌 행정위원회에 해당된다.

84 정부의 위원회 조직 난이도 ●○○

국민권익위원회는 의사결정의 권한이 없는 자문위원회가 아니라 고충민원처리, 부패방지, 행정심판 등의 기능을 담당하는 국무총리 소속 행정위원회이다.

(선지분석)
① 복수가 결정하는 위원회조직은 1인이 결정하는 독임제 조직에 비해 책임이 복수의 위원에게 분산되며 복수의 위원이 공유한다.
② 복수의 구성원으로 구성되는 합의제 행정기관이다.
④ 소청심사위원회는 행정관청적 성격을 지닌 행정위원회에 해당된다.

답 ③

85　　　　　　　　　　　　　　　　　2022년 지방직 9급

정부위원회에 대한 설명으로 옳은 것만을 모두 고르면?

> ㄱ. 책임성이 결여될 수 있다.
> ㄴ. 자문위원회는 업무가 계속성·상시성이 있어야 한다.
> ㄷ. 민주성을 제고하는 장점이 있다.
> ㄹ. 방송미디어통신위원회, 공정거래위원회, 국민권익위원회, 금융위원회, 개인정보 보호위원회, 원자력안전위원회는 중앙행정기관이다.

① ㄱ, ㄷ
② ㄴ, ㄷ
③ ㄴ, ㄹ
④ ㄱ, ㄷ, ㄹ

86　　　　　　　　　　　　　　　　　2025년 지방직 9급

행정기관위원회에 대한 설명으로 옳지 않은 것은?

① 행정위원회는 합의체 행정기관으로 법률에 의하여 행정기관 소관사무의 일부를 독립하여 수행할 필요가 있을 때 둔다.
② 자문위원회는 행정기관의 자문에 응해 의견을 제공하거나 심의·조정·협의를 통해 의사결정에 도움을 준다.
③ 행정위원회인 공정거래위원회는 의사결정의 권한은 갖지만 집행까지 책임지지는 않는다.
④ 다양한 이해관계자들의 참여와 의견 반영으로 다양성의 가치를 증진할 수 있다.

| 85 | 정부위원회 | 난이도 ●●○ |

ㄱ, ㄷ, ㄹ은 옳고, ㄴ은 옳지 않다.
ㄱ. 정부위원회는 복수가 결정하는 합의제 행정기관이므로. 독임제 조직에 비해 책임이 분산되어 책임성이 결여될 수 있다는 단점이 있다.
ㄷ. 합의제 행정기관인 위원회 조직은 다수가 결정을 하기 때문에 행정의 민주성이 제고된다.
ㄹ. 제시된 6개 위원회는 모두 행정위원회인 동시에 중앙행정기관(「정부조직법」 제2조)이다.

(선지분석)
ㄴ. 업무의 계속성과 상시성이 요구되는 위원회는 자문위원회가 아니라 행정위원회이다.

답 ④

| 86 | 행정기관위원회 | 난이도 ●●○ |

공정거래위원회는 의사결정권한과 집행까지 담당하는 중앙행정기관인 행정위원회이다.

(선지분석)
① 행정위원회는 법률에 의하여 소관사무의 일부를 독립하여 수행할 필요가 있을 때 설치할 수 있다.
② 자문위원회에 대한 옳은 지문이다.
④ 위원회는 다양한 이해관계자들의 참여로 다양한 의견을 반영할 수 있다

답 ③

KEYWORD 051　공기업과 책임운영기관

87 □□□　　　2017년 국가직 9급(4월 시행)

공공서비스 공급주체의 유형과 예시를 옳게 연결한 것은?

① 준시장형 공기업 - 한국방송공사
② 시장형 공기업 - 한국마사회
③ 기금관리형 준정부기관 - 한국연구재단
④ 위탁집행형 준정부기관 - 한국소비자원

88 □□□　　　2016년 국회직 8급

공공기관 중 위탁집행형으로 구분되지 않는 것은?

① 한국가스안전공사
② 한국산업인력공단
③ 대한무역투자진흥공사
④ 한국고용정보원
⑤ 국민연금공단

| 87 | 공공서비스 공급주체의 유형과 예시 | 난이도 ●●○ |

한국소비자원은 위탁집행형 준정부기관에 해당한다.

선지분석
① 한국방송공사는 「방송법」에 의해 설립된 공법인체이다.

공공기관의 유형(실정법상 구분)

공기업	시장형	한국가스공사, 한국전력공사, 한국석유공사 등
	준시장형	토지주택공사, 마사회 등
준정부기관	기금관리형	공무원연금공단, 국민연금공단, 예금보험공사, 신용보증기금 등
	위탁집행형	국립공원공단, 한국산업인력공단, 대한무역투자진흥공사, 한국농어촌공사, 한국환경공단, 한국가스안전공사, 한국연구재단, 한국소비자원 등
기타 공공기관		공기업과 준정부기관을 제외한 공공기관

답 ④

| 88 | 위탁집행형 공공기관 | 난이도 ●○○ |

국민연금공단은 공무원연금공단, 예금보험공사, 신용보증기금 등과 같이 기금관리형 준정부기관에 해당한다.

선지분석
① 한국가스안전공사, ② 한국산업인력공단, ③ 대한무역투자진흥공사, ④ 한국고용정보원은 모두 위탁집행형 준정부기관으로 옳은 지문이다. 그 외에도 국립공원공단, 한국농어촌공사, 한국환경공단, 한국연구재단 등이 위탁집행형 준정부기관에 속한다.

답 ⑤

89
2019년 국가직 9급

공공서비스의 공급 주체 중 정부부처 행태의 공기업에 해당하는 것은?

① 한국철도공사
② 한국소비자원
③ 국립중앙극장
④ 한국연구재단

90
2021년 국가직 9급

공기업에 대한 설명으로 옳지 않은 것은?

① 공공수요가 있으나 민간부문의 자본이 부족한 경우 공기업 설립이 정당화된다.
② 시장에서 독점성이 나타나는 경우 공기업 설립이 정당화된다.
③ 전통적인 자본주의적 사기업 질서에 반하여 사회주의적 간섭을 하는 것으로 볼 수 있다.
④ 주식회사형 공기업은 특별법 혹은 「상법」에 의해 설립되지만 일반행정기관에 적용되는 조직·인사 원칙이 적용된다.

| 89 | 정부부처 행태의 공기업 | 난이도 ●●● |

국립중앙극장만 책임운영기관으로서 정부부처 행태에 해당하며, 그 외에 한국철도공사, 한국소비자원, 한국연구재단은 정부부처가 아닌 공공기관에 해당한다.

(선지분석)
① 한국철도공사는 공공기관 중 준시장형 공기업이다.
② 한국소비자원은 공공기관 중 위탁집행형 준정부기관이다.
④ 한국연구재단은 공공기관 중 위탁집행형 준정부기관에 해당한다.

답 ③

| 90 | 공기업 | 난이도 ●●○ |

주식회사형 공기업은 특별법 또는 「상법」에 의하여 설립되며, 행정기관이 아니므로 일반 행정기관에 적용되는 조직·인사 원칙이 적용되지 않는다.

(선지분석)
① 민간자본이 부족할 경우 공기업이 설립되기도 한다.
② 자연독점의 영역에서 공기업이 설립되기도 한다.
③ 정치이념상 사회주의 경제체계가 자본주의 경제체계보다 공기업을 선호한다.

답 ④

91

2025년 국가직 9급

우리나라 공공기관 및 지방공기업에 대한 설명으로 옳지 않은 것은?

① 「지방공기업법」에 근거하여 지방공기업 경영평가가 시행되고 있다.
② 지방직영기업은 지방자치단체가 직접 운영하는 지방공기업으로 하수도, 주택사업, 토지개발사업 등의 사업을 수행한다.
③ 「공공기관의 운영에 관한 법률」에 근거하여 공공기관운영위원회를 설치하며, 행정안전부장관이 위원장이 된다.
④ 준정부기관에는 기금관리형과 위탁집행형이 있다.

92

2019년 서울시 9급

우리나라의 책임운영기관(Executive Agency)에 대한 설명으로 가장 옳지 않은 것은?

① 신공공관리론(NPM)의 조직원리에 따라 등장한 성과 중심 정부 실현의 한 방안으로 도입되었다.
② 책임운영기관의 장에게 행정 및 재정상의 자율성을 부여하고 그 운영성과에 대하여 책임을 지도록 하는 행정기관을 말한다.
③ 책임운영기관은 사무성격에 따라 조사연구형, 교육훈련형, 문화형, 의료형, 시설관리형, 그 밖에 대통령령으로 정하는 기타 유형으로 구분된다.
④ 「책임운영기관의 설치·운영에 관한 법률」에 근거하여 1995년부터 제도가 시행되었다.

---

91 우리나라 공공기관 및 지방공기업 | 난이도 ●●○

공공기관운영위원회는 기획재정부에 설치되며 기획재정부장관이 위원장이 된다.

선지분석
① 지방공기업 경영평가에 대한 옳은 설명이다.
② 지방직영기업의 사례로 옳은 설명이다.
④ 준정부기관에는 기금관리형과 위탁집행형이 있다.

답 ③

92 우리나라의 책임운영기관 | 난이도 ●●○

우리나라에서는 「책임운영기관의 설치·운영에 관한 법률」에 근거하여 1999년 7월부터 책임운영기관제도가 시행되었다.

선지분석
① 영국의 1988년 정부개혁 프로그램인 Next Steps에서 도입한 제도로서, 신공공관리론의 조직원리에 따라 등장한 제도이다.
② 책임운영기관이란 정부가 수행하는 사무 중 공공성을 유지하면서도 경쟁원리에 따라 운영하는 것이 바람직하거나 전문성이 있어 성과관리를 강화할 필요가 있는 사무에 대하여 책임운영기관장에게 행정 및 재정상의 자율성을 부여하고 그 운영 성과에 대하여 책임을 지도록 하는 행정기관이다.
③ 책임운영기관은 사무성격에 따라 조사연구형, 교육훈련형, 문화형, 의료형, 시설관리형, 그 밖에 대통령령으로 정하는 기타 유형으로 구분된다.

답 ④

93

2017년 지방직 9급 (6월 시행)

공기업 민영화에 대한 설명으로 옳지 않은 것은?

① 공공기관 경영평가에서 3년 연속 최하등급을 받은 공기업은 「공공기관의 운영에 관한 법률」상 민영화하여야 한다.
② 공공영역을 일정 부분 축소하는 것으로 볼 수 있다.
③ 공기업은 민영화하면 국민에 대한 보편적 서비스의 제공이 약화될 수 있다.
④ 공기업 매각 방식의 민영화를 통해 공공재정의 확충이 가능하다.

94

2016년 경찰간부

정부가 수행하는 사무 중 공공성(公共性)을 유지하면서도 경쟁원리에 따라 운영하는 것이 바람직하거나 전문성이 있어 성과관리를 강화할 필요가 있는 사무에 대하여 책임운영기관을 설치하여 운영하고 있다. 이에 대한 설명 중 옳지 않은 것은?

① 기관 운영에 필요한 재정수입의 전부를 자체적으로 확보할 수 있는 사무에 대해서 책임운영기관을 설치·운영할 수 있다.
② 기관 운영에 필요한 재정수입의 일부를 자체적으로 확보할 수 있는 사무에 대해서 책임운영기관을 설치·운영할 수 있다.
③ 책임운영기관의 조직에 관하여는 「정부조직법」을 우선하여 적용한다.
④ 행정안전부장관은 기획재정부 및 해당 중앙행정기관의 장과 협의하여 책임운영기관을 설치하거나 해제할 수 있다.

| 93 | 공기업 민영화 | 난이도 ●●○ |

공공기관이 3년 연속 최하등급을 받았다 하여 민영화 대상이 되는 것은 아니다. 「공공기관의 운영에 관한 법률」은 공공기관의 경영실적평가 결과 경영실적이 부진한 공기업·준정부기관에 대하여 기획재정부장관은 기관장·상임이사의 임명권자에게 그 해임을 건의하거나 요구할 수 있다고 규정하고 있다.

선지분석

② 공기업의 민영화는 감축의 방식으로 공공부문을 줄이는 것이다.
③ 공기업을 민영화는 사회적 형평성을 저해하여 보편적 서비스 제공이 약화될 수 있다.
④ 공기업을 매각할 경우 매각대금 수입으로 공공재정이 확충될 수 있다.

답 ①

| 94 | 책임운영기관 | 난이도 ●●○ |

책임운영기관은 「책임운영기관 설치·운영에 관한 법률」을 우선적용하고, 동법에 규정이 없는 경우에는 「정부조직법」을 적용한다.

선지분석

①, ② 행정안전부장관은 기관의 사무가 성과측정을 할 수 있는 사무 및 기관운영에 필요한 재정수입의 전부 또는 일부를 자체적으로 확보할 수 있는 사무에 대해서 책임운영기관을 대통령령으로 설치할 수 있다.
④ 행정안전부장관이 책임운영기관의 설치권자이자 폐지권자이다.

답 ③

95   2016년 국회직 8급

우리나라 소속책임운영기관에 대한 설명으로 옳지 않은 것은?

① 기관의 사업성과를 평가하기 위해 소속된 중앙행정기관에 심의회를 둔다.
② 기관의 하부조직과 분장 사무는 기본운영규정으로 정한다.
③ 소속중앙행정기관과 소속책임운영기관 소속공무원 간의 전보, 개인별 상여금 차등 지급 등이 가능하다.
④ 기관 운영의 독립성과 자율성을 강조한다.
⑤ 기관장은 임기를 정하지 않고 임명한다.

96   2019년 국가직 9급

「책임운영기관의 설치·운영에 관한 법률」상 책임운영기관에 대한 설명으로 옳지 않은 것은?

① 책임운영기관은 기관장에게 재정상의 자율성을 부여하고 그 운영성과에 대해 책임을 지도록 하는 행정기관의 특성을 갖는다.
② 소속책임운영기관에 두는 공무원의 총정원 한도는 총리령으로 정하며, 이 경우 고위공무원단에 속하는 공무원의 정원은 부령으로 정한다.
③ 소속책임운영기관 소속 공무원의 임용시험은 기관장이 실시함을 원칙으로 한다.
④ 기관장의 근무기간은 5년의 범위에서 소속중앙행정기관의 장이 정하되, 최소한 2년 이상으로 하여야 한다.

---

95 소속책임운영기관 난이도 ●○○

소속책임운영기관은 5년 이내에서 임기제 공무원으로 임용된다.

(선지분석)
① 책임운영기관 운영심의회에 관한 설명으로 옳은 지문이다.
② 하부조직과 분장 사무는 자율화(기본운영규정)에 맡긴다.
③ 책임운영기관 소속직원의 신분은 공무원이다.
④ 책임운영기관은 자율과 성과, 책임이 조화된 조직이다.

답 ⑤

96 책임운영기관 난이도 ●○○

소속책임운영기관에 두는 공무원의 총정원 한도는 대통령령으로 정하며, 이 경우 고위공무원단에 속하는 공무원의 정원은 부령으로 정한다.

(선지분석)
① 책임운영기관은 책임운영기관의 장에게 행정 및 재정상의 자율성을 부여하고 그 운영성과에 대하여 책임을 지도록 하는 행정기관이다.
③ 소속책임운영기관 소속공무원의 임용시험은 기관장이 실시한다.
④ 소속책임운영기관의 장은 5년의 범위에서 소속중앙행정기관의 장이 정하되, 최소한 2년 이상으로 하도록 되어있기 때문이다.

답 ②

97

2020년 국가직 9급

책임운영기관에 대한 설명으로 옳지 않은 것은?

① 기관장에게 기관 운영의 자율성을 보장하고, 기관 운영 성과에 대해 책임을 지도록 한다.
② 공공성이 크기 때문에 민영화하기 어려운 업무를 정부가 직접 수행하기 위해 고안된 것이다.
③ 객관적이고 신뢰할 수 있는 성과평가 시스템 구축은 책임운영기관의 성공 여부를 결정짓는 요건 중의 하나이다.
④ 1970년대 영국에서 집행기관(executive agency)이라는 이름으로 처음 도입되었고, 우리나라는 1990년부터 운영하고 있다.

98

2024년 군무원 9급

다음 중 책임운영기관에 대한 설명으로 가장 적절하지 않은 것은?

① 기관장은 계약직으로 임용되지만, 소속 직원은 공무원 신분을 유지하는 공법인이다.
② 성과를 중시하는 신공공관리론의 원리에 따라 등장한 제도이다.
③ 시장원리에 대한 강조로 인하여 공공서비스의 형평성과 안정성이 저하될 가능성이 있다.
④ 정책결정기능으로부터 집행기능을 분리한 집행 중심의 조직이다.

---

97 책임운영기관

우리나라의 책임운영기관은 1999년 제정된 「책임운영기관의 설치·운영에 관한 법률」에 의해 설치·운영되고 있다.

선지분석
① 책임운영기관(Agency)은 성과관리를 강화할 필요가 있는 사무에 대하여 책임운영기관의 장에게 행정 및 재정상의 자율성을 부여하고, 그 운영성과에 대하여 책임을 지도록 하는 행정기관이다.
② 공공성이 강하여 민영화가 곤란한 업무를 정부가 직접 수행하는 내부시장화된 조직이다.
③ 책임운영기관은 성과 중심의 조직이므로, 성과평가 시스템의 구축여부가 책임운영기관의 성공여부를 결정짓는 핵심적 요인이다.

답 ④

98 책임운영기관

기관장은 임기제 공무원으로 임용하며, 소속직원도 공무원 신분이다. 책임운영기관은 행정기관이지 법인이 아니다.

선지분석
② 책임운영기관은 신공공관리론적 측면에서 행정에 경영기법을 도입하려는 맥락에서 도입되었다.
③ 내부시장화된 조직인 책임운영기관은 형평성과 안정성을 저해할 우려가 있다.
④ 정부기능 중 정책결정기능과 집행적·사업적 성격의 기능을 분리하여 집행기능을 책임운영기관이 전담하게 한다.

답 ①

99 ☐☐☐

2024년 지방직 7급

우리나라의 책임운영기관 제도에 대한 설명으로 옳지 않은 것은?

① 행정안전부장관은 기획재정부 및 해당 중앙행정기관의 장과 협의하여 책임운영기관을 설치하거나 해제할 수 있다.
② 기관의 지위에 따라 중앙책임운영기관과 소속책임운영기관으로 구분된다.
③ 소속책임운영기관의 장은 공개모집 절차에 따라 「국가공무원법」상 임기제 공무원으로 임용된다.
④ 책임운영기관은 「공공기관의 운영에 관한 법률」상 종합평가의 대상이다.

| 99 | 책임운영기관제도 | 난이도 ●●● |

책임운영기관에 대한 종합평가는 공공기관의 운영에 관한 법률이 아니라 책임운영기관의 설치·운영에 관한 법률에 의하여 행정안전부에 설치된 책임운영기관운영위원회가 실시한다.

(선지분석)
① 행정안전부장관이 책임운영기관의 설치와 해제권자이다.
② 책임운영기관은 그 지위에 따라 중앙책임운영기관과 소속책임운영기관으로 구분된다.
③ 소속책임운영기관의 장은 임기제공무원으로 임용된다.

답 ④

CHAPTER 3 조직관리

KEYWORD 052 동기이론

01 □□□
2018년 국가직 7급

동기이론 중 과정이론에 해당하는 것만을 모두 고르면?

> ㄱ. 동기부여의 강도를 산정하는 기본개념으로 유인가(valence), 수단성(instrumentality), 기대감(expectancy)을 제시하였다.
> ㄴ. 직무가 조직화되는 방법에 따라 조직원의 노력 정도가 달라진다는 점에 착안하여 모든 직무를 다섯 가지 핵심 직무 차원으로 구분했다.
> ㄷ. 개인은 업적에 따라 보상을 받게 되며 이때 주어지는 보상은 공평한 것으로 지각되어야 하는데, 개인이 불공평하다고 인식하면 만족을 줄 수 없게 된다고 본다.
> ㄹ. 인간의 욕구를 존재, 관계, 성장의 3단계로 나누고 좌절 – 퇴행접근법을 주장한다.
> ㅁ. 인간은 미성숙상태에서 성숙상태로 발전하는 과정에서 성격변화를 경험한다고 주장한다.

① ㄱ, ㄴ, ㄷ
② ㄱ, ㄹ, ㅁ
③ ㄴ, ㄷ, ㄹ
④ ㄴ, ㄷ, ㅁ

---

01 과정이론   난이도 ●●●

보기에서 과정이론에 해당하는 이론은 ㄱ. 기대이론, ㄷ. 공평성이론이다. ㄴ. 직무특성론에 대해서 절대다수 견해는 내용이론으로 보며, 극히 일부 견해가 과정이론적 시각도 있다고 본다. 이 문제는 직무특성이론도 과정이론으로 하여 출제된 문제이다.
ㄱ. 브룸(V. Vroom)의 기대이론에 대한 설명으로, 과정이론이다.
ㄴ. 핵맨과 올드햄(Hackman & Oldham)의 직무특성론에 대한 설명으로, 주로 내용이론(욕구이론)으로 분류하는 경우가 많지만 과정이론으로 보는 시각도 있다. 개인의 성장욕구뿐 아니라 직무의 다양한 특성까지 고려하기 때문이다.
ㄷ. 아담스(Adams)의 공정성이론에 대한 설명으로 과정이론이다.

(선지분석)
ㄹ. 앨더퍼(Alderfer)의 ERG이론으로 내용이론에 해당한다.
ㅁ. 아지리스(Argyris)의 성숙 – 미성숙이론으로 내용이론이다.

답 ①

02 □□□
2017년 국가직 7급(8월 시행)

매슬로우(Maslow)의 욕구단계이론에 대한 설명으로 옳은 것은?

① 가장 낮은 안전의 욕구부터 시작하여 다섯 가지의 위계적 욕구단계가 존재한다.
② 안전의 욕구와 사회적 욕구는 앨더퍼(Alderfer)의 ERG이론의 첫 번째 욕구단계인 존재욕구에 해당한다.
③ 어느 한 단계의 욕구가 완전히 충족되어야만 다음 단계의 욕구를 추구하게 되는 것은 아니다.
④ 사회적 욕구는 어떤 일을 행함으로써 느끼게 되는 자신감, 성취감 등을 의미한다.

---

02 매슬로우(Maslow)의 욕구단계이론   난이도 ●●○

매슬로우(Maslow)의 욕구 5단계설에 따르면 인간의 욕구 충족은 대개 상대적이고 모든 욕구의 완전한 충족은 있을 수 없기 때문에 만족스러운 충족이 되면 다음 단계의 욕구를 추구하게 된다.

(선지분석)
① 가장 낮은 욕구는 안전 욕구가 아니라 생리적 욕구이다. 생리적 욕구부터 시작하여 다섯 가지의 위계적 욕구단계가 존재한다.
② 앨더퍼(Alderfer)의 ERG이론의 첫 번째 욕구인 존재욕구에는 매슬로우(Maslow)의 생리적인 욕구와 안전 욕구가 포함된다.
④ 사회적 욕구가 아니라 자아실현 욕구에 해당한다. 사회적 욕구는 다른 사람과의 관계를 추구하려는 애정 욕구를 말한다.

답 ③

03 □□□
2017년 서울시 7급

주요 동기부여이론과 그로부터 도출할 수 있는 올바른 동기부여 방안이 가장 옳게 연결된 것은?

① 브룸(Vroom)의 기대이론 - 개인의 선호에 부합하는 결과를 유인으로 제시한다.
② 로크(Locke)의 목표설정이론 - 평이하고 구체적인 목표를 제시한다.
③ 허즈버그(Herzberg)의 2요인이론 - 낮은 보수를 인상한다.
④ 아담스(Adams)의 형평성이론 - 프로젝트에 참여한 모든 사람에게 동일한 보상을 한다.

04 □□□
2018년 서울시 7급(6월 시행)

공정성(형평성)이론에서 자신(A)과 준거인물(B)을 비교하여 보상이 불공정하다고 느낄 때, 이를 해소하기 위한 자신(A)의 전략적 대응에 대한 추론으로 가장 옳지 않은 것은?

① 일을 열심히 하지 않는다.
② 준거인물(B)의 업무 방식을 참고하여 배울 점을 찾는다.
③ 준거인물(B)이 자신(A)보다 훨씬 더 많은 시간을 일했을 것이라고 생각을 바꾼다.
④ 다른 비교대상을 찾는다.

| 03 | 동기부여이론 | 난이도 ●●○ |

브룸(Vroom)의 기대이론에 따르면 특정 결과에 대해 개인이 갖는 선호의 강도를 유의성이라 하며, 유의성이 클수록 동기부여도 강하게 나타난다.

(선지분석)
② 난이도가 높고 구체적인 목표를 제시해야 한다.
③ 위생요인인 보수 인상은 불만을 제거할 뿐, 동기부여는 되지 않는다. 동기부여는 책임감, 성취감 같은 동기요인을 충족시켜주어야 한다.
④ 노력과 보상의 비율이 준거인의 그것과 일치하지 않을 때, 즉 불평등을 지각할 때 불평등을 제거하는 쪽으로 동기유발이 된다.

답 ①

| 04 | 공정성(형평성)이론 | 난이도 ●●○ |

아담스(Adams)의 공정성이론에 대한 문제이다. 공정성이론에서는 자신과 준거인을 비교하여 보상이 불공정하다고 느낄 때 그 불공평을 제거하는 방향으로 행동을 한다는 이론으로, 행동을 바꾸는 방식에는 투입의 변경, 산출의 변경, 준거인물의 변경 3가지가 있다. 즉, 준거인물을 변경할 뿐 준거인물의 행동방식을 배우지는 않는다.

(선지분석)
①, ③ 투입(노력)의 변경에 해당한다.
④ 준거인물의 변경에 해당한다.

답 ②

05

2019년 서울시 9급

조직 내에서 구성원 A는 구성원 B와 동일한 정도로 일을 하였음에도 구성원 B에 비하여 보상을 적게 받았다고 느낄 때 애덤스(J. Stacy Adams)의 공정성이론에 의거하여 취할 수 있는 구성원 A의 행동 전략으로 가장 옳지 않은 것은?

① 자신의 투입을 변화시킨다.
② 구성원 B의 투입과 산출에 대해 의도적으로 자신의 지각을 변경한다.
③ 이직을 한다.
④ 구성원 B의 투입과 산출의 실제량을 자신의 것과 객관적으로 비교하여 보상의 재산정을 요구한다.

06

2024년 지방직 9급

애덤스(Adams)의 공정성이론에 대한 설명으로 옳지 않은 것은?

① 투입과 산출의 비율을 준거인과 비교하여 공정성을 지각한다.
② 불공정성을 느낄 때 자신의 지각을 의도적으로 왜곡하기도 한다.
③ 노력과 기술은 투입에 해당하며, 보수와 인정은 산출에 해당한다.
④ 준거인과 비교하여 과소보상자는 불공정하다고 생각하고, 과대보상자는 공정하다고 생각한다.

| 05 | 공정성이론의 행동 전략 | 난이도 ●●○ |

아담스(Adams)의 공정성이론은 준거인물과 비교하여 불평등을 지각할 때 행동이 유발된다고 본다. 비교는 주관적 비교이다.

선지분석
① 불형평성을 지각할 경우, 이를 해소하기 위해 투입 또는 산출을 변화시켜 조정하는 것에 해당한다.
② 불형평성을 지각할 경우, 이를 해소하기 위해 투입과 산출에 대한 본인의 지각을 바꾸는 것에 해당한다.
③ 불공정성을 계속 느끼는 경우, A는 조직을 떠나거나 다른 조직으로 이동하기도 한다.

답 ④

| 06 | 애덤스(Adams)의 공정성이론 | 난이도 ●●○ |

준거인물과 비교하여 과소보상과 과다보상 둘 다 불공정하다고 생각한다.

선지분석
① 개인은 준거인(능력이 비슷한 동료)과 비교하여 자신의 노력과 보상 간에 불일치(보상의 불공평성)를 지각하면, 이를 제거하는 방향으로 동기가 부여된다는 것이다.
② 과소보상이란 불공정을 지각할 경우 급료를 인상하여 달라는 등의 편익증대를 요구, 노력을 줄여 투입을 감소, 산출의 왜곡, 준거인물의 변경, 조직에서의 이탈 등이 나타난다.
③ 투입에는 직무수행에 동원한 노력, 기술, 교육, 경험, 사회적 지위 등이 포함되며 산출에는 보수, 승진, 직무만족, 학습기회, 작업조건, 단조로움, 불확실성, 시설의 사용 등이 포함된다.

답 ④

07 2021년 국가직 9급

동기요인이론에 대한 설명으로 옳지 않은 것은?

① 아담스(Adams)의 공정성이론에 따르면 공정하다고 인식할 때 동기가 유발된다.
② 매클리랜드(McClelland)의 성취동기이론에 따르면 개인들의 욕구가 학습을 통해 개발될 수 있다.
③ 브룸(Vroom)의 기대이론에서 기대감은 특정 결과는 특정한 노력으로 인해 나타날 수 있다는 가능성에 대한 개인의 신념으로 통상 주관적 확률로 표시된다.
④ 앨더퍼(Alderfer)의 ERG이론에 따르면 상위욕구 충족이 좌절되면 하위욕구를 충족시키고자 할 수 있다.

08 2017년 국가직 9급(4월 시행)

허즈버그(Herzberg)의 욕구충족요인 이원론에 대한 설명으로 옳지 않은 것은?

① 작업조건에 대한 불만을 해소한다고 하더라도 근무태도에 장기적인 영향을 미치지는 않는다고 본다.
② 무엇이 동기를 유발하는가에 초점을 두는 내용이론으로 분류된다.
③ 불만을 주는 요인과 만족을 주는 요인은 서로 다르다고 주장한다.
④ 욕구의 계층화를 시도한 점에서 매슬로우(Maslow)의 욕구단계이론과 유사하다.

---

07 동기요인이론 난이도 ●○○

아담스(Adams)의 형평성(공정성)이론은 개인은 준거인(능력이 비슷한 동료)과 비교하여 자신의 노력과 보상 간에 불일치(보상의 불공평성)를 지각하면, 이를 제거하는 방향으로 동기가 부여된다는 것이다.

선지분석
② 매클리랜드(McClelland)의 성취동기이론에 따르면 개인들의 욕구는 사회화 과정과 학습을 통해 형성되므로, 개인마다 욕구의 계층이 다르다고 본다.
③ 브룸(Vroom)의 기대이론에서 일정한 노력을 기울이면 근무 성과를 가져올 수 있으리라는 가능성에 대한 인간의 주관적인 확률과 관련된 믿음을 기대감이라 한다.
④ 앨더퍼(Alderfer)는 상위욕구가 만족되지 않거나 좌절될 때 하위욕구를 더욱 충족시키고자 한다는 '좌절 - 퇴행 접근법'을 주장하였다.

답 ①

08 허즈버그(Herzberg)의 욕구충족요인 이원론 난이도 ●●○

욕구를 계층화하고, 계층에 따라 욕구의 발로가 이루어진다고 보는 공통적인 이론은 매슬로우(Maslow)의 욕구단계이론과 앨더퍼(Alderfer)의 ERG이론이다. 허즈버그(Herzberg)의 욕구충족요인 이원론에 따르면 조직 구성원에게 불만을 주는 요인과 만족을 주는 요인이 상호독립되어 있는 것이며, 계층화되어 있는 것이 아니다.

선지분석
① 불만요인인 작업조건을 충족하더라도 불만이 없는 상태가 될 뿐 동기부여는 되지 않는다.
② 허즈버그(Herzberg)의 욕구충족요인 이원론은 내용이론이다.
③ 불만을 주는 요인과 만족을 주는 요인은 서로 독립되어 있다.

답 ④

09 □□□   2016년 서울시 9급

동기부여이론에 대한 설명으로 가장 옳지 않은 것은?

① 브룸(V. Vroom)의 기대이론 - 성취욕구, 권력욕구, 자율 욕구가 구성될 때 동기부여가 기대될 수 있다고 본다.
② 앨더퍼(C. Alderfer)의 ERG이론 - 매슬로우(Maslow)의 욕구이론을 수정하여 개인의 기본욕구를 존재욕구, 관계욕구, 성장욕구의 3단계로 구분하였다.
③ 매슬로우(A. H. Maslow)의 욕구이론 - 5단계의 욕구 체계 중 가장 하위의 욕구는 생리적 욕구이다.
④ 포터(L. Porter)와 로울러(E. Lawler)의 기대이론 - 성과의 수준이 업무만족의 원인이 된다고 본다.

10 □□□   2017년 지방직 9급(6월 시행)

브룸(Vroom)의 기대이론에 따를 경우 조직 구성원의 직무수행동기를 유발하기 위한 조건이 아닌 것은?

① 내가 노력하면 높은 등급의 실적평가를 받을 수 있다는 기대치(expectancy)가 충족되어야 한다.
② 내가 높은 등급의 실적평가를 받으면 많은 보상을 받을 수 있다는 수단치(instrumentality)가 충족되어야 한다.
③ 내가 받을 보상은 나에게 가치있는 것이라는 유인가(valence)가 충족되어야 한다.
④ 내가 투입한 노력과 그로 인하여 받은 보상의 비율이 다른 사람과 비교하여 공평해야 한다는 균형성(balance)이 충족되어야 한다.

| 09 | 동기부여이론 | 난이도 ●○○ |

브룸(V. Vroom)은 동기의 강도는 기대감, 수단성, 유의성에 달려 있다고 보는 이론이다. 욕구를 성취욕구, 권력욕구, 친교욕구로 분류하고 조직 내 성취욕구의 중요성에 중점을 둔 이론을 주장한 학자는 맥클리랜드(McClelland)이다.

선지분석
② 앨더퍼(C. Alderfer)는 개인의 기본욕구를 존재, 관계, 성장의 3단계로 분류하였다.
③ 매슬로우(A. H. Maslow)는 욕구의 5단계를 가장 하위인 생리적 욕구부터 안전욕구, 사회적 욕구, 존경의 욕구, 자아실현의 욕구로 제시하였다.
④ 포터(L. Porter)와 로울러(E. Lawler)는 직무의 성과 수준이 업무 만족의 원인이 된다고 본다.

답 ①

| 10 | 브룸(Vroom)의 기대이론 | 난이도 ●○○ |

내가 투입한 노력과 그로 인하여 받은 보상의 비율이 다른 사람과 비교하며 공평해야 한다는 균형성이 충족되어야 하는 것은 브룸(V. Vroom)의 기대이론이 아니라 아담스(Adams)의 형평성이론에 대한 설명이다.

기대이론의 기본개념

유인가(V)	특정 결과에 대해 개인이 갖는 선호의 강도
수단성(I)	성과와 보상 간의 관계에 대한 믿음
기대감(E)	노력을 기울이면 근무 성과를 가져올 수 있으리라는 가능성에 대한 인간의 주관적인 확률

답 ④

11

2021년 국가직 7급

브룸(Vroom)의 기대이론에 대한 설명으로 옳지 않은 것은?

① 동기부여의 과정이론(process theory) 중 하나이다.
② 기대감(expectancy)은 개인의 노력(effort)이 공정한 보상(reward)으로 이어질 것이라는 주관적 믿음을 의미한다.
③ 수단성(instrumentality)은 개인의 성과(performance)와 보상(reward) 간의 관계에 대한 인식이다.
④ 유인가(valence)는 개인이 특정 보상(reward)에 대해 갖는 선호의 강도를 의미한다.

12

2016년 서울시 7급

조직인의 동기이론에 대한 설명으로 가장 옳지 않은 것은?

① 핵맨과 올드햄(Hackman & Oldham)의 직무특성이론에 의하면 직무특성을 결정하는 변수로 기술다양성, 직무정체성, 직무중요성, 자율성, 환류를 들고 있다.
② 앨더퍼(Alderfer)의 ERG이론에 의하면 상위욕구가 만족되지 않거나 좌절될 때 하위욕구를 더욱 충족시키고자 한다는 좌절 - 퇴행법을 주장하였다.
③ 허즈버그(Herzberg)의 욕구충족요인 이원론에서 불만요인은 개인의 불만족을 방지하는 효과를 가져오는 요인으로서, 충족되면 만족감을 갖게 되어 동기가 유발된다.
④ 맥클랜드(McCelland)의 성취동기이론에 의하면 성취 욕구는 행운을 바라는 대신 우수한 결과를 얻기 위해 높은 기준을 설정하고 이를 달성하려는 욕구이다.

---

11 브룸(Vroom)의 기대이론 난이도 ●○○

기대감이란 개인의 노력이 어떠한 성과를 가져다 줄 것이라는 주관적인 믿음이다.

(선지분석)
① 기대이론은 과정이론이다.
③ 수단성이란 성과가 보상으로 이어질 수 있는지에 대한 주관적 믿음이다.
④ 유인가는 특정 결과에 대해 개인이 갖는 선호의 강도를 말한다.

답 ②

12 조직인의 동기이론 난이도 ●○○

허즈버그(Herzberg)의 욕구충족요인 이원론은 조직 구성원에게 불만을 주는 요인(불만요인)과 만족을 주는 요인(동기요인)은 상호 독립되어 있다는 것을 제시한 이론이다. 허즈버그(Herzberg)는 불만요인이 충족된다는 것은 불만족이 없는 상태일 뿐이며, 동기가 유발되는 것은 아니라고 본다.

(선지분석)
① 핵맨과 올드햄(Hackman & Oldham)의 직무특성이론은 기술다양성, 직무정체성, 직무중요성, 자율성, 환류 등의 다섯 가지 직무의 특성이 상호작용하면서 동기를 유발시키며, 특히 자율성과 환류가 동기부여에 많은 영향을 미친다고 주장하였다.
② 매슬로우(Maslow)는 낮은 차원의 욕구가 만족되면 상위 욕구로 진행해 간다는 '만족 - 진행 접근법'을 주장한 반면, 앨더퍼(Alderfer)는 상위욕구가 만족되지 않거나 좌절될 때 하위 욕구를 더욱 충족시키고자 한다는 '좌절 - 퇴행 접근법'을 주장했다.
④ 성취욕구는 우수한 결과를 얻기 위하여 높은 기준을 설정하고 이를 달성하려는 욕구를 말한다.

답 ③

13 2016년 지방직 9급

동기이론에 대한 설명으로 옳지 않은 것은?

① 매슬로우(Maslow)는 상위 차원의 욕구가 충족되지 못하거나 좌절될 경우, 하위욕구를 더욱더 충족시키고자 한다고 주장하였다.
② 앨더퍼(Alderfer)는 ERG이론에서 매슬로우(Masolw)의 욕구 5단계를 줄여서 생존욕구, 대인관계욕구, 성장욕구의 3단계를 제시하였다.
③ 허즈버그(Herzberg)는 욕구충족요인 이원론에서 불만족 요인(위생요인)을 제거한다고 해서 만족을 보장하는 것은 아니라고 주장하였다.
④ 애덤스(Adams)는 형평성이론에서 자신의 노력과 그 결과로 얻어지는 보상과의 관계를 다른 사람의 것과 비교해 상대적으로 느끼는 공평한 정도가 행동 동기에 영향을 준다고 본다.

---

13 동기이론 난이도 ●●○

매슬로우(Maslow)의 욕구 5단계설은 욕구발현의 후진성을 인정하지 않는다.

(선지분석)
② 앨더퍼(Alderfer)의 ERG이론은 매슬로우(Maslow)의 5단계 욕구계층설을 수정하여 인간의 욕구를 존재, 관계, 성장의 3단계로 나눈다.
③ 불만족을 제거하면 만족을 주는 것이 아니라 불만족이 없는 상태가 될 뿐이다.
④ 개인은 준거인(능력이 비슷한 동료)과 비교하여 자신의 노력과 보상 간에 불일치(보상의 불공평성)를 지각하면 이를 제거하는 방향으로 동기가 부여된다는 이론이다. 즉, 상대적으로 느끼는 공평한 정도에서 불평등을 느끼면 동기부여가 되는 것이다.

답 ①

14 2023년 군무원 9급

다음 중 조직 구성원의 동기부여이론에 대한 설명으로 가장 거리가 먼 것은?

① 매슬로(A. H. Maslow)의 5단계 욕구이론은 욕구계층의 고정성을 전제로 한다.
② 허츠버그(F. Herzberg)의 욕구충족이론에 의하면 위생요인(hygiene factor)이 충족되는 경우 동기가 부여된다.
③ 샤인(E. H. Schein)의 복잡 인간관에서는 구성원의 맞춤형 관리전략의 필요성을 강조한다.
④ 맥그리거(D. McGregor)의 X·Y이론은 욕구와 관리전략의 성장측면을 강조한다.

---

14 동기부여이론 난이도 ●●○

불만요인(위생요인)은 개인의 불만족을 방지하는 효과를 가져오는 요인으로써, 충족되지 않으면 심한 불만을 일으키지만 충족되어도 적극적으로 만족감을 느끼거나 동기를 유발하지는 않는다.

(선지분석)
① 매슬로(A. H. Maslow)의 5단계 욕구이론에서 개인차를 인정하지 않는다는 것은 욕구의 단계가 획일적으로 고정되어 있다는 것을 의미한다.
③ 샤인(Schein)에 따르면 조직 내 인간은 다양한 욕구와 잠재력을 지닌 존재이고 인간의 동기는 상황에 따라 달라지기 때문에, 관리자는 상황적응적 관리를 통해 구성원의 관리전략을 구사해야 한다고 하였다.
④ 맥그리거(McGregor)는 관리자가 조직 내의 인간을 X나 Y라는 두 가지 중 하나로 가정하며, 인간의 하급욕구에 착안한 관리전략의 설정을 X이론으로 설명하고, 인간의 고급욕구에 착안한 관리전략을 Y이론으로 설명한다.

답 ②

15

2022년 지방직 9급

허즈버그(Herzberg)의 욕구충족요인 이원론에서 위생요인에 해당하지 않는 것은?

① 감독
② 대인관계
③ 보수
④ 성취감

16

2016년 경찰간부

동기부여의 과정이론에 대한 설명 중 가장 옳지 않은 것은?

① 애덤스(J. Stacy Adams)의 공정성이론(equity theory)은 개인이 자신의 직무에 대한 공헌도(투입)와 보상(산출)을 준거인물과 비교하여 불공정성을 느끼는 경우 이를 해소하는 방향으로 동기가 부여된다고 본다.
② 포터(Lyman W. Porter)와 롤러(Edward E. Lawler)는 인간의 동기유발요인을 내재적 보상과 외재적 보상으로 나누었을 때, 내재적 보상이란 경제적 이익 및 승진 등과 같은 개인의 환경과 관련된 것을 지칭했다.
③ 포터(Lyman W. Porter)와 롤러(Edward E. Lawler)는 조직 내 구성원은 노력에 대한 보상의 유의성이 높다고 느낄수록, 그리고 노력이 바람직한 보상을 가져올 것이라는 기대감이 높을수록 더 많은 노력을 한다고 가정했다.
④ 브룸(Victor H. Vroom)은 조직 구성원의 동기는 기대(expectancy), 수단성(instrumentality), 유의성 또는 유인가(valence) 등 3가지 요소의 값이 각각 최대값이 되면 최대의 동기부여가 되고, 각 요소 중에 하나라도 0(영)이 되면 전체 값이 0(영)이 되어 동기부여가 되지 않는다고 했다.

---

15 욕구충족요인 이원론 중 위생요인   난이도 ●○○

성취감은 동기요인(만족요인)에 해당한다.

선지분석

①, ②, ③ 모두 위생요인(불만요인)에 해당한다.

답 ④

16 동기부여의 과정이론   난이도 ●●○

포터와 롤러(Porter & Lawler)는 인간의 동기유발요인으로 내재적 보상과 외재적 보상으로 나누었을 때, 내재적 보상이란 성취감이나 직무에 대한 만족감 같은 것으로, 이러한 내재적 보상이 이익 및 승진 등과 같은 외재적 보상보다 더 중요하다고 주장하였다.

선지분석

① 애덤스(Adams)는 개인은 준거인과 비교하여 자신의 노력과 보상 간에 불일치를 지각하면, 이를 제거하는 방향으로 동기가 부여된다고 본다.
③ 포터와 롤러(Porter & Lawler)는 개인의 노력이 보상을 가져다 줄 것이라는 확률을 높이고, 그 보상이 매우 가치있다고 느낄 때 동기부여 수준이 높아진다고 본다.
④ 브룸(Vroom)은 기대성, 수단성, 유의성의 함수값(곱)에 의해 동기가 부여된다고 보기 때문에 하나라도 0(영)이 나오면 동기부여가 되지 않는다.

답 ②

17 동기부여이론 (2022년 지방직 7급)

동기부여이론에 대한 설명으로 옳은 것은?

① 스키너(Skinner)의 강화이론은 인간의 내면적 과정에 초점을 맞추며, 행동의 결과보다 원인을 더 강조한다.
② 로크(Locke)의 목표설정이론에 따르면, 개인의 강력한 동기유발을 위해서는 추상적인 목표를 채택해야 한다.
③ 포터(Porter)와 롤러(Lawler)의 업적·만족이론은 직무성취수준이 직무 만족의 요인이 될 수 있다고 주장한다.
④ 공공봉사동기(public service motivation)이론은 공공부문 종사자와 민간부문 종사자의 가치체계는 차이가 없고, 개인이 공공부문에 근무하면서 공공봉사 동기를 처음으로 획득하므로, 조직문화와 외재적 보상을 강조한다.

---

18 동기부여이론 (2023년 지방직 7급)

동기부여이론에 대한 설명으로 옳지 않은 것은?

① 앨더퍼(Alderfer)의 ERG이론은 하위단계에서 상위단계로의 욕구단계 이동뿐만 아닌 욕구 좌절 시 회귀적이고 하향적인 욕구단계로의 이동도 가능하다고 본다.
② 허츠버그(Herzberg)의 2요인이론은 종업원의 직무환경 개선과 창의적 업무 할당을 통한 직무성취감 증대가 동기부여에 미치는 영향이 다르다고 본다.
③ 아담스(Adams)의 공정성이론은 인식된 불공정성이 중요한 동기요인으로 작동한다고 본다.
④ 브룸(Vroom)의 기대이론은 노력, 성과, 보상, 만족, 환류로 이어지는 동기부여과정을 제시하면서 노력 - 성과 간 관계에 있어 개인의 능력과 자질, 그리고 역할인지를 강조했다.

---

17 동기부여이론 — 난이도 ●●○

포터(Porter)와 롤러(Lawler)의 업적·만족이론은 직무성취의 수준이 직무만족의 원인이 된다고 보았다

선지분석
① 스키너(Skinner)의 강화이론은 기존의 동기이론들이 주로 행동의 원인과 관련된 내면적·심리적 과정을 다루었던 반면, 학습이론은 '어떤 외부적 조건에 의하여 어떤 일관된 행동(행태)이 나타나는가'라는 외적인 행태변화에 초점을 맞춘 '행태론적 동기이론'이다.
② 로크(Locke)의 목표설정이론에서는 목표의 구체성과 난이도에 의하여 개인의 성과가 결정된다고 본다.
④ 성과급과 같은 외재적 보상을 통해 조직성과를 향상시키려는 신공공관리론 개혁에 대한 비판에서 출발한 공공봉사동기이론은 공공부문 종사자는 민간부문 종사자와 차별화되는 공직동기를 가진다고 가정한다. 따라서 동기부여 방식이 달라야 한다고 주장한다.

답 ③

---

18 동기부여이론 — 난이도 ●●○

노력, 성과, 보상, 만족, 환류로 이어지는 동기부여과정을 제시하면서 노력 - 성과 간 관계에 있어 개인의 능력과 자질, 그리고 역할인지를 강조한 동기이론은 포터와 롤러(Porter & Lawler)의 업적 - 만족이론이다.

선지분석
① 엘더퍼(Alderfer)의 ERG이론은 상위욕구가 만족되지 않으면, 하위욕구를 더욱 충족시키고자 한다고 주장한다.
② 허즈버그(Herzberg)는 인간의 욕구를 불만과 만족이라는 이원적 구조로 파악하여 불만을 일으키는 요인(불만요인, 위생요인)과 만족을 주는 요인(만족요인, 동기부여요인)은 상호 독립적이라는 욕구충족요인 2원론을 제시하였다. 직무환경개선은 위생요인이며 직무성취감은 동기요인이다.
③ 아담스(Adams)의 형평성(공정성)이론은 '인간의 행위는 타인과의 관계에서 형평성·공정성을 유지하는 쪽으로 동기가 부여된다는 이론'이다. 개인은 준거인(능력이 비슷한 동료)과 비교하여 자신의 노력과 보상 간에 불일치(보상의 불공평성)를 지각하면, 이를 제거하는 방향으로 동기가 부여된다는 것이다.

답 ④

19　　　　　　　　　　　　　　2019년 국가직 9급

다음 설명에 해당하는 조직의 인간관은?

> - 인간을 자신의 이익을 극대화하기 위해 행동하는 존재로 본다.
> - 인간은 조직에 의해 통제·동기화되는 수동적 존재이며, 조직은 인간의 감정과 같은 주관적 요소를 통제할 수 있도록 설계돼야 한다.

① 합리적·경제적 인간관
② 사회적 인간관
③ 자아실현적 인간관
④ 복잡한 인간관

20　　　　　　　　　　　　　　2015년 국가직 7급

동기유발요인으로 금전적·물질적 보상보다 지역공동체나 국가, 인류를 위해 봉사하려는 이타심에 주목하는 이론은?

① 페리(Perry)의 공공서비스동기이론
② 스키너(Skinner)의 강화이론
③ 핵만(Hackman)과 올드햄(Oldham)의 직무특성이론
④ 매슬로우(Maslow)의 욕구계층이론

19　샤인(Schein)의 인간관　　난이도 ●○○

제시문은 샤인(Schein)이 주장한 합리적 경제인관에 해당하며, 이는 과학적 관리론의 인간관이다. 샤인(Schein)에 따르면, 합리적 경제인은 인간은 피동적이고 수동적인 존재로서 통제 내지는 경제적인 보상에 의하여 관리되어야 한다고 주장한다.

선지분석
② 사회적 인간관은 인간을 사회적 존재로 인식한다.
③ 자아실현적 인간관은 조직 속의 인간을 자아를 실현하려는 존재로 파악하여 부단히 자기를 확장하고 창조하며 실현해 가는 주체로 본다.
④ 복잡한 인간관에서는 인간을 현실적으로 단순하게 일반화·유형화할 수 없는 복잡한 존재로 파악한다.

답 ①

20　동기유발요인　　난이도 ●○○

제임스 페리(Perry)는 신공공관리론이나 신자유주의를 비판하고 신공공서비스론을 주장한 학자이다. 신공공서비스는 봉사를 중시한다.

선지분석
② 강화이론은 처벌과 보상이라는 외적 자극에 의해 동기부여를 설명한다.
③ 직무특성이론은 직무의 특성이 직무수행자의 성장욕구 수준에 부합될 때 동기유발이 된다고 본다.
④ 매슬로우(Maslow)는 인간의 욕구는 다섯 가지로 계층화되며, 결핍된 욕구를 달성하고자 하는 욕망이 동기를 유발한다고 본다.

답 ①

21   2014년 경찰간부

조직에서의 강화일정에 관한 설명으로 가장 적절치 않은 것은?

① 연속적 강화는 학습의 어떤 단계에서도 바람직한 행동의 비율을 높이는 데 매우 효과적이어서 관리자에게 큰 도움이 된다.
② 매월 20일에 봉급을 주는 것은 고정간격 강화의 한 예이다.
③ 생산량에 비례하여 임금을 지급하는 성과급제는 고정비율 강화의 한 예이다.
④ 변동비율로 강화요인을 제공할 때에는 강화요인을 제공하는 사이의 시간 간격을 너무 길게 하지 않게 해서 부하들의 사기가 떨어지지 않도록 배려할 필요가 있다.

22   2013년 국회직 8급

강화일정(schedules of reinforcement)에 대한 설명으로 가장 옳지 않은 것은?

① 연속적 강화는 행동이 일어날 때마다 강화요인을 제공하는 것이다.
② 고정간격 강화는 부하의 행동이 발생하는 빈도에 따라 일정한 간격으로 강화요인을 제공하는 것이다.
③ 변동간격 강화는 일정한 간격을 두지 않고 변동적인 간격으로 강화요인을 제공하는 것이다.
④ 고정비율 강화는 성과급제와 같이 행동의 일정비율에 의해 강화요인을 제공하는 것이다.
⑤ 변동비율 강화는 불규칙한 횟수의 행동이 나타났을 때 강화요인을 제공하는 것이다.

---

21   조직에서의 강화일정   난이도 ●○○

연속적 강화는 초기학습단계에 효과적이지만, 강화의 효과가 빨리 소멸하고 관리자에게는 큰 도움이 되지 않는다는 단점이 있다.

강화의 종류

종류	설명
연속적 강화	• 바람직한 행동이 일어날 때마다 강화요인을 제공하는 것 • 초기학습단계에서 바람직하지만, 관리자에게는 큰 도움을 주지 못함
고정간격 강화	행동이 얼마나 발생하는가에 상관없이 미리 결정된 일정한 시간 간격으로 강화요인을 제공하는 것 예 월급 등
변동간격 강화	불규칙적(변동적)인 시간간격으로 강화요인을 제공하는 것 예 승진 등
고정비율 강화	• 일정한 빈도의 바람직한 행동이 나타났을 때 강화요인을 제공하는 것 • 행동(성과나 생산량)의 일정비율에 대하여 강화요인을 제공하는 것으로, 일정한 횟수의 행동에 대해 보상이 제공됨 예 판매량에 따른 성과급 지급 등
변동비율 강화	• 불규칙한 횟수의 바람직한 행동이 나타났을 때 강화요인을 제공하는 것 • 강화요인을 제공하는 데 필요한 행동(성과나 생산량)의 횟수가 시간에 따라 변동하는 것 예 칭찬 등

답 ①

---

22   강화일정   난이도 ●●○

강화일정(schedules of reinforcement) 또는 강화계획은 '강화요인의 제공 시점과 빈도를 조절함으로써 조직이 바라는 행동을 지속시키는 것'을 말한다. 고정간격 강화는 월급과 같이 부하의 행동이 발생하는 빈도와 관계없이 미리 결정되어 있는 일정한 간격으로 강화요인을 제공하는 것이다.

답 ②

23 □□□
2013년 국회직 8급

동기부여이론에 대한 설명으로 옳지 않은 것은?

① 매슬로우(Maslow)의 욕구계층론에 의하면 인간의 욕구는 생리적 욕구, 안전 욕구, 사회적 욕구, 존중 욕구, 자기실현 욕구의 5개로 나누어져 있으며 하위계층의 욕구가 충족되어야 상위계층의 욕구가 나타난다.
② 허즈버그(Herzberg)의 동기-위생이론에 따르면 욕구가 충족되었다고 해서 모두 동기부여로 이어지는 것이 아니고, 어떤 욕구는 충족되어도 단순히 불만을 예방하는 효과밖에 없다. 이러한 불만예방 효과만 가져오는 요인을 위생요인이라고 설명한다.
③ 애덤스(Adams)의 형평성이론에 의하면 인간은 자신의 투입에 대한 산출의 비율이 비교대상의 투입에 대한 산출의 비율보다 크거나 작다고 지각하면 불형평성을 느끼게 되고, 이에 따른 심리적 불균형을 해소하기 위하여 형평성 추구의 행동을 작동시키는 동기가 유발된다고 본다.
④ 앨더퍼(Alderfer)는 매슬로우(Maslow)의 욕구계층론을 받아들여 한 계층의 욕구가 만족되어야 다음 계층의 욕구를 중요시한다고 본다. 그리고 이에 더하여 한 계층의 욕구가 충분히 채워지지 않는 상태에서는 바로 하위 욕구의 중요성이 훨씬 커진다고 주장한다.
⑤ 브룸(Vroom)의 기대이론에 의하면 동기의 정도는 노력을 통해 얻게 될 중요한 산출물인 목표달성, 보상, 만족에 대한 주관적 믿음에 의하여 결정되는데 특히 성과와 보상 간의 관계에 대한 인식인 기대치의 정도가 동기부여의 주요한 요인이다.

| 23 | 동기부여이론 | 난이도 ●●○ |

성과와 보상에 대한 인식은 기대치가 아니라 수단성이다.

📄 브룸(Vroom)의 기대이론

유의성(V)	보상(2차 산출이나 결과)의 중요성에 대한 주관적인 선호의 강도
수단성(I)	성과가 바람직한 보상을 가져다 줄 것이라고 믿는 주관적인 확률
기대성(E)	노력을 투입하면 성과가 있을 것이라는 주관적인 확률

답 ⑤

24 □□□
2019년 서울시 7급(3월 추가)

동기이론에 대한 설명으로 가장 옳은 것은?

① 매슬로우(A. Maslow)는 욕구를 하위 욕구부터 상위욕구까지 총 5단계로 분류하면서, 하위욕구를 충족하게 되면 상위욕구를 추구하게 되나, 하위욕구인 생리적 욕구와 안전욕구는 충족되더라도 필수적 욕구로 동기유발이 지속된다고 주장하였다.
② 허즈버그(F. Herzberg)의 욕구충족요인 이원론은 불만요인(위생요인)은 개인의 불만족을 방지하는 효과를 가져오는 요인으로 충족이 되지 않으면 심한 불만을 일으키지만 충족이 되면 강한 동기요인이 되기 때문에 개인의 불만에 대하여 관심을 갖고 관리해야 한다고 주장하였다.
③ 앨더퍼(C. Alderfer)의 ERG이론은 매슬로우(A.Maslow)의 욕구 5단계이론과 달리, 욕구 추구는 분절적으로 일어날 수도 있지만, 두 가지 이상의 욕구를 동시에 추구하기도 한다고 주장하였다.
④ 매클리랜드(D. McClelland)는 성취동기이론에서 공식조직이 개인의 행태에 미치는 영향 연구를 통하여 미성숙 상태에서 성숙 상태로 발전하는 성격 변화의 경험이 성취동기의 기본이 된다고 주장하였다.

| 24 | 동기이론 | 난이도 ●●● |

앨더퍼(C. Alderfer)의 ERG이론은 매슬로우(A. Maslow)의 욕구 5단계를 3단계로 통합하였다. 그는 욕구 추구는 분절적으로 따로 일어날 수도 있지만, 두 가지 이상의 욕구를 동시에 추구하기도 한다는 복합연결욕구모형을 제시하였다.

(선지분석)
① 하위욕구는 어느 정도 충족이 될 경우 더 이상 동기부여로 작용하지 않는다.
② 불만요인은 충족이 되지 않으면 불만을 야기하지만, 충족이 되더라도 동기요인으로 작용하지는 않는다.
④ 아지리스(Argyris)의 미성숙·성숙이론에 대한 설명이다.

답 ③

25 □□□ 2021년 군무원 9급

구성원에 대한 동기부여는 미충족 시 불만이 제기되는 요인(불만요인)의 충족과 함께 적극적으로 동기를 자극하는 요인(동기요인)이 동시에 충족되었을 때 가능하다고 주장한 학자로 옳은 것은?

① F. Herzberg
② C. Argyris
③ A. H. Maslow
④ V. H. Vroom

26 □□□ 2019년 국가직 9급

동기이론에 대한 설명으로 옳지 않은 것은?

① 매슬로우(Maslow)는 충족된 욕구는 동기부여의 역할이 약화되고 그 다음 단계의 욕구가 새로운 동기요인이 된다고 하였다.
② 앨더퍼(Alderfer)는 매슬로우(Maslow)의 5단계 욕구이론을 수정해서 인간의 욕구를 3단계로 나누었다.
③ 허즈버그(Herzberg)는 불만요인(위생요인)을 없앤다고 해서 적극적으로 만족감을 느끼는 것은 아니라고 했다.
④ 브룸(Vroom)의 기대이론에서 수단성(instrumentality)은 특정한 결과에 대한 선호의 강도를 의미한다.

| 25 | 욕구충족요인 이원론 | 난이도 ●○○ |

허즈버그(Herzberg)는 인간의 욕구를 불만과 만족이라는 이원적 구조로 파악하여, 불만을 일으키는 요인(불만요인, 위생요인)과 만족을 주는 요인(만족요인, 동기부여요인)은 상호 독립적이라는 욕구충족요인 이원론을 제시하였다.

(선지분석)
② 아지리스(Argyris)는 인간은 미성숙에서 성숙으로 나아간다고 보고, 관리자의 역할은 구성원을 최대한 성숙 상태로 나아가게 하는 것이라고 주장하였다.
③ 매슬로우(Maslow)는 임상실험을 통해 인간이 보편적으로 지니고 있는 공통적인 욕구를 찾아내고, 이를 다섯 가지 단계로 계층화하였다.
④ 브룸(Vroom)의 기대이론은 욕구충족과 직무수행 사이의 직접적이고 적극적인 상관관계에 회의를 표시하고, 욕구와 만족·동기유발 사이에 기대라는 요인을 포함시켜 동기유발의 과정에 대해 설명하고자 하는 이론이다.

답 ①

| 26 | 동기이론 | 난이도 ●●○ |

수단성이 아니라 유의성이다. 유의성(valence)은 특정한 결과(보상)에 대한 선호의 강도를 의미한다.

(선지분석)
① 매슬로우(Maslow)는 하위 욕구가 어느 정도(만족수준) 충족되었을 때 상위 욕구가 발로될 것이라는 점을 지적했다. 즉, 충족된 욕구는 동기부여의 역할이 약화되고 그 다음 단계의 욕구가 새로운 동기요인이 된다고 하였다.
② 앨더퍼(Alderfer)는 매슬로우(Maslow)의 5단계 욕구이론을 수정해서 인간의 욕구를 3단계로 나누었다.
③ 허즈버그(Herzberg)는 불만과 만족은 별개의 차원이며, 상호 독립되어 있다고 보았다. 따라서 불만요인(위생요인)을 없앤다고 해서 적극적으로 만족감을 느끼는 것이 아니라 불만을 제거할 뿐이라고 주장했다.

답 ④

27

2022년 군무원 9급

공직동기이론에 대한 설명으로 가장 옳지 않은 것은?

① 공직동기는 민간부문 종사자와는 차별화되는 공공부문 종사자의 가치체계를 의미한다.
② 공직동기이론에서는 공공부문의 종사자들을 봉사의식이 투철하고 공공문제에 더 큰 관심을 가지며 공공의 문제에 영향을 미칠 수 있다는 것에 큰 가치를 부여하고 있는 개인으로 가정한다.
③ 페리와 와이즈(Perry & Wise)에 따르면 공직 동기는 합리적 차원과 규범적 차원, 그리고 정서적 차원으로 구성된다.
④ 1980년대 이후 급격히 확산된 신공공관리론의 외재적 보상에 의한 동기부여를 재차 강조한다.

28

2021년 국가직 9급

공공봉사동기이론(public service motivation)에 대한 설명으로 옳지 않은 것은?

① 공사부문 간 업무성격이 다르듯이, 공공부문의 조직원들은 동기구조 자체도 다르다는 입장에 있다.
② 정책에 대한 호감, 공공에 대한 봉사, 동정심(compassion) 등의 개념으로 구성되어 있다.
③ 공공봉사동기가 높은 사람을 공직에 충원해야한다는 주장의 근거가 될 수 있다.
④ 페리와 와이스(Perry & Wise)는 제도적 차원, 금전적 차원, 감성적 차원을 제시하였다.

| 27 | 공직동기이론 | 난이도 ●●● |

페리와 와이즈(Perry & Wise)에 따르면 공직동기이론은 신공공관리론을 비판한 신공공서비스론의 동기이론이며, 신공공관리론의 동기부여를 재차 강조한 이론이 아니다.

📄 공공서비스동기이론

㉠ 의의: 공공봉사동기(Public service motivation)는 국가와 사회를 위해 봉사하려는 공무원들의 이타적 동기
㉡ 공공서비스동기이론의 구성

합리적 차원 (이성적 계산)	• 합리적 차원은 공무의 자신 효용극대화 동기와 관련됨 • 정책형성 과정에의 참여, 공공정책에 대한 일체감, 호감도와 매력, 특정 이해관계에 대한 지지 예 자신의 자아실현적 욕구를 충족시키는 차원에서 정책과 자신을 동일시하는 것
규범적 차원 (공익 의무감)	• 규범적 차원은 본질적이고 이타적인 내용으로 의무감에 바탕을 둔 동기 • 공익봉사의 욕구, 의무와 정부 전체에 대한 충성, 사회적 형평의 추구
감성적 차원 (감정적 접근)	• 감성적 차원은 이성이나 의무감이 아닌 감정적으로 생기는 동기 • 정책의 사회적 중요성에 기인한 몰입, 선의의 애국심

답 ④

| 28 | 공공봉사동기이론 | 난이도 ●●○ |

페리와 와이스(Perry & Wise)는 공공봉사동기를 합리적 차원, 감성적 차원, 규범적 차원으로 설명했다.

선지분석
① 공직자는 민간부문 종사자와 달리 시민에게 봉사하려는 이타심 등에서 고유한 공직동기를 갖고 있다고 전제한다.
② 정책에 대한 호감은 합리적 차원, 공공에 대한 봉사는 규범적 차원, 동정심 등은 감성적 차원으로 모두 공공봉사동기이론을 구성하는 요소이다.
③ 공공봉사동기이론은 공공봉사동기가 높은 사람을 공직에 충원해야한다는 주장의 근거가 될 수 있다.

답 ④

29

2021년 군무원 7급

앨더퍼(C. Alderfer)의 ERG이론에서 자기로부터의 존경, 자긍심, 자아실현욕구 등과 가장 관련이 있는 것은?

① 존재욕구
② 관계욕구
③ 성장욕구
④ 애정욕구

30

2021년 군무원 7급

동기부여이론의 양대 이론이라고 할 수 있는 과정이론과 내용이론에 대한 설명으로 가장 적절하지 않은 것은?

① 과정이론의 범주로 분류되는 것으로는 합리적 또는 경제적 인간모형, 사회적 인간모형을 들 수 있다.
② 내용이론은 주로 어떤 요인이 동기 유발을 하는가에 관심이 있다.
③ 과정이론은 인간의 행동이 어떻게 동기 유발이 되는가에 중점을 둔다.
④ 내용이론의 범주로 분류되는 것으로는 매슬로우(Maslow)의 욕구계층이론, 맥그리거(Mcgregor)의 X·Y이론을 들 수 있다.

29	ERG이론	난이도 ●○○

존경, 자긍심, 자아실현욕구는 ERG 중 성장욕구(G)에 해당한다.

앨더퍼(Alderfer)와 매슬로우(Maslow)의 욕구 단계 비교

앨더퍼(Alderfer)의 욕구 3단계	매슬로우(Maslow)의 욕구 5단계
G(성장)	• 자아실현 • 존경 – 자아존중
R(관계)	• 존경 – 타인존경 • 사회적
E(존재)	• 안전 • 생리적

답 ③

30	과정이론과 내용이론	난이도 ●●○

합리적 또는 경제적 인간모형, 사회적 인간모형 등은 과정이론이 아니라 내용이론에 해당한다.

선지분석
② 내용이론은 '사람의 동기를 유발하는 요인의 내용(What)에 초점을 두는 이론'으로, 사람들은 일정한 기본적 욕구를 지녔으며 이러한 욕구의 충족을 가져올 행동을 하려는 동기를 가진 존재라고 보기 때문에 욕구이론이라고도 부른다.
③ 과정이론은 '동기의 내용보다 어떤 과정을 거쳐서(How) 동기가 유발되는가에 초점을 두는 이론'이다. 동기유발에 관한 다양한 변수들이 어떻게 상호 작용하여 조직구성원의 행동을 일으키게 되는가에 대한 설명을 시도한다.
④ 내용이론의 예시로 옳은 지문이다.

답 ①

31 □□□   2022년 국가직 9급

동기유발의 과정을 설명하는 '과정이론'에 해당하는 것만을 모두 고르면?

> ㄱ. 브룸(Vroom)의 기대이론
> ㄴ. 애덤스(Adams)의 공정성이론
> ㄷ. 로크(Locke)의 목표설정이론
> ㄹ. 앨더퍼(Alderfer)의 ERG이론
> ㅁ. 맥그리거(McGregor)의 X이론·Y이론

① ㄱ, ㄴ, ㄷ
② ㄱ, ㄴ, ㄹ
③ ㄴ, ㄷ, ㅁ
④ ㄷ, ㄹ, ㅁ

32 □□□   2023년 지방직 9급

동기부여 이론에 대한 설명으로 옳은 것은?

① 로크(Locke)의 목표설정이론에서는 목표의 도전성(난이도)과 명확성(구체성)을 강조했다.
② 매슬로우(Maslow)의 욕구 5단계설에서는 욕구의 좌절과 퇴행을 강조했다.
③ 해크만과 올드햄(Hackman & Oldham)의 직무특성이론에서는 유의성, 수단성, 기대감을 동기부여의 핵심으로 보았다.
④ 앨더퍼(Alderfer)의 ERG이론에서는 위생요인이 충족되었다고 하더라도 동기부여가 되는 것은 아니라고 주장했다.

31	과정이론	난이도 ●○○

동기부여의 과정이론에 해당하는 이론은 ㄱ. 브룸(Vroom)의 기대이론, ㄴ. 애덤스(Adams)의 공정성이론, ㄷ. 로크(Locke)의 목표설정이론이다.

(선지분석)
ㄹ. 앨더퍼(Alderfer)의 ERG이론은 욕구이론(내용이론)에 해당한다.
ㅁ. 맥그리거(McGregor)의 X·Y이론은 욕구이론(내용이론)에 해당한다.

답 ①

32	동기부여이론	난이도 ●○○

과정이론의 일종인 로크(Locke)의 목표설정이론에서는 목표의 난이도와 구체성이 강조되었다. 즉, 목표가 어느 정도 어렵고 구체적일 때 동기부여의 효과가 높다고 했다.

(선지분석)
② 엘더퍼(Alderfer)의 ERG이론에 해당한다. 매슬로우(Maslow)는 욕구의 좌절과 퇴행을 고려하지 못하였다.
③ 브룸(V. Vroom)의 기대이론에 해당한다.
④ 허즈버그(Herzberg)의 2요인이론에 해당한다.

답 ①

33 동기부여이론   2022년 국가직 7급

동기부여이론에 대한 설명으로 옳지 않은 것은?

① 앨더퍼(Alderfer)의 욕구내용 중 관계욕구는 머슬로(Maslow)의 생리적 욕구와 안전욕구에 해당한다.
② 브룸(Vroom)의 기대이론은 과정이론에 해당한다.
③ 허즈버그(Herzberg)는 위생요인이 충족되었다고 하더라도 동기부여가 되는 것은 아니라고 하였다.
④ 애덤스(Adams)는 투입한 노력 대비 얻은 보상에 대해서 준거인과 비교해 상대적으로 느끼는 공평함의 정도가 동기부여에 영향을 미친다고 하였다.

---

33 | 동기부여이론 | 난이도 ●○○

매슬로우(Maslow)의 생리적 욕구와 안전욕구에 해당하는 것은 앨더퍼(Alderfer)의 생존욕구에 해당한다.

선지분석
② 브룸(Vroom)의 기대이론은 과정이론이다.
③ 허즈버그(Herzberg)의 욕구충족요인 이원론에서는 위생요인이 충족되어도 불만이 없는 상태가 되는 것이며, 직무수행 동기를 유발하지는 못한다고 보았다.
④ 아담스(Adams)의 공정성이론은 투입한 노력 대비 얻은 보상에 대해서 준거인과 비교해 상대적으로 느끼는 공평함의 정도가 동기부여에 영향을 미치며, 공평함의 정도가 불평등하다고 지각할 때 동기부여가 된다고 하였다.

답 ①

---

34 자아실현인 관리전략   2024년 군무원 9급

자아실현적 인간에 대한 관리전략에 대한 설명으로 가장 적절하지 않은 것은?

① 상황조건과 구성원 동기의 차별성을 고려하여 획일적이기보다는 유연하고 다원적이며 세분화된 관리전략을 사용한다.
② 구성원이 자신들의 직무에서 의미를 발견하고, 긍지와 자존심을 가지며, 도전적으로 직무에 임할 수 있도록 한다.
③ 관리자는 구성원을 지시하고 통제하기보다는 구성원 스스로 자기통제와 자기계발을 통해 문제를 해결할 수 있도록 지원하고 촉진한다.
④ 통합모형에 근거해 개인과 조직의 목표를 융합하고 통합할 수 있도록 의사결정과정에서 구성원들의 참여를 확대한다.

---

34 | 자아실현인 관리전략 | 난이도 ●●●

복잡인을 전제로 한 상황적응적 관리이다.

자아실현인 관리전략
㉠ 조직구성원이 자신들의 직무에서 의미를 발견하고, 그에 대한 긍지와 자존심을 갖고 도전적으로 직무를 담당할 수 있도록 해야 함
㉡ 관리자는 조직구성원을 지시하고 통제하기보다는 면담자나 촉매자의 역할을 수행해야 함
㉢ 조직구성원들 스스로 자기통제와 자기계발을 통해 문제를 해결하도록 해야 함
㉣ 구성원들에게 경제적·사회적인 외적 보상보다는 성취감·만족감과 같은 내적인 보상을 얻도록 하는 것이 더 중요함
㉤ 통합형의 관리전략을 적용해 개인과 조직의 목표를 융화하고 통합하는 방향으로 노력해야 하며, 조직구성원들을 의사결정과정에 참여시켜 참여의식을 가지고 조직목표를 위해 기여하도록 해야 함

답 ①

35
2024년 군무원 7급

다음 중 동기부여이론에 대한 설명으로 적절한 것을 모두 고른 것은?

> ㄱ. 매슬로우(Maslow)는 하위단계의 욕구가 어느 정도 충족되면 다음 단계의 욕구가 발로된다고 본다.
> ㄴ. 앨더퍼(Alderfer)는 매슬로우(Maslow)처럼 욕구를 계층화하고 욕구의 계층에 따라 욕구의 발로가 이루어진다고 보았지만, 두 가지 이상의 욕구가 한 가지 행동을 유발한다고 보는 점에서 차이가 있다.
> ㄷ. 맥그리거(McGregor)의 X·Y이론은 욕구좌절로 인한 후진적·하향적 퇴행을 제시하였다.
> ㄹ. 아지리스(Argyris)는 개인의 동기는 사회문화 상호작용하는 과정에서 취득되고 학습된다고 보았다.

① ㄱ, ㄴ
② ㄱ, ㄷ
③ ㄴ, ㄷ
④ ㄴ, ㄹ

---

35 동기부여이론 | 난이도 ●○○

ㄱ. 매슬로우(Maslow)는 인간의 동기는 다섯 가지 욕구의 계층에 따라 순차적으로 유발된다(하위욕구 → 상위욕구). 즉, 하위욕구가 어느 정도 충족되면 상위욕구가 유발된다고 주장한다.
ㄴ. 매슬로우(Maslow)는 사람이 한순간에 하나의 욕구만을 취하는 분절형의 욕구단계로 이해했던 반면, 앨더퍼(Alderfer)는 두 가지 이상의 욕구가 동시에 작용되기도 한다는 복합연결형의 욕구단계를 주장하였다.

(선지분석)
ㄷ. 욕구좌절로 인한 후진적·하향적 퇴행을 제시한 이론은 앨더퍼(Alderfer)의 ERG이론이다.
ㄹ. 개인의 동기는 사회문화 상호작용하는 과정에서 취득되고 학습된다고 주장한 이론은 매클리랜드(McClelland)의 성취동기이론이다.

답 ①

36
2022년 국가직 7급

다음은 동기부여 실험에 대한 설명이다. (가)~(다)에 들어갈 말을 바르게 연결한 것은?

> 유치원 어린이들을 세 집단으로 나누고 그림 그리기 놀이를 하였다. 첫 번째 집단에는 그림을 완성하면 선물을 준다고 약속하였고 그림을 완성한 어린이들에게는 약속한 선물을 주었다. 두 번째 집단에는 선물을 준다는 약속은 없었지만 그림을 완성한 어린이들에게는 깜짝 선물을 주었다. 세 번째 집단에는 어떤 약속도 선물도 없이 평소처럼 그림 그리기를 하였다.
> 그 이후, 그림 그리기 놀이를 계속하는지에 대한 집단 간 차이를 관찰하였다. 관찰 결과, 두 번째와 세 번째 집단은 그림그리기 놀이를 계속하였지만 첫 번째 집단은 상대적으로 적은 수만이 그림 그리기 놀이를 계속하였다. 이러한 현상을 통해 학자들은 (가) 동기가 (나) 동기를 밀어내는 구축효과가 있다는 점을 제시하였으며 (나) 동기의 예시로는 (다) 을/를 들 수 있다.

	(가)	(나)	(다)
①	내재적	외재적	성과급
②	내재적	외재적	가치관 일치
③	외재적	내재적	처벌
④	외재적	내재적	일에 대한 즐거움

---

36 동기부여 실험 | 난이도 ●●●

첫 번째 집단에는 외재적 보상을 주고, 두 번째 집단과 세 번째 집단은 외재적 보상을 주지 아니한다. 따라서 (가)에 들어갈 말은 '외재적', (나)에 들어갈 말은 '내재적'이다. 성과급과 처벌 등은 외재적 동기에 해당하고, 일에 대한 즐거움과 가치관 일치 등은 내재적 동기에 해당하는 예시이다.

답 ④

KEYWORD 053 정보공개

37 □□□ 2014년 국가직 9급

우리나라의 행정정보공개제도에 대한 설명으로 옳지 않은 것은?

① 국정에 대한 국민의 참여와 국정 운영의 투명성 확보를 목적으로 한다.
② 중앙행정기관의 경우 전자적 형태의 정보 중 공개대상으로 분류된 정보는 공개청구가 없더라도 공개하여야 한다.
③ 정보의 공개 및 우송 등에 드는 비용은 실비 범위에서 청구인이 부담한다.
④ 정보공개청구는 말로써도 할 수 있으나 외국인은 청구할 수 없다.

38 □□□ 2022년 국가직 7급

우리나라 공공기관의 정보공개제도에 대한 설명으로 옳지 않은 것은?

① 당시 법률의 구체적 위임은 없었으나 청주시에서 우리나라 최초로 행정정보공개조례가 제정되었다.
② 청구에 의한 공개도 가능하지만 특정 정보는 별도의 청구 없이도 사전에 공개해야 한다.
③ 비공개 대상 정보를 제외한 모든 정보를 공개 대상으로 하는 네거티브 방식을 취하고 있다.
④ 정보목록은 비공개 대상 정보가 포함된 경우라도 공공기관이 작성, 공개하여야 한다.

| 37 | 행정정보공개제도 | 난이도 ●○○ |

정보공개청구는 문서로 청구서를 제출하거나 말로써 할 수 있으며, 외국인도 대통령령으로 정하는 일정한 경우에는 청구할 수 있다.

선지분석
① 국정에 대한 국민의 참여와 국정 운영의 투명성 확보는 정보공개제도의 목적으로 옳은 지문이다.
② 「공공기관의 정보공개에 관한 법률(정보공개법)」 제8조의2에 명시되어 있다.

> 「공공기관의 정보공개에 관한 법률」 제8조의2 【공개대상 정보의 원문공개】 공공기관 중 중앙행정기관 및 대통령령으로 정하는 기관은 전자적 형태로 보유·관리하는 정보 중 공개대상으로 분류된 정보를 국민의 정보공개 청구가 없더라도 정보통신망을 활용한 정보공개시스템 등을 통하여 공개하여야 한다.

③ 정보공개 실비는 청구인의 부담으로 옳은 지문이다.

답 ④

| 38 | 정보공개제도 | 난이도 ●●○ |

정보목록 중 공개하지 아니할 수 있는 정보가 포함되어 있는 경우에는 해당 부분을 갖추어 두지 아니하거나 공개하지 아니할 수 있다[「공공기관의 정보공개에 관한 법률」 제8조(정보목록의 작성·비치 등)].

선지분석
① 1992년 중앙정부보다 앞서 청주시에서 행정정보공개조례를 제정하였다.
② 국민생활에 큰 영향을 미치는 정책정보는 정기적 공개 대상정보로, 청구가 없더라도 공개해야 한다.
③ 모든 정보는 공개되는 것이 원칙이지만, 예외적으로 「공공기관의 정보공개에 관한 법률」 제9조에 근거하여 공개하지 않을 수 있다고 규정하므로, 네거티브 방식(원칙 허용·예외금지)에 해당한다.

답 ④

KEYWORD 054 갈등과 리더십

39 □□□
2016년 서울시 9급

조직에서 갈등이 발생할 수 있는 소지가 가장 적은 경우는?

① 자원의 희소성이 강할 때
② 업무의 일방향 집중형 상호의존성이 강할 때
③ 개인 사이의 가치관 격차가 클 때
④ 분업구조의 성격이 강할 때

40 □□□
2016년 국회직 8급

조직 내 갈등에 대한 설명으로 옳지 않은 것을 다음에서 모두 고르면?

> ㄱ. 갈등은 조직에 항상 부정적인 영향을 미치므로 적절한 방안을 통해 해소해야 한다.
> ㄴ. 갈등관리 방안 중 협동(collaboration)은 갈등 당사자들이 서로 양보하여 갈등을 해결하는 것으로 분명한 승자나 패자가 없다.
> ㄷ. 업무의 상호의존성이 높을수록 갈등이 증가할 소지가 크다.
> ㄹ. 갈등해소를 의한 경쟁(competition) 전략은 신속하고 결단력이 필요한 경우나 구성원들에게 인기 없는 조치를 실행할 경우 사용될 수 있다.
> ㅁ. 조직이 무사안일에 빠져있을 경우에는 타협(compromise)을 통해 갈등을 해소할 수 있다.

① ㄱ, ㅁ
② ㄴ, ㄹ
③ ㄱ, ㄴ, ㄹ
④ ㄱ, ㄴ, ㅁ
⑤ ㄷ, ㄹ, ㅁ

39	갈등	난이도 ●●○

업무의 일방향 집중형 상호의존성이 아닌 수평적 쌍방향의 상호의존성이 높을 때 갈등이 발생할 소지가 높다. 오히려 일방향 집중형은 협력관계가 깨질 확률이 낮기 때문에 갈등의 발생소지가 낮다.

(선지분석)
① 자원의 희소성이 높으면 이해관계인 간에 갈등이 높다.
③ 개인 사이의 가치관 격차가 클 때에도 갈등 상황이 높게 나타날 수 있다.
④ 분업이 심할 때는 책임분할이 심하여 대립과 갈등의 가능성이 높아진다.

답 ②

40	조직 내 갈등	난이도 ●●○

ㄱ. 오늘날 갈등은 긍정적인 측면과 부정적인 측면이 있다. 부정적으로만 본다면 갈등은 무조건 해소대상이지만, 침체에 빠진 조직에서는 갈등을 조장하여 위기를 극복할 수 있다는 점에서 긍정적인 측면이 있다.
ㄴ. 갈등 당사자들이 서로 양보하여 갈등을 해결하는 것으로 분명한 승자나 패자가 없는 것은 협동(collaboration)이 아니라 타협 또는 협상(bargaining)에 대한 설명이다.
ㅁ. 조직이 무사안일이나 침체에 빠져 있을 때에는 갈등을 해소할 것이 아니라, 오히려 갈등을 조장하여 위기를 극복해야 한다.

(선지분석)
ㄷ. 의존관계가 높을수록 갈등 발생률이 높다.
ㄹ. 경쟁은 자신의 이익을 추구하고 상대방의 이익은 희생시키는 전략으로, 신속하고 결단성 있는 행동이 요구될 때나 인기 없는 정책을 실행할 경우에 주로 사용된다.

답 ④

41
2015년 사회복지직 9급

조직 내의 갈등관리에 대한 설명으로 옳지 않은 것은?

① 고전적 갈등관리이론에서는 갈등의 유해성에 주목하고 그 해소방법을 처방하는 데 몰두하였다.
② 행태주의 관점의 갈등관리이론에서는 갈등이 조직발전의 원동력이 된다고 주장하였다.
③ 갈등관리 전략으로써 조성전략은 갈등의 순기능적 측면에 입각해 있다.
④ 로빈스(Robbins)는 갈등관리를 전통주의자, 행태주의자, 상호작용주의자의 관점으로 구분하여 접근한다.

42
2013년 서울시 7급

갈등관리에 대한 설명으로 옳지 않은 것은?

① 조직의 분업구조 관련 갈등예방을 위해서는 직급교육과 인사교류가 효과적이다.
② 자원의 희소성 관련 갈등예방을 위해서는 자원배분의 기준을 명확히 하는 것이 필요하다.
③ 조직침체 극복을 위한 갈등조장을 위해서는 불확실성을 높이는 전략이 유효하다.
④ 개인의 특성 관련 갈등예방을 위해서는 다른 사람과의 공감대 형성능력 개발을 위한 교육이 바람직하다.
⑤ 업무의 상호의존성에 따른 갈등예방을 위해서는 부서 간 접촉의 필요성을 늘려주는 전략이 유효하다.

---

41 조직 내 갈등관리 난이도 ●●○

갈등을 조직발전의 원동력으로 보는 관점은 행태주의가 아니라 상호작용주의 관점이다. 행태주의자들은 갈등을 수용(용인)하는데 그쳤으며 어디까지나 갈등을 해결의 대상으로 본 것일 뿐, 조직발전의 원동력으로 보거나 적극적인 조장(고무)의 대상으로까지 본 것은 아니라는 것이다.

(선지분석)
① 고전적 갈등관은 갈등의 해로움을 강조하며 회피대상으로 여긴다.
③ 순기능적 갈등은 조성, 역기능적 갈등은 해소의 대상이다.
④ 로빈스와 저지[Robins & Judge(2011)]는 갈등관리를 전통주의자, 행태주의자, 상호작용주의자의 관점으로 구분하여 접근한다.

답 ②

42 갈등관리 난이도 ●●○

업무의 상호의존성에 따른 갈등 예방을 위해서는 업무 의존성을 완화시켜야 하므로, 부서 간 접촉의 필요성을 줄여주는 전략이 유효하다.

(선지분석)
① 분업은 훈련적 무능을 유발하여 갈등을 유발할 수 있으므로, 직급교육과 인사교류로 업무의 이해도를 높여야 한다.
② 자원배분 기준을 명확히 하여 자원배분에 따른 갈등을 예방할 수 있다.
③ 침체를 극복하기 위해서는 의도적으로 갈등을 조장하여야 하며, 의도적 갈등조장전략 중 하나가 불확실성을 높이는 방식이다.
④ 상대를 이해하는 공감대 형성능력을 통해 개인 간 갈등을 예방할 수 있다.

답 ⑤

43
2013년 국가직 9급

조직 내부에서 발생하는 갈등에 대한 설명으로 옳지 않은 것은?

① 갈등은 양립할 수 없는 둘 이상의 목표를 추구하는 상황에서도 발생한다.
② 고전적 조직이론에서는 갈등을 중요하게 고려하지 않는다.
③ 행태론적 입장에서는 모든 갈등이 조직성과에 부정적 영향을 미치므로 제거되어야 한다고 본다.
④ 현대적 접근방식은 갈등을 정상적인 현상으로 보고 경우에 따라서는 조직발전의 원동력으로 본다.

---

43 조직 내부에서 발생하는 갈등 | 난이도 ●○○

행태론은 갈등의 순기능에 바탕을 두고 있다.

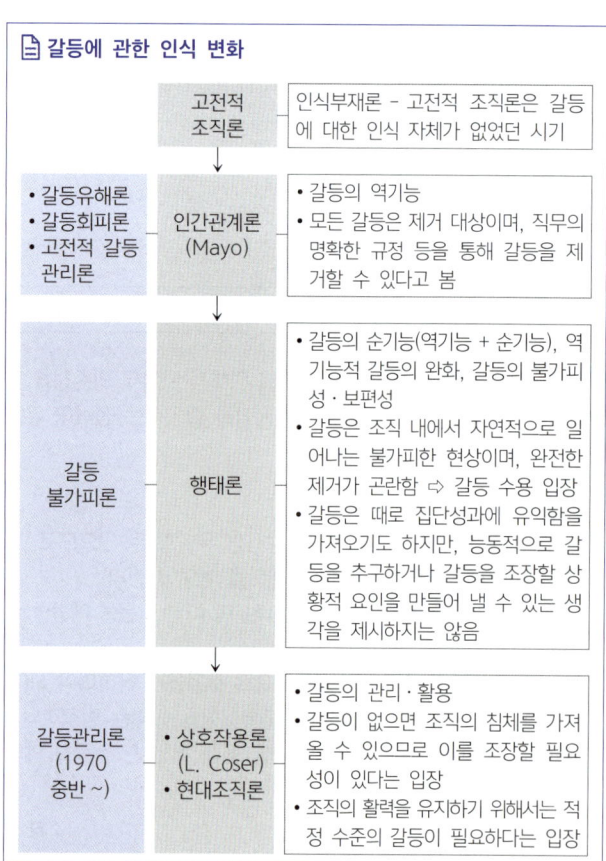

답 ③

44
2012년 지방직 9급

토머스(K. Thomas)가 제시하고 있는 대인적 갈등관리방안에 대한 설명으로 옳지 않은 것은?

① 자신의 이익과 상대방의 이익을 만족시키려는 정도라는 두 가지 차원으로 구분하여 설명한다.
② 경쟁이란 상대방의 이익을 희생하여 자신의 이익을 추구하는 방안이다.
③ 순응이란 자신의 이익은 희생하면서 상대방의 이익을 만족시키려는 방안이다.
④ 타협이란 자신과 상대방의 이익 모두를 만족시키려는 방안이다.

---

44 대인적 갈등관리방안 | 난이도 ●●○

타협은 양보와 획득을 통하여 자신과 상대방의 이익을 절충시키려는 방안이며, 자신과 상대방의 이익 모두를 만족시키려는 방안은 타협이 아니라 협동(협력)이다.

토마스(Thomas)의 대인적 갈등관리방안

회피	비단정적인 전략으로 자신의 이익과 상대방의 이익에 모두 무관심한 경우
순응 (수용, 적응)	자신의 이익은 희생하고 상대방의 이익을 만족시키는 전략으로서 상대방의 논제가 더 중요할 때 상대방의 주장을 받아들이는 것
타협	자신과 상대방 이익의 중간 정도를 만족시키는 전략
경쟁	자신의 이익을 추구하고 상대방의 이익은 희생시키는 전략
협동	자신과 상대방의 이익 모두를 만족시키려는 전략

답 ④

45

2024년 국가직 9급

갈등관리유형에 대한 설명으로 옳지 않은 것은?

① 회피(avoiding)는 갈등이 존재함을 알면서도 표면상으로는 그것을 무시하거나 인정하지 않음으로써 갈등 상황에 소극적으로 대응한다.
② 수용(accommodating)은 자신의 이익을 양보하고 상대방의 이익을 배려해 협조한다.
③ 타협(compromising)은 갈등 당사자 간 서로 존중하고 자신과 상대방 모두의 이익을 극대화하려는 유형으로 'win-win' 전략을 취한다.
④ 경쟁(competing)은 갈등 당사자가 자기 이익은 극대화하고 상대방의 이익은 최소화한다.

| 45 | 갈등관리유형 | 난이도 ●●○ |

갈등당사자 모두의 이익을 극대화하려는 'win-win' 전략은 타협(compromising)이 아닌 협동(collaboration)에 해당한다.

답 ③

46

2020년 국가직 9급

조직 내 갈등에 대한 설명으로 옳지 않은 것은?

① 과업의 상호의존성이 높은 경우 잠재적 갈등이 야기될 수 있다.
② 고전적 관점에서 갈등은 조직 효과성에 부정적인 영향을 끼친다고 가정한다.
③ 의사소통 과정에서 충분한 양의 정보도 갈등을 유발하는 경우가 있다.
④ 진행단계별로 분류할 때 지각된 갈등은 갈등이 야기될 수 있는 상황 또는 조건을 의미한다.

| 46 | 조직 내 갈등 | 난이도 ●●● |

갈등이 야기될 수 있는 상황 또는 조건을 의미하는 것은 지각된 갈등이 아니라 잠재적 갈등에 해당한다.

선지분석
① 과업 간 상호의존성이 높은 경우 갈등의 소지는 높아지기도 하고 협력의 여지도 높아지기도 한다. 반대로 상호의존성이 없으면 갈등의 소지도 낮아지고 협력의 여지도 낮아진다.
② 고전적 갈등관에 따르면, 갈등은 부정적인 것이므로 예방하거나 해소되는 것이 바람직하다는 입장이다.
③ 과다한 정보 등 정보량의 조절은 갈등을 조성시키는 방안 중의 하나이다.

📄 폰디(Pondy)의 진행단계에 따른 갈등 분류

잠재적 갈등	갈등이 야기될 수 있는 상황 또는 조건
지각된 갈등	구성원들이 느끼게된 갈등
감정적 갈등	감정적으로 느끼는 갈등
표면화된 갈등	노골적으로 표출된 갈등
갈등의 결과	조직이 갈등에 대응한 후 남는 조건 또는 상황

답 ④

47

2020년 국회직 9급

리더십이론에 대한 설명으로 옳지 않은 것은?

① 피들러(Fiedler)의 상황론이 제시하는 상황변수에는 리더와 부하와의 관계, 리더가 지닌 공식적 권한의 정도, 부하의 성숙도가 있다.
② 리더십이론은 자질론(특성론)에서 출발하였다.
③ 허쉬와 블랜차드(Hersey & Blanchard)의 리더십 상황이론에 따르면 지시형, 설득형, 참여형, 위임형이 있다.
④ 레딘(Reddin)의 3차원모형에서 헌신형은 과업을 중시한다.
⑤ 미시간대학교의 리더십 연구에서는 직원 중심적(employee centered) 리더가 효과적인 것으로 나타났다.

48

2021년 국가직 7급

피들러(Fiedler)의 상황적합적 리더십이론에 대한 설명으로 옳지 않은 것은?

① 리더와 부하의 관계, 부하의 성숙도, 과업구조의 조합에 따라 상황적 유리성(situational favorableness)을 설명한다.
② 리더에게 매우 유리한 상황인 경우 과업 지향적 리더십이 효과적이다.
③ LPC(Least Preferred Coworker) 점수를 사용하여 리더를 과업 지향적 리더와 관계 지향적 리더로 분류했다.
④ 리더가 처한 상황에 따라서 리더십의 효과성이 달라질 수 있다.

---

47 리더십이론 난이도 ●○○

피들러(Fiedler)의 상황론이 제시하는 상황변수에는 리더와 부하의 관계, 과업구조, 지위권력이 있다. 부하의 성숙도를 상황변수로 제시하는 이론은 허쉬와 블랜차드(Hersey & Blanchard)의 리더십 상황이론이다.

선지분석

② 리더십이론은 자질론에서 출발하였으며, 행태론 → 상황론 → 통합론으로 발달하였다.
③ 허쉬와 블랜차드(Hersey & Blanchard)는 부하의 성숙도에 따라 리더십유형을 지시형, 설득형, 참여형, 위임형으로 분류하였다.
④ 레딘(Reddin)의 3차원모형은 리더의 행동유형을 분리형, 헌신형, 관계형, 통합형으로 분류하였다. 헌신형은 과업만을 중시하는 유형이다.
⑤ 미시간대학교의 연구에서 직원 중심형 리더십이 업무 중심형 리더십보다 더 효과적인 것으로 나타났다.

답 ①

48 상황적합적 리더십이론 난이도 ●○○

피들러(Fidler)의 상황적응적 리더십이론의 상황요인으로 리더와 부하의 관계, 과업구조의 특성, 리더의 직위권력 등 3가지를 들었다.

선지분석

② 상황이 유리하거나 불리한 경우에는 과업 지향적 리더십이 효과적이고, 상황이 중간수준일 경우 인간 지향적 리더십이 효과적이라 한다.
③ 리더십의 효율성은 상황변수에 따라 결정되며, 가장 좋아하지 않는 동료라는 LPC(Least Preferred Cowoker) 척도를 구성하였다.
④ 피들러(Fiedler)는 리더십의 유형을 과업 중심형과 인간관계 중심형으로 구분한 뒤, 리더와 부하의 관계·지위권력·과업구조라는 3가지 상황변수의 조합에 따라 리더에게 유리한 상황이 달라지고, 상황에 따라 효과적으로 적용되는 리더십 스타일이 달라진다고 하였다.

답 ①

49. 2017년 국가직 7급(10월 추가)

리더십이론에 대한 설명으로 옳은 것만을 모두 고른 것은?

> ㄱ. 피들러(Fiedler)의 상황적합이론(contingency theory of leadership)에서는 상황변수로 '리더와 부하의 관계', '직위 권력', '과업구조' 세 가지를 들고 있다.
> ㄴ. 허쉬와 블랜차드(Hersey & Blanchard)의 경로-목표이론(path-goal theory of leadership)에서는 상황변수로 부하의 능력과 의욕으로 구성되는 성숙도를 채택하였다.
> ㄷ. 하우스(House)는 리더십을 거래적 리더십(transactional leadership)과 변혁적 리더십(transformational leadership)으로 구분하였다.
> ㄹ. 블레이크와 머튼(Blake & Mouton)의 관리격자(managerial grid)모형에 따르면 무기력형, 컨트리클럽형, 과업형, 중도형, 팀형이라는 기본적인 리더십 유형이 도출된다.

① ㄱ, ㄴ
② ㄱ, ㄹ
③ ㄴ, ㄷ
④ ㄷ, ㄹ

50. 2024년 지방직 9급

리더-구성원 교환이론에 대한 설명으로 옳은 것만을 모두 고르면?

> ㄱ. 내집단(in-group)에 속한 구성원이 많을수록 집단의 성과가 높아진다고 본다.
> ㄴ. 리더와 구성원이 파트너십 관계로 발전하는 과정을 '리더십 만들기'라 한다.
> ㄷ. 리더가 모든 구성원을 차별 없이 대우하는 공정성을 중시한다.
> ㄹ. 리더와 구성원이 점점 높은 도덕성과 동기 수준으로 서로를 이끌어 가는 상호 관계를 중시한다.

① ㄱ, ㄴ
② ㄱ, ㄹ
③ ㄴ, ㄷ
④ ㄷ, ㄹ

---

49 리더십이론 난이도 ●●○

ㄱ, ㄹ. 리더십이론에 대한 옳은 설명이다.

선지분석
ㄴ. 경로-목표이론은 허쉬와 블랜차드(Hersey & Blanchard)가 아니라 하우스와 에반스(House & Evans)가 주장하였으며, 허쉬와 블랜차드(Hersey & Blanchard)는 상황변수를 부하의 성숙도로 본다.
ㄷ. 하우스(House)는 경로-목표모형에서 리더십의 유형을 지시적, 지원적, 참여적, 성취적 리더십으로 구분하였다.

답 ②

50 리더-구성원 교환이론 난이도 ●●●

ㄱ. 내집단에 속한 구성원일수록 구성원의 만족감과 성과가 높고, 외집단에 속할수록 낮다.
ㄴ. 내집단 구성원과 리더간의 상호작용 관계가 어떻게 리더십으로 형성되는지 '리더십 만들기' 개념을 제시한다.

선지분석
ㄷ. 리더는 외집단구성원과 내집단구성원에게 차별적인 관리방식을 취한다고 본다.
ㄹ. 변혁적 리더십에 해당한다.

📄 **수직적 쌍방관계 연결이론: 그렌과 단스로(Graen & Dansereau, 1975)**

㉠ 기존의 이론들은 리더의 행동이 모든 부하들에게 동일하다고 전제하지만, 수직적 쌍방관계 연결이론에서는 리더와 각각의 부하 간의 관계가 서로 다를 수 있다는 것을 강조
㉡ 여기서 수직적 쌍방관계란 리더와 각각의 부하가 이루는 쌍(pair)을 의미
㉢ 리더-구성원 교환이론이라고도 함

답 ①

51   2019년 8급 국회직

갈등의 조성전략에 대한 설명으로 옳지 않은 것은?

① 표면화된 공식적 및 비공식적 정보전달통로를 의식적으로 변경시킨다.
② 갈등을 일으킨 당사자들에게 공동으로 추구해야 할 상위목표를 제시한다.
③ 상황에 따라 정보전달을 억제하거나 지나치게 과장한 정보를 전달한다.
④ 조직의 수직적·수평적 분화를 통해 조직구조를 변경한다.
⑤ 단위부서들 간에 경쟁상황을 조성한다.

52   2019년 서울시 9급

허쉬(Hersey)와 블랜차드(Blanchard)는 부하의 성숙도(Maturity)에 따른 효과적인 리더십을 제시하였다. 부하가 가장 미성숙한 상황에서 점점 성숙해간다고 할 때, 가장 효과적인 리더십 유형을 〈보기〉에서 골라 순서대로 나열한 것은?

〈보기〉
ㄱ. 참여형 ㄴ. 설득형
ㄷ. 위임형 ㄹ. 지시형

① ㄷ → ㄱ → ㄴ → ㄹ
② ㄹ → ㄱ → ㄴ → ㄷ
③ ㄹ → ㄴ → ㄱ → ㄷ
④ ㄹ → ㄴ → ㄷ → ㄱ

---

51   갈등의 조성전략   난이도 ●●○

갈등의 조성방안에는 ⓐ 새로운 구성원의 투입, ⓑ 의사전달 통로의 변경(정보 및 권력의 재분배), ⓒ 조직개편과 직무재설계를 통한 제도적 방안, ⓓ 경쟁상황의 창출 등이 있다.
갈등을 일으킨 당사자들에게 공동으로 추구해야 할 상위목표를 제시하는 것은 갈등을 조성하는 것이 아니라, 갈등을 해결하기 위한 하나의 전략이다.

갈등의 해결방안과 조성방안	
해결방안	• 회피(avoidance) • 순응(accommodation) • 타협(compromise) • 경쟁(competing) • 협동(collaboration)
조성방안	• 새로운 구성원의 투입 • 의사 전달 통로의 변경(정보 및 권력의 재분배) • 조직개편·직무재설계 • 경쟁의 조성

답 ②

52   부하의 성숙도에 따른 리더십 유형   난이도 ●●○

허쉬와 블랜차드(Hersey & Blanchard)는 리더십의 성숙도이론에서 구성원의 성숙도에 따라 과업행동과 관계행동이 달라져야 하고, 이들의 결합으로 리더십의 유형이 지시형, 설득형, 참여형, 위임형으로 구분·발전되어 간다고 주장하였다. 이들의 이론에 의하면 부하의 성숙도에 따라 리더의 역할이 달라진다.

답 ③

53　　　　　　　　　　　　　　　　2015년 서울시 9급

리더십에 관한 설명 중 가장 옳지 않은 것은?

① 특성론적 접근법은 주로 업무의 특성과 리더십 스타일 사이의 관계에 초점을 맞춘다.
② 행태론적 접근법은 리더의 행동과 효과성 사이의 관계에 관심을 갖는다.
③ 상황론적 접근법에 기초한 이론의 예로 피들러(F. Fiedler)의 상황적합적 리더십이론, 하우스(R. J. House)의 경로-목표모형 등을 들 수 있다.
④ 변혁적(transformational) 리더십이 거래적(transactional) 리더십보다 늘 행정에 유용한 것은 아니다.

54　　　　　　　　　　　　　　　2019년 서울시 7급(10월 시행)

리더십 상황이론에 해당하지 않는 것은?

① 블레이크(Blake)와 머튼(Mouton)의 관리그리드이론
② 피들러(Fiedler)의 상황적응모형
③ 허쉬(Hersey)와 블랜차드(Blanchard)의 삼차원적 모형
④ 하우스(House)와 에반스(Evans)의 경로-목표이론

53　리더십　　난이도 ●○○

특성론적 접근법은 리더의 자질(특성)을 연구하는 이론이다.

선지분석
② 행태론적 접근법은 리더의 행동이 Y이론적일 때 효과적이라고 본다.
③ 피들러(Fiedler)의 상황적합적 리더십이론, 하우스(House)의 경로-목표모형 등은 상황론적 리더십이론의 예로 옳은 지문이다.
④ 변혁적 리더십은 변화하는 환경에서는 유용하고, 거래적 리더십은 안정된 환경에서 유용한 리더십이다.

답 ①

54　리더십 상황이론　　난이도 ●○○

블레이크(Blake)와 머튼(Mouton)의 관리그리드이론은 상황론이 아니라 행태론적 리더십 연구에 해당한다.

선지분석
② 피들러(Fiedler)의 상황적응모형, ③ 허쉬(Hersey)와 블랜차드(Blanchard)의 삼차원적 모형, ④ 하우스(House)와 에반스(Evans)의 경로-목표이론는 모두 상황이론에 해당한다. 상황이론에서는 리더십을 특정한 역사적 맥락 속에서 발휘되는 것으로 파악하여, 상황 유형별로 가장 효율적인 리더의 행태를 찾아내기 위한 연구를 수행하였다. 또한 리더십은 지도자와 추종자, 상황에 의해 결정된다고 본다.

답 ①

55

2014년 사회복지직 9급

다음 내용을 모두 특징으로 하는 리더십의 유형은?

ㄱ. 추종자의 성숙단계에 따라 효율적인 리더십 스타일이 달라진다.
ㄴ. 리더십은 개인의 속성이나 행태뿐만 아니라 환경의 영향을 받는다.
ㄷ. 가장 유리하거나 가장 불리한 조건에서는 과업중심적 리더십이 효과적이다.

① 변혁적 리더십
② 거래적 리더십
③ 카리스마적 리더십
④ 상황론적 리더십

56

2021년 군무원 7급

리더십 상황이론에서 중요시하는 상황적 요소로서 학자들이 흔히 주장하는 요소와 가장 관련이 없는 것은?

① 조직구성원의 심리적·업무적 성숙도
② 리더의 상황 판단 능력
③ 과업의 구조화 또는 비구조화의 정도
④ 리더와 부하와의 인간 관계

55	리더십유형	난이도 ●○○

ㄱ, ㄴ, ㄷ은 모두 상황요인에 따라 리더십의 효율성이 달라진다는 상황론적 리더십을 설명하고 있다.
ㄱ. 허쉬와 블랜차드(Hersey & Blanchard)의 삼차원이론(생애주기이론)이다.
ㄴ. 상황론적 리더십에 대한 일반적인 설명이다.
ㄷ. 피들러(Fiedler)의 상황적응모형의 결론이다.

답 ④

56	리더십 상황이론	난이도 ●●○

상황이론은 조직이 처한 다양한 상황요인을 중시한 이론이며, 리더의 능력(상황 판단 능력)을 중시한 이론이 아니다.

(선지분석)
① 허쉬와 블랜차드(Hersey & Blanchard)가 3차원모형(성숙도이론)에서 상황요인으로 중시한 요소이다.
③ 하우스와 에반스(House & Evans)가 경로-목표모형에서 상황변수 중 과업환경으로 제시한 요소이다.
④ 피들러(Fiedler)가 상황적응모형에서 상황요인으로 제시한 요소이다. 피들러(Fiedler)는 리더와 부하와의 관계, 과업구조, 직위권력을 상황변수로 들었다.

답 ②

57

2017년 국가직 7급(인사조직론)

변혁적 리더십에 대한 설명으로 옳은 것은?

① 부하에게 지적 자극을 주어 창의와 혁신적 태도를 고취한다.
② 일상적이며 표준화된 과업을 수행하는 데 장점이 있고, 단순구조나 임시체제보다 전문적 관료제에 더 적합하다.
③ 리더는 성과와 보상을 연계하며, 부하가 목표 기준에 미달하는 경우에만 사후적으로 개입한다.
④ 부하의 성숙도를 넷으로 분류하고, 각 성숙도에 상응하는 네 가지 리더유형을 제시한다.

| 57 | 변혁적 리더십 | 난이도 ●○○ |

변혁적 리더십의 특징인 지적 자극은 부하에게 형식적 관행을 타파하고 창조적 사고와 혁신적 태도를 고취시켜 새로운 관념을 촉발시킨다.

선지분석

② 변혁적 리더십은 변동과 적응, 융통성을 중시하는 조직일수록 효율성이 높기 때문에 단순구조나 임시조직 등 유기적 구조나 탈관료제 조직에 적합하다.
③ 리더와 부하 간의 물질적 교환관계를 토대로 하는 것은 거래적 리더십이며, 변혁적 리더십은 자신감, 영감과 비전, 지적 자극에 의한 동기부여 등 가치교환을 중점으로 한다.
④ 허쉬와 블랜차드(Hersey & Blanchard)의 3차원모형에 대한 내용으로, 부하의 성숙도 수준에 따라 리더십 유형을 지시형, 설득형, 참여형, 위양형(위임형)으로 구분하였다.

답 ①

58

2019년 국가직 9급

리더십에 대한 설명으로 옳지 않은 것은?

① 특성론에 대한 비판은 지도자의 자질이 집단의 특성·조직목표·상황에 따라 완전히 달라질 수 있고, 동일한 자질을 갖는 것은 아니며, 반드시 갖추어야 할 보편적인 자질은 없다는 것이다.
② 행태이론에서는 눈에 보이지 않는 능력 등 리더가 갖춘 속성보다 리더가 실제 어떤 행동을 하는가에 초점을 맞춘다.
③ 상황론에서는 리더십을 특정한 맥락 속에서 발휘되는 것으로 파악해, 상황 유형별로 효율적인 리더의 행태를 찾아내기 위한 연구를 수행하였다.
④ 번스(Burns)의 리더십이론에서 거래적 리더십은 카리스마적 리더십을 기반으로 하므로 카리스마적 리더십과 중첩되는 측면이 있다.

| 58 | 리더십 | 난이도 ●●○ |

거래적 리더십이 아니라 변혁적 리더십이라고 해야 옳다. 변혁적 리더십은 카리스마적 리더십을 구성요소로 하므로 카리스마적 리더십과 중첩되는 측면이 있다.

선지분석

① 특성론은 훌륭한 리더가 되는 데 필요한 속성을 가진 사람은 성공적인 리더가 될 수 있다고 보았다. 특성에는 신체적 특성, 능력 등이 있다. 지도자의 자질이 집단의 특성·조직목표·상황에 따라 달라질 수 있으므로 보편적인 자질은 없다고 본다.
② 행태이론(behavior theory)은 리더십 행태의 유형을 발전시키고, 리더십 행태와 추종자들의 업무성취 및 만족 사이의 관계를 밝히려는 이론을 말한다.
③ 상황이론은 리더십을 특정한 맥락 속에서 발휘되는 것으로 파악해, 상황 유형별로 효율적인 리더의 행태를 찾아내기 위한 연구를 수행하였다.

답 ④

59   2019년 지방직 9급

'변혁적 리더십(transformational leadership)'에 대한 설명으로 옳지 않은 것은?

① 조직참여의 기대가 적은 경우에 적합하며 예외관리에 초점을 둔다.
② 리더가 부하에게 특별한 관심을 보이거나 자긍심과 신념을 심어준다.
③ 리더가 부하들의 창의성을 계발하는 지적 자극(intellectual stimulation)을 중시한다.
④ 리더가 인본주의, 평화 등 도덕적 가치와 이상을 호소하는 방식으로 부하들의 의식수준을 높인다.

| 59 | 변혁적 리더십 | 난이도 ●●○ |

변혁적 리더십은 카리스마적 리더십, 영감적 리더십, 개별적 배려, 지적 자극 등을 특징으로 하며, 조직 구성원의 참여 기대가 충족될 수 있는 분권화된 탈관료제 조직경우에 적합하다. 예외에 의한 관리보다는 변혁적 관리에 초점을 둔다. 예외에 의한 관리란 합의된 성과수준에 도달하지 못할 때에만 리더가 개입을 하는 고전적인 행정관리원칙으로, 거래적 리더십의 주요 특징에 해당한다.

(선지분석)
② 개별적 배려 및 카리스마적 리더십과 관련된 설명으로 옳은 지문이다.
③ 지적 자극에 대한 설명으로 옳은 지문이다.
④ 변혁적 리더십은 도덕적 가치와 이상에 의한 영향화를 중시한다.

📄 거래적 리더십과 변혁적 리더십의 비교

구분	거래적 리더십	변혁적 리더십
개념	리더와 추종자들은 각자의 관심사와 타산적 이해관계의 필요에 의해 법적 조건과 제반 규정에 따라 리더십 과정에 참여	리더와 추종자들은 합의된 공동목표를 추구하고 변혁적 리더는 추종자들에 대해 교육적 역할을 담당하며 경우에 따라 목표와 가치를 변경하거나 이를 더욱 고차원적으로 고양할 수도 있음
변화관	안정지향적, 폐쇄적	변동지향적, 개방체제적
초점	하급관리자	최고관리층
동기부여	부하의 이익 자극	영감과 비전제시 및 구성원 전체가 공유해야 할 가치의 내면화
관리전략	리더와 부하 간의 교환관계나 통제	업무할당 및 할당된 과제의 가치와 당위성 주지, 성공에 대한 기대 제공
이념	능률 지향	적응 지향
조직구조	기계구조, 기계적 관료제	경계작용적 구조, 임시조직

답 ①

60   2025년 군무원 9급

거래적 리더십(Transactional Leadership)에 대한 설명으로 가장 적절한 것은?

① 부하에게 존중심을 바탕으로 창조적 사고의 여건을 마련함으로써 개인적 욕구를 뛰어넘어 조직을 위해 일할 수 있게끔 영감을 제공하는 것을 강조한다.
② 리더가 구성원을 위해 봉사하는 데 초점을 맞춘 리더십이다.
③ 업무수행 과정이 반복적이고 성과수준의 측정이 가능할 때 효과적이다.
④ 리더의 특출한 성격과 능력에 의해 추종자들의 강한 헌신과 리더와의 일체화를 이끌어내는 리더십을 의미한다.

| 60 | 거래적 리더십 | 난이도 ●●○ |

거래적 리더십은 보상에 관심을 갖고, 업무를 할당하고 그 성과를 평가하는 리더십이다.

답 ③

61

2021년 지방직 9급

변혁적(transformational) 리더십에 대한 설명으로 옳은 것은?

① 적응보다 조직의 안정을 강조한다.
② 기계적 조직체계에 적합하며, 개인적 배려는 하지 않는다.
③ 부하에게 새로운 비전을 제시하며, 지적 자극을 통한 동기부여를 강조한다.
④ 리더와 부하의 관계를 경제적 교환관계로 인식하고, 보상에 관심을 둔다.

62

2023년 지방직 9급

변혁적 리더십에 대한 설명으로 옳지 않은 것은?

① 도전적 목표와 임무, 미래에 대한 비전을 추구하도록 격려한다.
② 구성원 개개인에게 관심을 가지고 배려한다.
③ 상황적 보상과 예외관리를 특징으로 한다.
④ 새로운 관점에서 문제를 재구성하고 해결책을 찾도록 자극한다.

| 61 | 변혁적 리더십 | 난이도 ●○○ |

변혁적 리더십의 구성요소 중 영감적 리더십과 지적 자극으로 옳은 지문이다.

선지분석
① 변혁적 리더십은 안정보다 변화에 적응을 중시한다.
② 기계적 조직보다 유기적 구조에 적합하며, 개인적 배려를 중시한다.
④ 경제적 교환을 통한 합리적 교환은 거래적 리더십의 특성에 해당한다.

답 ③

| 62 | 변혁적 리더십 | 난이도 ●●○ |

상황적 보상과 예외적 관리는 거래형 리더십의 특성에 해당한다. 상황적 보상이란 목표수준을 달성했을 때 보상을 해주는 조건을 의미하고, 예외관리란 목표달성에 미치지 못했을 때 예외적으로 책임을 묻는 관리방식을 의미한다.

선지분석
① 변혁적 리더십의 구성요소인 영감적 리더십에 해당한다.
② 변혁적 리더십의 구성요소인 개별적 배려에 해당한다.
④ 변혁적 리더십의 구성요소인 지적 자극에 해당한다.

답 ③

63
2019년 9월 국회직

리더십에 대한 설명으로 옳은 것을 <보기>에서 모두 고르면?

<보기>
ㄱ. 블레이크와 머튼(Blake & Mouton)은 관리그리드모형에서 과업 지향, 인간관계 지향이라는 기준을 활용하여 리더십 유형을 분류하였다.
ㄴ. 허쉬(Hersey)와 블랜차드(Blanchard)의 경로-목표이론에 의하면 부하의 성숙도에 따라 리더의 역할이 달라져야 한다.
ㄷ. 거래적 리더십은 변혁적 리더십에 비해 의사소통이 하향적이며 수직적이다.
ㄹ. 피들러(Fiedler)는 상황적인 요소에 따라 효과적인 리더십의 유형이 달라짐을 주장하면서 리더십 유형을 지시적 리더십, 지원적 리더십, 참여적 리더십, 성취지향적 리더십으로 구분하였다.

① ㄱ, ㄴ
② ㄱ, ㄷ
③ ㄴ, ㄷ
④ ㄴ, ㄹ
⑤ ㄷ, ㄹ

| 63 | 리더십 | 난이도 ●●○ |

ㄱ. 관리그리드모형은 관리망이론이라고도 하며, 리더십의 유형을 무관심형, 친목형, 과업형, 타협형, 단합형으로 나누었다. 그들 연구의 결과로는 단합형이 가장 이상적인 리더십 유형으로 나타났다.

(선지분석)
ㄴ. 허쉬와 블랜차드(Hersey & Blanchard)에 의하면 부하의 성숙도가 낮은 경우 리더는 지시적인 과업 행동이 효과적이고, 성숙도가 중간인 경우 부하를 참여시키는 관계성 행동이 효과적이며, 성숙도가 높은 상황에서는 권한을 대폭 위임해 주는 것이 효과적이다.

📋 블레이크와 머튼(Blake & Mouton)의 리더십 유형

무관심형	생산 및 인간에 대한 관심이 모두 낮아 신분유지를 위한 최소한의 노력만 기울이는 유형
친목형	인간에 대한 관심은 높으나 생산에 대한 관심은 낮은 유형
과업형	생산에 대한 관심은 높으나 인간에 대한 관심은 낮은 유형
타협형	인간과 생산에 절반씩 관심을 두고 적당한 수준의 성과를 지향하는 유형
단합형	생산과 인간에 대한 관심이 모두 높아 목표달성을 위한 공동체 의식을 강조하여 조직목표달성을 위해 헌신하도록 유도하는 유형

답 ②

64
2020년 국가직 7급

리더십에 대한 설명으로 옳지 않은 것은?

① 변혁적(transformational) 리더십의 특성에는 영감적 동기부여, 자유방임, 지적 자극, 개별적 배려 등이 있다.
② 진성(authentic) 리더십의 특성은 리더가 정직성, 가치의식, 도덕성을 바탕으로 팔로워들의 믿음을 이끌고, 팔로워들이 리더의 윤리성과 투명성을 믿으며 긍정적 감정을 느낀다는 것이다.
③ 서번트(servant) 리더십은 자기 자신보다는 다른 사람에게 초점을 두고, 부하들의 창의성과 잠재력을 발휘할 수 있도록 봉사하는 리더십이다.
④ 거래적(transactional) 리더십은 적극적 보상이나 소극적 보상을 통해 영향력을 행사한다.

| 64 | 리더십 | 난이도 ●●○ |

변혁적 리더십의 특성에는 영감적 동기부여, 카리스마적 리더십, 지적 자극, 개별적 배려 등이 있다. 자유방임은 해당하지 않는다.

(선지분석)
② 진성 또는 진실한 리더십(신뢰감을 주는 리더십: authentic leadership)이란 자기가 어떤 사람이며 자기의 가치관과 신념은 무엇인지 알고, 그에 일관되게 솔직하고 개방적으로 행동하는 사람의 리더십이다. 진실한 리더십은 리더가 그의 가치관에 따라 투명하고 윤리적으로 행동하여, 추종자들이 리더를 신뢰하고 따르게 만드는 리더십이다. 진실한 리더십의 핵심은 신뢰이다.
③ 서번트(servant) 리더십은 발전적 리더십으로 변혁적 리더십보다 좀더 부하 중심적이고 리더가 부하에 대해 더 봉사적인 리더십이다. 그러므로 종복정신을 강조한다.
④ 거래적(transactional) 리더십은 부하의 업적에 따른 적극적 보상이나 소극적 보상을 통한 합리적 교환으로 영향력을 행사한다.

답 ①

65
2022년 지방직 9급

서번트(Servant) 리더십에 대한 설명으로 옳은 것만을 모두 고르면?

> ㄱ. 구성원들이 공동의 목표를 이뤄 나갈 수 있도록 환경을 조성하고 도와준다.
> ㄴ. 보상과 처벌을 핵심 관리수단으로 한다.
> ㄷ. 그린리프(Greenleaf)는 존중, 봉사, 정의, 정직, 공동체 윤리를 강조했다.
> ㄹ. 리더의 최우선적인 역할은 업무를 명확하게 지시하는 것이다.

① ㄱ, ㄷ
② ㄱ, ㄹ
③ ㄴ, ㄷ
④ ㄴ, ㄹ

65	서번트 리더십	난이도 ●●○

서번트 리더십(= 발전적 리더십)이란 변혁적 리더십보다 더 부하 중심적이고 리더가 부하에 대해 더 봉사적인 리더십이며, 종복정신을 강조한다. 리더십에 대한 설명으로 옳은 것은 ㄱ, ㄷ이다.

ㄱ. 서번트 리더십에서는 구성원들이 공동의 목표를 함께 이루어갈 수 있도록 환경을 조성하고 지원한다.
ㄷ. 서번트 리더십의 구성요소로서 존경, 봉사, 정의, 정직, 공동체 윤리를 강조했다.

선지분석
ㄴ. 업적에 따른 보상과 처벌은 거래적 리더십의 내용이다.
ㄹ. 서번트 리더십은 지시가 아니라 구성원들의 자율적·잠재력을 강조한다.

답 ①

66
2021년 군무원 9급

리더십에 대한 설명으로 가장 옳지 않은 것은?

① 리더십에 있어 자질론적 접근은 리더가 만들어지기보다는 특별한 역량을 타고나는 것임을 강조한다.
② 민주형 리더십은 권위와 최종책임을 위임하며 부하가 의사결정에 참여하도록 하는 쌍방향 의사전달의 특징을 지닌다.
③ 리더십에 있어 경로-목표모형은 리더의 행태가 어떻게 조직원으로 하여금 목표를 달성시키도록 하는 리더십 효과로 이어지는지를 설명해준다.
④ 상황론적 관점에서 보면 부하의 지식이 부족하고 공식적 규정이 마련되어 있지 않은 과업환경에서는 지원적 리더십보다 지시적 리더십이 보다 부하의 만족을 높이고 효과적일 수 있다.

66	리더십	난이도 ●●●

리더가 부하에게 최종책임을 위임하는 것은 자유방임에 가까운 표현이다.

선지분석
① 자질론은 어떤 속성이나 자질이 인간을 지도자로 만드느냐를 탐구하는 이론이다. 이 이론은 리더십은 위대한 인물의 출생과 더불어 타고난 것이며, 리더의 자질을 갖고 있는 사람은 어떤 상황에서든 지도자가 될 수 있다고 믿었다.
③ 경로-목표모형은 상황적 리더십이론으로, 리더의 행동(원인변수)이 부하의 행동(결과변수)에 영향을 미치지만, 그 과정에서 부하의 기대감과 유인가가 매개를 하며(매개변수), 아울러 부하의 특성과 작업환경요인이 상황변수로서 영향을 미친다는 것이다.
④ 경로-목표모형에서는 부하들의 역할모호성이 높은 상황(비구조화된 업무상황)에서 부하의 활동을 계획, 통제, 조정하는 지시적 리더십이 효과적이라고 본다.

리더십의 유형[레빈(Lewin), 리피트와 화이트(Lippitt & White)]

권위주의형	지도자가 모든 정책을 결정하고 구성원에게 세부적인 사항까지 지시하며, 구성원들의 작업에 대한 칭찬과 비판까지 지도자의 개인적 생각에 의존하는 유형
민주형	정책결정은 집단토론을 통해서 이루어지고 구성원의 작업 격려도 집단토론을 통해 이루어지며, 업무를 수행하기 위해 집단형성이나 분업이 필요할 때도 집단이 결정
자유방임형	집단의 의사결정에 최대한의 자유를 부여하고 지도자는 요구가 있을 때에만 결정에 참여하며, 구성원의 작업에 대하여도 지도자는 일체 관여하지 않음

답 ②

67

2023년 국가직 7급

리더십과 팔로워십이론에 대한 설명으로 옳은 것만을 모두 고르면?

> ㄱ. 켈리(Kelley)는 소외적 추종자(alienated followers), 순응적 추종자(sheep), 수동적 추종자(yes people), 효과적 추종자(effective followers) 등 네 가지 추종자 유형을 제시하였고, 그 중 소외적 추종자가 가장 위험하다고 주장하였다.
> ㄴ. 블레이크(Blake)와 머튼(Mouton)은 생산에 대한 관심과 사람에 대한 관심이 모두 높은 단합형(team management) 리더십유형을 최선의 관리방식으로 제안하였다.
> ㄷ. 상황적응적 리더십모형의 주창자 중 하나인 피들러(Fiedler)는 리더 – 구성원 관계, 직무구조, 직위권력 등 3가지 변수를 중요한 상황요소로 설정하였다.
> ㄹ. 오하이오 주립대 리더십 연구자들은 리더의 행동을 구조주도(initiating structure)와 배려로 설명하며 가장 훌륭한 리더유형을 중간 수준의 구조주도와 배려를 갖춘 균형잡힌 리더형태로 보았다.

① ㄱ, ㄴ
② ㄱ, ㄹ
③ ㄴ, ㄷ
④ ㄷ, ㄹ

67 리더십과 팔로워십이론   난이도 ●●●

ㄴ. 생산에 대한 관심과 인간에 대한 관심이 모두 높은 단합형 리더십이 가장 이상적이다.
ㄷ. 피들러(Fiedler)는 리더 – 구성원 관계, 직무구조, 직위권력의 3가지 변수를 중요한 상황요소로 설정하였다.

선지분석

ㄱ. 켈리(Kelley)의 팔로워십에서는 팔로워를 독립성과 활동이라는 두 가지 기준을 가지고 5가지 유형[소외된 팔로워(alienated follower), 순응적 팔로워(conforming follower), 실용적 팔로워(pragmatic follower), 수동적 팔로워(passive follower), 효과적 팔로워(effective follower)]으로 구분하였다. 조직을 분열시킬 잠재적 위험성 가지고 있는 소외된 팔로워가 가장 위험하다고 보았다.
ㄹ. 오하이오 주립대 연구는 '구조설정과 배려'라는 2가지 국면으로 리더의 행동유형을 4가지로 구분했으며 높은 조직화와 높은 배려를 동시에 보이는 지도자가 가장 효과적인 지도자로 나타났다.

📄 켈리(Kelley)의 팔로워십(Followership)

소외된 팔로워 (alienated follower)	리더와 조직운영에 대해 상당히 독립적, 비판적인 사고를 갖고 있는 존재(적극적인 활동 부족) → 조직을 분열시킬 잠재적 위험성 가지고 있음
순응적 팔로워 (conforming follower)	조직활동에 적극적으로 참여하나 독립적인 비판능력 부족(속칭 'yes people') → 리더의 지시에 무조건 순종
실용적 팔로워 (pragmatic follower)	상당히 독립적인 비판력을 가지고 있으면서 동시에 조직활동에도 평균적인 수준으로 참여함(속칭 '눈치꾼들', 정부관료형이라 부름) → 조직을 가장 덜 위험하게 하지만, 조직의 변화·혁신을 방해함
수동적 팔로워 (passive follower)	독립적 비판력과 판단력이 없고, 조직활동에도 참여하지 않음 → 조직 내 역할 미약, 책임감도 부족
효과적 팔로워 (effective follower)	독자적인 판단력과 비판의식을 발휘할 줄 알고 조직의 활동에 적극적 참여 → 리더의 임파워 전략에 긍정적으로 반응할 수 있는 사람

답 ③

68 □□□ 2025년 지방직 9급

하우스(House)의 경로 – 목표모형에서 부하들의 욕구를 배려하고 그들의 복지에 관심을 가지며 구성원들의 인간관계를 강조하는 리더십은?

① 지시적(directive) 리더십
② 후원적(supportive) 리더십
③ 참여적(participative) 리더십
④ 성취 지향적(achievement-oriented) 리더십

| 68 | 경로 – 목표모형 | 난이도 ●●● |

지문은 지원적(후원적) 리더십에 해당한다.

📄 하우스와 에반스(House & Evans)의 4가지 리더십 유형

지시적 리더십	부하들의 역할모호성이 높은 상황(비구조화된 업무상황)에서 부하의 활동을 계획, 통제, 조정
지원적 리더십	부하가 스트레스를 많이 받거나, 단조로운 업무를 수행하는 상황(구조화된 업무상황)에서 작업환경의 부정적 측면을 최소화시킴으로써 부하가 업무를 원활하게 수행할 수 있도록 함
성취 지향적 리더십	부하가 비구조화된 과업을 수행 시 부하에게 도전적인 목표를 설정해주고, 부하에게 높은 성과를 달성할 수 있다는 리더의 확신을 보여주어 부하가 목표달성을 추구하는 데 자신감을 갖게 함
참여적 리더십	비구조화된 과업수행 시 부하가 과업목표, 계획, 절차, 방법 등에 관한 의사결정에 참여함으로써 기대 및 직무수행동기를 높이는 유형

답 ②

KEYWORD 055 의사전달과 조직문화

69 □□□ 2016년 지방직 9급

조직의 의사전달에 대한 설명으로 옳지 않은 것은?

① 공식적 의사전달은 의사소통이 객관적이고 책임소재가 명확하다는 장점이 있다.
② 비공식적 의사전달은 의사소통 과정에서의 긴장과 소외감을 극복하고 개인적 욕구를 충족시킨다는 장점이 있다.
③ 공식적 의사전달은 조정과 통제가 곤란하다는 단점이 있다.
④ 참여인원이 적고 접근가능성이 낮은 경우 의사전달체제의 제한성은 높다.

| 69 | 조직의 의사전달 | 난이도 ●○○ |

공식적 의사전달은 공식조직 내에서 계층제적 경로와 과정을 거쳐 공식적으로 행해지는 의사전달이므로 조정과 통제가 용이하다.

(선지분석)
④ 참여인원이 적거나 접근가능성이 낮으면 의사전달은 제한된다.

📄 공식적 · 비공식적 의사전달 비교

구분	공식적 의사전달	비공식적 의사전달
장점	• 의사소통이 객관적 • 책임소재가 명확 • 상관의 권위가 유지 • 정책결정에 활용이 용이 • 자료보존이 용이	• 신속한 전달 • 배후사정을 소상히 전달 • 의사소통과정에서의 긴장과 소외감을 극복하고 개인적 욕구를 충족시킴 • 공식적 의사전달을 보완 • 관리자에 대한 조언 역할
단점	• 법규에 의거하므로 의사전달의 신축성이 없고 형식화되기 쉬움 • 배후사정을 전달하기 곤란 • 변동하는 사태에 신속한 적응이 곤란 • 근거가 남기 때문에 기밀유지가 어려움	• 책임소재가 불분명 • 공식적 의사소통을 마비시킴 • 수직적 계층하에서 상관의 권위를 손상 • 조정과 통제가 곤란

답 ③

70

2016년 경찰간부

공식적 의사전달과 비공식적 의사전달의 장점에 대한 비교 중 가장 옳지 않은 것은?

	공식적 의사전달	비공식적 의사전달
①	책임소재가 명확	관리자에 대한 조언 기능
②	상관의 권위 유지	공식적 의사전달 보완
③	신속한 전달	정책결정에 활용이 용이
④	의사소통이 객관적	배후사정을 소상히 전달

71

2023년 국가직 7급

행정 PR(public relations)에 대한 설명으로 옳지 않은 것은?

① 행정민주화의 요청에 따라 그 필요성이 제기되고 있다.
② 정부가 잘못된 정보를 국민에게 투입하는 것은 행정 PR의 객관성에 반하는 것이다.
③ 개발도상국가에서는 국민들에 대한 계몽적·교육적 성격을 갖는다.
④ 국민의 알 권리에 대한 정부의 도덕적·법적 의무로 이해되기 때문에 일방적·명령적이어야 한다.

---

70 공식적 의사전달과 비공식적 의사전달의 비교 난이도 ●○○

의사전달은 공식성 유무에 따라 공식적 의사전달과 비공식적 의사전달로 유형을 구분지을 수 있다. 비공식적 의사전달은 신속하지만 그 진위 여부가 불명확하고, 조정과 통제가 곤란하여 공식적 정책결정에 활용하기가 용이하지는 않다. 이는 계층제나 공식적인 직책을 떠나 조직 구성원 간의 친분·상호 신뢰와 인간관계 등을 통하여 이루어지는 의사전달로, 소문·풍문·메모 등을 수단으로 한다.

답 ③

71 행정 PR 난이도 ●○○

행정 PR(public relations)은 민의를 듣고 이를 정책에 반영시키는 공청기능과 정책홍보 등을 통해 국민에게 알리는 공보기능이 상호적으로 이루어져야 한다. 즉, 일방적·명령적이 아닌 교류성·쌍방향성이어야 한다.

행정 PR의 특징	
수평성	정부와 국민이 대등한 수평적 지위에서 상호이해와 자주적 협조가 이루어져야 함
교류성·쌍방향성	민의를 듣고 이를 정책에 반영시키는 공청기능과 정책홍보 등을 통해 국민에게 알리는 공보기능이 상호적으로 이루어져야 함
의무성	행정 PR에 있어 국민은 알 권리가 있으며, 정부는 이를 알려 주어야 할 의무가 있음
객관성	정부는 사실이나 정보를 진실하게 객관적으로 알려 국민이 이를 정확하고 올바르게 판단하도록 해야 함
교육성	행정 PR은 국민에 대해서 계몽적 교육의 성격을 지님

답 ④

72

2016년 국가직 9급

조직시민행동(organizational citizenship behavior)에 대한 설명으로 옳지 않은 것은?

① 공식적인 보상 시스템에 의하여 직접적으로 또는 명시적으로 인식되지 않는 직무역할 외 행동이다.
② 구성원들의 역할모호성 지각은 조직시민행동에 긍정적 영향을 미친다.
③ 구성원들의 절차공정성 지각은 조직시민행동에 긍정적 영향을 미친다.
④ 작업장의 청결을 유지하는 것은 조직시민행동 유형 중 양심행동에 속한다.

73

2020년 군무원 7급

윌리엄스와 앤더슨(Williams & Anderson)에 의해 주장되는 조직에 대한 조직시민행동(OCB-O)의 예로 옳지 않은 것은?

① 불평불만 자제
② 작업장 주변 정돈
③ 비품 아껴쓰기
④ 아픈동료 돕기

| 72 | 조직시민행동 | 난이도 ●●○ |

구성원들의 역할모호성 지각은 조직시민행동에 부정적인 영향을 미친다.

선지분석

① 조직시민행동(organizational citizenship behavior)이란 공식적 역할과 관련된 의무나 그에 따른 정형화된 계약이나 보상체계와는 직접적으로 관련되어 있지 않지만, 조직 구성원이 자발적으로 행하는 조직의 효과성을 위하여 노력하는 행동을 말한다. 즉, 지문은 조직시민행동에 대한 개념으로 옳은 지문이다.
③ 조직 구성원들이 스스로 지각하고 있는 조직 내의 공정성이 높을수록, 즉 자신이 조직에서 공정한 대우를 받고 있다고 느낄수록 조직 내에서 자발적으로 조직시민행동을 할 가능성이 높아진다.
④ 양심적 행동이란 조직에서 요구하는 최저 수준 이상의 역할을 수행하는 것을 의미한다. 작업장의 청결을 유지하거나 회사비품을 아껴 쓰는 것 같은 행동은 양심행동에 해당한다.

답 ②

| 73 | 윌리엄스와 앤더슨(Williams & Anderson)의 조직시민행동 | 난이도 ●●● |

윌리엄스와 앤더슨(Williams & Anderson)의 조직시민행동은 조직차원과 개인차원으로 구분할 수 있다. 아픈 동료를 돕는 것은 개인차원에 해당한다.

윌리엄스와 앤더슨(Williams & Anderson)의 조직시민행동

개인차원	이타적 행동 (altruism)	• 조직 내 과업이나 발생하는 문제와 관련하여 다른 구성원을 도와주는 행위 • 대상은 조직 내부 구성원이지만 외부인도 조직의 과업과 연관되면 이에 해당	신입사원의 적응 돕기, 아픈 동료 돕기 등
	예의성 (문제예방적 행동, courtesy)	• 직무수행 과정에서 발생할 수 있는 갈등을 사전에 예방하기 위해 다른 구성원들을 세심하게 배려 • 자신의 의사결정이나 행동에 따라 영향을 받을 수 있는 다른 구성원들과 사전적으로 연락을 취해 필요한 양해를 구하고 의견 조율	정보공유, 사전협의 등
	양심적 행동 (성실성, conscientiousness)	• 조직 내 구성원이 조직에서 요구하는 최저수준 이상의 역할을 자발적으로 수행 • 자신의 양심에 따라 조직의 명시적 암묵적 규칙을 충실히 준행	조기출근, 회사비품 아껴쓰기, 작업장 주변 정돈 등
조직차원	스포츠맨십 (신사적 행동, sportsmanship)	• 조직 내 발생하는 문제에 대한 비난을 삼가고 고충을 인내하며 묵묵히 직무를 수행 • 조직이나 다른 구성원과 관련하여 불만 불평이 생겼을 경우, 뒤에서 험담하고 소문내기보다 긍정적 측면에서 이해하고자 노력하는 행동	불평·불만 자제, 험담하지 않기 등
	시민정신 (공익성, civic virtue)	구성원이 조직에 애착과 책임감을 가지고 적극적 태도로 직무를 수행하여 조직의 발전을 위해 혁신적 태도로 참여하는 것	조직의 정책에 대한 관심 제안, 관련 이슈 토론 등

답 ④

74
2015년 국가직 7급

리그스(Riggs)의 프리즘적 모형(Prismatic Model)에서 설명하는 프리즘적 사회의 특성으로 옳지 않은 것은?

① 고도의 이질혼합성
② 형식주의
③ 고도의 분화성
④ 다규범성

| 74 | 프리즘적 사회의 특성 | 난이도 ●○○ |

분화된 조직은 프리즘 사회가 아니라 선진국과 같은 다원화된 분화사회의 특성이다.

선지분석
① 고도의 이질혼합성, ② 형식주의, ④ 다규범성은 프리즘적 모형의 특성으로 옳은 지문이다.

📄 **프리즘적 사회의 특징**
㉠ 고도의 이질혼합성
㉡ 기능의 중첩성
㉢ 연고우선주의
㉣ 형식주의
㉤ 다분파주의
㉥ 다규범성
㉦ 가격의 부정가성
㉧ 양초점성
㉨ 가치의 응집성
㉩ 천민기업가
㉪ 의존증세군

답 ③

75
2015년 국가직 7급

행정문화란 행정체제의 구성원들이 공유하는 가치와 신념, 그리고 태도와 행동양식의 총체라고 할 수 있다. 호프스테드(Hofstede)의 문화 차원을 근거로 하였을 때 한국문화의 특성으로 보기 어려운 것은?

① 개인주의
② 온정주의
③ 권위주의
④ 안정주의

| 75 | 한국문화의 특성 | 난이도 ●○○ |

우리나라는 개인주의 보다는 가족주의·온정주의적 성격이 강하다.

선지분석
② 온정주의, ③ 권위주의, ④ 안정주의는 모두 우리나라의 행정문화의 특성으로 옳은 지문이다.

📄 **후진국의 행정문화**
㉠ 가족주의(온정주의): 행정이라는 공적 세계를 가족의 한 형태로 파악하는 의식구조. 이러한 사회에서는 조직 구성원 간의 화합과 계서적 질서가 강조되지만, 공(公)·사(私)의 구별이 불분명해지는 사인주의(私人主義), 또는 관직을 국민에 대한 봉사수단이나 하나의 직업으로 생각하지 않고 출세와 이권의 수단이나 사유물로 생각하는 관직사유관(관직이권주의)이 나타남
㉡ 권위주의: 조직 내·외의 관계를 평등의 관계보다는 수직적인 관계로 보고, 지배·복종의 위계질서를 강조하는 태도. 관지배주의나 관우월주의 또는 관존민비사상이 그 예이며, 내부적으로 집권화, 대외적으로는 비민주화를 초래함
㉢ 형식주의: 내용이나 실리보다 형식이나 모양새, 절차·선례에 집착하는 태도로, 외형적 구조나 제도와 실제(기능)의 불일치현상
㉣ 연고주의: 혈연·지연·학연 등 배타적이면서도 특수한 관계를 강조하는 연고주의가 지배하며, 개인보다는 귀속적 요인이나 집단 중심의 사고방식이 우선함
㉤ 운명주의: 성공의 여부나 인간생활이 초자연적인 힘에 의해 숙명적으로 결정된다는 사고방식으로, 외부여건에 맹종하는 순응주의(맹종주의)와 관련
㉥ 정실주의: 객관적인 사실보다는 명예·위신·의리·도덕 등과 같은 무형적이고 정신적인 가치를 중시하는 의식구조로, 온정이나 주관에 사로잡히는 '인격적 행정'이나 '정적(情的) 인간주의(personalism)'와도 같음
㉦ 일반주의: 상식으로 혼자 모든 것을 다 할 수 있다고 생각하는 만능적 의식구조. 즉, 자기를 전지전능의 인간이라고 과대망상적으로 평가하는 사고방식으로, 이러한 사회에서는 행정의 깊이가 없고 좀처럼 전문주의가 형성되지 않음

답 ①

76　　　　　　　　　　　　　　　　2025년 군무원 9급

한국의 행정문화에 대한 설명으로 가장 적절한 것은?

① 일반능력자주의
② 상대주의
③ 합리주의
④ 모험주의

| 76 | 한국의 행정문화 | 난이도 ●○○ |

한국의 행정문화를 묻는 문제인데 한국의 행정문화를 기본적으로 후진국 문화로 놓고 출제한 문제이다 일반능력주의는 후진국 행정문화의 특성이고 나머지는 선진국 행정문화의 특성이다. 일반능력자주의(일반주의)는 상식으로 혼자 모든 것을 다 할 수 있다고 생각하는 만능적 의식구조이다. 즉, 과대망상적으로 자기를 전지전능의 인간이라고 평가하는 사고방식이다.

선지분석

② 상대주의는 어떠한 가치라도 시기와 장소에 따라 다르게 평가될 수 있다는 유연한 상대적 태도와 절대유일의 최선의 가치에 집착하지 않고 다양한 분야의 가치를 인정하는 다원주의를 추구한다.
③ 합리주의는 모든 객관적인 지식을 동원해서 최적의 의사결정을 하려는 태도이다.
④ 모험주의는 자연을 극복하고 항시 새로운 것과 더 나은 것을 추구하는 태도를 말한다. 따라서 모험주의는 시행착오(trial and error)를 무서워하지 않는다.

답 ①

77　　　　　　　　　　　　　　　　2021년 국가직 7급

홉스테드(Hofstede)의 문화 차원에 대한 설명으로 옳지 않은 것은?

① 불확실성 회피 정도가 강한 경우 공식적 규정을 많이 만들어 불확실한 요소를 최대한 통제하려 한다.
② 집단주의가 강한 문화는 개인주의가 강한 문화보다 상대적으로 느슨한 개인 간 관계를 더 중요시한다.
③ 권력거리가 큰 경우 제도나 조직 내에 내재되어 있는 상당한 권력의 차이를 자연스럽게 인정한다.
④ 남성성이 강한 문화는 여성성이 강한 문화보다 상대적으로 남성과 여성의 역할에 대한 분명한 차이를 인정하려고 한다.

| 77 | 홉스테드(Hofstede)의 문화 차원 | 난이도 ●●● |

집단주의가 강한 문화는 느슨한 개인 간의 관계보다 개인 간 결속력이 강한 특징을 보인다.

선지분석

① 불확실성 회피지수에 대한 설명으로 옳은 지문이다.
③ 권력거리 지수에 대한 설명으로 옳은 지문이다.
④ 남성성-여성성 지수에 대한 설명으로 옳은 지문이다.

홉스테드(Hofstede)의 문화 차원

권력거리	조직이나 단체에서 권력이 작은 구성원이 권력의 불평등한 분배를 수용하고 기대하는 정도로, 권력거리가 작은 문화가 민주적임
개인주의 - 집단주의	• 개인들이 단체에 통합되는 정도 • 개인주의적 사회에서는 개인의 권리를 강조하는 반면, 집단주의에서는 반대로 개인 간 결속력을 강조함
불확실성 회피	불확실성과 애매성에 대한 사회적 저항력으로 사회 구성원이 불확실성을 최소화함으로써 불안에 대처하려고 하는 정도를 말함
남성성 - 여성성	성별 간 감정적 역할의 분화로, 남성적인 문화에서는 성역할의 차이가 크고 유동성이 작음
장기 지향성 - 단기 지향성	사회의 시간범위를 의미하는 것으로, 장기 지향적인 사회는 미래에 더 많은 중요성을 부여함

답 ②

78

2023년 지방직 7급

조직문화 및 변동의 이론에 대한 설명으로 옳은 것만을 모두 고르면?

> ㄱ. 퀸(Quinn)은 경쟁가치모형을 활용해 '내부지향 – 외부지향'과 '유연성 – 통제(안정성)'라는 두 가지 차원에서 4가지 조직문화 유형을 도출하였다.
> ㄴ. 홉스테드(Hofstede)는 '권력거리'의 크기가 큰 문화에서는 평등한 관계를 중시하기 때문에 조직 내 의사소통이 활발하고 분권화된 경우가 많다고 본다.
> ㄷ. 레빈(Lewin)은 조직 변화의 과정을 현재 상태에 대한 해빙(unfreezing), 원하는 상태로의 변화(moving), 새로운 변화가 지속될 수 있도록 재동결(refreezing)하는 3단계로 제시하였다.

① ㄱ
② ㄱ, ㄷ
③ ㄴ, ㄷ
④ ㄱ, ㄴ, ㄷ

78 조직문화 및 변동

ㄱ. 퀸(Quinn)은 경쟁가치모형을 통해 조직문화의 유형을 두 가지 차원으로 구분하였다. 그에 따르면 조직은 내부 대 외부, 통제성 대 유연성을 기준으로 인간관계모형, 개발체제모형, 내부과정모형, 그리고 합리적 목표모형 네 가지로 구분된다.
ㄷ. 레빈(Lewin)의 조직변화 3단계 모형에 따르면 현재 상태를 해빙시켜 새로운 수준의 상태로 변화하고, 이러한 새로운 수준의 상태에서 재동결이 이뤄져야 한다. 즉, 조직변화를 해빙 → 변화 → 재결빙의 3단계로 설명하였다.

선지분석
ㄴ. 권력거리가 작은 문화가 민주적이다.

답 ②

79

2022년 군무원 7급

다음 중 호프스테드(Hofstede)가 비교한 문화의 비교차원과 가장 옳지 않은 것은?

① 불확실성의 회피
② 보편주의 대 특수주의
③ 개인주의 대 집단주의
④ 장기성향 대 단기성향

79 호프스테드(Hofstede)의 문화의 비교차원

보편주의 대 특수주의는 호프스테드(Hofstede)가 제시한 문화차원에 해당하지 않는다. 호프스테드(Hofstede)는 지향점에 따라 조직문화를 5가지로 유형화하고 문화별 특성을 제시하였다.

선지분석
①, ③, ④ 모두 호프스테드(Hofstede)가 제시한 5가지 문화차원에 포함된다.

답 ②

CHAPTER 4 조직혁신

KEYWORD 056 목표관리(MBO)와 조직발전(OD)

01 □□□
2010년 수탁 9급

목표관리(MBO)가 성공하기 쉬운 조직은?

① 집권화되어 있고 계층적 질서가 뚜렷하다.
② 성과와 관련 없이 보수를 균등하게 지급한다.
③ 목표를 계량적으로 측정하기가 용이하다.
④ 업무환경이 가변적이고 불확실성이 크다.

---

01 목표관리(MBO) 난이도 ●○○

목표관리(MBO)는 양적·계량적 목표를 중시하므로, 목표를 계량화할 수 있어야 한다.

선지분석
① 목표관리(MBO)는 분권화된 조직에 더 적합하다.
② 목표관리(MBO)하에서는 목표달성 결과에 따른 성과급이 지급된다.
④ 목표관리(MBO)는 안정된 환경에 적용되므로, 불확실한 환경에는 적용가능성이 낮아진다.

답 ③

02 □□□
2022년 국가직 9급

목표관리제(MBO)에 대한 설명으로 옳은 것만을 모두 고르면?

ㄱ. 부하와 상사의 참여를 통해 목표를 설정한다.
ㄴ. 중·장기목표를 단기목표보다 강조한다.
ㄷ. 조직 내·외의 상황이 안정적이고 예측 가능한 조직에서 성공확률이 높다.
ㄹ. 개별 구성원의 직무 특수성을 반영하기 위하여 목표의 정성적, 주관적 성격이 강조된다.

① ㄱ, ㄴ
② ㄱ, ㄷ
③ ㄴ, ㄹ
④ ㄷ, ㄹ

---

02 목표관리제(MBO) 난이도 ●○○

ㄱ. 목표관리(MBO)는 '상·하 조직구성원의 참여 과정을 통해 조직의 목표를 설정하고, 업무수행 결과를 목표에 비추어 평가·환류하여 조직의 효율성을 제고시키려는 관리방식'이다.
ㄷ. 목표관리(MBO)는 안정적이고 예측 가능한 환경하에서 적용하는 관리기법이다.

선지분석
ㄴ. 목표관리(MBO)는 추상적·질적·가치적·거시적·장기적인 목표(Goal)가 아닌 미시적·결과적·계량적·단기적·가시적인 목표(Objective)를 중시한다.
ㄹ. 목표관리(MBO)는 계량화가 가능한 단기목표를 중시한다.

참고 정성적 목표란 양적 목표의 반대말로, 질적인 목표를 의미한다.

답 ②

03

2019년 서울시 9급

목표관리제(MBO)와 성과관리제를 비교한 〈보기〉의 설명 중 옳은 것을 모두 고르면?

〈보기〉
ㄱ. 목표관리제는 개인이나 부서의 목표를 조직의 관리자가 제시한다는 측면에서 조직목표 달성을 위한 하향식 접근이다.
ㄴ. 목표관리제와 성과관리제 모두 성과지표별로 목표달성수준을 설정하고 사후의 목표달성도에 따라 보상과 재정지원의 차등을 약속하는 계약을 체결한다.
ㄷ. 성과평가에서는 평가의 타당성, 신뢰성, 객관성을 확보하는 것이 중요하다.
ㄹ. 성과관리는 조직의 비전과 목표로부터 이를 달성하기 위한 부서단위의 목표와 성과지표, 개인단위의 목표와 지표를 제시한다는 점에서 상향식 접근이다.

① ㄷ
② ㄴ, ㄷ
③ ㄱ, ㄴ, ㄷ
④ ㄴ, ㄷ, ㄹ

04

2022년 군무원 7급

다음 중 조직의 성과관리에 대한 설명으로 가장 옳지 않은 것은?

① 목표관리제는 성과에 대한 지나친 몰입으로 너무 쉬운 목표를 채택하거나 중요하지 않은 목표를 채택하도록 유도할 수 있다.
② 성과관리제는 평가 대상자 간의 과열경쟁과 다른 부서 및 개인과의 협력적 활동에 대한 부정적 태도가 강화됨으로써 조직 전반의 성과수준이 저하될 수 있다.
③ 목표관리제는 개인목표와 조직목표의 통합을 촉진해 목표달성에 유리하게 조직을 재구조화할 수 있다.
④ 성과관리제는 행정조직의 성과평가 과정에서 즉각적인 환류가 용이하다.

| 03 | 목표관리제와 성과관리제의 비교 | 난이도 ●●○ |

ㄴ. 목표관리제와 성과관리제 모두 성과지표별로 목표달성수준을 설정하고, 사후의 목표달성도에 따라 보상과 재정지원의 차등을 약속하는 계약을 체결한다는 점에서 공통점을 갖는다.
ㄷ. 성과평가에서는 평가의 타당성(평가 목적의 달성), 신뢰성(측정의 일관성), 객관성을 확보하는 것이 중요하다.

(선지분석)
ㄱ. 목표관리제는 개인이나 부서의 목표를 구성원들의 참여에 의하여 결정한다는 측면에서 조직목표 달성을 위한 상향식 접근이다.
ㄹ. 성과관리는 조직의 비전과 목표로부터 이를 달성하기 위한 부서단위의 목표와 성과지표, 개인단위의 목표와 지표를 제시한다는 점에서 하향식 접근이다.

답 ②

| 04 | 조직의 성과관리 | 난이도 ●●○ |

성과관리제는 행정조직에 있어서 성과의 평가과정에서 성과의 정확한 측정이 어렵고, 즉각적인 환류(시정과 개선 등)가 용이하지 않다는 단점이 있다.

(선지분석)
① 목표관리제는 달성이 용이하거나 중요하지 않은 목표를 내세우는 목표의 전환현상이 발생할 수 있다.
② 성과관리제는 부서 간 또는 개인 간 성과에 대한 지나친 과열경쟁으로 협력을 저해하는 문제가 발생할 수 있다.
③ 목표관리제는 조직의 목표와 개인의 목표를 조화시키는 통합적 관리전략이다.

답 ④

05　2017년 서울시 7급

조직발전(OD)에 대한 설명으로 가장 옳은 것은?

① 조직 전체의 변화를 추구하는 계획적·의도적인 개입방법이다.
② 감수성훈련은 동료 간·동료와 상사 간의 상호작용을 진작시키기 위한 실제 근무상황에서 실시하는 기법이다.
③ 블레이크와 머튼(Blake & Mouton)은 과업형 리더를 가장 효과적인 관리유형으로 꼽았다.
④ 변화관리자의 도움으로 단기간에 급진적 조직변화를 추구한다.

06　2009년 부산시 소방

조직발전(OD)에 대한 설명 중 적절하지 않은 것은?

① 조직발전은 구조, 형태, 기능 등을 바꾸고 조직의 환경변화에 대한 대응능력과 문제해결능력을 향상시키려는 관리전략이다.
② 심리적 요인에 치중한 나머지 구조적, 기술적 요인을 경시할 우려가 있다.
③ 외부의 전문가들이 참여하는 하향적 관리방식이다.
④ 감수성훈련은 조직발전의 주요기법 중의 하나이다.

05　조직발전(OD)　난이도 ●●○

조직발전(OD: Organization Development)이란 행태과학지식을 이용하여 구성원들의 행태를 의도적·계획적으로 변화시켜, 조직 전체의 변화를 추구하려는 개입방법이다.

(선지분석)
② 감수성훈련은 환경과 단절시킨 상태에서 교육훈련이 이루어진다. 즉, 실제 근무상황이 아니라 연수원소집교육이 이루어진다.
③ 블레이크와 머튼(Blake & Mouton)는 과업과 인간 모두를 중시하는 단합형 리더를 가장 이상적인 유형으로 보았다.
④ 조직발전(OD)은 장기간에 걸쳐 변화를 지속시키려는 행태변화 기법이다.

답 ①

06　조직발전(OD)　난이도 ●○○

조직발전은 구성원의 행태를 바람직한 방향으로 계획적으로 변화시켜 조직의 환경변화에 대한 대응능력과 문제해결능력을 향상시키려는 관리전략이다. 따라서 구조와 기능을 무시한다는 비판을 받는다.

(선지분석)
② 인간의 행태를 변화시키는 인간의 심리적 요인에 치중하여 구조와 기술적 요인을 경시한다는 비판을 받는다.
③ 외부의 행태주의 전문가가 참여하고 최고관리층에 공식 지휘본부를 두며, 그의 참여와 배려하에 상위계층에서 하위계층으로 하향적으로 진행된다.
④ 감수성훈련은 행태를 변화시키는 조직발전(OD)의 주요기법이다.

답 ①

07

2008년 수탁 7급

다음 중 조직발전(Organization Development)에 대한 기술 중 잘못된 것으로만 묶인 것은?

ㄱ. 조직발전은 조직의 실속, 효과성, 건강성을 높이기 위한 조직 전반에 걸친 계획된 노력을 의미한다.
ㄴ. 조직발전은 조직 구성원의 행태변화를 통하여 조직의 생산성과 환경에의 적응 능력을 향상시키는 것을 목표로 한다.
ㄷ. 조직발전에서 인간에 대한 가정은 맥그리거(D. McGregor)의 X이론이다.
ㄹ. 조직발전에서 가정하는 조직은 폐쇄체제 속에서 복합적 인과관계를 가진 유기체이다.
ㅁ. 조직발전에서 추구하는 변화는 조직문화의 변화를 포함한다.

① ㄱ, ㄴ, ㄷ, ㄹ
② ㄴ, ㄷ, ㄹ
③ ㄷ, ㄹ
④ ㄹ, ㅁ

| 07 | 조직발전(OD) | 난이도 ●●○ |

ㄷ. 조직발전에서 인간에 대한 가정은 맥그리거(McGregor)의 Y이론이다.
ㄹ. 조직발전은 조직을 환경과 상호작용하는 개방체제로 간주한다.

(선지분석)
ㄱ, ㄴ, ㅁ. 조직발전은 조직원의 행태 변화를 통하여 조직의 전반적인 발전을 추구하고자 하는 계획된 노력이다.

답 ③

KEYWORD 057 총체적 품질관리(TQM)와 전략적 관리(SM)

08

2018년 서울시 9급

전통적 관리와 TQM(Total Quality Management)에 대한 설명으로 가장 옳지 않은 것은?

① 전통적 관리체제는 기능을 중심으로 구조화되는 데 비해 TQM은 절차를 중심으로 조직이 구조화된다.
② 전통적 관리체제는 개인의 전문성을 장려하는 분업을 강조하는 데 비해 TQM은 주로 팀 안에서 업무를 수행할 것을 강조한다.
③ 전통적 관리체제는 상위층의 의사결정을 위한 정보체제를 운영하는 데 비해 TQM은 절차 내에서 변화를 이루는 사람들이 적시에 정확한 정보를 소유하는 데 초점을 둔다.
④ 전통적 관리체제는 낮은 성과의 원인을 관리자의 책임으로 간주하는 데 비해 TQM은 낮은 성과를 근로자 개인의 책임으로 간주한다.

| 08 | 전통적 관리와 총체적 품질관리(TQM)의 비교 | 난이도 ●●● |

전통적 관리체제는 엄격한 분업구조에 의거한 관리방식이므로, 낮은 성과를 근로자 개인의 책임으로 간주하는데 반하여, 총체적 품질관리(TQM)는 분업보다는 협업(팀워크) 구조에 의거한 관리방식이므로, 낮은 성과의 원인을 근로자에 대한 동기유발과 팀워크 관리를 책임지는 관리자의 책임으로 간주한다.

(선지분석)
① 전통적 관리는 기능을 중심으로 하는 기계적 구조를 기반으로 하는데 반하여, 총체적 품질관리(TQM)는 핵심절차 위주로 편제된 팀제를 기반으로 한다.
② 전통적 관리는 개인별 분업을, 총체적 품질관리(TQM)는 팀별 협업을 강조한다.
③ 전통적 관리는 상층부에 의한 일방적·집권적 의사결정을 위한 정보관리를, 총체적 품질관리(TQM)는 구성원들 간 정보의 공유에 의한 의사결정을 중시한다.

전통적 관리와 총체적 품질관리(TQM)

구분	전통적 관리	총체적 품질관리
고객요구 측정	전문가에 의한 측정	고객의 의사 반영한 측정
자원통제	기준을 초과하지 않는 한 낭비를 허용	무가치한 업무·과오·낭비를 불허
품질관리	문제점을 관찰한 후 사후 수정	문제점에 대한 예방적 관리 중시
의사결정	불확실한 가정과 직관에 근거	통계적 자료와 과학적 절차에 근거
조직구조	통제에 기초한 수직적이고 집권적 구조 중시	수평적 구조 중시

답 ④

09　　　　　　　　　　　　　　　2020년 경찰간부

총체적 품질관리(TQM)에 관한 설명으로 가장 옳지 않은 것은?

① 품질관리가 서비스 생산 및 공급이 이루어지는 과정의 매 단계에서 이루어진다.
② TQM은 상하 간의 참여적 관리를 의미하며, 목표설정에서 책임의 확정, 실적 평가에 이르기까지 상관과 부하의 합의로 이루어진다.
③ 공공서비스의 품질 향상을 통한 고객만족을 목표로 하기 때문에 공무원들의 행태를 고객 중심적으로 전환할 수 있다.
④ 모든 조직구성원들은 한편으로 공급자이면서 다른 한편으로는 고객인 이중적 역할을 수행하는 것으로 본다.

10　　　　　　　　　　　　　　　2014년 지방직 7급

총체적 품질관리(TQM)에 대한 설명으로 옳지 않은 것은?

① 품질관리가 서비스 생산 및 공급이 이루어지는 과정의 매 단계에서 이루어진다.
② 계획과 문제해결의 주된 방법은 집단적 과정이다.
③ TQM의 관심은 내향적이어서 고객의 필요에 따라 목표를 설정하는 것을 강조한다.
④ 산출물의 일관성 유지를 위해 과정통제계획과 같은 계량화된 통제수단을 활용한다.

09　총체적 품질관리(TQM)　　난이도 ●●○

총체적 품질관리(TQM)는 외향적 관점으로 고객과의 관계를 중시하기 때문에 고객에 의한 목표설정 및 평가를 강조한다. MBO는 내부지향적 성격으로 조직 내부적 관점에서의 목표설정을 중시하여 상하급자 간 합의로 목표를 설정한다.

MBO와 TQM의 비교

구분	MBO	TQM
지향	성과지향(결과 중시)	과정지향 (가치관 태도의 변화)
성격	• 내부지향성 • 개인·조직 단위의 내부적 관점에서 목표설정 • 사후관리 • 폐쇄적	• 외향적 관점 • 고객과의 관계 중시 • 사전적·예방적 관리 • 개방적
보상	개별적 성과급 지급	총체적 헌신
공통점	참여, 팀워크, 협력 중시, 민주성	

답 ②

10　총체적 품질관리(TQM)　　난이도 ●○○

총체적 품질관리(TQM)는 MBO 등과 달리 외향적(외부지향적)이어서 고객의 필요에 따라 목표를 설정하고 품질도 평가한다.

선지분석
① 결과가 아닌 매 과정마다 품질관리가 이루어진다.
② 개인적 노력이 아니라 팀워크나 전체 구성원에 의한 집단적 노력이나 총체적 헌신을 중시한다.
④ 총체적 품질관리(TQM)는 결과가 아닌 과정에 대한 계량적 통제기법이다.

답 ③

11

2020년 국가직 9급

총체적 품질관리(Total Quality Management)에 대한 설명으로 옳은 것만을 모두 고르면?

> ㄱ. 고객의 요구를 존중한다.
> ㄴ. 무결점을 향한 지속적 개선을 중시한다.
> ㄷ. 집권화된 기획과 사후적 통제를 강조한다.
> ㄹ. 문제해결의 주된 방법은 집단적 노력에서 개인적 노력으로 옮아간다.

① ㄱ, ㄴ
② ㄱ, ㄷ
③ ㄴ, ㄹ
④ ㄷ, ㄹ

| 11 | 총체적 품질관리(TQM) | 난이도 ●○○ |

총체적 품질관리(TQM)는 산출의 질을 제고시키기 위한 과정에 대한 통계학적 통제기법으로 정의된다.
ㄱ. 행정서비스도 생산품으로 간주되며, 그 품질을 소수 전문가나 관리자가 아닌 고객이 직접 평가하는 고객지향적 품질관리기법이다.
ㄴ. 산출의 질을 제고시키기 위한 과정에 대한 통계학적 통제를 통해 지속적인 절차개선을 추구한다.

(선지분석)
ㄷ. 실책이나 변화에 대한 두려움이 없는 구성원의 적극적인 참여가 중요하므로, 의사소통에 장벽이 없는 분권적·유기적 구조를 중시한다.
ㄹ. 서비스의 질은 구성원의 개인적 노력이 아니라 체제 내에서 활동을 하는 모든 구성원(조직 또는 집단)에 의하여 좌우된다. 따라서 개인별 성과급 체계가 적절하지 않은 경우가 있다.

답 ①

12

2017년 국가직 7급(8월 시행)

SWOT분석에 대한 설명으로 옳지 않은 것은?

① 조직 내적 특성과 외부 환경의 조합에 따른 맞춤형 대응 전략 수립에 도움이 된다.
② 조직 외부 환경은 기회와 위협으로, 조직 내부 자원·역량은 강점과 약점으로 구분한다.
③ 다양화 전략은 조직의 강점을 활용하여 위협을 회피하거나 최소화하는 전략이라고 볼 수 있다.
④ 기존 프로그램의 축소 또는 폐지는 약점과 기회를 고려한 방어적 전략이라고 볼 수 있다.

| 12 | SWOT분석 | 난이도 ●●○ |

SWOT분석은 미국 하버드 대학에서 개발한 전략적 관리로, 조직 내부 역량은 강점(S)과 약점(W)으로, 조직 외부 환경은 기회(O)와 위협(T)으로 구분하여 이를 바탕으로 하는 미래지향적 관리모형이다. 방어적 전략은 약점과 위협을 모두 최소화하는 가장 소극적인 전략이다. 약점과 기회를 고려하는 것은 방향전환 전략이다.

SWOT분석

외부 \ 내부	강점	약점
기회	SO 전략 • 공격적 전략 • 강점과 기회를 살리는 전략	WO 전략 • 방향전환 전략 • 약점을 보완하여 기회를 살리는 전략
위협	ST 전략 • 다양화 전략(차별화 전략) • 강점을 가지고 위협을 회피하거나 최소화하는 전략	WT 전략 • 방어형 전략 • 약점을 보완하면서 위협을 회피하거나 최소화하는 전략

답 ④

KEYWORD 058 균형성과지표(BSC)

13 ☐☐☐   2018년 지방직 7급

공공부문의 성과관리를 강화하기 위해 균형성과표(BSC: Balanced Score Card)를 도입할 경우 중시해야 할 관점으로 옳지 않은 것은?

① 공기업 재정운영의 효율성을 제고하기 위해 직원 보수를 조정한다.
② 공무원의 능력향상을 위해 전문적 직무교육을 강화한다.
③ 시민들의 행정서비스 만족도를 제고하기 위해 노력한다.
④ 상향식 접근방법에 기초해 공무원의 개인별 실적평가를 중시한다.

14 ☐☐☐   2017년 지방직 9급(12월 추가)

균형성과표(BSC)에 대한 설명으로 옳지 않은 것은?

① 학습과 성장 관점은 구성원의 능력개발이나 직무만족과 같이 주로 인적자원에 대한 성과를 포함한다.
② 무형자산에 대한 강조는 성과평가의 시간에 대한 관점을 단기에서 장기로 전환시킨다.
③ 고객 관점의 성과지표에는 고객만족도, 신규고객 증가수 등이 있다.
④ 내부프로세스 관점에서는 통합적인 일처리 절차보다 개별부서별로 따로따로 이루어지는 일처리 방식에 초점을 맞춘다.

| 13 | 균형성과표(BSC)의 관점 | 난이도 ●●○ |

균형성과관리는 상향식·미시적 접근방법에 기초하여 공무원의 개인별 실적평가를 중시하는 MBO와 달리 기관의 임무, 비전 및 전략목표를 토대로 하는 하향적·거시적 성과관리 방식이다.

선지분석
① 균형성과지표(BSC) 중 재무적 관점에 해당한다.
② 학습과 성장 관점에 해당하는 옳은 지문이다.
③ 고객 관점에 해당하는 옳은 지문이다.

답 ④

| 14 | 균형성과표(BSC) | 난이도 ●●○ |

내부프로세스 관점에서는 개별적인 일처리 방식보다는 통합적인 일처리를 중시한다.

선지분석
① 학습과 성장의 측정지표는 인적 자원의 역량, 지식의 축적, 정보시스템 구축, 학습동아리 수, 제안 건수, 직무만족도 등이다.
② 전통적인 재무적 관점과 무형의 인적 자산인 비재무적 관점까지 균형있게 평가하는 균형성과표(BSC)는 무형자산에 대한 평가가 장기적 시계를 가지고 평가된다는 측면에서 평가의 시간을 장기적 관점으로 전환시켰다.
③ 고객 관점의 성과지표에는 고객만족도, 정책순응도, 민원인의 불만율, 신규고객의 증감 등이 있다.

답 ④

15 2017년 사회복지직 9급

균형성과표(BSC: Balanced Score Card)의 관점과 측정지표가 옳게 연결된 것은?

① 학습과 성장 관점 - 직무만족도
② 내부프로세스 관점 - 민원인의 불만율
③ 재무적 관점 - 신규 고객의 증감
④ 고객 관점 - 조직 내 커뮤니케이션 구조

16 2021년 지방직 9급

균형성과표(BSC)에 대한 설명으로 옳지 않은 것은?

① 조직의 장기적 전략 목표와 단기적 활동을 연결할 수 있게 한다.
② 재무적 성과지표와 비재무적 성과지표를 통한 균형적인 성과관리 도구라고 할 수 있다.
③ 재무적 정보 외에 고객, 내부 절차, 학습과 성장 등 조직 운영에 필요한 관점을 추가한 것이다.
④ 고객 관점에서의 성과지표는 시민참여, 적법절차, 내부 직원의 만족도, 정책 순응도, 공개 등이 있다.

---

15 균형성과표(BSC)의 관점과 측정 지표   난이도 ●○○

직무만족도, 학습동아리 수 등은 학습과 성장의 관점이다.

(선지분석)
② 민원인의 불만율은 고객의 관점이다.
③ 신규 고객의 증감은 고객의 관점이다.
④ 조직 내 커뮤니케이션 구조는 내부프로세스 관점이다.

균형성과표(BSC)의 관점과 성과지표	
고객 관점에서의 성과지표	고객만족도, 정책순응도, 민원인의 불만율, 신규 고객의 증감 등
재무적 관점의 성과지표	전통적인 후행지표로서 매출, 자본 수익률, 예산 대비 차이 등
업무처리 관점의 성과지표	의사결정 과정의 시민참여, 적법적 절차, 커뮤니케이션 구조 등
학습과 성장 관점의 성과지표	학습동아리 수, 제안건수, 직무만족도 등

답 ①

16 균형성과표(BSC)   난이도 ●○○

시민참여, 적법절차, 공개 등은 내부프로세스 관점의 지표이며, 내부직원의 직무만족도는 학습과 성장관점의 지표에 해당한다.

(선지분석)
①, ②, ③ 균형성과표(BSC)의 특성으로 옳은 지문이다.

답 ④

17

2015년 국가직 9급

다음 중 균형성과표(BSC)에 대한 설명으로 옳은 것만을 모두 고른 것은?

> ㄱ. 조직의 비전과 목표, 전략으로부터 도출된 성과지표의 집합체이다.
> ㄴ. 재무지표 중심의 기존 성과관리의 한계를 극복하기 위한 것이다.
> ㄷ. 조직의 내부요소보다는 외부요소를 중시한다.
> ㄹ. 재무, 고객, 내부프로세스, 학습과 성장이라는 4가지 관점 간의 균형을 중시한다.
> ㅁ. 성과관리의 과정보다는 결과를 중시한다.

① ㄱ, ㄴ, ㅁ
② ㄴ, ㄷ, ㄹ
③ ㄱ, ㄴ, ㄹ
④ ㄷ, ㄹ, ㅁ

18

2014년 지방직 9급

균형성과표(BSC)의 성과지표에 대한 설명 중 옳지 않은 것은?

① 고객 관점에서의 성과지표에는 고객만족도, 정책순응도, 민원인의 불만율, 신규 고객의 증감 등이 있다.
② 내부프로세스 관점의 성과지표에는 의사결정 과정의 시민참여, 적법적 절차, 커뮤니케이션 구조 등이 있다.
③ 재무적 관점의 성과지표는 전통적인 선행지표로서 매출, 자본수익률, 예산 대비 차이 등이 있다.
④ 학습과 성장 관점의 성과지표에는 학습동아리 수, 제안건수, 직무만족도 등이 있다.

---

17 균형성과표(BSC)

균형성과표(BSC)는 재무와 비재무, 결과와 과정, 과거와 현재, 미래, 외부와 내부 등을 균형있게 고려하는 성과관리체제이다.

선지분석
ㄷ. 내부(프로세스, 학습과 성장 관점)와 외부(고객과 재무 관점) 관점의 균형이 필요하다.
ㅁ. 과정(프로세스)과 결과(재무, 고객 관점) 관점의 균형을 중시한다.

답 ③

18 균형성과표(BSC)의 성과지표

재무적 관점은 지나간 전년도 실적을 나타내주는 전통적인 후행지표로서 매출, 자본수익률, 예산 대비 차이 등이 있다. 후행지표는 경기변동에 뒤따라 변화하는 지표이고, 선행지표는 경기변동에 앞서 변화하는 지표를 말한다.

선지분석
① 고객 관점은 공공부문이 중시하는 대외적 지표이다.
② 내부프로세스 관점은 업무처리 관점의 과정 중심 지표이다.
④ 학습과 성장 관점은 미래적 관점의 대표적인 선행지표이다.

답 ③

19

2013년 국회직 8급

균형성과표(BSC: Balanced Score Card)에 대한 설명으로 옳지 않은 것은?

① 균형성과표는 재무적 관점과 비재무적 관점의 균형을 강조한다.
② 균형성과표를 정부부문에 적용시키는 경우 가장 중요한 변화는 재무적 관점보다 학습과 성장의 관점이 강조되어야 한다는 점이다.
③ 균형성과표를 조직에 적용시키는 경우 4대 관점뿐만 아니라 조직의 특성에 따라서 5대 관점이나 6대 관점으로 구분하는 것도 가능하다.
④ 균형성과표는 단기적 목표와 장기적 목표 간의 균형을 강조한다.
⑤ 균형성과표는 과정과 결과 중 어느 하나를 강조하는 것이 아니라 이들 간의 인과성을 바탕으로 통합적 균형을 추구한다.

20

2019년 서울시 7급

균형성과표(BSC: Balanced Score Card)에 대한 설명으로 가장 옳지 않은 것은?

① BSC는 관리자의 성과정보가 재무적 정보에 국한된 약점을 극복하고자 다양한 측면의 정보를 제공하며, 재무적 정보 외에 고객, 내부 절차, 학습과 성장 등 조직운영에 필요한 관점을 추가한 것이다.
② BSC의 장점은 거시적이고 추상적인 조직목표와 실천적 행동지표 간 인과관계를 확보함으로써 조직의 전략과 기획을 실행에 옮길 수 있게 한다는 것이다.
③ BSC는 조직 구성원 학습, 내부절차 및 성장과 함께, 정책 관련 고객의 중요성을 강조하지만, 고객이 아닌 이해당사자들에 대한 의사소통 채널에 대해서는 관심의 정도가 낮아 한계로 지적되고 있다.
④ BSC의 기본틀은 성과관리 체계로 이전의 관리 방식인 TQM이나 MBO와 크게 다르지 않고, 다만 거기에서 진화된 종합모형이라 평가 받고 있다.

| 19 | 균형성과표(BSC) | 난이도 ●○○ |

균형성과표(BSC)를 공공부문에 적용시킬 경우 가장 중요한 변화는 재무적 관점보다 정부기관의 임무 달성과 직결되는 고객 관점이 가장 중시된다는 점이다.

선지분석
③ 4대 관점에 인적 자원을 추가하는 관점도 있고, 종업원 만족 및 환경·커뮤니티 관점을 추가하는 관점도 있으므로 옳은 지문이다.

답 ②

| 20 | 균형성과표(BSC) | 난이도 ●●● |

균형성과표(BSC)는 고객의 중요성을 강조하며, 고객이나 이해당사자들에 대한 의사소통 채널로서도 기능을 하고 있다. 균형성과표(BSC)의 업무처리 관점(Process)은 균형성과표(BSC)가 대내외 소통의 도구로써 기능하여야 한다는 점을 제시한다.

답 ③

MEMO

MEMO